AF238345

ACCESO GRATIS *a la Lectura en la Nube*

Para visualizar el libro electrónico en la nube de lectura envíe junto a su nombre y apellidos una fotografía del código de barras situado en la contraportada del libro y otra del ticket de compra a la dirección:

ebooktirant@tirant.com

En un máximo de 72 horas laborables le enviaremos el código de acceso con sus instrucciones.

CRITERIOS SOBRE USO DE DISPOSITIVOS TECNOLÓGICOS EN EL ÁMBITO LABORAL

Hacia el equilibrio entre el control empresarial y la privacidad del trabajador

NORMAS DE LA COLECCIÓN:

CRITERIOS SOBRE USO DE DISPOSITIVOS TECNOLÓGICOS EN EL ÁMBITO LABORAL

Hacia el equilibrio entre el control empresarial y la privacidad del trabajador

FCO. JAVIER FERNÁNDEZ ORRICO
Profesor Titular de Derecho del Trabajo y de la Seguridad Social
Universidad Miguel Hernández

tirant lo blanch
Valencia, 2021

©   Fco. Javier Fernández Orrico

©   TIRANT LO BLANCH
EDITA: TIRANT LO BLANCH
C/ Artes Gráficas, 14 - 46010 - Valencia
TELFS.: 96/361 00 48 - 50
FAX: 96/369 41 51
Email: tlb@tirant.com
www.tirant.com
Librería virtual: www.tirant.es
DEPÓSITO LEGAL: V-615-2021
ISBN: 978-84-1378-348-2

Si tiene alguna queja o sugerencia, envíenos un mail a: *atencioncliente@tirant.com*. En caso de no ser atendida su sugerencia, por favor, lea en *www.tirant.net/index.php/empresa/politicas-de-empresa* nuestro procedimiento de quejas.

Responsabilidad Social Corporativa: http://www.tirant.net/Docs/RSCTirant.pdf

A mis padres

Índice

Capítulo 1
PROTECCIÓN DE LOS DERECHOS FUNDAMENTALES Y SU CONEXIÓN CON LAS NUEVAS TECNOLOGÍAS EN EL ÁMBITO LABORAL

Capítulo 2
PRINCIPIOS, DERECHOS E INSTRUMENTOS SOBRE TRATAMIENTO DE PROTECCIÓN DE DATOS PERSONALES

Capítulo 3
USO DE DISPOSITIVOS DIGITALES DE LA EMPRESA PUESTOS A DISPOSICIÓN DEL TRABAJADOR

Capítulo 6
LA GEOLOCALIZACIÓN COMO MEDIO DE CONTROL EMPRESARIAL A DISTANCIA DE LA ACTIVIDAD LABORAL DE LOS TRABAJADORES

Capítulo 7
RECONOCIMIENTO FORMAL DEL DERECHO A LA DESCONEXIÓN DIGITAL EN EL ÁMBITO LABORAL

Abreviaturas

AEPD	Agencia Estatal de Protección de Datos
AN	Audiencia Nacional
apdo.	apartado
art.	artículo
BOE	Boletín Oficial del Estado
CCAA	Comunidades Autónomas
CDFUE	Carta de los Derechos Fundamentales de la Unión Europea
CEDH	Convenio Europeo de Derechos Humanos
CE	Constitución española de 1978
CEF	Centro de Estudios Financieros
cit.	Obra anteriormente citada
CT	Criterio Técnico
EBEP	Real Decreto Legislativo 5/2015, de 30 de octubre, por el que se aprueba el texto refundido de la Ley del Estatuto Básico del Empleado Público
EDPS	Supervisor Europeo de Protección de Datos
ET	Estatuto de los Trabajadores
etc.	Etcétera
f. d.	Fundamento de Derecho
GT29	Grupo de Trabajo del Artículo 29 de la Directiva 95/46/CE
INSS	Instituto Nacional de la Seguridad Social
IRPF	Impuesto de la Renta de las Personas Físicas
LOPD	Ley Orgánica 3/2018, de 5 de diciembre, de Protección de Datos Personales y garantía de los derechos digitales
LGDPD	Real Decreto legislativo 1/2013, de 29 de noviembre, por el que se aprueba el Texto Refundido de la Ley General de Derechos de las Personas con Discapacidad y su Inclusión Social
LGSS	Real Decreto Legislativo 1/1994, de 20 de junio, por el que se aprueba el texto refundido de la Ley General de la Seguridad Social

LISOS	Real Decreto Legislativo 5/2000, de 4 de agosto, por el que se aprueba el texto refundido de la Ley sobre Infracciones y Sanciones en el Orden Social
LO	Ley Orgánica
LRJS	Ley 36/2011, de 10 de octubre, Reguladora de la Jurisdicción Social
núm.	Número
OIT	Organización Internacional del Trabajo
pág.	Página
RAE	Real Academia Española de la Lengua
RD	Real Decreto
RDL	Real Decreto Ley
RDleg.	Real Decreto Legislativo
Rec.	Recurso
RETA	Régimen Especial de Trabajadores por Cuenta Propia o Autónomos
RGPD	Reglamento (UE) 2016/679, del Parlamento Europeo y del Consejo, relativo a la protección de personas físicas en lo que respecta al tratamiento de datos personales y a la libre circulación de estos datos y por el que se deroga la Directiva 95/46/CE
SAN	Sentencia de la Audiencia Nacional
SJS	Sentencia de Juzgado Social
STC	Sentencia del Tribunal Constitucional
STEDH	Sentencia del Tribunal Europeo de Derechos Humanos
STJUE	Sentencia del Tribunal de Justicia de la Unión Europea
STS	Sentencia del Tribunal Supremo
STSJ	Sentencia del Tribunal Superior de Justicia
TC	Tribunal Constitucional
TEDH	Tribunal Europeo de Derechos Humanos
TJUE	Tribunal de Justicia de la Unión Europea
TIC	Tecnologías de la Información y de la Comunicación
TRADE	Trabajador Autónomo Económicamente Dependiente

TRLET	Real Decreto Legislativo 2/2015, de 23 de octubre, por el que se aprueba el texto refundido de la Ley del Estatuto de los Trabajadores
TS	Tribunal Supremo
TSJ	Tribunal Superior de Justicia
Ud.	Unificación de doctrina
UE	Unión Europea
VVAA	Varios Autores

Introducción

Previamente a la aventura que sin duda supondrá la lectura de esta monografía, tengo gran interés en descubrir la intención que alberga. Y esa intención en realidad es la esperanza de que sirva de instrumento para dedicar un tiempo para pensar. Porque en los tiempos que vivimos todo transcurre en cuestión de segundos. Cualquier acontecimiento merecedor de algún interés es captado inmediatamente por teléfonos móviles e inimaginables dispositivos digitales, viviéndose incluso en directo. Somos devoradores de noticias, de información, y unas a otras van superponiéndose, sin dar tiempo a reflexionar porque la novedad se impone y nuestra cabeza no es capaz de asimilar tantas cosas en tan poco tiempo. Y eso no es saludable. Sobre todo, por las dificultades que ocasiona a la hora de deslindar lo que verdaderamente importa.

A esta situación, mucho han contribuido las nuevas tecnologías porque, si bien, ahorran tiempo y esfuerzos como consecuencia de la inmediatez en los resultados, por otro lado, resultan esclavizantes por el sometimiento al que nos vemos obligados a sufrir; como cuando recibimos correos electrónicos apremiantes que nos obligan a contestar sin dar tiempo a responder de forma reflexiva y sosegada, o, por las amplias posibilidades de control por parte de otras personas, a través de diversos tipos de dispositivos digitales, por las razones que sean.

Por eso, el lector que con interés haya abierto estas páginas con la avidez propia de quien espera obtener la mayor información actualizada posible sobre la normativa, jurisprudencia, doctrina judicial y científica en materia del uso y, si se me permite, «desuso», de las TIC[1] en

---

[1] En relación a las siglas TIC (tecnologías de la información y de la comunicación), seguiré el criterio de la RAE, según la cual: «En español, las siglas son invariables en la lengua escrita, es decir, no modifican su forma cuando designan más de un referente. El plural se manifiesta en las palabras que las introducen o que las modifican: varias ONG europeas, unos DVD, los PC. Por eso es recomendable utilizar siempre un determinante para introducir la sigla cuando esta ha de expresar pluralidad: "La medida ha sido apoyada por diferentes ONG del país"; "¿Con cuántos PC portátiles podemos contar?"; "Tengo muchos CD de este tipo de música".

el ámbito laboral, ya sea como profesional que asesora a sus empresas o como investigador que aspira a conocer nuevas propuestas de mejora sobre la regulación de dispositivos digitales en el ámbito laboral, que no dude, que todo esto lo va a encontrar. Pero eso, aun siendo mucho, me parece poco.

Estar informado de la situación jurídico-laboral y realizar propuestas de mejora es algo de obligado cumplimiento para cualquier investigador científico que pretenda orientar de la mejor manera a sus lectores. Creo que hay otra faceta no menos sugestiva, y es la que anunciaba al principio: ayudar a pensar, a reflexionar sobre la materia objeto de análisis. No solo partiendo de lo actual, de lo vigente y tangible y que necesariamente deberá aplicarse irremisiblemente o, de un mero procesamiento de la información disponible que dé respuesta a cualquier cuestión sobre el asunto. Creo que a veces, es bueno situarse en un nivel tal de abstracción, que nos haga prescindir de toda regulación jurídica, y aquilatar, valorar las situaciones concretas para realizar nuestro propio juicio de valor, basado naturalmente en nuestra formación jurídica, y llegaremos a una primera conclusión, que no es otra que la urgente necesidad de utilizar el «sentido común».

La cuestión que nos va a ocupar en las siguientes páginas, me parece de enorme importancia, porque si no se regula con cautela el uso de las TIC en el ámbito laboral, se podrían lesionar derechos fundamentales de una de las partes de la relación laboral —los del trabajador—, mientras que si se bascula demasiado arrimando el ascua a la sardina del trabajador, podría minar la facultad de vigilancia y control del empresario en el cumplimiento de la actividad laboral de aquél. Y testigos impávidos de todo ello, son, en realidad, las protagonistas del libro: las TIC, en particular los dispositivos tecnológicos que las albergan, que no son buenos ni malos, dependerá del uso que les den los actores secundarios que los manejan, en este caso, trabajador

---

Debe evitarse el uso, copiado del inglés, de realizar el plural de las siglas añadiendo al final una "s" minúscula, con o sin apóstrofo: PC's, ONG's, PCs, ONGs» (en https://www.rae.es/consultas/plural-de-las-siglas-las-ong-unos-dvd). En consecuencia, adoptaré las siglas TIC, para referirme a las tecnologías de la información y la comunicación.

y empresario. Y de esto irá nuestra historia: de los criterios de uso de tales dispositivos y de su aplicación jurídica en el ámbito laboral de situaciones en las que aparece un dispositivo tecnológico como puede ser un ordenador o portátil, una cámara de videovigilancia, un sistema biométrico o de geolocalización; irá, de posibles ideas que mejoren la vigente regulación, y de pensar, de reflexionar, insisto, sobre la escala de valores, sobre las que se asientan los principios jurídicos que se concretan especialmente, en estas novedosas situaciones inimaginables en el ámbito laboral, cuando el hombre llegó a la luna. Quizá por ello Armstrong, comentó nada más pisar su planta en nuestro satélite, que aquello suponía «un pequeño paso para el hombre, pero un gran salto para la humanidad». Y uno de esos saltos, qué duda cabe es la gran transformación que ha supuesto para todas las formas de trabajo, la incorporación de las nuevas tecnologías.

* * *

Si la llegada del Derecho del Trabajo supuso una auténtica revolución, precisamente en los años de la Revolución Industrial, y su desarrollo hasta nuestros días ha ido consolidándose como disciplina autónoma, en cuyo ámbito de aplicación quedaban acogidas las clásicas notas de laboralidad (trabajo personal, voluntario, dependiente y por cuenta ajena), la complejidad de las actividades que han surgido en los últimos años hace necesario plantearse si sigue siendo válido el esquema que durante más de una centuria ha regulado las relaciones que se han venido configurando, como de laborales.

No deja de ser sintomático que junto a esas nuevas formas de actividad, representadas en particular por el advenimiento de las plataformas informáticas o digitales, hayan irrumpido en sus diversas manifestaciones las TIC, consecuencia de su desarrollo imparable, que sin duda han facilitado la creación de numerosas plataformas. De manera, que la inmediatez que se consigue con esas tecnologías es lo que ha propiciado el nacimiento de nuevas formas de trabajo. Precisamente esta realidad es la que hace que nos preguntemos si altera de alguna forma el esquema clásico de las relaciones laborales que ha perdurado durante años.

A priori, creo que la creciente incorporación de las TIC en el ámbito laboral de las empresas, no desvirtúan la teoría general, los principios básicos del Derecho del Trabajo cuya premisa básica es la tutela de los derechos laborales de los trabajadores. El uso de las nuevas tecnologías, de dispositivos tecnológicos, va a facilitar el desempeño de la actividad, la harán más eficiente, pero a mi parecer no dejarán de ser meros instrumentos al servicio de los sujetos de la relación laboral (empresario y trabajador). Sin embargo, el uso de las TIC comporta la aparición de nuevas situaciones, de circunstancias que como consecuencia del uso irregular de tales dispositivos, propician problemas que exceden los propios de la relación laboral porque alcanzan derechos inespecíficos del orden social, es decir, extramuros del ámbito jurídico de las relaciones laborales, no por ello dejados de ser observados más aún si cabe. Pese a ello, estoy convencido de que tales problemas pueden ser afrontados con las herramientas jurídicas que ofrecen la legislación laboral, la jurisprudencia, y subsidiariamente con la teoría general del Derecho. Y es precisamente esta última, la que ha entrado en juego la mayoría de las veces, la que inició el camino, y de hecho se ha aplicado a falta de normas específicas laborales. Es lo que se ha evidenciado en los primeros compases de la conflictividad surgida a causa del uso de las TIC en el trabajo.

La historia de esta apasionante aventura comenzó precisamente cuando los jueces y magistrados tuvieron que verse con una serie de situaciones novedosas para las que no se preveía norma directamente aplicable y tuvieron que hacer uso de la doctrina del Tribunal Constitucional, TJUE, o del TEDH, en materia de derechos fundamentales, para enjuiciar cada caso concreto, con objeto de resolver situaciones de colisión de los derechos del empresario (básicamente sobre poder de dirección) y de los trabajadores, concretados en garantizar sus derechos a la intimidad, al secreto de las comunicaciones y a la protección de datos. Sin embargo, no deberíamos permitir por más tiempo que la teoría general del derecho acompañada de la doctrina del TC, TJUE y TEDH, tengan que seguir resolviendo estas nuevas situaciones, por no preverse una normativa acorde con los nuevos tiempos. En consecuencia, es conveniente, por tratarse el Derecho del Trabajo de una rama específica del ordenamiento jurídico, e independiente con sus propias instituciones, que sea este el que vaya creando su propia regulación jurídica y que la teoría general del Derecho se aplique, en defecto de normativa laboral, sin perjuicio (ahora sí) de que los tribunales interpreten la regulación jurídica laboral en caso de conflicto, pero existiendo una normativa previa de aplicación directa en el ámbito laboral.

Así pues, parece justificada la necesidad de que se vaya creando, una nueva vertiente en la normativa laboral que se ocupe específicamente de regular aquellas situaciones en las que intervenga, directa o indirectamente algún dispositivo tecnológico en las relaciones entre empresarios y trabajadores. Y es en este punto, en el que quisiera, con objeto de acotar el análisis de este estudio, distinguir entre el significado de las TIC, los dispositivos tecnológicos, los medios de transmisión incluidos en tales dispositivos, y por fin, lo que constituye el contenido de tales medios, es decir, el mensaje concreto que constituye el objeto de la transmisión. El primero de ellos, es de naturaleza genérica, hablamos de las TIC, cuando indiscriminadamente nos referimos tanto a cámaras de videovigilancia, como a correos electrónicos, etc. Es decir, se enmarca con esta expresión, tanto el dispositivo tecnológico desde el que se opera con whatsapp, correos electrónicos, mensajes de texto, etc., como a estos últimos, que son los instrumentos residenciados en el seno de tales dispositivos. Y, por último, cabe considerar, el contenido que es comunicado por uno de los mencionados instrumentos: un documento escrito, una imagen, fotografía, video, dibujo, etc.

Pues bien, uno de los objetivos del presente análisis se centra en el estudio de los criterios jurídicos sobre el uso empresarial y del trabajador de los dispositivos tecnológicos. Entendiendo por tales, lo que constituye el soporte físico de contacto (por ejemplo: ordenador, cámara de videovigilancia, sistema de biometría o de geolocalización) a partir del cual, se activan comunicaciones (mensajes, correo electrónico, whatsapp, localización de los trabajadores, identificación mediante huella dactilar, etc.).

El primer paso se ha dado con la aparición de la Ley Orgánica 3/2018, de 5 de diciembre, de Protección de Datos Personales y garantía de los derechos digitales (LOPD), que dedica de forma directa en apenas cinco artículos (87 a 91) y en la disposición final décimo tercera, que añade un nuevo artículo 20 bis al Estatuto de los Trabajadores[2], el uso de estos dispositivos digitales en el entorno laboral.

Puede parecer escasa la atención prestada por la LOPD a los criterios de aplicación de los distintos dispositivos digitales en el ámbito laboral, pero es que hasta esa disposición legal no había prácticamente nada regulado sobre esta materia en ese ámbito, y menos aun con la fuerza y el peso específico de una ley orgánica. De hecho, la nueva LOPD, deroga expresamente, la anterior Ley Orgánica 15/1999, de 13 de diciembre, de Protección de Datos de Carácter Personal[3], que no hacía mención al ámbito laboral, así como, el Real Decreto-ley 5/2018, de 27 de julio, de medidas Urgentes para la adaptación del Derecho español a la normativa de la Unión Europea en materia de protección de datos, lo que facilita la aplicación de la nueva norma.

La nueva ley orgánica, incorpora previsiones que se echaban de menos en la normativa laboral respecto a la protección de datos personales en el uso de las nuevas tecnologías. Era razonable esa inquietud, habida cuenta de que el legislador no entraba con decisión en la regulación de los derechos de los trabajadores que afectan a su intimidad, en relación con la protección en el tratamiento de datos personales. De modo, que por primera vez se da la circunstancia de establecer en esta materia derechos específicos destinados a empresarios y trabajadores. Y, precisamente, entra a regular, lo que constituye la almendra de este trabajo: el uso de los dispositivos tecnológicos en el trabajo, entendiendo por tales, no solo los específicos dispositivos digitales, así denominados por el artícu-

---

[2]   Real Decreto legislativo 2/2015, de 23 de octubre, por el que se aprueba el texto refundido de la Ley del Estatuto de los Trabajadores (en adelante TRLET).

[3]   No obstante, «los tratamientos sometidos a la Directiva (UE) 2016/680 del Parlamento Europeo y del Consejo, de 27 de abril de 2016, relativa a la protección de las personas físicas en lo que respecta al tratamiento de datos personales por parte de las autoridades competentes para fines de prevención, investigación, detección o enjuiciamiento de infracciones penales o de ejecución de sanciones penales, y a la libre circulación de dichos datos y por la que se deroga la Decisión Marco 2008/977/JAI del Consejo, continuarán rigiéndose por la Ley Orgánica 15/1999, de 13 de diciembre, y en particular el artículo 22, y sus disposiciones de desarrollo, en tanto no entre en vigor la norma que transponga al Derecho español lo dispuesto en la citada directiva» (disposición transitoria cuarta LOPD).

lo 87 LOPD, como ordenadores, portátiles, tabletas, móviles… también deben incluirse aquellos otros, como las cámaras de videovigilancia, la grabación de sonidos, los sistemas de geolocalización e incluso se regula el abuso de tales dispositivos que vulneren el derecho a la desconexión digital de los trabajadores. Sin embargo, se echa en falta en la LOPD y deja en la más absoluta orfandad normativa, el uso de los sistemas de control e identificación biométrica de los trabajadores.

Según el artículo 1 LOPD, esta ley orgánica tiene un doble objeto: el primero es el de adaptarse a las previsiones del Reglamento (UE) 2016/679 del Parlamento Europeo y del Consejo, de 27 de abril de 2016, relativo a la protección de las personas físicas en lo que respecta al tratamiento de sus datos personales y a la libre circulación de estos datos y por el que se deroga la Directiva 95/46/CE (RGPD)[4].

El otro objeto de la ley orgánica se dirige a garantizar los derechos digitales de los ciudadanos, entre ellos los de los trabajadores, con base en el artículo 18.4 de la Constitución, que se ejercerá con arreglo a lo establecido en el citado Reglamento y en la propia LOPD.

Conviene subrayar, que los destinatarios de la LOPD son todas las personas, porque su aplicación es transversal y abarca cualquier circunstancia en la que se utilice un dispositivo tecnológico que pueda afectar a la privacidad o intimidad de las personas y a la protección de sus datos personales. De manera que si en principio, la norma directamente aplicable en España es la LOPD, el Reglamento (UE) 2016/679, también lo será en aquellas cuestiones que no figuren en la LOPD o no se encuentren concretadas en la misma, en particular en el ámbito de las relaciones laborales. Si bien, aunque la LOPD debe mirar en todo momento de reojo a lo que establece el citado Reglamento en cuestiones laborales, este apenas hace referencia al uso de dispositivos tecnológicos, bien entendido, no obstante, que en el caso de conflicto en la aplicación de ambas normas, prevalece el Reglamento, lo que supone que el contenido de la LOPD no podrá ir más allá de lo establecido expresamente por el RGPD, a través de un desarrollo *ultra vires*. Sin embargo, este cri-

---

[4]   Según el artículo 99, del Reglamento (UE) 2016/679, este entró en vigor el 25 de mayo de 2018.

terio general de aplicación, se ve mitigado en el ámbito de las relaciones laborales. Concretamente, es el artículo 88 del RGPD, el que remite a la legislación interna de cada Estado sobre cómo debe ser el tratamiento de los datos personales de los trabajadores, al señalar que «los Estados miembros podrán, a través de disposiciones legislativas o de convenios colectivos, establecer normas más específicas para garantizar la protección de los derechos y libertades en relación con el tratamiento de datos personales de los trabajadores en el ámbito laboral»[5]. Se trata de una de las excepciones a la genérica prohibición del tratamiento de datos personales del apartado 1 del artículo 9 del citado Reglamento[6]. Y eso es precisamente lo que se ha llevado a cabo con la LOPD, al regular el uso de los dispositivos digitales como medio de tratamiento de datos personales, en este caso, de los trabajadores.

En lo que más nos afecta, la LOPD incluye por vez primera y de forma directa, garantías y derechos de los trabajadores en el ámbito laboral, como los que se refieren al derecho a la intimidad en el uso de dispositivos digitales (ordenadores, tabletas, móviles, etc.) pertenecientes a la empresa (art. 87); el derecho a la desconexión digital (art. 88) derecho novedoso e implantado en algunos Estados de nuestro entorno más cercano, como Francia, Italia o Alemania; el derecho a la intimidad frente al uso de dispositivos de videovigilancia y de grabación de sonidos en el

---

[5]   El propio artículo 88.1 del RGPD, concreta más aún esas normas específicas a las que hace referencia: «en particular a efectos de contratación de personal, ejecución del contrato laboral, incluido el cumplimiento de las obligaciones establecidas por la ley o por el convenio colectivo, gestión, planificación y organización del trabajo, igualdad y diversidad en el lugar de trabajo, salud y seguridad en el trabajo, protección de los bienes de empleados o clientes, así como a efectos del ejercicio y disfrute, individual o colectivo, de los derechos y prestaciones relacionados con el empleo y a efectos de la extinción de la relación laboral».

[6]   En ese sentido el artículo 9.2.b) RGPD, señala que el apartado 1 no será de aplicación cuando «el tratamiento es necesario para el cumplimiento de obligaciones y el ejercicio de derechos específicos del responsable del tratamiento o del interesado en el ámbito del Derecho laboral y de la seguridad y protección social, en la medida en que así lo autorice el Derecho de la Unión de los Estados miembros o un convenio colectivo con arreglo al Derecho de los Estados miembros que establezca garantías adecuadas del respeto de los derechos fundamentales y de los intereses del interesado».

lugar de trabajo (art. 89)[7] o, en fin, el peligro de vulnerar el derecho a la intimidad mediante el uso de sistemas de geolocalización en el ámbito laboral (art. 90). Y todo ello, sin olvidar la importante responsabilidad que en esta materia deberán asumir las representaciones de empresarios y trabajadores sobre derechos digitales en la negociación colectiva (art. 91), un aspecto este de vital importancia para adaptar los acuerdos en función de la actividad, de las funciones y del puesto de trabajo que deba asumir el trabajador.

De estos artículos referidos a los derechos digitales en el ámbito laboral, llama la atención los que inciden especialmente, según su enunciado, en el derecho a la intimidad en el uso de: Dispositivos digitales en el ámbito laboral (art. 87); cámaras de videovigilancia y de grabación de sonidos en el lugar de trabajo (art. 89); sistemas de geolocalización en el ámbito laboral. De manera que una ley cuyo objeto principal es la regulación acerca de la protección sobre tratamiento de datos personales, va más allá, entrando en la protección del derecho a la intimidad, que en opinión personal no hubiera sido necesario hacerlo constar, pues la garantía que representa la protección de datos no impide que se garantice el derecho a la intimidad, si bien, esto último supone subir un escalón de intensidad en la vulneración del derecho a la protección de datos. Precisamente, la mayoría de los conflictos que se plantean ante los tribunales por el uso de las nuevas tecnologías en el ámbito laboral tienen que ver con la lesión de los derechos fundamentales, en particular, el derecho a la intimidad, el derecho al secreto de las comunicaciones, el derecho a la propia imagen o el derecho a la protección de datos. En este sentido, la propia Constitución de 1978 (CE) en el artículo 18.1, consagra y garantiza el derecho a la intimidad. Apareciendo en cada apartado de este artículo diversas manifestaciones que sin aludir expresamente a ese derecho, sin embargo le podrían afectar directa o indirectamente. Es el caso del apartado 3, que «garantiza el secreto de las comunicaciones y, en

---

[7]   Resulta sintomático que el apartado 8 del artículo 22 LOPD, sobre tratamientos genéricos con fines de videovigilancia, remita el tratamiento de los datos obtenidos por el empleador a través de sistemas de cámaras o videocámaras a lo dispuesto en el artículo 89 del mismo precepto, que se refiere específicamente al ámbito laboral, que es el que lo ha regulado con mayor atención, habida cuenta de la complejidad de supuestos que han debido ventilarse por los tribunales mayores.

especial, de las postales, telegráficas y telefónicas, salvo resolución judicial», mientras que su apartado 4, establece que «la ley limitará el uso de la informática para garantizar el honor y la intimidad personal y familiar de los ciudadanos y el pleno ejercicio de sus derechos», consagrando así el derecho fundamental a la protección de datos personales.

Conviene recordar, que Internet no existía cuando se redactó el texto constitucional hace más de cuarenta años, si bien, se habla del «uso de la informática» (entonces en su comienzo), cuando ya se vislumbraba el peligro que podría representar el uso ilícito de esa tecnología. Quizá por eso, el preámbulo de la LOPD, propugne que «una deseable futura reforma de la Constitución debería incluir entre sus prioridades la actualización de la Constitución a la era digital y, específicamente, elevar a rango constitucional una nueva generación de derechos digitales». Creo que aparte de la dificultad que entraña esa reforma que exigiría importantes mayorías, en esta cuestión no sería necesario emprender cambios constitucionales, pues lo fundamental ya se contiene en el artículo 18 CE, bastando tan solo una ley orgánica que desarrolle el espíritu que encarna el texto constitucional.

Lo que me pregunto, es si la nueva LOPD, va a ser suficiente para garantizar el derecho a la intimidad de los trabajadores, y si además permitirá al empresario el control y vigilancia de la actividad laboral. Nos encontramos ante una normativa reciente, fruto del desarrollo del RGPD, con el antecedente de la Ley Orgánica 15/1999, y que no desconoce en su elaboración, las resoluciones judiciales nacionales y europeas más consistentes de los tribunales mayores, por lo que no debería existir duda acerca de su efectividad en ese sentido.

Lo más importante, es que por fin existe una regulación sobre la aplicación de los dispositivos digitales en el ámbito laboral, con independencia de que haya sido redactada con mayor o menor fortuna, pues, al menos, se ha abierto la puerta a la regulación específica en el uso de los dispositivos tecnológicos en el trabajo.

Siguiendo con el postulado que enuncié al inicio, en el sentido de que debería ser la propia normativa laboral la que tome la iniciativa en la regulación de estos supuestos en los que interviene algún dispositivo tecnológico, podría pensarse que hubiera sido más apropiado insertar estos artículos en el Estatuto de los Trabajadores como ley ordinaria, en lugar de en la LOPD, por la eminente naturaleza laboral de su contenido. Sin embargo, aunque la materia que se regula es de naturaleza laboral, al afectar en la mayoría de estos casos a derechos fundamentales, como el de la protección de datos y el derecho a la intimidad, se ha entendido que debía regularse mediante ley orgánica (art. 81.1 CE). Siendo la excepción el reconocimiento del nuevo derecho a la desconexión digital en el ámbito laboral (art. 88), por considerarse que no afecta a un derecho fundamental, al no poner el acento en el derecho a la intimidad del trabajador, sino en su derecho a la propia desconexión, más cercano a materias laborales. Aunque si se mira bien, es obvio que también, la vulneración de este derecho puede interferir en la vida privada de los trabajadores y en consecuencia en su derecho a la propia intimidad, e incluso en su mayor gravedad quizá podría aproximarse a alguna variante de ciberacoso, pero esto es otra cuestión. De hecho, también se considera con carácter de ley ordinaria el nuevo artículo 20 bis del TRLET, sobre los derechos de los trabajadores a la intimidad en relación con el entorno digital y a la desconexión (disposición final decimotercera LOPD), que de acuerdo con la disposición final primera LOPD, se le atribuye expresamente el carácter de ley ordinaria, como corresponde a la propia naturaleza del TRLET, y sin embargo también se reconoce en el ámbito del TRLET, el derecho a la intimidad, de forma inapropiada, a mi entender, por tratarse de un derecho fundamental, que figurando en la LOPD, no desarrolla, como debería el TRLET, limitándose a su mero enunciado.

Con relación a la justificación o comentarios que suelen realizarse en el preámbulo o exposición de motivos de las leyes, y pese a que la LOPD incorpora en el ordenamiento jurídico novedosos aspectos sobre la forma de actuar con ocasión del uso de dispositivos digitales en el ámbito laboral, llama poderosamente la atención, que una ley orgánica llamada a ser un hito en lo que afecta al empleo de las nuevas tecnologías en el ámbito laboral solo haga mención en su preámbulo a la cuestión de la desconexión digital. Y es que, si bien, este nuevo derecho constituye una novedad de importante calado, sin embargo, omite cualquier alusión ni siquiera lo menciona, a la regulación que por vez primera se refiere al derecho a la intimidad frente al uso de dispositivos digitales o informáticos, o de videovigilancia o de geolocalización, en el ámbito laboral. Creo que hubieran sido ilustrativas algunas reflexiones sobre el particular, sobre todo los argumentos y las incidencias que han apoyado finalmente su inclusión en la LOPD, porque tales asuntos han sido objeto de complejas controversias en los tribunales.

Conviene reseñar que la LOPD, no ha realizado una regulación exhaustiva del uso de los dispositivos tecnológicos en el ámbito laboral. De hecho, ha omitido algunos de ellos, como los utilizados en controles biométricos o la utilización de tarjetas electrónicas de identificación, la prevención de riesgos laborales en el uso de las nuevas tecnologías, el denominado ciberacoso en el ámbito laboral, etc., que también se tratarán en estas páginas en mayor o menor medida, porque es necesario estar preparado y conocer de primera mano la repercusión de estos dispositivos tecnológicos en la aplicación de la normativa jurídico laboral.

En cualquier caso, siguiendo el artículo 88.2 RGPD, el contenido de «dichas normas (de derecho interno de cada Estado) incluirán medidas adecuadas y específicas para preservar la dignidad humana de los interesados así como sus intereses legítimos y sus derechos fundamentales, prestando especial atención a la transparencia del tratamiento, a la transferencia de los datos personales dentro de un grupo empresarial o de una unión de empresas dedicadas a una actividad económica conjunta y a los sistemas de supervisión en el lugar de trabajo». Y son estas cautelas las que deberán presidir las formas de uso y de control de los dispositivos tecnológicos en el ámbito laboral en las disposiciones aprobadas por la LOPD y el TRLET, que viene a ser el contenido sustancial de los comentarios y reflexiones contenidas en este libro.

Con todo, decía al principio, el objetivo de estas páginas no se limita a una información sobre la forma correcta de actuar por parte de empresarios y trabajadores en el uso de las diversas tecnologías, pues como se refleja en la bibliografía, existen numerosos y rigurosos estudios publicados sobre la materia que ayudan a despejar las frecuentes dudas que día a día se vienen planteando. Junto a ello, lo que se pretende dilucidar es si con el uso de las nuevas tecnologías, que en ocasiones modifican sustancialmente la forma de trabajar, existe el peligro de que se tambalee la vigente estructura jurídica laboral, cimentada durante años, en particular el esquema que incluye las notas de laboralidad a las que se hacía referencia al inicio de esta parte introductoria. Anticipando la futura contestación a esa pregunta, de la que se dará cuenta en el último capítulo, quisiera pensar que los cambios que se vienen produciendo en las relaciones de trabajo, no vienen dados por el mero uso de las nuevas tecnologías, sino como consecuencia de la implantación de una nueva forma de trabajo, que aprovecha la versatilidad que ofrecen las TIC para mejorar la eficiencia en el desarrollo de la actividad. De ese modo han surgido nuevas formas de trabajo, como el de las plataformas digitales, que han sembrado muchas dudas acerca de si la actividad que desarrollan los trabajadores que prestan servicios para esas plataformas responde a una relación laboral, a un trabajo autónomo o incluso se pudiera calificar como de trabajo autónomo económicamente dependiente.

En cualquier caso, si después de todo, hubiera que cambiar la configuración de las relaciones laborales, hay algo que no debería variar: la garantía de los derechos de los trabajadores reconocidos en sus condiciones de trabajo y seguridad, en el desempeño de su actividad, así como el derecho a la protección social que como persona y trabajador debe quedar garantizado. Esto debe permanecer.

En relación al contenido seguido en la presente monografía: *Criterios sobre uso de dispositivos tecnológicos en el ámbito laboral. Hacia el equilibrio entre el control empresarial y la privacidad del trabajador*, el objetivo primordial se centra en la búsqueda de ese necesario equilibrio que se presiente en el título, entre el poder de dirección del empresario, manifestado en su facultad de controlar y vigilar la actividad laboral, a través de los diversos dispositivos tecnológicos, y el respeto a los derechos fundamentales del trabajador. Es como un forcejeo que trata de encontrar ese punto de encuentro, representado por decisiones ponderadas basadas en criterios de equidad.

La obra se inicia y termina con algunas cuestiones que invitan a la reflexión. Así el capítulo 1, aborda la protección de los derechos fundamentales y su conexión con las TIC, en el ámbito laboral. La monografía finaliza con dos cuestiones de rabiosa actualidad, como son, por un lado, las dudas y problemas que están surgiendo con la llegada de la robótica en el trabajo, y por otro lado, el uso cada vez más preocupante de los procesos de automatización de datos personales, en los que se produce un tratamiento masivo de datos, conocidos como *big data*, que pueden poner en riesgo los derechos fundamentales relacionados con la priva-

cidad, en aspectos tales como la obtención del perfil de los trabajadores
para la toma de decisiones a través de algoritmos, en sus diversas facetas.
El capítulo segundo, es importante porque en él se analizan los aspectos
sustanciales que van a servir para comprender con mayor rigor el resto
de materias que se contienen en los demás capítulos. Cabe señalar, entre
otros, diversos aspectos referidos a los conceptos de dato personal, a su
tratamiento, a la protección sobre el tratamiento de tales datos, en especial los principios y derechos de las personas, así como las figuras del
responsable del tratamiento de datos personales, del encargado de datos
personales y del delegado de datos personales, y ello, examinado a la
vista del RGPD y la LOPD, desde la óptica de empresas y trabajadores.

Por último, los capítulos 3 al 7, analizan de forma exhaustiva lo que
da sentido al título del libro, las diversas modalidades de dispositivos
tecnológicos que se utilizan en el ámbito laboral: los dispositivos digitales propiamente dichos (capítulo 3), las cámaras de videovigilancia
y la grabación de sonidos (capítulo 4), los sistemas de geolocalización
(capítulo 6). Todos ellos regulados por la LOPD, a falta de los sistemas
biométricos de identificación y control de trabajadores (capítulo 5), que
se encuentra sin regulación normativa. Por último, queda por mencionar
el derecho a la desconexión digital en el ámbito laboral (capítulo 7),
que sin aludir a ningún dispositivo en particular, presenta importantes
y complejos problemas de aplicación, en especial, el referido al deslinde:
tiempo de trabajo-tiempo de descanso, específicos riesgos laborales o,
aspectos limítrofes como el uso del teletrabajo o el ciberacoso laboral.
Precisamente, se incluyen algunos comentarios sobre el teletrabajo, a
propósito del Estado de Alarma que provocó el COVID-19.

En todo lo anterior, cabe señalar la importancia que el papel de la
negociación colectiva debe asumir, de cara a los criterios de uso concreto
de los diversos dispositivos tecnológicos, como garantía de los derechos
y libertades relacionados con el tratamiento de datos personales y la
protección de los derechos fundamentales de los trabajadores, como se
refleja en el artículo 91 LOPD.

Finalmente, quisiera agradecer de manera especial, al Profesor José
María Goerlich Peset, Catedrático de Derecho del Trabajo y de la Seguridad Social, y Director del Departamento de Derecho del Trabajo y
de la Seguridad Social, de la Universidad de Valencia, su amabilidad y

disponibilidad en acoger la presente obra. Agradecimiento que se hace extensivo a la editorial tirant lo blanch, por incluir el presente libro, entre el catálogo de sus prestigiosas publicaciones.

Fco. Javier Fernández Orrico

Profesor Titular de Derecho del Trabajo y de la Seguridad Social
Universidad Miguel Hernández

Valencia, Navidad de 2020

Protección de los Derechos Fundamentales y su conexión con las nuevas tecnologías en el ámbito laboral

I. DERECHO A LA INTIMIDAD Y RESPETO A LA PRIVACIDAD

Resulta paradójico que la interrelación de los derechos fundamentales con el uso de nuevas tecnologías, pese a tratarse de dos cuestiones ontológicamente diferentes, paradójicamente resulta imprescindible su armonización, al tratarse de asuntos que pertenecen a diferentes mundos del saber científico, pues el primero responde al ámbito de lo jurídico-filosófico, y el otro a las ciencias positivas. Además, ambos se encuentran muy alejados de sus respectivos nacimientos cronológicos, sin embargo, se encuentran condenados necesariamente a entenderse. Si bien, es obvio que el uso de las nuevas tecnologías debe quedar supeditado al respeto y garantía de los derechos fundamentales, en particular, el derecho a la intimidad y el derecho a la protección de datos. Derechos, que, junto con otros, como el derecho a la propia imagen y el secreto de las comunicaciones, conforman ese derecho globalizado y hasta cierto punto indeterminado que llamamos derecho a la privacidad.

Al referimos a los distintos derechos fundamentales que podrían ser afectados por el uso de las nuevas tecnologías, conviene delimitar cada uno de ellos con objeto de conocer las limitaciones a que deben estar sometidos los dispositivos digitales que se utilizan con carácter general y en especial en el ámbito laboral para no vulnerar tales derechos fundamentales. Y es que, la implantación y uso de las nuevas tecnologías está generando una gran preocupación en el ámbito laboral en torno a la preservación de los derechos fundamentales de los

trabajadores durante la prestación de servicios[8], y ello, sin perjuicio de
que la celebración de un contrato de trabajo y el inicio de su desarrollo
confiera al empresario un poder de dirección para ordenar las prestaciones debidas y asegurar el desarrollo del proceso productivo[9]. Pero
también con respecto a las restricciones que esto provoca al empresario en lo que toca a su poder de dirección, manifestado en particular,
en la facultad de control y vigilancia de la actividad de los trabajadores
concretado en el artículo 20.3 TRLET. En este contexto, «el debate
sobre la dignidad personal y los derechos de la persona alcanza un
lugar fundamental en la medida en que se convierten en el contrapeso
necesario de un escenario tan limitativo de la autonomía de la persona. Esta nueva dimensión se conecta con el proceso de individualiza-
ción que vive nuestro sistema de relaciones laborales. La función del
contrato de trabajo observa, en los últimos tiempos, un resurgimiento
sobre nuevos fundamentos quizá menos ajustados a los modos tradicionales de concebir la actuación de la autonomía de la voluntad en
este sector del ordenamiento jurídico»[10].

Convendría antes de introducirnos de lleno en los problemas que
plantean los nuevos dispositivos digitales con relación a la vulneración
de los derechos fundamentales de los trabajadores, que distingamos algunos conceptos que podrían asimilarse e incluso considerarse análogos
o incluso confundirse si no nos paramos y examinamos detenidamente
su significado. En particular, me refiero a la diferencia entre el derecho
a la intimidad[11], recogido en el artículo 18.1 CE y el respecto a la privacidad de las personas[12], que, aunque no aparece expresamente recogido

---

[8]   ORELLANA CANO, A. M.: *El derecho a la protección de datos personales como
      garantía de la privacidad de los trabajadores.* Thomson Reuters Aranzadi. Cizur Me-
      nor. 2019, pág. 26.
[9]   MONTOYA MELGAR, A., «El poder de dirección del empresario», *Revista es-
      pañola de Derecho del Trabajo*, 2000, núm. 100, pág. 507.
[10] MERCADER UGUINA, J.: «El mercado de trabajo y el empleo en un mundo
      digital». *Revista de Información Laboral*, núm. 11/2018, (BIB 2018\13994), pág. 4.
[11] Según el Diccionario de la RAE, la intimidad es la «zona espiritual íntima y reser-
      vada una persona o un grupo, especialmente una familia».
[12] La privacidad, según entrada de la RAE, es la «facultad de una persona de prevenir
      la difusión de datos pertenecientes a su vida privada que, sin ser difamatorios ni
      perjudiciales, esta desea que no sean divulgados».

en la Constitución, no se comprendería que no tuviera estrecha relación con el derecho a la intimidad. De hecho, el artículo 18 CE reconoce un conjunto de derechos fundamentales que responde a una finalidad última común: la protección de la vida privada en sus diversas manifestaciones[13]. De ahí, la importancia de precisar cada término para evitar cualquier malentendido.

Ciertamente, los derechos al honor, a la intimidad, al secreto de las comunicaciones, a la protección de datos de carácter personal, a la propia imagen, presentan una nota común que es la privacidad, es decir, estamos ante derechos que deben ser garantizados porque se presume la voluntad del titular de los mismos de que no trascienda al exterior alguna faceta de su vida privada. Y por eso, se trata de derechos que tratan de proteger la esfera privada de las personas frente a las intromisiones que pudieran producirse por parte de terceros ajenos a la misma[14]. Estos derechos, enunciados en el artículo 18 CE, se encuentran ubicados en la Sección 1ª del Capítulo II del Título I de la Constitución por lo que están sometidos a reserva de ley orgánica (art. 81 CE), que en todo caso deberá respetar su contenido esencial, y vinculan a todos los poderes públicos (art. 53.1 CE), y, entre las garantías jurisdiccionales podrá recabarse la tutela de los tribunales ordinarios mediante un procedimiento basado en los principios de preferencia y sumariedad y, subsidiariamente, a la tutela del Tribunal Constitucional mediante el recurso de amparo (art. 53.2 CE).

Con todo, hablaríamos de diferentes formas de manifestarse la vida privada. En el caso del derecho a la intimidad, lo que se protege es lo que constituye lo más recóndito de las personas, lo que en ningún caso desea que trascienda; el secreto de las comunicaciones, lo que protege es el contenido de las comunicaciones entre personas de miradas u oídos de extraños que tratan de invadir la privacidad existente entre el emisor y el receptor de la comunicación. La protección de datos personales, supone salvaguardar los datos de las personas, muchos de ellos pertenecientes a

---

[13]   DÍEZ-PICAZO, L. M.: *Sistema de derechos fundamentales*. Civitas. Madrid. 2008, pág. 297.
[14]   RUIZ GONZÁLEZ, C.: *La incidencia de las tecnologías de la información y la comunicación en las relaciones laborales*. Ediciones Laborum, Murcia, 2018, pág. 51.

su propia intimidad. Algunos ejemplos podrían ser: el grupo sanguíneo, domicilio, estado civil, itinerarios privados, número de móvil, estado de las cuentas financieras, situación de embarazo, enfermedades sufridas, etc. Elementos y circunstancias todas ellas que indudablemente afectan a la privacidad de las personas y que no deben ser expuestos sin autorización del titular de los datos.

También el derecho a la propia imagen, contenido en Ley Orgánica 1/1982, de 5 de mayo, de protección civil del derecho al honor, a la intimidad personal y familiar y a la propia imagen, regula el derecho de las personas de reproducir su propia imagen, así como el derecho a impedir que terceras personas obtengan, reproduzcan y divulguen la imagen de la personas sin su consentimiento (STS 24 julio 2004). En este caso, el bien jurídico protegido es el mismo, la privacidad de las personas, concretada en impedir que el aspecto físico de las personas en lugares o circunstancias en las que se presuma momentos de privacidad se reproduzcan en fotografías, videos o cualquier otro medio que desvele la imagen del interesado a la luz pública. En este caso, lo fundamental es el respeto a la imagen no consentida.

Todos estos derechos fundamentales se encuentran interrelacionados, cada uno desde su perspectiva porque presentan una característica que los aglutina como es el respeto a la privacidad, entendida en un sentido más amplio que el que abarca el derecho a la intimidad. De manera, que, si cualquier violación de la intimidad vulnera la privacidad, a la inversa no ocurre lo mismo. La privacidad también protege facetas del individuo que, carecen de relevancia en la esfera íntima, y conjuntamente proporcionan un perfil completo del individuo[15].

Sin embargo, parte de la doctrina alberga serias dudas de que entre ambos conceptos (intimidad y privacidad) exista alguna distinción hasta el punto de que pueda tener alguna operatividad jurídica, porque si la intimidad se entiende como aquella esfera del sujeto que permanece en

---

[15] ALTÉS TÁRREGA, J. A. y YAGÜE BLANCO, S.: «El derecho a la desconexión digital en el trabajo». El futuro del Trabajo: *Cien años de la OIT. XXIX*. Congreso Anual de la Asociación Española de Derecho del Trabajo y de la Seguridad Social. Ministerio de Trabajo, Migraciones y Seguridad Social. Informes y Estudios. Serie General, núm. 23. Madrid, 2019, pág. 50.

su interior y reservada solo a él —se afirma—, carece de relevancia para el derecho, que por definición exige la alteridad, es decir, la referencia al otro; y si esa esfera interior del sujeto es comunicada a terceros, se desdibuja su distinción con respecto a la vida privada o privacidad porque ha pasado a ser conocida por otras personas. Lo que se viene a decir es que lo que se conoce como derecho a la intimidad, no es en realidad lo más interior del sujeto que escapa a cualquier otra persona, sino que debe entenderse como el derecho a la vida privada, equiparando de ese modo ambos conceptos. Con ello, parece que se desvirtúa como bien jurídico protegido lo que para las personas representa aquella parcela de su vida que se reservan para sí mismas, y creo que el derecho a la intimidad, entendido como el que protege lo más recóndito del ser humano, aunque no supusiera una alteridad con otra persona, sí debería ser objeto de protección por el ordenamiento jurídico y de hecho lo es, en primer lugar, por la propia Constitución. Otra cosa sería la garantía a la privacidad, que resulta común a todos los derechos a los que he aludido, incluido el de intimidad, que exigen esa privacidad para que realmente sean operativos. Privacidad que vendría a ser como un elemento del derecho a la intimidad, necesario para que se haga efectivo este derecho.

Pero es que, además, esa concepción de la intimidad basada en la privacidad de lo más escondido del ser humano, a la que solo accede el propio interesado y su entorno familiar o más cercano no deja de tener relación con el otro, precisamente porque de lo que se trata es de esconder, por así decir, determinados aspectos que hacen referencia a una persona de las demás. Por lo que, de no existir otras personas, esa alteridad de la que se habla, el derecho a la intimidad quedaría vacío de contenido.

1. Delimitación conceptual

Hasta aquí han aparecido una serie de conceptos cercanos entre sí que convenía distinguir, que se refieren a determinados aspectos que afectan a la interioridad de las personas que se caracterizan porque no desean que salgan al exterior. Y así hablamos de privacidad, intimidad, secreto de las comunicaciones, propia imagen, protección de datos… ¿Sabemos delimitar unos de otros con claridad? O más bien tenemos una idea general, pero sin conocer los contornos de cada uno; si existe algún tipo de interrelación entre ellos; si son derechos o son meras garantías.

Si bien, los conceptos de intimidad y privacidad tienen la misma naturaleza, sin embargo, el primero tiene un mayor grado de intensidad, en el sentido de que además de afectar a la vida privada o privacidad, no se desea en absoluto que trascienda del interior del sujeto, mientras que la privacidad, no solo está dotado de un menor grado de intensidad, sino que resulta un instrumento imprescindible y común a otros derechos fundamentales, como el derecho al secreto de las comunicaciones, a la propia imagen o a la protección de datos personales. Y es que como se ha escrito[16], el derecho a la intimidad posee dos dimensiones: la intimidad en sentido estricto, y la vida privada: la primera se sitúa por completo en la interioridad del sujeto, fuera del alcance de los demás, y, en principio ajena a la exteriorización, salvo que se exteriorice voluntariamente, mientras que la vida privada puede ser conocida en un determinado ámbito, en la medida que genera un impacto en la participación de la vida colectiva de los ciudadanos.

En este sentido, decía atinadamente la exposición de motivos de la derogada Ley Orgánica 5/1992, de 29 de octubre, de regulación del tratamiento automatizado de los datos de carácter personal, que «el progresivo desarrollo de las técnicas de recolección y almacenamiento de datos y de acceso a los mismos ha expuesto a la privacidad, en efecto, a una amenaza potencial antes desconocida. Nótese que se habla de la privacidad y no de la intimidad: Aquélla es más amplia que ésta, pues en tanto la intimidad protege la esfera en que se desarrollan las facetas más singularmente reservadas de la vida de la persona —el domicilio donde realiza su vida cotidiana, las comunicaciones en las que expresa sus sentimientos, por ejemplo—, la privacidad constituye un conjunto, más amplio, más global, de facetas de su personalidad que, aisladamente consideradas, pueden carecer de significación intrínseca pero que, coherentemente enlazadas entre sí, arrojan como precipitado un retrato de la personalidad del individuo que éste tiene derecho a mantener reserva-

---

[16] APARICIO ALDANA, R. K.: *Derecho a la Intimidad y a la Propia Imagen en las Relaciones Jurídico Laborales.* Thomson Reuters Aranzadi, Cizur Menor, 2016, págs. 45-46.

do». Difícilmente, puede encontrarse otro texto que exprese con mayor precisión y claridad esa distinción entre el derecho a la intimidad y la privacidad de las personas.

Vemos pues, que pese a delimitarse por el artículo 18 CE los derechos a la intimidad, secreto de las comunicaciones, propia imagen, y protección de datos personales, todos ellos afectan de forma efectiva a una vertiente del derecho a la intimidad porque en la mayoría de los casos protegen la esfera en que se desarrollan las facetas más reservadas de la vida de las personas.

Por todo ello, creo que sí existe distinción entre el derecho a la intimidad y la privacidad o vida privada de las personas, si bien con menor intensidad en este último caso.

Quizá esa mayor amplitud, yo diría indefinición jurídica de lo que significa el respeto a la privacidad frente al derecho a la intimidad es la que ha ocasionado que se trate de una de las cuestiones que mayores problemas prácticos ha suscitado en el seno de la jurisdicción social y constitucional[17], precisamente, porque como decía la mencionada exposición de motivos, «si la intimidad, en sentido estricto, está suficientemente protegida por las previsiones de los tres primeros párrafos del artículo 18 de la Constitución y por las leyes que los desarrollan, la privacidad puede resultar menoscabada por la utilización de las tecnologías informáticas de tan reciente desarrollo». Y estamos hablando del año 1992, en que ya se vislumbraba la enorme repercusión de las nuevas tecnologías sobre la privacidad de las personas, sin que se haya regulado satisfactoriamente esta situación hasta la llegada de la LOPD, y en particular, en el ámbito de las relaciones laborales.

En lo fundamental, esto significa que, aunque la protección del derecho de la intimidad se garantiza por el conducto de los demás derechos que aparecen en el artículo 18 CE, lo que se plantea es cómo se protegen esos otros derechos que perteneciendo al ámbito de la privacidad deberían garantizarse igual que el derecho a la intimidad (cómo se protege al protector). Y la respuesta habría que buscarla en la protección de datos

---

[17]   ORELLANA CANO, A. M.: *El derecho a la protección de datos personales como garantía de la privacidad de los trabajadores*, cit., pág. 26.

personales, como parece evidencia el RGPD y la LOPD. En ese sentido, el derecho a la protección de datos personales excede al derecho a la intimidad, ya que su ámbito instrumental de aplicación no solo está referido al ejercicio de este derecho, sino también al de otros derechos fundamentales, siendo desde esta perspectiva un derecho específico y distinto al derecho a la intimidad[18].

2. *Cronología entre el derecho a la intimidad y otros derechos fundamentales relacionados con la privacidad*

Es oportuno, por tanto, profundizar en el significado del derecho a la intimidad y sus derivaciones, porque en mi opinión es el derecho a la intimidad el núcleo al que deben servir esas otras manifestaciones de la privacidad del artículo 18 CE, sin perjuicio de su especificidad y autonomía conceptual, que en muchos casos no llegarán a la profundidad e intensidad del derecho a la intimidad. Y en ese supuesto podría considerarse la vulneración, no solo del derecho a la intimidad, sino el de aquellos otros derechos fundamentales que también han sido vulnerados previamente, como el derecho a la protección de datos personales, el secreto de las comunicaciones o el derecho a la propia imagen. Porque cronológicamente serán vulnerados antes de que alcancen al derecho a la intimidad, y en ese caso nos encontraríamos con dos derechos fundamentales vulnerados. Si bien, el grado de intensidad resulta mayor en el derecho a la intimidad, pues este, deriva de la dignidad personal y de la libertad personal, que se rige por la idea de reserva, de exclusión de los demás, de no injerencia externa de los terceros, de modo que se trata de reconocer un eje o ámbito, en el cual cada persona tiene el poder de decisión sobre invasiones o injerencia de los demás[19].

---

18   APARICIO ALDANA, R. K.: *Derecho a la Intimidad y a la Propia Imagen en las Relaciones Jurídico Laborales*, cit., pág. 87.

19   ARRÚE MENDIZABAL, M.: *El derecho a la propia imagen de los trabajadores*. Thomson Reuters Aranzadi, Cizur Menor, 2019, pág. 53.

3. Derecho a la intimidad en el ámbito laboral

Aunque no se ofrece un concepto del significado del derecho a la intimidad por el artículo 18 CE, ni por las leyes que regulan el derecho a la intimidad, como la Ley Orgánica 1/1982, de 5 de mayo, sobre protección civil del derecho al honor, a la intimidad personal y familiar y a la propia imagen, deberemos buscarlo preferentemente a partir de los supuestos conocidos por los tribunales en esta cuestión.

El derecho a la intimidad se vincula a la esfera más reservada de las personas, al ámbito que éstas siempre preservan de las miradas ajenas, aquél que desea mantenerse oculto a los demás por pertenecer a su esfera más privada (STC 151/1997, de 29 de septiembre), vinculada con la dignidad y el libre desarrollo de la personalidad (art. 10.1 CE). En consecuencia, el derecho a un núcleo inaccesible de intimidad se reconoce incluso a las personas más expuestas al público (STC 134/1999, de 15 de julio)[20]. La intimidad, de acuerdo con el propio precepto constitucional, se reconoce no sólo al individuo aisladamente considerado, sino también al núcleo familiar (SSTC 197/1991, de 17 de octubre o 231/1988, de 2 de diciembre), en suma, es el derecho a controlar la información sobre uno mismo, y decidir sobre qué aspectos de la privacidad se desea compartir o revelar a la sociedad[21].

En el entorno laboral, la protección del derecho resulta imprescindible porque, a la vista del artículo 20.1 TRLET es preciso deslindar el control idóneo, necesario y equilibrado de la actividad laboral (STC 186/2000, de 10 de julio), de aquéllos otros que supongan una injerencia

---

[20]   «Es claro que existen actividades que traen consigo, con una relación de conexión necesaria, una restricción en el derecho a la imagen de quien deba realizarlas, por la propia naturaleza de éstas, como lo son todas las actividades en contacto con el público, o accesibles a él. Cuando ello suceda, quien aceptó prestar tareas de esta índole, no puede luego invocar el derecho fundamental para eximirse de su realización, si la restricción que se le impone no resulta agravada por lesionar valores elementales de la dignidad de la persona (art. 10.1 CE) o de la intimidad de ésta» (STS ud. 18 diciembre 2006, rec. 112/2005 [RJ 2007, 750]).

[21]   ORTEGA GIMÉNEZ, A.: «Cuestiones prácticas laborales en materia de protección de datos de carácter personal tras el nuevo reglamento general de protección de datos de la UE», Revista española de Derecho del Trabajo, núm. 216, 2019 (BIB 2019\1435), pág. 4.

en la intimidad de los trabajadores afectados injustificada o desproporcionada (STC 98/2000, de 10 de abril). De hecho, en otros ámbitos de la sociedad, el derecho a la intimidad debe ceder frente a otros bienes jurídicamente protegidos como en los supuestos de investigación de la paternidad (STC 7/1994, de 17 de enero) o de la maternidad (STC 95/1999, de 31 de mayo) o de controles fiscales (STC 110/1984, de 26 de noviembre), siempre que estén justificados y resulten proporcionales sobre la base de otros derechos u otros bienes jurídicamente protegidos de interés general, como son los derechos de los hijos (art. 39 CE) o garantía de la proporcionalidad impositiva (art. 31CE)[22].

En las relaciones laborales, el derecho a la intimidad debe ajustarse o modularse en función de las particularidades propias del contrato de trabajo, Por eso, a la hora de delimitar el ejercicio lícito de este derecho, debe contarse con que el empresario está facultado para controlar y vigilar la actividad laboral de sus trabajadores[23]. En este sentido, cabría explorar hasta qué punto debería ceder la intimidad del trabajador frente a otro bien jurídico protegido de naturaleza laboral. Con ello, de lo que se trata es de delimitar de forma adecuada el ejercicio de cada uno de los derechos, concretando el alcance de su protección jurídica determinando si la actuación del trabajador o las facultades de control del empresario se han llevado a cabo con respeto absoluto de estos derechos fundamentales[24]. Y es aquí cuando entra en juego la relación entre el derecho a la intimidad, en tanto que pertenece a la interioridad del sujeto, y su conexión con la relación laboral. En principio, la intromisión del empresario sobre la intimidad del trabajador se encuentra excluida, no pudiendo ser sometida a su poder de control. Sin embargo, cuando se trata de actividades que el trabajador desarrolla en su vida privada pueden en ocasiones generar un impacto en su relación laboral[25]. En otras palabras, en principio, el empresario, no puede realizar acciones de control, vigilancia o de dirección que lleven consigo una vulneración

---

[22]   Sinopsis artículo 18 CE: *http://www.congreso.es/consti/constitucion/indice/sinopsis/sinopsis.jsp?art=18&tipo=2*

[23]   APARICIO ALDANA, R. K.: *Derecho a la Intimidad y a la Propia Imagen en las Relaciones Jurídico Laborales*, cit., pág. 49.

[24]   Ibidem, pág. 50.

[25]   Ibidem, pág. 57.

a la intimidad del trabajador. Sin embargo, podría ejercer su poder de dirección, control, vigilancia, sobre su vida privada en la medida que tengan trascendencia laboral, es decir, en tanto en cuanto afecten a la marcha ordinaria de la organización empresarial. De manera que un mismo acto de vigilancia del empresario sobre el trabajador puede ser lesivo del derecho fundamental a la intimidad o, por el contrario, si tiene relevancia en el desarrollo del trabajo, puede ser ejercido sin que se produzca vulneración del derecho. Es más, puede ser objeto de un deber de vigilancia. En este sentido, un supuesto que ilustra lo que acabo de decir, es el acto de dormir de unas enfermeras en el turno de noche en que debían cuidar a unos pacientes, y que pese a la vigilancia de un acto íntimo como puede ser el de haberse dormido, no vulnera su intimidad, precisamente porque está en directa conexión con su actividad laboral, en este caso desatendida[26].

II. INTERRELACIÓN ENTRE EL DERECHO A LA INTIMIDAD Y LOS DEMÁS DERECHOS FUNDAMENTALES

Hemos visto que, de entre los derechos fundamentales que pueden ser vulnerados por dispositivos digitales destaca el derecho a la intimidad. Todos ellos exigen la máxima protección prevista por parte de los tribunales. Sin embargo, el derecho a la intimidad presenta una mayor

---

[26] Como señala la STSJ Cataluña, 13 febrero 1996 (AS 1996, 421), «no atenta a la intimidad personal de los trabajadores la monitorización de la actividad propia de la prestación de servicios, no sólo porque ésta es plenamente conocida por los trabajadores, sino porque, además, obedece a la finalidad de asegurar el resultado de esa misma actividad en tanto se trata del cuidado y vigilancia nocturna de unos enfermos con especiales características de riesgo. Es un hecho que tal medida de seguridad puso de manifiesto que las trabajadoras llevaban a cabo un acto íntimo como es el dormir; mas ello no significa que la empresa realizara una intromisión en el ámbito de la vida íntima de las trabajadoras cuando aquéllas desatendían de este modo su obligación de trabajar y sustituían la prestación de servicios por el descanso, obviamente no permitido. En suma, se ha de afirmar la legalidad absoluta de la prueba que no violó el derecho fundamental a la intimidad personal del artículo 18.1 de la Constitución».

intensidad en lo que a la privacidad se refiere, pues los otros derechos fundamentales, siendo autónomos en sí mismos considerados, al mismo tiempo, vienen a ser además como los vehículos por los que transita el derecho a la intimidad. Por ello, me parece de especial interés conocer qué relación tiene ese derecho a la intimidad con el resto de derechos fundamentales. Concretamente, interesa analizar los derechos del artículo 18 CE que pueden tener una mayor cercanía entre sí y con el derecho a la intimidad, como son: el derecho a la protección de datos, el derecho al secreto de las comunicaciones y el derecho a la propia imagen. Con ello se logrará otro objetivo como es la diferencia que existe entre cada derecho fundamental, en los que inevitablemente puede producirse, en ocasiones, algún tipo de intromisión en el derecho a la intimidad. Siendo el respeto a la privacidad de las personas, entendida como la capa más superficial del derecho a la intimidad, el elemento común a todos los derechos fundamentales, conviene ahondar en la distinción entre el derecho a la intimidad y los demás derechos fundamentales para conocer la conexión entre todos ellos.

Y en todo esto ¿Qué papel juegan las TIC? En este punto debe considerarse que las TIC, no son solo instrumentos de trabajo, sino también técnicas de comunicación y espacios virtuales, en los que el trabajador puede disponer de una esfera legítima de privacidad[27]. Y ello será lo que posibilita la conexión con la posible vulneración de alguno de los derechos fundamentales, en relación con las nuevas tecnologías. Así pues, relacionaré el derecho a la intimidad con los demás derechos contenidos en el artículo 18 CE, dedicando una mayor atención a continuación, al derecho a la protección de datos personales, que es el que, a mi entender, más concomitancias presenta con las nuevas tecnologías y más conexiones existen con el derecho a la intimidad.

---

[27]   SÁEZ LARA, C.: «Derechos Fundamentales de los trabajadores y poderes de control del empleador a través de las tecnologías de la información y las comunicaciones». *Temas Laborales*, núm. 138, 2017 (tercer trimestre), págs. 189-190.

1. Derecho a la intimidad y derecho a la protección de datos personales

Sin perjuicio de que en el siguiente capítulo se aborde con profundidad y amplitud el régimen jurídico del derecho a la protección de datos personales y sus diversas vertientes, regulado fundamentalmente por la LOPD[28], por el importante RGPD[29], así como la normativa de la Agencia Española de Protección de Datos (AEPD) que ofrece una regulación complementaria derivada de la protección de la intimidad y del derecho a la propia imagen[30], ahora el estudio se centrará en la relación existente entre el derecho a la intimidad y el derecho a la protección de datos.

El derecho a la protección de datos personales se refiere a la protección de las personas físicas en lo que respecta al tratamiento de sus datos personales y como derecho fundamental, según el artículo 1.1 RGPD[31], al igual que el artículo 18.4 CE[32].

El derecho a la intimidad y el derecho a la protección de datos personales están conectados entre sí cuando la intimidad es afectada por la intromisión de algún dato que el interesado no desea que trascienda. Pero no son lo mismo, porque al igual que sucedía con la privacidad, el campo de aplicación del derecho a la protección de datos es más amplio que el del derecho a la intimidad porque extiende sus garantías no solo a la intimidad, sino a toda la esfera de bienes de la personalidad que puedan verse vulnerados con el uso inadecuado de estos datos, hasta el

---

[28] Ley Orgánica 3/2018, de 5 de diciembre de Protección de Datos Personas y garantía de los Derechos Digitales.

[29] Reglamento (UE) 2016/679, del Parlamento Europeo y del Consejo, relativo a la protección de personas físicas en lo que respecta al tratamiento de datos personales y a la libre circulación de estos datos y por el que se deroga la Directiva 95/46/CE (Reglamento general de protección de datos)

[30] También cabe incluir entre las normas sometidas al presente análisis, la Ley Orgánica 1/1982, de 5 de mayo, de protección civil del derecho al honor, a la intimidad personal y familiar y a la propia imagen

[31] Ya el considerando (1) del RGPD, señala: «La protección de las personas físicas en relación con el tratamiento de datos personales es un derecho fundamental».

[32] Concretamente, establece el artículo 18.4 CE: «La ley limitará el uso de la informática para garantizar el honor y la intimidad personal y familiar de los ciudadanos y el pleno ejercicio de sus derechos».

punto de que podría ocurrir que no alcanzara la vulneración de la intimidad de la persona[33]. Eso podría plantearse, por ejemplo, en el caso bastante frecuente en la práctica empresarial de entrega a los clientes de un tique o resguardo de compra en el que consta la existencia de los datos del vendedor con su nombre y apellidos, anteponiendo la expresión «Aten. Sr/Srta», sin recabar el consentimiento expreso del trabajador afectado. En este caso, se plantea si se vulnera el derecho a la intimidad o el derecho a la protección de datos personales.

Pues bien, la Sala Cuarta del Tribunal Supremo[34] se pronunció entendiendo que el uso del nombre en este caso no quebranta el contenido esencial del derecho a la intimidad, ya que no implica una posición prevalente o jerárquica sobre el derecho a la intimidad, si no que se corresponde a la lógica de las consecuencias que se derivan del contrato de trabajo, como es que el cliente de la empresa conozca el nombre del vendedor con el que llevó a cabo la operación de compra, sin necesidad de tener que interpretar la clave numérica o número personalizado utilizado en los resguardos de compra o incluso tener que preguntar por el nombre del trabajador ante una posible reclamación, por lo que no se trata de datos personales que estén especialmente protegidos o que sin el consentimiento del trabajador escapen a su poder de disposición, sino de aquellos que se utilizan en todo tipo de relaciones humanas en contacto con el público[35].

---

[33]   APARICIO ALDANA, R. K.: *Derecho a la Intimidad y a la Propia Imagen en las Relaciones Jurídico Laborales*, cit., págs. 87-88.

[34]   STS ud. 18 diciembre 2006, rec. 112/2005, (RJ 2007, 750).

[35]   «La utilización del nombre en el supuesto de autos no tiene un fin comercial aún cuando se realice dentro de esta actividad, pues va dirigida única y exclusivamente a que quede identificado (hacia el cliente y no hacia un tercero indeterminado) el vendedor que intervino en la operación comercial de venta en representación de la empresa, por lo que concurre en la aludida práctica el requisito de racionalidad, a lo que cabe añadir que tal información a la que se accede continuamente en las relaciones sociales, no permite confeccionar un perfil ideológico, racial, sexual, económico o de cualquier otra índole que sirvan para cualquier otra utilidad que constituya un potencial perjuicio para el individuo. El uso del nombre, si por algo se define, es por cubrir la necesidad vital de distinguirse de los demás, de identificar a las personas en sus relaciones sociales y jurídicas, teniendo por tanto una proyección externa que, por sí solo y sin ir acompañado de más datos, difícilmente

Con respecto a la expresión que antecede al nombre y apellidos Sr./ Srta., que pudiera desvelar el estado civil del trabajador, tampoco vulnera derecho fundamental alguno, pues como argumenta el TS, obedece a una fórmula de cortesía en las relaciones humanas, siempre pendiente de evolución según los usos sociales de cada época; así aparece que en el diccionario de la Real Academia Española tales expresiones tienen varias acepciones, una de las cuales, en relación a «señorita» es «tratamiento de cortesía que se da a maestras de escuela, profesoras, o también a otras muchas mujeres que desempeñan algún servicio, como secretarias, empleadas de administración o del comercio, etc.»[36]. Otra cuestión sería que desde la perspectiva de género se pretendiera plantear alguna objeción.

De manera que en este caso no se vulnera el derecho a la intimidad, pero ¿Y el derecho a la protección de datos personales? Ciertamente, podríamos decir que el derecho a la protección de datos viene a ser como una antesala del derecho a la intimidad. De manera, que en esa especie de coraza con que se dota al derecho de la protección de los datos más sensibles de la persona, lo que protege no son tanto los datos considerados en sí mismos sino en cuanto que hacen referencia a la propia privacidad. Si bien, es verdad, la protección no solo se extiende a la intimidad, entendida como la privacidad más recóndita y sensible, sino que protege también otros derechos constitucionales, como el secreto de las comunicaciones, la propia imagen, o que no se contienen en la CE, más específicos reconocidos a causa del advenimiento de las nuevas

---

cabe en el concepto de intimidad legal y constitucionalmente protegido cuando su uso se produce en el seno de una relación laboral como la descrita, pues es acorde con los usos y costumbres vigentes, siendo una medida idónea, necesaria y proporcionada que sirve a la fundamental tarea de dignificar la persona, evitando su cosificación individualizándolo del resto de sus compañeros, dotándole de la dignidad que le corresponde al evitar designarlo con una clave numérica como un mero factor de producción, además de que implica que el trabajador se vea dotado de una "herramienta más" (que se aúna a otras como las tarjetas de visitas de las que disponen vendedores y comerciales) para incrementar la calidad de su trabajo en el trato con el cliente, llegando en ocasiones a repercutir de manera objetiva en las expectativas de venta y comisiones del trabajador» (STS ud. 18 diciembre 2006, rec. 112/2005, [RJ 2007, 750]).

[36]   STS ud. 18 diciembre 2006, rec. 112/2005, (RJ 2007, 750).

tecnologías, como el derecho a la supresión o el derecho al olvido, etc., al que hacen expresa referencia el RGPD y la LOPD. De ese modo, el derecho a la protección de datos, en su configuración constitucional tiene un marcado carácter instrumental, en el sentido de que se encuentra al servicio de otros derechos[37], por lo que su vulneración se producirá si el tratamiento mecanizado de datos conlleva la lesión de derechos como el derecho a la intimidad o el derecho al honor o en el caso de las relaciones laborales el derecho a la libertad sindical[38].

Al mismo tiempo, el TC ha evolucionado, desde la consideración del derecho a la protección de datos como un derecho accesorio, hasta contemplarse también como un derecho fundamental autónomo, pues como señala la STC 290/2000[39], «confiere a su titular un haz de facultades que son elementos esenciales del derecho fundamental a la protección de los datos personales, integrado por los derechos que corresponden al afectado a consentir la recogida y el uso de sus datos personales y a conocer los mismos. Y para hacer efectivo ese contenido, el derecho a ser informado de quién posee sus datos personales y con qué finalidad, así como el derecho a oponerse a esa posesión y uso exigiendo a quien corresponda que ponga fin a la posesión y empleo de tales datos».

---

[37]   ORELLANA CANO, A. M.: *El derecho a la protección de datos personales como garantía de la privacidad de los trabajadores*, cit., págs. 32-33.

[38]   APARICIO ALDANA, R. K.: *Derecho a la Intimidad y a la Propia Imagen en las Relaciones Jurídico Laborales*, cit., pág. 87.

[39]   La Ley Orgánica 5/1992, de 29 de octubre, de Regulación del Tratamiento Automatizado de los Datos de Carácter Personal «contiene un instituto de garantía de los derechos a la intimidad y al honor y del pleno disfrute de los restantes derechos de los ciudadanos que es, además, en sí mismo, "un derecho fundamental, el derecho a la libertad frente a las potenciales agresiones a la dignidad y a la libertad de la persona provenientes de un uso ilegítimo del tratamiento automatizado de datos, lo que la Constitución llama 'la informática'" (STC 254/1993, de 20 de julio, F.J. 6, doctrina que se reitera en las SSTC 143/1994, de 9 de mayo, F.J. 7; 11/1998, de 13 de enero, F.J. 4; 94/1998, de 4 de mayo, F.J. 6 y 202/1999 de 8 de noviembre, F.J. 2)». En este sentido, las previsiones de la Ley Orgánica 5/1992, de 29 de octubre, «limitando el uso de la informática están estrechamente vinculadas con la salvaguardia de ese derecho fundamental a la protección de datos personales frente a la informática o, si se quiere, a la "libertad informática" según la expresión utilizada por la citada STC 254/1993» (F.J. 7 STC 290/2000).

En consecuencia, debemos partir de que el derecho a la protección de datos personales, como los demás derechos consagrados en el artículo 18 CE presenta un carácter autónomo, en el sentido de que ninguno de ellos tiene respecto de los demás la consideración de derecho genérico que pueda subsumirse en los otros derechos fundamentales que prevé este precepto constitucional, pues la especificidad de cada uno de estos derechos impide considerar subsumido en alguno de ellos las vulneraciones de los otros derechos que puedan ocasionarse a través, por ejemplo, de una imagen que muestre, además de los rasgos físicos que permiten la identificación de la persona, aspectos de su vida privada, partes íntimas de su cuerpo o que se la represente en una situación que pueda hacer desmerecer su buen nombre o su propia estima (STC 14/2003). Sin embargo, ello no impide que esa especificidad del derecho a la protección de datos personales coexista con su función de garantía instrumental de otros derechos[40].

La STC 292/2000, de 30 de noviembre, ratifica en el FJ 6, la concepción del derecho a la protección de datos personales como un derecho fundamental. Pero además hace algo importante, y es una fina argumentación de los contornos que lo distinguen con el derecho a la intimidad, algo especialmente importante si queremos no desviarnos entre uno y otro derecho. Pero veamos las diferencias desde diversas ópticas.

– *Diferente función.* Concretamente, señala la STC que la peculiaridad del derecho a la protección de datos respecto al derecho a la intimidad radica en su distinta función, lo que implica que también su objeto y contenido difieran. En ese sentido, especifica, que «la función del derecho fundamental a la intimidad del artículo 18.1 CE es la de proteger frente a cualquier invasión que pueda realizarse en aquel ámbito de la vida personal y familiar que la persona desea excluir del conocimiento ajeno y de las intromisiones de terceros en contra de su voluntad (por todas STC 144/1999, de 22 de julio, FJ 8). En cambio, el derecho fundamental a la

---

[40]   DESDENTADO BONETE, A. y MUÑOZ RUIZ, A. B.: *Control informático, videovigilancia y protección de datos en el trabajo.* Lex Nova, Valladolid, 2012, pág. 81; APARICIO ALDANA, R. K.: *Derecho a la Intimidad y a la Propia Imagen en las Relaciones Jurídico Laborales,* cit., pág. 88.

protección de datos persigue garantizar a esa persona un poder
de control sobre sus datos personales, sobre su uso y destino, con
el propósito de impedir su tráfico ilícito y lesivo para la dignidad
y derecho del afectado. En fin, el derecho a la intimidad permite
excluir ciertos datos de una persona del conocimiento ajeno, por
esta razón, y así lo ha dicho este Tribunal (SSTC 134/1999, de
15 de julio, F.J. 5; 144/1999, F.J. 8; 98/2000, de 10 de abril, F.J. 5;
115/2000, de 10 de mayo, F.J. 4), es decir, el poder de *resguardar
su vida privada* de una publicidad no querida. El derecho a la protección de datos garantiza a los individuos un *poder de disposición*
sobre esos datos. Esta garantía impone a los poderes públicos la
prohibición de que se conviertan en fuentes de esa información
sin las debidas garantías; y también el deber de prevenir los riesgos que puedan derivarse del acceso o divulgación, indebidas de
dicha información. Pero ese poder de disposición sobre los propios datos personales nada vale si el afectado desconoce qué datos
son los que se poseen por terceros, quiénes los poseen, y con qué
fin».

— *Objeto más amplio del derecho a la protección de datos.* Continúa el
Tribunal reconociendo que «el objeto del derecho a la protección
de datos personales es más amplio que el derecho a la intimidad
ya que el derecho fundamental a la protección de datos extiende su garantía no sólo a la intimidad en su dimensión constitucionalmente protegida por el artículo 18.1 CE, sino a lo que
en ocasiones este Tribunal ha definido en términos más amplios
como *esfera de los bienes de la personalidad que pertenecen al ámbito
de la vida privada*, inextricablemente unidos al respeto de la dignidad personal (STC 170/1987, de 30 de octubre, F.J. 4), como
el derecho al honor, citado expresamente en el artículo 18.4 CE,
e igualmente, en expresión bien amplia del propio artículo 18.4
CE, al pleno ejercicio de los derechos de la persona. El derecho
fundamental a la protección de datos amplía la garantía constitucional a aquellos de esos datos que sean relevantes o tengan
incidencia en el ejercicio de cualesquiera derechos de la persona,
sean o no derechos constitucionales y sean o no relativos al honor, la ideología, la intimidad personal y familiar a cualquier otro

bien constitucionalmente amparado». De manera que el derecho a la protección de datos tiene sus propias peculiaridades, que lo convierten en un derecho con contenido específico y con un sistema de protección propio; tales características coexisten con la función de garantía instrumental de otros derechos[41].

- *Incluye datos personales de carácter público.* El objeto del derecho de protección de los datos personales, no incluye solo la intimidad individual sino los datos de carácter personal, incluso los datos personales de carácter público, ya que el hecho de que «los datos sean de carácter personal no significa que sólo tengan protección los relativos a la vida privada o íntima de la persona, sino que los datos amparados son todos aquellos que identifiquen o permitan la identificación de la persona, pudiendo servir para la confección de su perfil ideológico, racial, sexual, económico o de cualquier otra índole, o que sirvan para cualquier otra utilidad que en determinadas circunstancias constituya una amenaza para el individuo». Se trata de aquellos aspectos del individuo que sin constituir elementos esenciales de su intimidad, podrían afectar a esa segunda línea de protección de su vida privada.

- *Diferencia de contenido.* Si el derecho a la intimidad, «confiere a la persona el poder jurídico de imponer a terceros el deber de abstenerse de toda intromisión en la esfera íntima de la persona y la prohibición de hacer uso de lo así conocido[42], el derecho a la protección de datos atribuye a su titular un haz de facultades consistente en diversos poderes jurídicos cuyo ejercicio impone a terceros deberes jurídicos, que no se contienen en el derecho fundamental a la intimidad, y que sirven a la capital función que desempeña este derecho fundamental: garantizar a la persona un poder de control sobre sus datos personales, lo que sólo es posible

---

[41]   APARICIO ALDANA, R. K.: *Derecho a la Intimidad y a la Propia Imagen en las Relaciones Jurídico Laborales*, cit., pág. 88.

[42]   SSTC 73/1982, de 2 de diciembre, F.J. 5; 110/1984, de 26 de noviembre, F.J. 3; 89/1987, de 3 de junio, F.J. 3; 231/1988, de 2 de diciembre, F.J. 3; 197/1991, de 17 de octubre, F.J. 3, y en general las SSTC 134/1999, de 15 de julio, 144/1999, de 22 de julio, y 115/2000, de 10 de mayo.

y efectivo imponiendo a terceros los mencionados deberes de hacer. A saber: el derecho a que se requiera el previo consentimiento para la recogida y uso de los datos personales, el derecho a saber y ser informado sobre el destino y uso de esos datos y el derecho a acceder, rectificar y cancelar dichos datos. En definitiva, el poder de disposición sobre los datos personales (STC 254/1993, F.J. 7)».

En suma, «el contenido del derecho fundamental a la protección de datos consiste en un poder de disposición y de control sobre los datos personales que faculta a la persona para decidir cuáles de esos datos proporcionar a un tercero, sea el Estado o un particular, o cuáles puede este tercero recabar, y que también permite al individuo saber quién posee esos datos personales y para qué, pudiendo oponerse a esa posesión o uso» (F.J. 7).

Derechos a la intimidad y de protección de datos en la LOPD

Formalmente, no todas las cuestiones que se contienen en la LOPD, se ven cubiertas por el derecho a la protección de datos[43], como sucede en el caso del uso de dispositivos digitales (art. 87 LOPD) y al derecho a la desconexión digital en el ámbito laboral (art. 88 LOPD), debido a que, si bien se hace una expresa referencia al derecho a la intimidad, sin embargo, el artículo 2.1 LOPD[44], los deja deliberadamente fuera del terreno del derecho a la protección de datos, incluyendo sin embargo, otro —el art. 91 LOPD sobre los «derechos digitales en la negociación colectiva»— que a simple vista no parece tener contenido referido al tratamiento de datos personales.

---

[43] MERCADER UGUINA, J.: *Protección de datos y garantía de los derechos digitales en las relaciones laborales.* 3ª edición. Claves Prácticas. Francis Lefbvre, Madrid, 2019, págs. 128-129.

[44] El art. 2.1 LOPD establece, que «lo dispuesto en los Títulos I a IX y en los artículos 89 a 94 de la presente ley orgánica se aplica a cualquier tratamiento total o parcialmente automatizado de datos personales, así como al tratamiento no automatizado de datos personales contenidos o destinados a ser incluidos en un fichero».

Por otro lado, los artículos 89 (derecho a la intimidad frente al uso de dispositivos de videovigilancia y de grabación de sonidos en el lugar de trabajo) y art. 90 (derecho a la intimidad ante la utilización de sistemas de geolocalización en el ámbito laboral) de la LOPD hacen expresa referencia en su título al derecho a la intimidad. Con ello[45], el contenido de ambos artículos, desmiente, el título de los mismos ya que los dos contienen completas regulaciones en materia de protección de datos olvidando así la denominación que encabezan los artículos referidos al derecho a la intimidad.

A mi parecer, y después de lo que se lleva dicho hasta ahora, ambos derechos el de intimidad y el de protección de datos personales, caminan juntos. De manera, que ordinariamente, para que se proteja el derecho a la intimidad, debe pasar antes por el filtro del derecho a la protección de datos o del secreto de las comunicaciones o del derecho a la propia imagen, siendo al mismo tiempo, autónomos en cuanto a la garantía de la defensa del respectivo derecho fundamental. De manera que me resulta complicado pensar que el derecho a la intimidad pueda ser vulnerado, si no se vulnera previamente otro derecho fundamental como puede ser en este caso, el derecho a la protección de datos personales como puerta de entrada a la intimidad del trabajador. Pero también se podría valer de esos otros derechos consagrados en la CE, como el derecho al secreto de las comunicaciones, o a la propia imagen.

2. Derecho a la intimidad y derecho al secreto de las comunicaciones

El derecho al secreto de las comunicaciones resulta más dinámico que los otros derechos fundamentales que afectan a la privacidad de la persona, pues en este caso se exige que al menos existan dos personas un emisor y un receptor, y que durante el transcurso del acto de transmisión de la comunicación se interponga un tercero extraño a la comunicación ya sea en el mismo momento (on life) o bien, mediante la recogida de las conversaciones. Se trata de un triángulo en el que uno de ellos no está invitado y aparece sustrayendo el contenido de las comunicaciones. Da a

---

[45]   MERCADER UGUINA, J.: *Protección de datos y garantía de los derechos digitales en las relaciones laborales*, cit., págs. 128-129.

entender este derecho, que más que de imágenes, aunque conlleven grabaciones de sonidos, lo que prima precisamente es la reproducción de las conversaciones mantenidas. Este derecho protege precisamente la privacidad de tales conversaciones o comunicaciones efectuadas mediante los muy diversos dispositivos que existen hoy día (desde el teléfono fijo, correo electrónico, móvil, washapp, mensajes de texto, chats, etc.).

El derecho se reconoce en el art. 18.3 CE, sin embargo, en 1978 eran pocos los medios de comunicación que existían que pudieran ser objeto de protección. No hay mas que ver los que cita la CE, al señalar que «se garantiza el derecho al secreto de las comunicaciones, y en especial, de las postales, telegráficas y telefónicas, salvo resolución judicial». Pese a ello, en lo fundamental el sentido no cambia en absoluto, pues es extensible el secreto a los nuevos medios de comunicación, como los dispositivos antes mencionados. De manera que lo que se protege es el proceso comunicativo entre el emisor y el receptor por cualquier soporte técnico[46], con independencia de la clase que sea. En palabras del TC[47], «quien graba una conversación de otros atenta, independientemente de otra consideración, al derecho reconocido en el artículo 18.3 de la Constitución; por el contrario, quien graba una conversación con otro no incurre, por este solo hecho, en conducta contraria al precepto constitucional citado».

En consecuencia, si existiera alguna vulneración del secreto de las comunicaciones entendida como la injerencia de un tercero que de alguna manera sustrajera el contenido de la comunicación de ambos interlocutores, tal conducta es evidente que conculca este derecho constitucional al secreto de las comunicaciones, y tendría los mismos medios de protección antes aludidos, respecto al derecho a la intimidad. Para un sector de la doctrina[48], lo importante en este sentido, es que las comunicaciones se realicen a través de canales cerrados de comunicación que

[46] MARÍN ALONSO, I.: *El poder de control empresarial sobre el uso del correo electrónico en la empresa. Su limitación en base al secreto de las comunicaciones.* Tirant lo Blanch. Valencia, 2005, pág. 144.
[47] STC 114/1984, de 29 de noviembre (FJ 7).
[48] RODRÍGUEZ RUIZ, B.: *El secreto de las comunicaciones: tecnología e intimidad.* McGraw-Hill, Madrid, 1998, págs. 65-66.

proporcione a los interlocutores una expectativa razonable de secreto. Pero no es lo mismo que el derecho a la intimidad, pues no siempre la vulneración del derecho a la intimidad se produce como consecuencia de la violación del derecho al secreto de las comunicaciones, y tampoco al contrario, que este derecho signifique necesariamente que se vulnere el derecho a la intimidad, porque se trata de derechos cuyos objetos son diferentes aun pudiendo darse juntos, como cuando se capta una conversación privada con un contenido que afecta a la intimidad de una o de las dos personas que mantienen la comunicación. Pero tampoco es necesario que se capten contenidos de carácter íntimo de las personas, sino que sería suficiente con que el medio elegido tuviera connotaciones de uso privado. De forma que el derecho al secreto de las comunicaciones se predica de todo lo que se comunica, pertenezca o no el objeto de la comunicación al ámbito de lo personal, lo íntimo o lo reservado[49]. El artículo 82 LOPD, no se refiere explícitamente a la protección del secreto de las comunicaciones, sino que alude a la «seguridad de las comunicaciones que transmitan y reciban a través de Internet», sin que se dé una explicación sobre el significado de esa seguridad, si es equivalente a garantizar el secreto o confidencialidad de las comunicaciones, restringiéndose además esa seguridad solamente a las comunicaciones que se realizan a través de Internet. Quizá pensando que en realidad la mayoría de dispositivos (correo electrónico, chats, washapp...) utilizan este medio de transmisión para comunicarse.

En consecuencia, el mero hecho de interceptar una comunicación entre dos personas captando su contenido, y presumiéndose la falta de consentimiento de los comunicantes de que el intercambio de sus transmisiones sea conocido por terceras personas, por el mero hecho del uso de los medios antes mencionados, supone una lesión clara al secreto de las comunicaciones. En ese sentido, el derecho a la intimidad tiene una proyección básicamente material, al proteger el área que cada persona se reserva para sí y para sus íntimos, apartándola del conocimiento de terceros, mientras que la protección del derecho al secreto de las comunica-

---

[49]   MARÍN ALONSO, I.: *El poder de control empresarial sobre el uso del correo electrónico en la empresa. Su limitación en base al secreto de las comunicaciones*, cit., pág. 153.

ciones es de tipo formal, de lo que se desprende que toda comunicación es secreta y solo algunas de ellas serán íntimas[50].

De lo que se lleva dicho hasta ahora se deduce que el secreto de las comunicaciones tiene lugar solamente cuando afecta a un tercero ajeno, que no interviene en la comunicación. De manera que, si es uno de los dos receptores el que divulga el contenido de la información, no se vulnera el secreto de las comunicaciones en sí mismo considerado[51]. Ahora bien, si el contenido de la revelación, se refiere a cuestiones íntimas del otro receptor, sí podría vulnerarse el derecho fundamental a la intimidad, precisamente porque si bien se ha desvelado el secreto, y con él la privacidad, lo que no tendría demasiada relevancia por tratarse de uno de los comunicantes, sin embargo, ese secreto tiene trascendencia porque afecta directamente a la intimidad de la persona. En este caso, ya no hablamos de que se ha vulnerado el derecho al secreto de las comunicaciones, sino el derecho a la intimidad. Se da entonces, la circunstancia de que un derecho fundamental, como es el del secreto a las comunicaciones que no se ha violentado, sin embargo, ha servido de vehículo para vulnerar otro, como es el derecho fundamental a la intimidad. Así, en el caso de la grabación por una trabajadora de la conversación que mantenía con su empleador en la puerta del centro de trabajo en un contexto de conflicto laboral y a efectos de su utilización en juicio, el TS consideró[52], por un lado, la inexistencia de vulneración del secreto de las comunicaciones. Pero tampoco se apreció vulneración al derecho a la intimidad, porque la conversación no concernía a su «vida íntima» o a su

---

[50]   JIMÉNEZ CAMPO, J.: «La garantía constitucional del secreto de las comunicaciones». *Revista española de Derecho Constitucional*, núm. 20, 1987, pág. 41.

[51]   En ese sentido STSJ Galicia/A Coruña, 25 abril, 2014, rec. 4347/2013, (JUR 2014, 207850) señala: «Por lo que se refiere a la ilegitima intromisión e intervención de conversaciones privadas, cabe decir, como acertadamente razona la juzgadora de instancia, que la prueba documental aportada por la empresa (transcripción de un whatsapp) no se ha efectuado vulnerando el secreto de las comunicaciones, contemplado en el artículo 18.3 de la CE, y ello por cuanto que el conocimiento de la conversación privada lo tiene la empresa por la revelación de la otra interlocutora, o sea que una de las intervinientes en dicha conversación fue quien se la facilitó a la empresa, Dª Mónica, tal y como manifestó y reconoció ella misma en el acto del juicio».

[52]   STS (Sala de lo Civil) 20 noviembre 2014, rec. 3402/2012, (JUR 2014, 6116).

«intimidad personal», sino a cuestiones laborales. Por ello, si no se vulnera el secreto a las comunicaciones ni el derecho a la intimidad, quien graba una conversación con otro no incurre, por este solo hecho, en conducta contraria al precepto constitucional. En suma, como recuerda la STC 114/1984, de 29 de noviembre, «quien graba una conversación de otros atenta, independientemente de otra consideración, al derecho reconocido en el artículo 18.3 de la Constitución; por el contrario, quien graba una conversación con otro no incurre, por este solo hecho, en conducta contraria al precepto constitucional citado».

3. Derecho a la intimidad y derecho a la propia imagen

Al igual que ocurre con otros derechos fundamentales relacionados con la privacidad, la frontera entre el derecho a la intimidad y el derecho a la propia imagen es bastante difusa, al concebirse como una concreción o manifestación del derecho —más amplio—, de la intimidad o respeto a la vida privada[53]. Asimismo, el derecho a la propia imagen, como en el caso de los anteriores derechos fundamentales examinados, que pueden tener que ver con el derecho a la intimidad, también se recoge en el artículo 18.1 CE. Se ha definido[54], como «el derecho que cada individuo tiene a que los demás no reproduzcan los caracteres esenciales de su figura sin consentimiento del sujeto, y proclamando que la violación del mismo comporta un atentado contra los derechos fundamentales de la persona que puede desencadenar el mecanismo reparador de los daños morales que tal violación lleva consigo». Desde los primeros estudios que conciben este derecho como uno de los atributos de la personalidad, se ha tratado de conciliar esa aparente contradicción entre la naturaleza personal de la imagen y el valor económico de su aspecto material que podría llevar a ser objeto de tráfico con fines comerciales[55].

---

[53]   ARRÚE MENDIZABAL, M.: *El derecho a la propia imagen de los trabajadores*, cit., pág. 52.

[54]   STS 9 mayo 1988 (RJ 1988, 4049) F.J. tercero.

[55]   ARRÚE MENDIZABAL, M.: *El derecho a la propia imagen de los trabajadores*, cit., pág. 36.

El derecho a la propia imagen se entiende como «aquél que faculta al individuo a conformar su propia imagen personal constituyendo un instrumento indispensable para la configuración de su aspecto externo que permite la identificación de una persona como ser único y particular, y le proyecta socialmente hacia el exterior, desde su propia individualidad»[56]. Siendo definido por el TC, como el «derecho a determinar la información gráfica generada por los rasgos físicos personales de su titular que pueden tener difusión pública» y de forma negativa, como «la facultad de poder impedir la obtención, reproducción o publicación de la propia imagen por parte de un tercero no autorizado»[57]. La tutela del derecho a la propia imagen se fundamenta[58] en el respeto a la propia persona, porque la reproducción del aspecto físico refleja cualidades morales que debe quedar a disposición de su titular, afecten o no a su espacio íntimo o privado.

El derecho a la propia imagen, por tanto, se refiere no al derecho a la intimidad, en sentido estricto, sino a la dimensión del derecho a la intimidad que corresponde a la vida privada[59]. Lo que se salvaguarda es la imagen del interesado, su privacidad con independencia de que esta pueda tener repercusiones más hondas que alcancen al derecho a la intimidad. De manera que nos encontramos ante un derecho autónomo a la protección a la propia imagen, sin perjuicio de que con una misma conducta se violente conjuntamente el honor, la intimidad y la propia imagen[60]. Y es que, si bien el derecho a la propia imagen aparece como una manifestación de los derechos al honor y a la intimidad, lo que inevitablemente lleva consigo que exista entre ellos una conexión y

---

[56]   DE DOMINGO, PÉREZ, T.: *¿Conflicto entre derechos fundamentales? Un análisis desde las relaciones entre los derechos a la libre expresión e información y los derechos al honor y a la intimidad*, Estudio Preliminar de Antonio-Luis Martínez-Pujalte. Centro de Estudios Políticos y Constitucionales, Madrid. 2001, pág. 313.

[57]   STC 23/2010 y SSTC 81/2001, 83/2002 y 14/2003.

[58]   ARRÚE MENDIZABAL, M.: *El derecho a la propia imagen de los trabajadores*, cit., pág. 54.

[59]   APARICIO ALDANA, R. K.: *Derecho a la Intimidad y a la Propia Imagen en las Relaciones Jurídico Laborales*, cit., pág. 226.

[60]   ARRÚE MENDIZABAL, M.: *El derecho a la propia imagen de los trabajadores*, cit., pág. 55.

puedan presentarse concomitancias entre los mismos, se entiende que el derecho a la propia imagen es un derecho autónomo y diferenciado de los demás, pues en diversidad de ocasiones este derecho es objeto de intromisiones ilegítimas que en nada tiene que ver con la vulneración al honor o a la intimidad, lo que confirma su condición de valor independiente[61]. Se trata, por tanto, de una protección frente a la captación y/o difusión de imágenes que pudiéramos denominar *inocuas* o *neutrales*, sin necesidad de que muestren al sujeto en una situación desfavorable ni que desvelen su intimidad, pues basta con que aparezca identificado o pueda serlo a través de sus rasgos físicos, siendo indiferente a estos efectos que lo sea por un número amplio de personas o sólo por su círculo más íntimo y reducido[62]. Así, la reproducción de la imagen personal como puede ser una fotografía, en sí misma considerada, no es parte de la vida íntima, no tiene porqué revelar algo privado o reservado, salvo supuestos específicos amparados por la intimidad personal, que ordinariamente depende del contexto o situación que se refleje[63]. De forma, que para que se produzca una intromisión *específicamente* en el derecho a la propia imagen basta, con que las fotografías o imágenes muestren, sin el consentimiento del titular, su imagen física, esto es, su apariencia o aspecto físico de modo tal que sea recognoscible[64]. Incluso, según doctrina reciente del TC[65], viene a modificar el criterio, según el cual, si se consiente para su difusión en un medio de comunicación concreto y se

---

[61]   DE VICENTE PACHÉS, F.: «El derecho a la libre apariencia física-estética en las relaciones de trabajo: una aproximación desde una perspectiva de sexo-género». Comunicación presentada en el XXIV Congreso Nacional de Derecho del Trabajo y de la Seguridad Social, celebrado en Pamplona, del 29 al 30 de mayo de 2014, con el título genérico: *Los derechos fundamentales inespecíficos en la relación laboral y en materia de protección social*. Ediciones Cinca, Colección Estudios Laborales. Madrid, 2014, pág. 3 (disponible en el CD que se acompaña a la publicación).

[62]   NAVAS SÁNCHEZ, M. M.: «El uso informativo de la imagen». *InDret,* núm. 1. Universitat Pompeu Fabra. Barcelona, pág. 11.

[63]   ARRÚE MENDIZABAL, M.: *El derecho a la propia imagen de los trabajadores,* cit., pág. 55.

[64]   NAVAS SÁNCHEZ, M. M.: «El uso informativo de la imagen», cit., pág. 12. Señala la autora, que «esto es lo característico del derecho a la propia imagen que enlaza con esa idea de autocontrol o autodeterminación sobre la información gráfica generada por los rasgos personales que define a este derecho».

[65]   STC 24 febrero 2020 (rec. amparo núm. 1369/2017).

difunde en otro distinto, no se conculca el derecho a la propia imagen, sino que lo que se produce o puede producirse es algún tipo de incumplimiento con efectos patrimoniales, pero ello no implica una lesión al derecho a la propia imagen, porque se consintió la difusión de su imagen, salvo que se revocara.

Con el nuevo criterio del TC, la publicación de la imagen por el propio usuario en una red social en internet y su consiguiente divulgación no supone un consentimiento tácito para su posterior utilización por terceros. Por ello, el usuario de Facebook que sube, cuelga o, en suma exhibe una imagen para que puedan observarla otros, tan solo consiente en ser observado en el lugar que él ha elegido (perfil, muro, etc.), ... de manera que la empresa editora no puede entender que con la publicación de la fotografía del demandado en Facebook estuviera creando en ella una confianza de que autorizaba su reproducción en el periódico, y es que concluye la sentencia, el carácter noticiable de una información no convierte solo por ello en noticiable la imagen de la persona concernida. De acuerdo con ello, el entorno digital, no es equiparable al concepto de lugar público de la Ley Orgánica 1/1982, de 5 de mayo, de protección civil del derecho al honor, a la intimidad personal y familiar y a la propia imagen, porque como derecho fundamental, la propia imagen debe ser objeto de la máxima protección que le otorga el ordenamiento jurídico, cediéndose solo en los supuestos en los que se haya autorizado expresa e inequívocamente sobre su uso[66].

La norma que desarrolla el derecho a la propia imagen, al igual que el derecho a la intimidad, es la Ley Orgánica 1/1982, de 5 de mayo, de protección civil del derecho al honor, a la intimidad personal y familiar y a la propia imagen. Lo que se plantea es si la captación en imágenes del trabajo que ejecuta el trabajador para vigilar y controlar su actividad mediante videocámaras es lícita o si supone intromisión ilegítima en el ámbito de protección de la propia imagen. Para responder a esta

---

[66]   AGUT GARCÍA, M. T.: «El uso de fotografías obtenidas de las redes sociales: nueva doctrina constitucional sobre colisión del derecho fundamental a la propia imagen con el derecho a la información. Comentario a la Sentencia del Tribunal Constitucional 27/2020, de 24 de febrero». *Revista de Trabajo y Seguridad Social*, CEF, núm. 448, pág. 188.

cuestión, el artículo 7.5 de la citada LO 1/1982, señala que tendrá la consideración de intromisión ilegítima, «la captación, reproducción o publicación por fotografía, filme, o cualquier otro procedimiento, de la imagen de una persona en lugares o momentos de su vida privada o fuera de ellos». Es un hecho que el trabajo que desempeña el trabajador en el centro de trabajo no pertenece en principio a su vida privada, y por eso resulta extraño que la norma incluya como intromisión también a las imágenes que se obtengan fuera de la vida privada, como es el momento en que desarrolla su actividad laboral. Sin embargo, según el artículo 2.2 LO 1/1982, «no se apreciará la existencia de intromisión ilegítima en el ámbito protegido cuando estuviere expresamente autorizada por Ley». Esto permite según el artículo 20.3 TRLET, que el empresario pueda adoptar las medidas que estime más oportunas de vigilancia y control para verificar el cumplimiento de las obligaciones y deberes del trabajador, entre ellas la de la captación de su imagen.

Como se ha observado[67], el problema es diferente del que se produce con la intimidad. En efecto, la intimidad forma parte de la dignidad humana que actúa como un límite del poder de vigilancia del empresario, de manera que en este caso, no puede considerarse autorizado por ley el empleo de medios que atenten contra el derecho a la intimidad, a diferencia del derecho a la propia imagen porque este derecho se refiere solo al poder de disposición sobre la imagen y la restricción de ese poder se autoriza por ley y por el contrato de trabajo desde el momento que el trabajador se somete en virtud del contrato a los límites del artículo 20.3 TRLET, siempre que el empresario guarde en la adopción de la vigilancia y control del trabajador la consideración debida a su dignidad.

Cabe concluir, por tanto, que el derecho a la propia imagen es singular y autónomo respecto del derecho a la intimidad, otorgando la facultad a la persona interesada de difundir o publicar su propia imagen y, por ende, su derecho a evitar su reproducción, en tanto en cuanto se trata de un derecho de la personalidad. Consecuentemente, en relación a un reportaje, el hecho de que se haya estimado que el texto escrito

---

[67]   DESDENTADO BONETE, A. y MUÑOZ RUIZ, A. B.: *Control informático, videovigilancia y protección de datos en el trabajo*, cit., pág. 61.

del reportaje no constituía una intromisión ilegítima en el derecho a la intimidad de la actora, no tiene por qué impedir que las fotografías captadas y publicadas en el medio periodístico puedan constituir una intromisión ilegítima en el derecho a la propia imagen[68]. Pero al igual que sucede con los demás derechos fundamentales, en concomitancia con el derecho a la intimidad (honor, protección de datos personales, secreto de la comunicaciones...), existe una zona de intersección en la que podrían vulnerarse ambos derechos, como sucede cuando se captan imágenes, en momentos de la vida privada o familiar, en esa zona espiritual íntima o reservada de una persona o grupo, en especial de una familia, pero también debe considerarse la expectativa de intimidad valorando las circunstancias concretas en cada caso particular, hasta el punto de que incluso en las relaciones sociales y especialmente en las profesionales y laborales existe un espacio de intimidad que debe ser salvaguardado, lo que se ha dado en llamar la «vida social privada». Pese a ello, al igual que ocurre con otros derechos fundamentales relacionados con la privacidad, la frontera entre el derecho a la intimidad y el derecho a la propia imagen es bastante difusa, al concebirse como una concreción o manifestación del derecho —más amplio—, de la intimidad o respeto a la vida privada[69].

3.1. Consentimiento de la imagen del trabajador en supuestos no contemplados por el contrato de trabajo

Resulta esclarecedora para comprender el significado del derecho fundamental a la propia imagen del artículo 18.1 CE, la STC 99/1994, de 11 de abril, según la cual, un trabajador de una empresa deshuesadora de jamones de bellota, se negó a exhibir sus cualidades como deshuesador mediante la filmación por los medios de comunicación en una muestra de jamón ibérico presentada a las autoridades autonómicas de la Consejería de Agricultura de Extremadura. Como consecuencia de la negativa fue despedido por la empresa.

---

[68]   STS (Sala de lo Civil) 24 julio 2008, rec. 3155/2001, (RJ 2008, 4628).
[69]   ARRÚE MENDIZABAL, M.: *El derecho a la propia imagen de los trabajadores*, cit., pág. 54 y 56.

Se trata de un caso paradigmático porque, el TC reconoció el derecho a la propia imagen del trabajador, porque si bien, «es claro que existen actividades que traen consigo, con una relación de conexión necesaria, una restricción en el derecho a la imagen de quien deba realizarlas, por la propia naturaleza de éstas, como lo son todas las actividades en contacto con el público, o accesibles a él. Cuando ello suceda, quien aceptó prestar tareas de esta índole, no puede luego invocar el derecho fundamental para eximirse de su realización, si la restricción que se le impone no resulta agravada por lesionar valores elementales de dignidad de la persona (art. 10.1 CE) o de intimidad de ésta». Sin embargo, «no consta que el trabajador, oficial de 2ª deshuesador de jamones, tuviera asignada, explícita ni implícitamente, tarea alguna de exhibición de su habilidad en la promoción del producto, ni que éstas fueran componentes imprescindibles —o aun habituales— de las funciones que debía desarrollar». En este caso concreto, «la posición de la empresa no podría legitimarse por la sola orden dada al trabajador; era preciso, además, que se pusiera de manifiesto la necesidad organizativa estricta de que ese trabajador —y no otro, o de otra manera— cumpliese la orden dada, en los términos en que se le dio».

El debate de fondo es un conflicto entre el derecho a la propia imagen del trabajador y el derecho del empresario al ejercicio de su poder de dirección. Sin embargo, ese aparente conflicto no existe desde el momento que la presentación pública de la imagen del trabajador no constituye parte de su contrato ni se desprende de la naturaleza propia de la prestación. De manera que[70] era necesario el consentimiento del trabajador, en el caso de que quisiera difundir su imagen, porque en caso de que se difunda la imagen de los trabajadores por razones ajenas al cumplimiento del contrato, como, por ejemplo, la difusión de su imagen en una página web de libre acceso para cualquier usuario de Internet con el único fin de reflejar el movimiento y la actividad de la empresa tal actividad debería ser consentida inequívocamente por el personal de la empresa, porque en caso de ausencia de ese consentimiento no solo vulnera su derecho a la propia imagen, en tanto la empresa los expone

---

[70]   APARICIO ALDANA, R. K.: *Derecho a la Intimidad y a la Propia Imagen en las Relaciones Jurídico Laborales*, cit., pág. 252.

injustificadamente a la vista pública, sino también al derecho a la protección de datos, ya que la difusión de su imagen a través de Internet, constituye un uso indebido de un dato de carácter personal que no ha cumplido, para su legítimo tratamiento con los establecido en el artículo 6 LOPD, sobre consentimiento del afectado.

Sobre esta cuestión pueden plantearse múltiples cuestiones. Por ejemplo, si podría considerarse la aparición del trabajador cortando jamón como meramente accesoria, sin que por ello se vulnere el derecho a la propia imagen, como prevé el artículo 8.2.c) LO 1/1982, dado que se trataba de una información gráfica sobre un acontecimiento público cuando la imagen de una persona determinada aparezca como meramente accesoria.

A esta cuestión, cabe responder que la imagen del trabajador no apareció de forma casual o incidental en el momento de cortado, en cuyo caso, no se conculcaría su derecho a la propia imagen, sino que expresamente lo que se buscaba era la imagen del trabajador, precisamente porque así se lo solicitó el empleador.

De lo anterior cabe concluir que no es lícito que el empleador obligue a sus trabajadores a difundir su imagen cuando la transmisión de la misma no constituya una acción de interés general; cuando la imagen pretenda difundirse más allá del ámbito en donde tenga sentido su conocimiento; o, no forme parte, ni se desprenda de la naturaleza misma del contrato[71].

3.2. Cláusulas tipo sobre cesión de imagen

Al igual, que en el caso de los contratos de trabajo que incluyen cláusulas tipo en las que aparecen el teléfono fijo o móvil y el correo electrónico del trabajador, también podría suceder que se incluyera otra cláusula en la que el trabajador ceda su imagen, si bien habría que distinguir cómo se utiliza la imagen, si para promocionar un producto, como en el caso del deshuesador de jamones al que se hizo referencia, o

---

[71]   Ibidem, pág. 252.

bien se trata de una actividad de atención de clientes mediante llamadas de telemarketing.

Sobre esta cuestión, se cuestionó la validez de la cláusula contractual de una empresa de telemarketing que incorporó a los contratos de trabajo al inicio de la relación laboral y que dice: «El trabajador consiente expresamente, conforme a la LO 1/1982, de 5 de mayo, RD 1720/2007 de Protección de Datos de carácter personal y Ley Orgánica 3/1985 de 29 de mayo, a la cesión de su imagen, tomada mediante cámara web o cualquier otro medio, siempre con el fin de desarrollar una actividad propia de telemarketing y cumplir, por tanto, con el objeto del presente contrato y los requerimientos del contrato mercantil del cliente».

En este caso, la sentencia recurrida[72] estimó que esa cláusula era nula por violar el derecho a la propia imagen del empleado y que ese consentimiento se debe pedir expresamente cuando el afectado vaya a ser empleado en trabajos de video-llamada ajustándolo a las circunstancias del caso concreto, sin que quepa la utilización de cláusulas genéricas, de manera que como ha comentado la doctrina[73], en primer lugar, la sentencia hizo referencia a las condiciones en las que el trabajador prestó su consentimiento en el momento de la contratación, considerando que la existencia de un desequilibrio entre las partes pudo conllevar que el trabajador prestara su consentimiento libre y voluntario, aunque no existiera un vicio de consentimiento como tal, a saber, dolo, coacción, abuso o fraude, y en segundo lugar, la sentencia consideró que la solicitud por la empresa al trabajador de la prestación del consentimiento, con un ámbito tan amplio excedía de lo necesario, con independencia de que se solicitara cuando fuera necesario. Sin embargo, la doctrina[74] ya llamó la atención sobre el resultado final de la sentencia, al entender que la mera aparición virtual «cara a cara», que no implique grabación y almacenamiento de esos encuentros, no debe considerarse ni como una

---

[72] SAN (Sala de lo Social) 15 junio 2017 rec. 137/2017 (AS 2017, 1528).
[73] ORELLANA CANO, A. M.: *El derecho a la protección de datos personales como garantía de la privacidad de los trabajadores*, cit., págs. 103-104.
[74] GONZÁLEZ BIEDMA, E.: «Derecho a la información y consentimiento del trabajador en materia de protección de datos», *Temas Laborales*, núm. 138, 2017, págs. 244.

cesión de imagen ni de datos cuyo almacenamiento requiera consentimiento (ni siquiera información).

Esta Sentencia de la Audiencia Nacional, fue finalmente casada y anulada por el TS[75], basándose en que la actividad de telemarketing del caso, incluía las video-llamadas, cuando ello fuera necesario para la prestación de un mejor servicio o por exigencias del cliente. De manera, que si se trata de la realización de funciones propias del objeto del contrato celebrado, aunque no sean las habituales, la cláusula controvertida se limita a advertir al nuevo contratado sobre la posibilidad de tener que realizar una de las funciones propias del contrato que suscribe y, a la par que el mismo queda advertido de ello, presta, expresamente, su consentimiento a la cesión de su imagen, pero con una salvaguarda: «siempre con el fin de desarrollar una actividad propia de telemarketing y cumplir, por tanto, con el objeto del presente contrato», esto es, que la cesión de la imagen, el dato, venga condicionada a que su fin sea cumplir con el objeto del contrato.

Señala la Sentencia que «la cláusula controvertida no es abusiva, sino, más bien, informativa y a la par receptora de un consentimiento expreso que no era preciso requerir, conforme a lo dispuesto en los artículos 6, números 1 y 2, y 11, números 1 y 2 de la antigua LOPD, de 13 de diciembre de 1999, y al art. 10-3-b) del RD 1720/2007 que deben ser interpretados a la luz de los artículos 6-1-b) 7 y 9-2-b) del Reglamento UE 2016/679. Estos preceptos nos muestran que el consentimiento no es necesario prestarlo hoy día, ni lo era entonces, cuando los datos, la imagen, se ceden en el marco del cumplimiento de un contrato de trabajo cuyo objeto lo requiere. Por ello, la cláusula controvertida no se puede considerar abusiva, ni calificar de nula, porque es lícita, dado que es manifestación de un consentimiento expreso que el trabajador da a la cesión de su imagen, cuando la actividad propia del telemarketing, la del convenio colectivo, la desarrolle por video-llamada y que está implícito en el objeto del contrato».

En este supuesto se da la circunstancia de que la nueva normativa coincide con la anterior y, según la doctrina del TS la nueva regulación

---

[75]   STS (Sala de lo social) 10 abril 2019 rec. 227/2019 (RJ 2019, 1880).

flexibiliza y hace más clara la aplicación de otros principios como el del consentimiento del interesado, que no es preciso que se preste expresamente cuando el tratamiento del dato es necesario para la ejecución de un contrato suscrito por el interesado [artículos 6.1.b) y 9.2.b) del RGPD].

Con respecto a la diferencia entre la cesión de imagen para campañas promocionales de la empresa y la actividad de telemarketing, apunta la Sentencia, que en el primer caso se utiliza la imagen de sus empleados, en cuyo caso les solicita una autorización específica, mientras que en el segundo, se atiende a los clientes dándoles información de un producto que facilite su venta por teléfono, y tampoco «nos encontramos ante un supuesto de videovigilancia, sino de videollamadas en las que quien llama, gracias a una cámara webcam que instala la empresa, ve a quien le atiende y conversa con su interlocutor».

3.3. Sobre el aspecto externo de los trabajadores en el desempeño de su actividad laboral

La cuestión que se analiza en este apartado es la de, hasta qué punto el empresario puede ordenar a los trabajadores a su servicio, algún cambio en su aspecto físico, ya sea intrínseco, como puede ser la de cortarse o dejarse barba, pelo largo, o grabarse tatuajes en la piel, *piercings*; o externo, en la indumentaria que luce durante su actividad laboral o el maquillaje que debe ponerse, en su caso. La diferencia no es baladí, pues resulta obvio que no es lo mismo cambiarse de ropa al llegar al trabajo, que se le ordene al trabajador que se corte el bigote, barba, etc., pues cuando sale del trabajo, puede cambiar de ropa, pero si se quita la barba, resulta complicado recuperarla hasta que pase un tiempo más o menos largo.

En cualquier caso, el núcleo del problema se desenvuelve en la cuestión de la posible vulneración del derecho a la propia imagen, y no en el mayor o menor perjuicio que le produce al trabajador el cambio impuesto por el empresario, ya sea intrínseco o extrínseco a su cuerpo físico. Además, tales cambios afectan a los que efectivamente puedan producirse, pero no afectan a los aspectos inmutables porque al formar parte del propio ser corporal de una persona, no pueden desprenderse de la misma[76], salvo que se produzca algún cambio más traumático, como pueda ser una operación quirúrgica o dieta específica de engorde o adelgazamiento.

La forma de comprender cuándo se vulnera el derecho fundamental a la propia imagen, cuál es su bien protegido, y en que casos, pasa por conocer los diversos supuestos que tanto la jurisprudencia, como la doctrina del TC viene resolviendo en los últimos años.

Son varias las circunstancias que deben tenerse en cuenta para valorar, en ese forcejeo entre el poder de dirección empresarial y el derecho a la propia imagen, cual debe considerarse preferentemente. A este respecto, creo que lo fundamental en esta cuestión es preguntarse hasta qué punto resulta importante para la empresa que el trabajador presente una determinada apariencia física en el desempeño de su trabajo. En este punto, se presentan varios elementos, desde que la apariencia del trabajador en el desarrollo de su actividad profesional esté marcada por alguna normativa, costumbre, local o profesional, o convenio colectivo; que la actividad laboral la realice en relación con el público, como pueden ser los clientes de un restaurante, o sin estar en contacto ante el público solo con compañeros de trabajo.

Vemos pues, que las circunstancias no son irrelevantes para que se considere como posible vulneración del derecho a la propia imagen, o bien, se considere como incumplimiento de una orden debida del empresario. No es igual, un camarero que decida incumplir la orden empresarial de vestir con chaqueta y corbata en un restaurante de lujo, luciendo en su lugar camiseta y bermudas, que se prohíba hacerse un tatuaje, pese a no ser visible en el trabajo.

Lo que intento decir es que las órdenes emanadas de la empresa deben ser legítimas, en el sentido de que deben ir dirigidas a impedir que se produzca un perjuicio para su negocio o actividad. Pero a ello, debe añadirse que también debe existir proporcionalidad entre ambos bienes jurídicamente protegidos. En ese sentido, el trabajador debe tener en cuenta que cuando presta servicios cara al público entra en contacto

---

[76] APARICIO ALDANA, R. K.: *Derecho a la Intimidad y a la Propia Imagen en las Relaciones Jurídico Laborales*, cit., pág. 236.

con otras personas representando a su empleador, de ahí que la empresa tiene derecho a decidir, cual es la imagen que quiere presentar ante sus clientes, proveedores, usuarios[77]. Así, en algunas resoluciones judiciales se ha considerado que en determinadas profesiones como la de comercial de un concesionario de automóviles, a la que se acudía en ropa deportiva o, en labores estrictamente educativas como responsable de la Biblioteca del centro escolar, en que asistía en pantalón corto, no resultaba apropiado lucir tales vestimentas. En el caso del comercial, aunque no existía norma que obligara a usar determinada ropa, ni había pacto con la empresa, el carácter comercial de su actividad, conllevaba de forma implícita unas mínimas exigencias de corrección y pulcritud[78], mientras que en el caso de quien prestaba servicios en la biblioteca del centro escolar, sin desarrollar actividad docente deportiva o extraescolar alguna, sino estrictamente educativa, que conlleva un contacto directo con los alumnos no parece adecuado que asista a dicho puesto con pantalón corto, pese al período estival y a que haga calor[79].

Esto cambia, cuando el trabajador realiza su actividad en un puesto en el que no existe contacto con el público, solo con sus compañeros de trabajo. En este caso, el trabajador queda liberado de alguna forma de representar al empresario, quedando obligado tan solo a cumplir con su obligación de prestar su trabajo[80]. Es en estas circunstancias, en las que, si el empresario le ordenara cambiar su imagen, vulneraría su derecho a la propia imagen[81].

---

[77] APARICIO ALDANA, R. K.: *Derecho a la Intimidad y a la Propia Imagen en las Relaciones Jurídico Laborales*, cit., pág. 232.

[78] STSJ Madrid 5 noviembre 2007.

[79] STSJ La Rioja 25 abril 2003, rec. 18/2003, (JUR 2003, 228623).

[80] En ese sentido, la STSJ Madrid 7 mayo 2002, rec. 892/2002, (AS 2002, 2042), señala que no cabe la orden de la empresa de prohibir acudir al trabajo a un teleoperador en pantalones cortos de verano, en una empresa de telemarketing, pues excede de las facultades del poder de dirección, «máxime cuando en el desarrollo de su labor el actor no tenía contacto alguno con el público; y, por lo tanto, su modo de vestir no trasciende, ni puede ante terceros afectar la imagen de la demandada».

[81] APARICIO ALDANA, R. K.: *Derecho a la Intimidad y a la Propia Imagen en las Relaciones Jurídico Laborales*, cit., pág. 234.

¿Significa esto que el trabajador puede acudir a su puesto de trabajo de cualquier forma cuando no presta servicios cara al público?

En absoluto, una cosa es el derecho a la propia imagen, y otra diferente es que el empleador pueda disponer que los trabajadores acudan a su puesto de trabajo observando los criterios de conducta propios de la urbanidad, en el sentido, de que aunque no tengan atención directa ante el público, deben cumplir las elementales normas de respeto e higiene con sus compañeros y empleador. En ese sentido, en algunos convenios colectivos se establecen como infracción laboral leve, la falta de higiene o aseo en el trabajo, en la medida que influya en la actividad laboral[82].

III. UN PULSO ENTRE EL DERECHO A LA INTIMIDAD DEL TRABAJADOR Y EL CONTROL EMPRESARIAL DE LA ACTIVIDAD LABORAL

Existe una tradicional pugna entre el derecho fundamental a la intimidad de las personas (art. 18 CE), contenido también en el ámbito laboral en el artículo 4.2.e) del Estatuto de los Trabajadores como derecho a la intimidad de los trabajadores, y el derecho de las empresas consignado en el artículo 20, en relación con el artículo 5 TRLET de comprobar el cumplimiento de las obligaciones y deberes por parte del trabajador.

En numerosas ocasiones los problemas se materializan como consecuencia de la utilización privada de dispositivos digitales de la empresa (correo electrónico, móvil, ordenador, tableta, etc.) puestos a disposición del trabajador para que realice el trabajo asignado por aquella. Este tipo de prácticas ha ocasionado una creciente conflictividad, porque durante un período considerable de tiempo no ha existido una norma que contemplara una respuesta a tales situaciones. Por eso, la falta de regulación

---

[82]   SEMPERE NAVARRO, A. V. y SAN MARTÍN MAZZUCCONI, C.: *Los derechos fundamentales inespecíficos en la negociación colectiva.* Aranzadi. Cizur Menor, 2011, págs .118-119.

específica entre los derechos de una y otra parte antes de la LOPD, se vio compensada por la doctrina emanada del TC, jurisprudencia, doctrina judicial y como orientación de quienes asumen labores de asesoramiento, por la doctrina científica que ha contribuido con sus publicaciones a guiar en cierta forma a los tribunales que debían pronunciarse en las controversias que se les iban presentando.

Al tratarse de derechos fundamentales inespecíficos del trabajador, y aunque puedan tener una proyección en el ámbito laboral, pertenecen a todo ciudadano con independencia de su condición de trabajador, al que no se le puede exigir que relegue su intimidad al ámbito estrictamente personal manteniendo ciertas dimensiones de su vida a las puertas del centro de trabajo[83]. En consecuencia, los trabajadores no dejan de ser ciudadanos por el hecho de comenzar a prestar servicios para un empresario[84]; de lo que se deriva que los derechos fundamentales que la Constitución reconoce a todos los ciudadanos no se ven exceptuados por la existencia de una relación laboral[85], pues como advierte el TC, «la celebración de un contrato de trabajo no implica en modo alguno la privación para una de las partes, el trabajador, de los derechos que la Cons-

---

[83]   MORATO GARCÍA, R. M.: «El control sobre Internet y correo electrónico en la negociación colectiva». *Relaciones Laborales*, núm. 24, diciembre 2005, pág. 117.

[84]   Como gráficamente apunta el GT29 en el *Documento de trabajo relativo* a la *vigilancia de las comunicaciones electrónicas en el lugar de trabajo* (aprobado el 29 de mayo de 2002), «los trabajadores no dejan su derecho a la vida privada y a la protección de datos cada mañana a la puerta de su lugar de trabajo. Esperan legítimamente encontrar allí un grado de privacidad, ya que en él desarrollan una parte importante de sus relaciones con los demás». Disponible en: http://www.informatica-juridica.com/anexos/documento-de-trabajo-relativo-a-la-vigilancia-de-las-comunicaciones-electronicas-en-el-lugar-de-trabajo/.
A este respecto, conviene conocer que el denominado Grupo de Trabajo 29 (GT29) se creó de conformidad con el artículo 29 de la Directiva 95/46/CE. Se trata de un órgano consultivo independiente de la UE en materia de protección de datos y privacidad. Sus funciones se describen en el artículo 30 de dicha Directiva y en el artículo 15 de la Directiva 2002/58/CE

[85]   SAN MARTIN MAZUCCONI, C., y SEMPERE NAVARRO, A. V.: «Sobre el control empresarial de los ordenadores», *Revista Doctrinal Aranzadi Social,* núm. 3/2012 parte Tribuna. BIB/2012/984, pág. 1.

titución le reconoce como ciudadano»[86]. De ahí que, desde una postura armonizadora de los derechos fundamentales, pesa sobre el empleador la obligación de facilitar el ejercicio de los derechos fundamentales de sus trabajadores, en tanto le sea posible, y ello sin poner en peligro la actividad de la empresa[87], en particular, su derecho a administrar con cierta eficacia la empresa, y sobre todo, su derecho a protegerse de la responsabilidad o el perjuicio que pudiera derivarse de las acciones de los trabajadores. Estos derechos e intereses constituyen motivos legítimos que pueden justificar la adopción de medidas adecuadas destinadas a limitar el derecho a la vida privada de los trabajadores. Los casos en que el empleador es víctima de un delito imputable a un trabajador constituyen el ejemplo más claro[88].

Pero, al mismo tiempo, el ordenamiento laboral permite que el empresario pueda controlar y vigilar la actividad del trabajador, y en ese sentido, el derecho a la intimidad podría resultar disminuido (no digo menoscabado) siempre que se apliquen determinadas condiciones[89]. En este sentido[90], el rango no debe ser tomado en consideración cuando haya una colisión entre derechos fundamentales y valores o bienes jurídicos protegidos a nivel constitucional, porque no hay jerarquías entre ellos, sino la ponderación de intereses en el concreto conflicto,

---

[86]   STC 106/1996, 12 junio (RTC 1996, 106). En el mismo sentido: STC 197/1998, 13 octubre (RTC 1998, 197) y STC 98/2000, 10 abril (RTC 2000, 98).

[87]   APARICIO ALDANA, R. K.: *Derecho a la Intimidad y a la Propia Imagen en las Relaciones Jurídico Laborales*, cit., pág. 49.

[88]   GT29 en el *Documento de trabajo relativo* a la *vigilancia de las comunicaciones electrónicas en el lugar de trabajo*, cit.

[89]   Al examinar la cuestión de la vigilancia, señala, el GT29, en el *Documento de trabajo relativo a la vigilancia de las comunicaciones electrónicas en el lugar de trabajo*, «conviene tener siempre presente que, si bien los trabajadores tienen derecho a un cierto grado de respeto de la vida privada en el trabajo, este derecho no debe lesionar el derecho del empleador de controlar el funcionamiento de su empresa y de protegerse contra una actuación de los trabajadores susceptible de perjudicar sus intereses legítimos, por ejemplo la responsabilidad del empleador por acciones de sus trabajadores».

[90]   GOÑI SEIN, J. L.: «Los derechos fundamentales inespecíficos en la relación laboral individual: ¿Necesidad de una reformulación?», *Los Derechos Fundamentales inespecíficos en la relación laboral y en materia de protección social*, Ediciones Cinca, Madrid, 2014, pág. 26.

que es lo que justifica que una vez acreditada la necesidad o interés empresarial, sea legitimo el sacrificio de un derecho fundamental. En ese sentido, el derecho a la intimidad en las relaciones laborales debe ajustarse o modularse según las particularidades propias del contrato de trabajo[91].

Es obvio que este pulso entre los derechos fundamentales del trabajador en la empresa, concretado en el derecho a la intimidad personal y el poder de dirección del empresario manifestado en la posibilidad de comprobar que el trabajador cumple con sus deberes y obligaciones laborales, a falta de regulación específica, exigía el establecimiento de criterios que resolvieran esta dicotomía a través de la conjunción de la doctrina del TC así como del TJUE y del TEDH[92].

Esa es la razón de que, si bien se reconocen a los trabajadores los mismos derechos fundamentales que a cualquier otro ciudadano, sin embargo, éstos no son absolutos[93]. Pudiendo el marco de la relación laboral restringir sus términos, al reconocerse al empresario también constitucionalmente otros derechos, quizá de menor intensidad que inciden en el mismo objeto, por lo que se produce la reducción del ámbito de la protección, sobre todo en supuestos en los que la propia actividad laboral exija renunciar por ejemplo[94], a vestir de una determinada manera por la obligación de lucir un uniforme[95].

En ese sentido, la doctrina no vaciló en utilizar una terminología sintomática de la aceptación del superior rango de los derechos fundamentales distinguiendo entre un «derecho fundamental pleno y otro menos pleno» en clara alusión a los derechos fundamentales inespe-

---

[91] APARICIO ALDANA, R. K.: *Derecho a la Intimidad y a la Propia Imagen en las Relaciones Jurídico Laborales*, cit., pág. 49.

[92] FERNÁNDEZ ORRICO, F. J.: «Protección de la intimidad del trabajador frente a dispositivos digitales: análisis de la Ley Orgánica 3/2018, de 5 de diciembre». *Revista española de Derecho del Trabajo*, núm. 222 (julio) 2019 (BIB\2019\7744), pág. 6.

[93] En ese sentido, SSTC 57/1994, 28 febrero; 143/1994, 9 mayo (RTC 1994, 143); 98/2000, 10 abril.

[94] Véase, en ese sentido las SSTC 99/1994, 11 abril; 98/2000, 10 abril.

[95] SAN MARTIN MAZUCCONI, C., y SEMPERE NAVARRO, A. V.: «Sobre el control empresarial de los ordenadores», cit., pág. 3.

cíficos, por un lado, y a la libertad de empresa, por otro, sin perjuicio de reconocer que la consideración de este último puede ser incluso mayor[96].

En este forcejeo entre ambos derechos, el del empresario y el del trabajador, la cuestión fundamental debería dar respuesta satisfactoria a los siguientes interrogantes:

¿Hasta dónde puede llegar el empresario en sus facultades de dirección y control? y ¿Hasta dónde tienen reconocidos los trabajadores sus derechos fundamentales en el seno de la relación laboral?[97]

A este respecto, conviene señalar que no puede afirmarse que ambas situaciones (poder de dirección del empresario y los derechos del trabajador) estén en pie de igualdad, porque siempre tendrán mayor peso específico los derechos fundamentales del trabajador. Sin embargo, en determinadas circunstancias podrían modularse tales derechos para que pueda hacerse efectivo el poder de dirección del empresario, siempre que esa intromisión a los derechos del trabajador sea «razonable», como podría ser la circunstancia del ejemplo en el que no parece que la obligación de lucir un determinado uniforme suponga una grave restricción a ninguno de los derechos fundamentales del trabajador, salvo que esa obligación vaya acompañada de un menoscabo grave en su dignidad.

A falta de normativa aplicable en esta materia, la doctrina científica sistematizó los criterios vertidos por la doctrina del TC[98] y del TS, ofre-

---

[96]　OJEDA AVILÉS, A.: «Equilibrio de intereses y bloque de constitucionalidad personal en la empresa», *Revista de Derecho Social*, núm. 35, 2006, pág. 18.

[97]　No es la primera vez que la doctrina se lo plantea. Esto mismo se preguntan, SAN MARTIN MAZUCCONI, C., y SEMPERE NAVARRO, A. V.: «Sobre el control empresarial de los ordenadores», cit., pág. 3. También CARRASCO DURÁN, M.: «El Tribunal Constitucional y el uso del correo y los programas de mensajería en la empresa» *Revista Aranzadi Doctrinal*, núm. 9/2014 BIB 2013\2695, pág. 4, se pregunta en el título de uno de los epígrafes ¿Hasta qué punto puede controlar el empresario las comunicaciones llevadas a cabo a través del correo electrónico o de programas de mensajería? Una interpretación alternativa, desde la perspectiva de la garantía de los derechos fundamentales en el ámbito de la empresa.

[98]　A este respecto, resultan de interés los comentarios a las Sentencias del Tribunal Constitucional, realizados por SANTIAGO REDONDO, K. M.: «Intimidad, secreto de las comunicaciones y protección de datos de carácter personal. El art. 18 CE», *Relaciones Laborales*, núm. 1 enero 2014.

ciendo pistas para entender cuándo, una decisión empresarial que puede afectar a algún derecho fundamental del trabajador, no lo vulnera. En ese sentido, se ha señalado de forma inequívoca[99], que «la limitación de derechos fundamentales sólo es lícita si cumple el principio de proporcionalidad, por ser "idónea" para conocer la conducta laboral del trabajador, "necesaria" por cuanto no existe otra medida menos agresiva para la consecución de tal propósito con igual eficacia»[100], «proporcionada» al derivarse de ella más beneficios para el interés general que perjuicios sobre otros valores en conflicto[101], y «justificada» en el sentido de que su adopción ha de responder a motivaciones objetivas distintas de la simple y llana conveniencia empresarial[102].

No cabe duda de la exigencia de tales limitaciones. La cuestión es si la aplicación de todas ellas es necesaria para evitar cualquier tipo de arbitrariedad que conculque un derecho fundamental del trabajador. De hecho, se han suscitado diversos interrogantes acerca de la determinación de sus elementos y principios, y alguna perplejidad en relación con ciertas lagunas que presenta. En ese sentido, «presuponer que el legislador pueda determinar los intereses específicos laborales que protege cada uno de los derechos fundamentales y diseñar reglas ("fórmulas de compromiso") que resuelvan todos los conflictos de intereses en la relación individual es una quimera»[103]. Esto mismo trasladado al uso de los

---

[99]   SAN MARTIN MAZUCCONI, C., y SEMPERE NAVARRO, A. V.: «Sobre el control empresarial de los ordenadores», cit., pág. 5. En la página 4 se desarrollan tales criterios o test, como lo denominan sus autores.

[100]   STC 98/2000, 10 abril.

[101]   CARRIL VÁZQUEZ, X. M. y SEOANE RODRÍGUEZ, J. A.: «Vigilar y trabajar (una aproximación metodológica sobre la intimidad del trabajador como límite a las facultades de vigilancia y control del empresario. A propósito de las SSTCo 98/2000, de 10 de abril y 186/2000, de 10 de julio)», *Anuario da Facultade de Dereito da Universidade da Coruña* núm. 5, 2001, pág. 904.

[102]   En ese sentido, CARDONA RUBERT, M. B.: *Informática y contrato de trabajo*, Tirant lo Blanch, Valencia, 1999, pág. 67,

[103]   GOÑI SEÍN, J. L.: «Los derechos fundamentales inespecíficos en la relación laboral individual: ¿Necesidad de una reformulación?», cit., pág. 33. Interrogantes de los condicionantes previstos por el TC que desarrolla en págs. 33 a 46.

dispositivos digitales[104], ha generado una serie de problemas derivados del mantenimiento del equilibrio entre el poder de dirección y control del empresario y el respeto de los derechos fundamentales de los trabajadores en el trabajo.

En consecuencia, no resulta factible poner en la misma balanza sin mas, ambos derechos, porque los derechos fundamentales contienen un mayor peso específico y la balanza quedaría desquilibrada[105]. En ese sentido, cualquier restricción de los derechos fundamentales del trabajador requiere de unas condiciones o requisitos que equilibren o nivelen la balanza. Pero no resulta fácil aplicarlos de igual forma en cada supuesto, por lo que se debe concluir que cada supuesto es diferente debiéndose valorar y ponderar la proporcionalidad en cada caso concreto[106].

¿Es legítima la incorporación de cláusulas tipo en el contrato de trabajo que incluyen el número de teléfono, fijo o móvil o/y la dirección de correo electrónico del trabajador?

A la hora de suscribir el contrato de trabajo, se ha planteado si determinados datos personales del trabajador deberían recogerse en el mismo. Hablamos de dispositivos como el número del teléfono fijo o móvil, el correo electrónico, que podría extenderse a cualquier medio de comunicación privado del trabajador. Ciertamente, lo que se plantea no es que éste por propia iniciativa y voluntariamente le facilite al empresario tales datos, sino que sea el empresario el que los incluya entre las cláusulas tipo del contrato. En el primero de los casos, no veo inconveniente en que el trabajador facilite los datos de sus dispositivos porque es un medio de ponerse en contacto con el trabajador por si hubiera que transmitirle

---

[104]   ORELLANA CANO, A. M.: *El derecho a la protección de datos personales como garantía de la privacidad de los trabajadores*, cit., pág. 122.

[105]   En ese sentido el TC deja clara cuál es su postura con respecto a «la posición prevalente que en nuestro Derecho poseen los derechos fundamentales, de modo que si la existencia de la relación contractual puede llegar a imponer algún límite al ejercicio de los derechos fundamentales, este límite se ve asimismo "limitado" por la noción de imprescindibilidad» (STC 90/1999, 26 mayo [RTC 1999, 90]).

[106]   SAN MARTIN MAZUCCONI, C. y SEMPERE NAVARRO, A. V.: «Sobre el control empresarial de los ordenadores», cit., pág. 6.

alguna cuestión de importancia[107], siempre que no transgreda la normativa o los acuerdos en materia de derecho a la desconexión digital en el ámbito laboral. Porque entiendo que una cosa es que exista un medio de comunicación como puede ser el móvil (el más frecuente) que pueda ser utilizado por empresario y trabajador en situaciones excepcionales y otra cosa es el uso continuado que pueda invadir la privacidad del trabajador. En cualquier caso, el sentido común me dice que debe existir un medio de poder comunicarse, con independencia de que sea del trabajador o de la empresa.

Pero dicho esto, lo que se plantea es si resulta atentatorio contra el derecho a la protección de datos personales, el hecho de incluir las cláusulas tipo en las que figuren los datos del teléfono o correo electrónico del trabajador.

Con anterioridad al RGPD y a la LOPD, se pronunció el TS en una Sentencia[108], que precisamente zanjó la cuestión, si bien, aplicando la Ley Orgánica 15/1999.

El objeto que se debate en la sentencia consiste en determinar la validez de una cláusula/tipo que una empresa incluye en los contratos de trabajo y que, con ligeras variantes introducidas en el tiempo, refiere que las «partes convienen expresamente que cualquier tipo de comunicación relativa a este contrato, a la relación laboral o al puesto de trabajo, podrá ser enviada al trabajador vía SMS o vía correo electrónico… según los datos facilitados por el trabajador a efectos de contacto» y que «cualquier cambio o incidencia con respecto a los mismos, deberá ser comunicada a la empresa de forma fehaciente e inmediata».

El TS, basándose en la normativa vigente entonces (la Ley Orgánica 15/1999 y Reglamento 1720/2007), señala que la doctrina constitucional, «en absoluto niega que voluntariamente puedan ponerse aquellos datos a disposición de la empresa, pues ello es algo incuestionable; es más, incluso pudiera resultar deseable, dado los actuales tiempos de progresiva pujanza telemática en todos los ámbitos. A lo que exclusiva-

---

[107] De alguna forma debería establecerse un sistema de comunicación con el trabajador y al contrario, el trabajador puede necesitar efectuar llamadas al empresario porque surja alguna circunstancia imprevista.

[108] STS (Sala de lo Social) 21 septiembre 2015, rcud 259/2015 (RJ 2015, 4353).

mente nos oponemos es que en el contrato de trabajo se haga constar
—como específica cláusula/tipo— que el trabajador presta su "voluntario" consentimiento a aportar los referidos datos personales y a que la
empresa los utilice en los términos que el contrato relata, siendo así que
el trabajador es la parte más débil del contrato y ha de excluirse la posibilidad de que esa debilidad contractual pueda viciar su consentimiento
a una previsión negocial referida a un derecho fundamental, y que dadas
las circunstancias —se trata del momento de acceso a un bien escaso
como es el empleo— bien puede entenderse que el consentimiento sobre tal extremo no es por completo libre y voluntario[109] (…), de forma
que la ausencia de la menor garantía en orden al consentimiento que
requiere el artículo 6.1 LOPD de 1999, determinó precisamente que la
sentencia recurrida —y ahora esta Sala— consideren que tal cláusula es
nula por atentar contra un derecho fundamental, y que debe excluirse de
los contratos de trabajo».

Esta doctrina pese a basarse en una normativa anterior, puede considerarse vigente[110], porque, aunque según el artículo 6.1.a) RGPD, la
licitud del tratamiento se basa en el consentimiento del trabajador, sin
embargo, esta no puede servir de base según la sentencia examinada,
porque no existen garantías de la prestación de un consentimiento libre
y voluntario del trabajador por estar sujeto a la relación laboral. Pero
además, el artículo 6.3 LOPD, dispone que «no podrá supeditarse la
ejecución del contrato a que el afectado consienta el tratamiento de los
datos personales para finalidades que no guarden relación con el mantenimiento, desarrollo o control de la relación contractual», en consecuencia se asegura que resulta aplicable la doctrina jurisprudencial y por ello
deben considerarse nulas las cláusulas tipo del contrato que obliguen a
facilitar su número de teléfono, fijo o móvil y su correo electrónico.

---

[109]   Sobre tal extremo, aunque referido a cláusulas de temporalidad, cita el TS las
        SSTS 20/01/98 (RJ 1998, 1000) —rcud 317/97—; 30/03/99 (RJ 1999, 3775)
        —rcud 2815/98—; 29/05/00 (RJ 2000, 4804) —rcud 1840/99—; y 18/07/07 (RJ
        2007, 6738) —rcud 3685/05—.
[110]   ORELLANA CANO, A. M.: *El derecho a la protección de datos personales como
        garantía de la privacidad de los trabajadores*, cit., págs. 102-103.

Es más, el propio RGPD, deja las cosas claras, en relación al consentimiento de determinadas cláusulas al señalar que para, «evaluar si el consentimiento se ha dado libremente, se tendrá en cuenta en la mayor medida posible el hecho de si, entre otras cosas, la ejecución de un contrato, incluida la prestación de un servicio, *se supedita* al consentimiento al tratamiento de datos personales que no son necesarios para la ejecución de dicho contrato» (art. 7.4 RGPD). Este podría ser el caso que estamos examinando, e incluso, en el caso más extremo, aquellos contratos de trabajo que exijan, ya no solo el tratamiento de datos personales o el correo electrónico o número personal del móvil, sino que se requiere como condición para ser contratados los trabajadores, que faciliten la clave del correo electrónico personal del trabajador.

En lo que se refiere a la desconexión digital, no veo claro, que sea otro argumento que apoye la doctrina de la sentencia mencionada, porque entiendo que una cosa es el derecho a la desconexión digital, en el sentido del derecho del trabajador a que su empleador respete los tiempos de su privacidad, y otra cuestión es que los datos del teléfono o del correo electrónico del trabajador no deban aparecer como cláusulas tipo del contrato de trabajo.

Capítulo 2
Principios, derechos e instrumentos sobre tratamiento de protección de datos personales

---

I. ACERCAMIENTO AL CONCEPTO DE DATO PERSONAL Y SU TRATAMIENTO

En ningún momento como el presente se ha escrito tanto sobre lo que significa el tratamiento de datos personales. Son numerosas las publicaciones que han abordado esta cuestión, especialmente tras la entrada en vigor del RGPD y la LOPD, que representan la normativa fundamental para conocer con profundidad esa dicotomía entre el poder de control del empresario sobre la actividad laboral del trabajador y su derecho a la protección de datos personales, como consecuencia del uso de determinados dispositivos digitales. De ahí, que parece oportuno abordar, en este capítulo previo a los usos de los diversos dispositivos digitales, no solo la terminología y el concepto de lo que significan los datos personales, sino adentrarnos en las diversas figuras, principios, instituciones, derechos, etc., que resultarán de utilidad en los siguientes capítulos en los que, de una u otra forma aparecerá la problemática del tratamiento de los datos personales, en particular cuando se refieren al uso de dispositivos digitales, cámaras de videovigilancia, desconexión digital, sistemas de geolocalización o de biometría, etc., en el ámbito laboral, pues, tales dispositivos, de una u otra forma, efectúan tratamiento de datos personales.

1. *Concepto de dato personal*

Pero antes de entrar en el significado del tratamiento de datos personales, conviene internarse en el concepto de «dato personal», tal como lo definen el RGPD, y la LOPD. Con respecto a la primera, se define dato personal como, «toda información sobre una persona física identificada o identificable[111] ("el interesado", según el RGPD o "afectado", según LOPD[112])». Ciertamente, se trata de una breve definición, pero fácilmente comprensible, en el sentido de que se refiere solamente a personas físicas, descartando a las personas jurídicas[113]. La LOPD, no incluye ninguna definición sobre el significado de dato personal[114], y pasa directamente al contenido sobre tratamiento dando por supuesto que se conoce el concepto, quizá presuponiendo que es suficiente con el concepto del RGPD que figura precisamente en la primera definición que figura en el artículo 4.1), de las veintiséis definiciones que aparecen en este artículo.

Son numerosas las clases de datos personales, que se refieren a nuestra propia identificación, pasando por historiales médicos, evolución profesional en alguna empresa, información numérica, gráfica, expedientes académicos, información fotográfica, de sonidos, grabación de imágenes, etc.

En la definición que aparece en el RGPD, se ofrece una ampliación del significado sobre, quién se considera persona física acompañando unos cuantos ejemplos sobre qué datos pueden considerarse identificables, de manera que según el citado precepto, «se considerará persona física identificable toda persona cuya identidad pueda determinarse, directa o indirectamente, en particular mediante un identificador, como por ejemplo un nombre, un número de identificación, datos de localización, un identificador en línea o uno o varios elementos propios de

---

[111]   Para determinar si una persona física es identificable, según el considerando (26) RGPD, deben tenerse en cuenta todos los medios, como la singularización, que razonablemente pueda utilizar el responsable del tratamiento o cualquier otra persona para identificar directa o indirectamente a la persona física.

[112]   Con objeto de unificar criterios, seguiré la denominación de «interesado», según el RGPD.

[113]   El propio Reglamento señala expresamente que «no regula el tratamiento de datos personales relativos a personas jurídicas y en particular a empresas constituidas como personas jurídicas, incluido el nombre y la forma de la persona jurídica y sus datos de contacto».

[114]   A diferencia de la anterior Ley Orgánica 15/1999, de 13 de diciembre, de Protección de Datos de Carácter Personal, a la que sustituye, en cuyo artículo 3.a), figura la definición de dato personal como «cualquier información concerniente a personas físicas identificadas o identificables».

la identidad física, fisiológica, genética, psíquica, económica, cultural o social de dicha persona». Resulta acertada la inclusión de estos ejemplos, pues ya están teniendo incidencia en el ámbito laboral, en particular, sobre la normativa de registro de jornada, sustituyendo el control mediante tarjetas magnéticas de entradas y salidas, mediante otro tipo de control más moderno como el control mediante sistemas biométricos o la huella digital[115].

Según el artículo 11 RGPD, en caso de que los fines para los cuales un responsable trate datos personales no requieran la identificación de un interesado por el responsable, este no estará obligado a mantener, obtener o tratar información adicional con vistas a identificar al interesado con la única finalidad de cumplir el RGPD. En estos casos, cuando el responsable sea capaz de demostrar que no está en condiciones de identificar al interesado, le informará en consecuencia, de ser posible. En tales casos, no se aplicarán los derechos de los artículos 15 a 20, excepto cuando el interesado, a efectos del ejercicio de sus derechos en virtud de dichos artículos, facilite información adicional que permita su identificación.

2. *Significado del tratamiento de datos personales*

La primera expresión que acompaña al dato personal en el RGPD y la LOPD es el tratamiento del mismo. Y ¿Cómo debemos interpretar en esta materia el tratamiento? Pues bien, la LOPD da por supuesto su significado sin aludir a su concepto. Es el RGPD, en el artículo 4.2), el que ofrece una definición, según la cual, se entiende por tratamiento: «cualquier operación o conjunto de operaciones realizadas sobre datos personales o conjuntos de datos personales, ya sea por procedimientos automatizados o no, como la recogida, registro, organización, estructuración, conservación, adaptación o modificación, extracción, consulta, utilización, comunicación por transmisión, difusión o cualquier otra forma de habilitación de acceso, cotejo o interconexión, limitación, supresión o destrucción». Otro concepto relacionado con el tratamiento que

---

[115] BLÁZQUEZ AGUDO, E. M.: *Aplicación práctica de la protección de datos en las relaciones laborales*. CISS. Wolters Kluwer, Las Rozas (Madrid), 2018, pág. 59.

aparece con frecuencia es el de fichero, según el cual, es «todo conjunto estructurado de datos personales, accesibles con arreglo a criterios determinados, ya sea centralizado, descentralizado o repartido de forma funcional o geográfica» [4.6. RGPD].

II. LA SEUDONIMIZACIÓN COMO TÉCNICA DE PROTECCIÓN DE DATOS PERSONALES

Una de las formas de proteger los datos personales frente a intromisiones no deseadas, es el uso de la técnica de seudonimización, palabra que no se contempla en nuestro diccionario, pero que el RGPD entiende como «el tratamiento de datos personales de manera tal que ya no puedan atribuirse a un interesado sin utilizar información adicional, siempre que dicha información adicional figure por separado y esté sujeta a medidas técnicas y organizativas destinadas a garantizar que los datos personales no se atribuyan a una persona física identificada o identificable»[116]. En consecuencia, los datos personales seudonimizados, que cabe atribuir a una persona física mediante la utilización de información adicional, deben considerarse información sobre una persona física identificable[117].

Cabría entender esta técnica como la posibilidad de efectuar un tratamiento de datos, cuando de forma indirecta se pueda identificar a una persona, mediante información adicional. Un ejemplo en el ámbito sanitario, lo proporciona el Informe 0283/2008 de la AEPD, si bien utilizando otra terminología, al señalar que «será suficiente que exista la mera posibilidad, incluso remota, de que, mediante la utilización, con carácter previo, coetáneo o posterior de cualquier medio (proceso informático, programa, herramienta del sistema, etcétera), la información concerniente a los pacientes, que obre en poder de la consultante, pueda revelar la identidad de los afectados, para que queda plenamente sometida a la Ley Orgánica».

---

[116]   Considerando (14) RGPD.
[117]   Considerando (26) RGPD.

Por otro lado, conviene distinguir entre esta técnica de seudonimización y aquellos datos de imposible identificación (anónimos), en cuyo caso no se encuentran sometidos a la aplicación de la legislación sobre protección de datos personales. De manera que «para que un procedimiento de disociación pueda ser considerado suficiente a los efectos de la Ley Orgánica 15/1999 (puede entenderse referida a la LOPD), será necesario que de la aplicación de dicho procedimiento resulte imposible asociar un determinado dato con un sujeto determinado»[118].

La conclusión a la que se llega en el citado informe, en el ejemplo sanitario, es que si a través de la información incorporada a la base de datos, puede deducirse la identidad del afectado sin realizar esfuerzos desproporcionados (lo que resulta viable si pudiera establecerse una correlación entre el número de historia clínica asignado por el centro médico y la identidad del paciente «nombre y apellidos»), no estaríamos ante un supuesto de disociación y estaría plenamente sometidos a las disposiciones sobre protección de datos.

Los datos personales seudonimizados, que cabría atribuir a una persona física mediante la utilización de información adicional, deben considerarse información sobre una persona física identificable, en cambio, los principios de protección de datos no deben aplicarse a la información anónima, es decir, información que no guarda relación con una persona física identificada o identificable, ni a los datos convertidos en anónimos de forma que el interesado no sea identificable, o deje de serlo[119].

También el GT29, ha propuesto un concepto sobre la técnica de seudonimización, en el Dictamen 05/2014 sobre técnicas de anonimización, según el cual, la técnica de seudonimización «consiste en la sustitución de un atributo (normalmente un atributo único) por otro en un registro». De manera que, sigue existiendo una alta probabilidad de identificar a la persona física de manera indirecta; en otras palabras —señala el mencionado Dictamen—, el uso exclusivo de la seudonimización no garantiza un conjunto de datos anónimo, pues bastaría con que remotamente pudiera conocerse la identidad de una persona

---

[118]   Informe 0283/2008 AEPD.
[119]   Considerando (26) RGPD.

mediante otra información adicional, para que tales datos puedan ser sometidos a la protección sobre el tratamiento normativo de datos personales.

Pero todavía nos quedan dudas sobre cómo determinar si sería posible con otra información adicional convertir un dato, en principio anónimo, en seudonimizado. Consciente el RGPD de esa cuestión ofrece algunas pistas, como que si existe una probabilidad razonable de que se utilicen medios para identificar a una persona física, deben tenerse en cuenta todos los factores objetivos, como los costes y el tiempo necesarios para la identificación, teniendo en cuenta tanto la tecnología disponible en el momento del tratamiento como los avances tecnológicos[120].

1. La Seudonimización como garantía de seguridad en la protección de datos personales

La Seudonimización es una técnica concebida para aplicar de forma efectiva los principios de protección de datos, como la minimización de datos, e integrar las garantías necesarias en el tratamiento, a fin de cumplir los requisitos del RGPD y de ese modo alcanzar la protección de los derechos de los interesados (art. 25.1 RGPD). Asegura el considerando (28) RGPD, que la aplicación de la seudonimización a los datos personales puede reducir los riesgos para los interesados afectados y ayudar a los responsables y a los encargados del tratamiento a cumplir sus obligaciones de protección de los datos, sin por ello excluir ninguna otra medida relativa a la protección de los datos. Asimismo, el propio RGPD coloca la seudonimización[121] y el cifrado de datos personales como la primera en una relación de cuatro, para garantizar un nivel de seguridad adecuado al riesgo conectado con la probabilidad y gravedad variables para los derechos y libertades de las personas físicas.

---

[120] Considerando (26) RGPD.
[121] Artículo 32.1.a) RGPD.

Resulta de interés conocer algunas técnicas de seudonimización. El Dictamen 05/2014, incluye las más utilizadas, como las siguientes:

- *Cifrado con clave secreta*: En esta técnica, el poseedor de la clave puede reidentificar al interesado con suma facilidad. Para ello, le basta con descifrar el conjunto de datos, ya que este contiene los datos personales, aunque sea en forma cifrada. Si se aplican los sistemas de cifrado más avanzados, tan solo es posible descifrar los datos si se conoce la clave.

- *Función hash:* Se trata de una función que devuelve un resultado de tamaño fijo a partir de un valor de entrada de cualquier tamaño (esta entrada puede estar formada por un solo atributo o por un conjunto de atributos). Esta función no es reversible, es decir, no existe el riesgo de revertir el resultado, como en el caso del cifrado. Sin embargo, si se conoce el rango de los valores de entrada de la función hash, se pueden pasar estos valores por la función a fin de obtener el valor real de un registro determinado. Por ejemplo, si se aplica la función hash al número de identificación nacional para seudonimizar un conjunto de datos, dicho atributo se puede obtener simplemente ejecutando la función con todos los posibles valores de entrada y comparando los resultados con los valores del conjunto de datos. Habitualmente, las funciones hash se diseñan para poder ejecutarse de manera relativamente rápida, por lo que están sujetas a ataques de fuerza bruta. También se pueden crear tablas precalculadas para lograr una reversión masiva de un gran número de valores hash.

  El uso de una función hash «con sal» (en la que se añade un valor aleatorio, conocido como «sal», al atributo al que se aplica la función hash) puede reducir la probabilidad de obtener el valor de entrada. No obstante, usando medios razonables, todavía existe la posibilidad de calcular el valor original del atributo que se oculta tras el resultado de una función hash con sal[122].

---

[122] Sobre el uso de la técnica hash, resulta interesante la consulta del documento: Introducción al hash como técnica de seudonimización de datos personales, confeccionado por la AEPD y por el Supervisor Europeo de Protección de Datos (EDPS,

- *Función con clave almacenada*: Se trata de un tipo de función hash que hace uso de una clave secreta a modo de valor de entrada suplementario (lo cual la diferencia de una función hash con sal, ya que, normalmente, la sal no es secreta.) El responsable del tratamiento puede reproducir la ejecución de la función con el atributo y la clave secreta. Sin embargo, los atacantes, que no conocen la clave, lo tendrían mucho más difícil: el número de combinaciones que habría que probar sería tan grande, que convertiría este procedimiento en impracticable.

- *Cifrado determinista o función hash con clave con borrado de clave*: Esta técnica equivale a generar un número aleatorio a modo de seudónimo para cada atributo de la base de datos y, posteriormente, borrar la tabla de correspondencia. Esta solución reduce el riesgo de vinculabilidad entre los datos personales contenidos en el conjunto de datos y los datos personales relativos a la misma persona contenidos en otro conjunto de datos en el que se usa un seudónimo diferente. Si se ejecutan los algoritmos más avanzados, el esfuerzo de cálculo que debería realizar un atacante para descifrar o reproducir la ejecución de la función sería muy grande, ya que tendría que probar cada posible clave, puesto que esta se desconoce.

- *Descomposición en tokens*: Esta técnica se usa típicamente en el sector financiero (aunque no exclusivamente en él) para reemplazar los números de identificación de tarjetas por valores que son de poca utilidad para los atacantes. Tiene su origen en las técnicas anteriormente mencionadas, y suele basarse en la aplicación de mecanismos de cifrado unidireccionales, o bien en la asignación, mediante una función de índice, de un número de secuencia o un número generado aleatoriamente que no derive matemáticamente de los datos originales.

---

por sus siglas en inglés), en https://www.aepd.es/sites/default/files/2020-05/estudio-hash-anonimidad.pdf.

2. *Otros medios de seguridad de los datos personales*

Siendo la seudonimización, una técnica para aportar seguridad en la protección de datos personales, el RGPD aporta otras medidas que junto a aquella pueden también ofrecer seguridad en la protección, dichas medidas podrían consistir, en reducir al máximo el tratamiento de datos personales, dar transparencia a las funciones y el tratamiento de datos personales, permitiendo a los interesados supervisar el tratamiento de datos y al responsable del tratamiento crear y mejorar elementos de seguridad[123].

III. PRINCIPIOS BÁSICOS SOBRE EL TRATAMIENTO DE DATOS PERSONALES

Al referirse a los principios sobre el tratamiento de datos personales, el RGPD alude a que los principios de la protección de datos deben aplicarse a toda la información relativa únicamente a una persona física identificada o identificable, incluidos los datos personales seudonimizados, excluyendo la aplicación por lo tanto los principios de protección de datos a la información anónima.

Pero dicho eso, el propio RGPD, ofrece una serie de medidas ejemplificativas, que deberá adoptar el responsable de datos cuya aplicación suponga el cumplimiento de los principios de protección de datos. Tales medidas son, entre otras, las siguientes[124]:

- Reducir al máximo el tratamiento de datos personales.
- Seudonimizar lo antes posible los datos personales.
- Dar transparencia a las funciones y el tratamiento de datos personales, permitiendo a los interesados supervisar el tratamiento de datos y al responsable del tratamiento crear y mejorar elementos de seguridad.

---

[123]   Considerando (78) RGPD.
[124]   Considerando (78) RGPD.

- Al desarrollar, diseñar, seleccionar y usar aplicaciones, servicios y productos que están basados en el tratamiento de datos personales o que tratan datos personales para cumplir su función, ha de alentarse a los productores de los productos, servicios y aplicaciones a que tengan en cuenta el derecho a la protección de datos cuando desarrollan y diseñen estos productos, servicios y aplicaciones, y que se aseguren, con la debida atención al estado de la técnica, de que los responsables y los encargados del tratamiento están en condiciones de cumplir sus obligaciones en materia de protección de datos.

Por otro lado, debe tenerse en cuenta que los principios de la protección de datos desde el diseño y por defecto, no solo deben tenerse en consideración en el ámbito privado, también deben tenerse en cuenta en el contexto de los contratos públicos.

1. *Principios explícitos de protección de datos*

El capítulo II RGPD, se dedica a los principios de la protección de datos, concretando como debe ser su tratamiento en el artículo 5, concretamente señala que los datos personales deberán ser:

a) tratados de manera lícita[125], leal y transparente en relación con el interesado (**«licitud, lealtad y transparencia»**);

b) recogidos con fines determinados, explícitos y legítimos, y no serán tratados ulteriormente de manera incompatible con dichos fines; el tratamiento ulterior de los datos personales con fines de archivo en interés público, fines de investigación científica e histórica o fines estadísticos no se considerará incompatible con los fines iniciales (**«limitación de la finalidad»**);

c) adecuados, pertinentes y limitados a lo necesario en relación con los fines para los que son tratados (**«minimización de datos»**);

---

[125] Sobre la licitud del tratamiento, entendida como uno de los principios sobre el tratamiento de datos personales, el artículo 6 RGPD, establece las condiciones, coordinación con la normativa interna de los Estados, base del tratamiento, consentimiento, así como finalidad inicial o distinta de la inicial.

d) exactos y, si fuera necesario, actualizados; se adoptarán todas las medidas razonables para que se supriman o rectifiquen sin dilación los datos personales que sean inexactos con respecto a los fines para los que se tratan (**«exactitud»**); A este respecto, el artículo 4 LOPD, apunta, que no será imputable al responsable del tratamiento, siempre que este haya adoptado todas las medidas razonables para que se supriman o rectifiquen sin dilación, la inexactitud de los datos personales, con respecto a los fines para los que se tratan, cuando los datos inexactos: hubiesen sido obtenidos por el responsable directamente del afectado; hubiesen sido obtenidos por el responsable de un mediador o intermediario, que recoja en nombre propio los datos de los interesados para su transmisión al responsable; fuesen sometidos a tratamiento por el responsable por haberlos recibido de otro responsable en virtud del ejercicio por el interesado del derecho a la portabilidad; fuesen obtenidos de un registro público por el responsable;

e) mantenidos de forma que se permita la identificación de los interesados durante no más tiempo del necesario para los fines del tratamiento de los datos personales; los datos personales podrán conservarse durante períodos más largos siempre que se traten exclusivamente con fines de archivo en interés público, fines de investigación científica o histórica o fines estadísticos (**«limitación del plazo de conservación»**);

f) tratados de tal manera que se garantice una seguridad adecuada de los datos personales, incluida la protección contra el tratamiento no autorizado o ilícito y contra su pérdida, destrucción o daño accidental, mediante la aplicación de medidas técnicas u organizativas apropiadas (**«integridad y confidencialidad»**). El artículo 5 LOPD completa este principio, con los deberes de secreto profesional de conformidad con su normativa aplicable. Además este principio de confidencialidad se mantendrá aun cuando hubiese finalizado la relación del obligado con el responsable o encargado del tratamiento.

Estos seis principios deberán ser objeto de cumplimiento, estando encargado de su cumplimiento y de su demostración el responsable del tratamiento, al que me referiré más adelante.

IV. EL CONSENTIMIENTO DEL INTERESADO COMO ELEMENTO ESENCIAL EN EL TRATAMIENTO DE DATOS PERSONALES

Aunque no figura explícitamente como un principio, ni como un derecho, lo cierto es que el consentimiento del interesado es un elemento esencial en el tratamiento de los datos personales. El artículo 4.11 RGPD define el consentimiento del interesado, como «toda manifestación de voluntad libre, específica, informada e inequívoca por la que el interesado acepta, ya sea mediante una declaración o una clara acción afirmativa, el tratamiento de datos personales que le conciernen». La importancia del consentimiento es de tal magnitud que puede llegar a eximir la prohibición sobre el tratamiento de categorías especiales de datos personales del artículo 9.1 RGPD. Tales posibilidades de eludir la prohibición del tratamiento de tales datos especiales, se contienen en diversos supuestos del artículo 9.2 RGPD.

A este respecto, se consideran categorías especiales («sensibles» en la denominación de la anterior ley) porque afectan a los aspectos más íntimos de la personalidad del interesado como son su dignidad y su libertad, e inciden sobremanera en su desarrollo personal. La vulneración en este tipo de datos tiene una potencialidad más invasora en la privacidad que en los casos de datos ordinarios, ya que su instrumentalización podría conculcar derechos y libertades de la persona, así como los principios de igualdad y no discriminación inspirados por nuestro ordenamiento jurídico[126]. El Reglamento particulariza las excepciones en las que interviene el consentimiento, en el tratamiento de categorías

---

[126] CANO RUIZ, I.: «Categorías especiales de datos». *Comentarios a la Ley Orgánica de Protección de Datos y Garantía de Derechos Digitales (en relación con el RGPD).* Directores: Mónica Arenas Ramiro y Alfonso Ortega Giménez. Sepín. 2019, pág. 82.

especiales de datos personales, por las que, en determinadas circunstancias, no será aplicable la prohibición, algunas de ellas referidas al consentimiento del interesado[127], y que son las siguientes[128]:

---

[127] Además de las diversas modalidades del consentimiento del interesado, no es aplicable la prohibición del tratamiento de datos personales, en los siguientes supuestos (categorías especiales del tratamiento de datos personales) que se contienen en las siguientes letras del artículo 9.2 del RGPD:

b) Que el tratamiento sea «necesario para el cumplimiento de obligaciones y el ejercicio de derechos específicos del responsable del tratamiento o del interesado en el ámbito del Derecho laboral y de la seguridad y protección social, en la medida en que así lo autorice el Derecho de la Unión de los Estados miembros o un convenio colectivo con arreglo al Derecho de los Estados miembros que establezca garantías adecuadas del respeto de los derechos fundamentales y de los intereses del interesado».

e) Que el tratamiento se refiera «a datos personales que el interesado ha hecho manifiestamente públicos».

f) Que el tratamiento sea «necesario para la formulación, el ejercicio o la defensa de reclamaciones o cuando los tribunales actúen en ejercicio de su función judicial».

g) Que el tratamiento sea «necesario por razones de un interés público esencial, sobre la base del Derecho de la Unión o de los Estados miembros, que debe ser proporcional al objetivo perseguido, respetar en lo esencial el derecho a la protección de datos y establecer medidas adecuadas y específicas para proteger los intereses y derechos fundamentales del interesado».

h) Que el tratamiento sea «necesario para fines de medicina preventiva o laboral, evaluación de la capacidad laboral del trabajador, diagnóstico médico, prestación de asistencia o tratamiento de tipo sanitario o social, o gestión de los sistemas y servicios de asistencia sanitaria y social, sobre la base del Derecho de la Unión o de los Estados miembros o en virtud de un contrato con un profesional sanitario y sin perjuicio de las condiciones y garantías contempladas en el apartado 3». Concretamente, en este caso, podrán tratarse «cuando su tratamiento sea realizado por un profesional sujeto a la obligación de secreto profesional, o bajo su responsabilidad, de acuerdo con el Derecho de la Unión o de los Estados miembros o con las normas establecidas por los organismos nacionales competentes, o por cualquier otra persona sujeta también a la obligación de secreto de acuerdo con el Derecho de la Unión o de los Estados miembros o de las normas establecidas por los organismos nacionales competentes» [art. 9.3 RGPD].

i) Que el tratamiento sea «necesario por razones de interés público en el ámbito de la salud pública, como la protección frente a amenazas transfronterizas graves para la salud, o para garantizar elevados niveles de calidad y de seguridad de la asistencia sanitaria y de los medicamentos o productos sanitarios, sobre la base del Derecho de la Unión o de los Estados miembros que establezca medidas adecuadas

a) Que el interesado haya dado su *consentimiento explícito* para el tratamiento de dichos datos personales con uno o más de los fines especificados, excepto cuando el Derecho de la Unión o de los Estados miembros establezca que la prohibición no pueda ser levantada por el interesado[129].

---

y específicas para proteger los derechos y libertades del interesado, en particular el secreto profesional».

j) Que el tratamiento sea «necesario con fines de archivo en interés público, fines de investigación científica o histórica o fines estadísticos, de conformidad con el artículo 89, apartado 1, sobre la base del Derecho de la Unión o de los Estados miembros, que debe ser proporcional al objetivo perseguido, respetar en lo esencial el derecho a la protección de datos y establecer medidas adecuadas y específicas para proteger los intereses y derechos fundamentales del interesado».

[128] En el caso de las letras g), h) e i), los tratamientos de datos personales «deberán estar amparados en una norma con rango de ley, que podrá establecer requisitos adicionales relativos a su seguridad y confidencialidad. En particular, dicha norma podrá amparar el tratamiento de datos en el ámbito de la salud cuando así lo exija la gestión de los sistemas y servicios de asistencia sanitaria y social, pública y privada, o la ejecución de un contrato de seguro del que el afectado sea parte» (art. 9.2 LOPD).
Apartados a), c) y d) del artículo 9.2 RGPD.

[129] En este sentido, el artículo 9.1 LOPD, establece que, «a fin de evitar situaciones discriminatorias, el solo consentimiento del afectado no bastará para levantar la prohibición del tratamiento de datos cuya finalidad principal sea identificar su ideología, afiliación sindical, religión, orientación sexual, creencias u origen racial o étnico». Por tanto, en España el consentimiento del interesado es más restringido, respecto al tratamiento de los mencionados datos personales. Concretamente, el artículo 15.1 de la Ley 19/2013, de 9 de diciembre, de transparencia, acceso a la información pública y buen gobierno, establece que «si la información solicitada contuviera datos personales que revelen la ideología, afiliación sindical, religión o creencias, el acceso únicamente se podrá autorizar en caso de que se contase con el *consentimiento expreso y por escrito del afectado*, a menos que dicho afectado hubiese hecho manifiestamente públicos los datos con anterioridad a que se solicitase el acceso. Si la información incluyese datos personales que hagan referencia al origen racial, a la salud o a la vida sexual, incluyese datos genéticos o biométricos o contuviera datos relativos a la comisión de infracciones penales o administrativas que no conllevasen la amonestación pública al infractor, el acceso solo se podrá autorizar en caso de que se cuente con el *consentimiento expreso del afectado* o si aquel estuviera amparado por una norma con rango de ley».

b) Que el tratamiento sea necesario para proteger intereses vitales del interesado o de otra persona física, en el supuesto de que el interesado *no esté capacitado*, física o jurídicamente, *para dar su consentimiento.*

c) Que el tratamiento se efectúe, en el ámbito de sus actividades legítimas y con las debidas garantías, por una fundación, una asociación o cualquier otro organismo sin ánimo de lucro, cuya finalidad sea política, filosófica, religiosa o sindical, siempre que el tratamiento se refiera exclusivamente a los miembros actuales o antiguos de tales organismos o a personas que mantengan contactos regulares con ellos en relación con sus fines y *siempre que los datos personales no se comuniquen fuera de ellos sin el consentimiento de los interesados.*

En cualquier caso, cabe afirmar con carácter general que para que el tratamiento sea lícito, los datos personales deben ser tratados con el consentimiento del interesado o sobre alguna otra base legítima establecida conforme a Derecho[130], de manera que el consentimiento de los interesados será la puerta de acceso al tratamiento de datos personales, existiendo otras excepciones que figuran en el artículo 9 RGPD. Pero ese consentimiento no puede ser otorgado por el interesado de cualquier forma, sino que la normativa prevé cómo deben ser las condiciones, para que sea válido.

1. *Condiciones del consentimiento otorgado por el interesado*

Es importante conocer cuáles son las condiciones en que debe otorgarse el consentimiento del interesado para el tratamiento de sus datos personales, pues resulta evidente que las circunstancias en que se produce pueden condicionar el sentido de la voluntad, y no debe considerarse libremente prestado cuando el interesado no goza de verdadera o libre elección o no puede denegar o retirar su consentimiento sin sufrir perjuicio alguno[131].

---

[130]   Considerando (40) RGPD.
[131]   Considerando (42) RGPD.

1.1. *La libre voluntad en el consentimiento del interesado como condición de validez*

Un aspecto a tener en cuenta a la hora de prestar el consentimiento, es que este debe ser libre. Con objeto de conocer si el consentimiento se ha dado libremente por el interesado, «se tendrá en cuenta en la mayor medida posible el hecho de si, entre otras cosas, la ejecución de un contrato, incluida la prestación de un servicio, se supedita al consentimiento al tratamiento de datos personales que no son necesarios para la ejecución de dicho contrato»[132]. Se trata por tanto, de considerar que un contrato o cualquier prestación de servicios en los que no sea necesario el tratamiento de datos personales del interesado, y se condicione su contratación o prestación de servicios al consentimiento de que se trate sus datos personales, no sería considerado prestado de forma libre, por lo que existiría un vicio de consentimiento y podría ser considerado un consentimiento nulo. Para ello, según el artículo 7.2 RGPD, se tendrá en cuenta el hecho de si, la ejecución de un contrato, incluida la prestación de un servicio, se supedita al consentimiento al tratamiento de datos personales que no son necesarios para la ejecución de dicho contrato. En otras palabras, como señala la LOPD, «no podrá supeditarse la ejecución del contrato a que el afectado consienta el tratamiento de los datos personales para finalidades que no guarden relación con el mantenimiento, desarrollo o control de la relación contractual»[133]. Una pista para reconocer que el consentimiento no se ha prestado libremente, tiene lugar, cuando el interesado no goza de verdadera o libre elección o no puede denegar o retirar su consentimiento sin sufrir perjuicio alguno[134]. De manera que para que se pueda considerar otorgado el consentimiento libremente, el contrato debe tener algún tipo de relación con los datos personales objeto de tratamiento. Por eso, el responsable del tratamiento de datos personales del interesado, cuando se base en el consentimiento del interesado, debe «ser capaz de demostrar que aquél consintió el tratamiento de sus datos personales»[135].

---

[132]   Artículo 7.4 RGPD.
[133]   Artículo 6.3 LOPD.
[134]   Considerando (42) RGPD.
[135]   Artículo 7.1 RGPD.

En pocas palabras: se busca que el consentimiento no sea la contraprestación en el contrato. Más claro se muestra el considerando (43) RGPD, al señalar la presunción de que el consentimiento no se ha dado libremente cuando no permita autorizar por separado las distintas operaciones de tratamiento de datos personales pese a ser adecuado en el caso concreto, o cuando el cumplimiento de un contrato, incluida la prestación de un servicio, sea dependiente del consentimiento, aún, cuando este no sea necesario para dicho cumplimiento.

En el fondo, el consentimiento no deja de ser el último estadio de una serie de condiciones previas necesarias para que este se dé libremente. La primera de ellas es que se informe previamente al interesado de que se va a producir el tratamiento de sus datos personales por el responsable del tratamiento[136]. A continuación, es preciso que esa información esté perfectamente delimitada y que se indique cuáles son los datos que se van a tratar, cuál es la finalidad del tratamiento, no estando autorizado para cualquier otro fin sin el consentimiento del interesado.

1.2. La retirada del consentimiento por el interesado

Con respecto a la posible retirada del consentimiento[137], el interesado tiene derecho a retirar su consentimiento en cualquier momento. Esa retirada del consentimiento no afectará a la licitud del tratamiento basada en el consentimiento previo a su retirada. De manera que hasta el mismo momento de la retirada del consentimiento para el tratamiento de los datos, rige ese consentimiento. Lo contrario crearía una insufrible falta de seguridad jurídica. Asimismo, antes de dar su consentimiento, el interesado debe ser informado de la posibilidad de retirar su consentimiento. Y además se especifica que esa retirada del consentimiento deberá será tan fácil como darlo, pues ocurre en ocasiones que la marcha atrás se produce con demasiada lentitud por parte de quien realiza el tratamiento de los datos personales.

---

[136]   Para que el consentimiento sea informado, señala el considerando (42) RGPD, el interesado debe conocer como mínimo la identidad del responsable del tratamiento y los fines del tratamiento a los cuales están destinados los datos personales.

[137]   La retirada del consentimiento del interesado, se regula en el artículo 7.3 RGPD.

1.3. *El consentimiento explícito*

Lo que no se dice es qué haría falta además del consentimiento del interesado libremente expresado para permitir el tratamiento de tales datos denominados especiales. El RGPD, en el considerando (51) ofrece una pista, al indicar que se deben establecer de forma explícita excepciones a la prohibición general de tratamiento de esas categorías especiales de datos personales, entre otras cosas cuando el interesado dé su *consentimiento explícito*. Y el artículo 9.2.a) RGPD, resulta más claro, cuando exime de la prohibición del tratamiento de categorías especiales de los datos del interesado cuando dio su consentimiento explícito para el tratamiento de dichos datos personales con uno o más de los fines especificados, excepto cuando el Derecho de la Unión o de los Estados miembros establezca que la prohibición mencionada en el apartado 1 no puede ser levantada por el interesado. Cabría entender que se trataría de un consentimiento reforzado con ayuda de algún elemento que facilite ese consentimiento explícito e expreso, como podría ser una declaración escrita o grabación de sonido, algo que acredite sin ningún género de duda el consentimiento del interesado de que se traten sus datos personales.

1.4. *Manifestación activa del consentimiento del interesado*

El consentimiento debe darse, especifica el considerando (32) RGPD, mediante un acto afirmativo claro que refleje una manifestación de voluntad libre, específica, informada, e inequívoca del interesado de aceptar el tratamiento de datos de carácter personal que le conciernen, como una declaración por escrito, inclusive por medios electrónicos, o una declaración verbal. Y para ello, se aportan algunos ejemplos, como marcar una casilla de un sitio web en internet, escoger parámetros técnicos para la utilización de servicios de la sociedad de la información, o cualquier otra declaración o conducta que indique claramente en este contexto que el interesado acepta la propuesta de tratamiento de sus datos personales.

Incluso podría considerarse, según la AEPD[138], que el consentimiento puede ser inequívoco y otorgarse de forma implícita cuando se deduzca de una acción del interesado (por ejemplo, cuando el interesado continúa navegando por una web y acepta así el que se utilicen cookies para monitorizar su navegación). Pero existen situaciones en las que el consentimiento, además de ser inequívoco, debe ser explícito, como sucede en el tratamiento de datos sensibles, la adopción de decisiones automatizadas o transferencias internacionales.

Por tanto, el silencio, las casillas ya marcadas o la inacción no deben constituir consentimiento. Si el consentimiento del interesado se ha de dar a raíz de una solicitud por medios electrónicos, la solicitud ha de ser clara, concisa y no perturbar innecesariamente el uso del servicio para el que se presta.

1.5. *El consentimiento debe otorgarse para cada una de las finalidades del tratamiento de datos personales*

Una de las condiciones exigidas para que se cumpla el principio de licitud del tratamiento, según el artículo 6.1.a) RGPD, es precisamente que el interesado dé su consentimiento para el tratamiento de sus datos personales para uno o varios fines específicos, apuntando en ese sentido, el artículo 6.2 LOPD, que cuando se pretenda fundar el tratamiento de los datos en el consentimiento del afectado para una pluralidad de finalidades será preciso que conste de manera *específica* e *inequívoca* que dicho consentimiento se otorga para todas ellas, previendo de ese modo que si existen diversas finalidades, pueda existir alguna o algunas de ellas por las que el afectado no prestaría el consentimiento. En ese sentido, señala el artículo 6.1.a) RGPD, que el tratamiento de los datos personales solo será lícito, en el caso de que el interesado dé su consentimiento para uno o varios fines específicos. Y el artículo 6.1.b) del citado Reglamento, especifica que «el tratamiento es necesario para la ejecución de un contrato (en nuestro caso se trataría de un contrato de trabajo) en el que

---

[138] https://www.aepd.es/sites/default/files/2019-12/guia-rgpd-para-responsables-de-tratamiento.pdf.

el interesado es parte o para la aplicación a petición de este de medidas precontractuales[139]». No basta, por tanto, un consentimiento genérico, sino que debe otorgarse para cada finalidad. A este respecto, debe tenerse cuidado, porque se considera infracción muy grave, «la utilización de los datos para una finalidad que no sea compatible con la finalidad para la cual fueron recogidos, sin contar con el consentimiento del afectado o con una base legal para ello»[140]. Además, se deja claro, también en la LOPD, que el consentimiento, debe proceder de una declaración o de una clara acción afirmativa del afectado, excluyendo lo que se conocía como «consentimiento tácito», en la anterior normativa, manteniéndose en catorce años la edad a partir de la cual el menor puede prestar su consentimiento. En el caso del «tratamiento de los datos de los menores de catorce años, fundado en el consentimiento, solo será lícito si consta el del titular de la patria potestad o tutela, con el alcance que determinen los titulares de la patria potestad o tutela»[141].

Asimismo, señala el artículo 7.2 RGPD que la solicitud de consentimiento se presentará de tal forma que se distinga claramente de los demás asuntos, de forma inteligible y de fácil acceso y utilizando un lenguaje claro y sencillo[142]. En suma, como aclara el considerando (32) RGPD, el consentimiento debe darse para todas las actividades de tra-

---

[139]   Como medidas precontractuales hablaríamos de los procesos de selección de personal, siendo el candidato al puesto de trabajo quien se incorpora a tales procesos.

[140]   Artículo 72.1.d) LOPD.

[141]   Artículo 7.2 LOPD.

[142]   A este respecto, señala el artículo 6.4 RGPD, que cuando el tratamiento para otro fin distinto de aquel para el que se recogieron los datos personales no esté basado en el consentimiento del interesado que constituya una medida necesaria y proporcional, el responsable del tratamiento, con objeto de determinar si el tratamiento con otro fin es compatible con el fin para el cual se recogieron inicialmente los datos personales, tendrá en cuenta, entre otras cosas: a) cualquier relación entre los fines para los cuales se hayan recogido los datos personales y los fines del tratamiento ulterior previsto; b) el contexto en que se hayan recogido los datos personales, en particular por lo que respecta a la relación entre los interesados y el responsable del tratamiento; c) la naturaleza de los datos personales, en concreto cuando se traten categorías especiales de datos personales o datos personales relativos a condenas e infracciones penales; d) las posibles consecuencias para los interesados del tratamiento ulterior previsto; e) la existencia de garantías adecuadas, que podrán incluir el cifrado o la seudonimización.

tamiento realizadas con el mismo o los mismos fines. Cuando el trata-miento tenga varios fines, debe darse el consentimiento para todos ellos.

Importante es que, según el artículo 7.3 RGPD, se informe al inte-resado antes de dar su consentimiento, teniendo derecho a retirarlo en cualquier momento, sin que afecte a la licitud del tratamiento basada en el consentimiento previo a su retirada. De hecho, se exige que sea tan fácil retirarlo como darlo.

V. DERECHOS INHERENTES AL DERECHO A LA PROTECCIÓN DE DATOS DEL INTERESADO

Resulta especialmente relevante tener en cuenta, en materia de pro-tección de datos, que «la legislación sobre protección de datos no debe aplicarse de forma independiente del Derecho del Trabajo y las prácti-cas laborales y que éstos, a su vez, no pueden aplicarse aisladamente, sin tener en cuenta la legislación sobre protección de datos. Esta interac-ción es necesaria y valiosa y debe contribuir al desarrollo de soluciones que protejan adecuadamente los intereses de los trabajadores»[143]. De ahí que a continuación se aborde el contenido de los derechos de las personas (léase trabajadores) que son inherentes a la protección de datos personales.

1. *Aplicación del Derecho a la Protección de Datos en la normativa*

Los principios que establece el RGPD, en relación a la protección de las personas físicas, en lo que afecta al tratamiento de sus datos de carácter personal, según el considerando (2) deben, cualquiera que sea su nacionalidad o residencia, respetar sus libertades y derechos funda-mentales, en particular el derecho a la protección de los datos de carácter personal. Y añade una declaración de intenciones, al pretender por un lado a contribuir a la plena realización de un espacio de libertad, seguri-

---

[143]   MERCADER UGUINA, J.: «El mercado de trabajo y el empleo en un mundo digital». cit., pág. 5.

dad y justicia y de una unión económica, al progreso económico y social, al refuerzo y la convergencia de las economías dentro del mercado interior, así como al bienestar de las personas físicas.

Tratándose de un Reglamento CE, es coherente que se unifiquen los criterios en una materia como es el derecho a la protección de datos de las personas físicas, siempre respetando su derecho a la libre circulación de personas por todos los territorios del Espacio Europeo. De ahí, la necesaria coordinación de los Estados de la Unión, que deberán someter su legislación interna a los establecido en este importante RGPD, sin perjuicio de establecer libremente aquellos aspectos más formales que el propio Reglamento así lo prevea.

Es oportuno apuntar, como recuerda el considerando (4) que el derecho a la protección de los datos personales no es un derecho absoluto sino que debe considerarse en relación con su función en la sociedad y mantener el equilibrio con otros derechos fundamentales, con arreglo al principio de proporcionalidad. Principio relevante, porque no solo se aplica al derecho a la protección de datos personales, también a los derechos fundamentales que tampoco resultan ser absolutos cuando convergen con otros derechos, como pueden ser aquellos que permitan al empresario en una relación laboral al control y vigilancia de la actividad de sus trabajadores (art. 20.3 TRLET).

El RGPD, continúa el mencionado considerando (4), respeta todos los derechos fundamentales y observa las libertades y los principios reconocidos en la Carta de los Derechos Fundamentales de la Unión Europea (CDFUE) conforme se consagran en los Tratados, en particular el respeto de la vida privada y familiar, del domicilio y de las comunicaciones, la protección de los datos de carácter personal, la libertad de pensamiento, de conciencia y de religión, la libertad de expresión y de información, la libertad de empresa, el derecho a la tutela judicial efectiva y a un juicio justo, y la diversidad cultural, religiosa y lingüística.

En el caso de España, los derechos de las personas en materia de protección de datos personales se regulan en el Título III de la LOPD, que a su vez se distribuye en dos capítulos, sobre transparencia e información y sobre ejercicio de los derechos. Hay que decir, que los derechos que reconoce la LOPD, vienen a remitirse a los que contiene el RGPD, siendo básicamente los mismos.

1.1. Ejercicio del derecho

El artículo 12 LOPD establece unas disposiciones generales sobre el ejercicio de los derechos que son básicamente las siguientes:

1. Los derechos reconocidos en el RGPD, podrán ejercerse directamente o por medio de representante legal o voluntario.

2. El responsable del tratamiento estará obligado a informar al afectado sobre los medios a su disposición para ejercer sus derechos, que deberán ser fácilmente accesibles para el afectado, sin que el ejercicio del derecho pueda ser denegado por el solo motivo de optar el afectado por otro medio.

3. El encargado podrá tramitar, por cuenta del responsable, las solicitudes de ejercicio formuladas por los afectados de sus derechos si así se estableciere en el contrato o acto jurídico que les vincule. En este sentido, el artículo 28.3.e) RGPD establece que el encargado debe asistir al responsable, teniendo cuenta la naturaleza del tratamiento, a través de medidas técnicas y organizativas apropiadas, siempre que sea posible, para que este pueda cumplir con su obligación de responder a las solicitudes que tengan por objeto el ejercicio de los derechos de los interesados

4. La prueba del cumplimiento del deber de responder a la solicitud de ejercicio de sus derechos formulado por el afectado recaerá sobre el responsable. Se trata de una aplicación del principio de responsabilidad proactiva del artículo 5.2 RGPD.

5. Cuando las leyes aplicables a determinados tratamientos establezcan un régimen especial que afecte al ejercicio de los derechos, se estará a lo dispuesto en aquellas.

6. En cualquier caso, los titulares de la patria potestad podrán ejercitar en nombre y representación de los menores de catorce años los derechos de acceso, rectificación, cancelación, oposición o cualesquiera otros que pudieran corresponderles.

7. Serán gratuitas las actuaciones llevadas a cabo por el responsable del tratamiento para atender las solicitudes de ejercicio de estos derechos. No obstante, como apunta el artículo 12.5 RGPD, cuando las solicitudes sean manifiestamente infundadas o excesi-

vas, especialmente debido a su carácter repetitivo[144], el responsable del tratamiento podrá: cobrar un canon razonable en función de los costes administrativos afrontados para facilitar la información o la comunicación o realizar la actuación solicitada, o bien negarse a actuar respecto de la solicitud. En tal caso, el responsable del tratamiento deberá demostrar el carácter manifiestamente infundado o excesivo de la solicitud. Asimismo, según el artículo 15.3 RGPD, cuando el responsable del tratamiento facilite una copia de los datos personales objeto de tratamiento, podrá percibir por cualquier otra copia solicitada por el interesado un canon razonable basado en los costes administrativos. Cuando el interesado presente la solicitud por medios electrónicos, y a menos que este solicite que se facilite de otro modo, la información se facilitará en un formato electrónico de uso común.

Finalmente, una última excepción a la gratuidad de la actividad del responsable figura en el artículo 13.4 LOPD, al señalar que cuando el interesado elija un medio distinto al que se le ofrece que suponga un coste desproporcionado, la solicitud será considerada excesiva, por lo que deberá asumir el exceso de costes que su elección comporte.

Con respecto a los plazos, el artículo 12.3 RGPD, establece que el responsable del tratamiento debe facilitar al interesado información relativa a sus actuaciones sobre la base de una solicitud, y, en cualquier caso, en el plazo de un mes a partir de la recepción de la solicitud. Dicho plazo podrá prorrogarse otros dos meses en caso necesario, teniendo en cuenta la complejidad y el número de solicitudes. Además, el responsable debe informar al interesado de cualquiera de dichas prórrogas en el plazo de un mes a partir de la recepción de la solicitud, indicando los motivos de la dilación[145].

---

144 Según el artículo 13.3 LOPD, se podrá considerar repetitivo, a los efectos del artículo 12.5 RGPD, «el ejercicio del derecho de acceso en más de una ocasión durante el plazo de seis meses, a menos que exista causa legítima para ello».

145 Con respecto al cómputo de los plazos, la disposición adicional tercera LOPD, establece, que los plazos establecidos en el RGPD o en la LOPD, se regirán por las siguientes reglas:
a) Cuando los plazos se señalen por días, se entiende que estos son hábiles, excluyéndose del cómputo los sábados, los domingos y los declarados festivos.

Cuando el interesado presente la solicitud por medios electrónicos, la información se facilitará por medios electrónicos cuando sea posible, a menos que el interesado solicite que se facilite de otro modo.

En el caso de que el responsable del tratamiento no curse la solicitud del interesado, le informará sin dilación, y a más tardar transcurrido un mes de la recepción de la solicitud, de las razones de su no actuación y de la posibilidad de presentar una reclamación ante una autoridad de control y de ejercitar acciones judiciales (art. 12.4 RGPD).

Resulta paradójico que la LOPD se remita constantemente al RGPD, como si fuera un reglamento de los que suelen desarrollar las disposiciones generales, como las leyes, y de hecho así es, sin embargo, el hecho diferencial radica en que, en este caso, la LOPD es la norma que desarrolla el RGPD. Y no solo eso, pues tanta remisión al Reglamento provoca excesivas reiteraciones que hacen tediosa la consulta. En ese sentido, hubiera sido preferible que la LOPD no entrara en aquellos aspectos que ya regula el RGPD, lo que evidencia según un autor, la inutilidad de la LOPD y la falta de claridad en la redacción de la ley, que obliga a manejar constantemente el RGPD junto con la LOPD[146].

1.2. Hacia la unificación de la protección de datos personales

No desconoce el RGPD, que las diferencias respecto al derecho a la protección de los datos de carácter personal, en lo que afecta al tratamiento de dichos datos en los Estados miembros pueden impedir la

---

b) Si el plazo se fija en semanas, concluirá el mismo día de la semana en que se produjo el hecho que determina su iniciación en la semana de vencimiento.

c) Si el plazo se fija en meses o años, concluirá el mismo día en que se produjo el hecho que determina su iniciación en el mes o el año de vencimiento. Si en el mes de vencimiento no hubiera día equivalente a aquel en que comienza el cómputo, se entenderá que el plazo expira el último día del mes.

d) Cuando el último día del plazo sea inhábil, se entenderá prorrogado al primer día hábil siguiente.

[146]   PRECIADO DOMÉNECH, C. H.: *Los Derechos Digitales de las Personas Traba-jadoras. Aspectos Laborales de la Ley Orgánica 3/2018, de 5 de diciembre, de Protección de Datos y Garantía de los Derechos Digitales.* Thomson Reuters Aranzadi, Cizur Menor, 2019, pág. 40.

libre circulación de los datos de carácter personal en la Unión, libertad de circulación, que no logró la Directiva 95/46/CE. Por ello, el RGPD pretende avanzar hacia la unificación de la protección en todos los Estados miembros. Ciertamente es un loable propósito, pero nada sencillo de alcanzar, pues, aun debiendo aplicar cada Estado miembro el RGPD, es evidente que no todos ellos tienen el mismo nivel de desarrollo en materia de derechos fundamentales, en particular sobre protección de datos personales. De hecho, el propio Reglamento reconoce, que pese a que los objetivos y principios de la Directiva 95/46/CE siguen siendo válidos, esto no ha impedido que la protección de los datos en el territorio de la Unión se aplique de manera fragmentada, ni la inseguridad jurídica ni una percepción generalizada entre la opinión pública de que existen riesgos importantes para la protección de las personas físicas, en particular en relación con las actividades en línea. Y es que, las diferencias en el derecho a la protección de los datos de carácter personal, en lo que respecta al tratamiento de dichos datos en los Estados miembros pueden impedir la libre circulación de los datos de carácter personal en la Unión, con las consecuencia de ser un obstáculo al ejercicio de las actividades económicas a nivel de la Unión, falsear la competencia e impedir que las autoridades cumplan las funciones que les incumben en virtud del Derecho de la Unión. Es por ello, que el artículo 1.3 RGPD, establezca que «la libre circulación de los datos personales en la Unión no podrá ser restringida ni prohibida por motivos relacionados con la protección de las personas físicas en lo que respecta al tratamiento de datos personales».

Se llega así a la conclusión de que la diferencia en los niveles de protección se debe a la existencia de divergencias en la ejecución y aplicación de la Directiva 95/46/CE. Algo que se podía predecir, dada la naturaleza de las Directivas, que disponen que el contenido de su regulación se acomode a las peculiaridades de las trasposiciones normativas de cada Estado. Por eso cabe la esperanza que el Reglamento, por su naturaleza de norma directamente aplicable en todos los Estados pueda paliar estos problemas.

2. *El principio de transparencia como fundamento del Derecho a la Protección de Datos*

Es obvio que cuando me refiero al principio de transparencia como fundamento del Derecho a la Protección de Datos, aludo a la transparencia que afecta a la persona física que se ve sometida al tratamiento de sus datos personales y no, respecto de terceros ajenos a aquella. En ese sentido, el propio RGPD, aclara que el principio de transparencia se refiere en particular a la información de los interesados sobre la identidad del responsable del tratamiento y los fines del mismo y a la información añadida para garantizar un tratamiento leal y transparente con respecto a las personas físicas afectadas y a su derecho a obtener confirmación y comunicación de los datos personales que les conciernan que sean objeto de tratamiento[147]. En ese sentido, el principio de transparencia exige que toda información dirigida al público o al interesado sea concisa, fácilmente accesible y fácil de entender, y que se utilice un lenguaje claro y sencillo, y, además, en su caso, se visualice[148]. Además, los principios de tratamiento leal y transparente exigen que se informe al interesado de la existencia de la operación de tratamiento y sus fines[149]. El GT29[150], propone unas recomendaciones interesantes en relación al lenguaje que se debe utilizar con respecto al principio de transparencia, así, «debe evitarse el uso de calificativos del tipo "puede", "podría", "algunos", "frecuentemente" y "posible". Cuando los responsables del tratamiento opten por utilizar un lenguaje indefinido, deben poder demostrar, con arreglo al principio de responsabilidad proactiva, por qué no se pudo evitar emplear este lenguaje y por qué no socava la lealtad del tratamiento. Los párrafos y las oraciones deben estar bien estructurados, utilizando viñetas y guiones para señalar las relaciones jerárquicas».

Y será el responsable del tratamiento quien deberá facilitar al interesado la información, ya procedan los datos personales del intere-

---

[147]   Considerando (39) RGPD.
[148]   Considerando (58) RGPD.
[149]   Considerando (60) RGPD.
[150]   GT29. *Directrices sobre la transparencia en virtud del Reglamento (UE) 2016/679* de 29 noviembre 2017, revisadas y adoptadas por última vez, el 11 abril 2018, págs. 10-11.

sado o cuando tales datos no se hayan obtenido del interesado[151], así como cualquier comunicación relativa al tratamiento, en forma concisa, transparente, inteligible[152] y de fácil acceso[153], con un lenguaje claro y sencillo, en particular cualquier información dirigida específicamente a un niño. La información será facilitada por escrito o por otros medios, inclusive, si procede, por medios electrónicos. Cuando lo solicite el interesado, la información podrá facilitarse verbalmente siempre que se demuestre la identidad del interesado por otros medios[154]. Este proceso se ha considerado[155] nada aconsejable salvo en dos supuestos: 1) servicios de atención telefónica; 2) atención a personas con discapacidad, en cuyo caso se ha considerado como un juicio debido y obligatorio tanto en el caso de personas analfabetas, como en los supuestos en los que procede la aplicación de las garantías de accesibilidad contenidas en el Real Decreto Legislativo 1/2013, de 29 de noviembre, por el que se aprueba

---

[151]　Concretamente el artículo 13 RGPD establece la información que debe facilitar al interesado cuando los datos personales se hayan obtenido del interesado, y el artículo 14 RGPD, la información que deberá facilitar, cuando los datos personales no se hayan obtenido del interesado

[152]　El requisito de que la información sea «inteligible» quiere decir —según el GT29—, que debe resultar comprensible al integrante medio de la audiencia objetivo. La inteligibilidad está estrechamente vinculada al requisito de utilizar un lenguaje claro y sencillo [GT29 *Directrices sobre la transparencia en virtud del Reglamento (UE) 2016/679* de 29 noviembre 2017, cit., pág. 7].

[153]　Según GT29, «el elemento "de fácil acceso" implica que el interesado no debe tener que buscar la información, sino que debe poder reconocer inmediatamente dónde y cómo acceder a esta información, por ejemplo, facilitándosela directamente, incluyendo un enlace a la misma, señalándola claramente o en forma de respuesta a una pregunta en lenguaje natural (p. ej., en una declaración/aviso de privacidad en línea estructurado en niveles, en la sección de preguntas frecuentes, mediante ventanas emergentes contextuales que se activen cuando un interesado rellena un formulario en línea, o en un contexto digital interactivo a través de una interfaz de diálogo, etc.» [GT29 *Directrices sobre la transparencia en virtud del Reglamento (UE) 2016/679*, pág. 8].

[154]　Artículo 12.1 RGPD.

[155]　MARTÍNEZ MARTÍNEZ, R.: «Disposiciones generales sobre ejercicio de los derechos». *Comentarios a la Ley Orgánica de Protección de Datos y Garantía de Derechos Digitales (en relación con el RGPD)*. Directores: Mónica Arenas Ramiro y Alfonso Ortega Giménez. Sepín. 2019, pág. 95.

el Texto Refundido de la Ley General de derechos de las personas con discapacidad y de su inclusión social.

Asimismo, el responsable del tratamiento facilitará al interesado información relativa a sus actuaciones sobre la base de una solicitud con arreglo a los derechos de acceso, limitación del tratamiento, rectificación o supresión, portabilidad de los datos, oposición o a no ser objeto de una decisión basada únicamente en el tratamiento automatizado[156].

Como señala el GT29, una consideración fundamental del principio de transparencia esbozado en estas disposiciones es que el interesado debe poder determinar de antemano el alcance y las consecuencias derivadas del tratamiento, y que no debe verse sorprendido en un momento posterior por el uso que se ha dado a sus datos personales[157].

VI. DERECHOS QUE OTORGA A LOS INTERESADOS LA NORMATIVA SOBRE PROTECCIÓN DE DATOS

El RGPD (arts. 14 a 22) y la LOPD (arts. 11 a 18 LOPD), establece una serie de derechos sobre transparencia e información, acceso, rectificación, supresión, limitación del tratamiento, portabilidad de datos y oposición, que puede ejercitar el interesado en relación al tratamiento de datos personales y por ello, conviene analizarlos a continuación.

1. Derecho de información

La obligación de informar a las personas interesadas sobre las circunstancias relativas al tratamiento de sus datos recae sobre el responsable del tratamiento. El Título III LOPD, dedicado a los derechos de las personas, adapta al Derecho español el principio de transparencia en el tratamiento del reglamento europeo, que regula el derecho de los afectados a ser informados acerca del tratamiento y recoge la denominada

---

[156]   Artículo 12.2 RGPD.

[157]   GT29. *Directrices sobre la transparencia en virtud del Reglamento (UE) 2016/679* de 29 noviembre 2017, cit., pág. 8.

«información por capas» ya generalmente aceptada en ámbitos como el de la videovigilancia o la instalación de dispositivos de almacenamiento masivo de datos (tales como las «cookies»), facilitando al afectado la información básica, si bien, indicándole una dirección electrónica u otro medio que permita acceder de forma sencilla e inmediata a la restante información.

Desde luego es importante traer en este punto, la importancia de la información para que exista un consentimiento del interesado o afectado, y así el RGPD especifica en este sentido, al referirse al consentimiento del interesado, como «toda manifestación de voluntad libre, específica, informada e inequívoca por la que el interesado acepta, ya sea mediante una declaración o una clara acción afirmativa, el tratamiento de datos personales que le conciernen». Y cabe subrayar, que esa manifestación de voluntad debe reunir la nota de ser informada, siendo por tanto un presupuesto del consentimiento, pues un consentimiento no informado es un consentimiento viciado[158]. Pero aun añadiría que esa información debe ser veraz, e inequívoca, por lo que entiendo que no bastaría una mera información. De hecho, las relaciones laborales constituyen un ámbito complicado, en el que, por un lado, podría suceder que algunos de los datos personales que requiere la empresa, estén prohibidos por el artículo 9.1 RGPD, y por otro, al acudir al consentimiento del trabajador podría resultar irrelevante ese consentimiento al estar en cierto modo coaccionado por la empresa y no ser libre. De ahí que el artículo 9.2.b) RGPD, establezca como un dato especial, exceptuado de la regla general de la prohibición del tratamiento de datos personales del apartado 1, al establecer que el tratamiento sea «necesario para el cumplimiento de obligaciones y el ejercicio de derechos específicos del responsable del tratamiento o del interesado en el ámbito del Derecho laboral y de la seguridad y protección social, en la medida en que así lo autorice el Derecho de la Unión de los Estados miembros o un convenio colectivo con arreglo al Derecho de los Estados miembros que establezca garantías adecuadas del respeto de los derechos fundamentales y de

---

[158]   PRECIADO DOMÉNECH, C. H.: *Los Derechos Digitales de las Personas Trabajadoras. Aspectos Laborales de la Ley Orgánica 3/2018, de 5 de diciembre, de Protección de Datos y Garantía de los Derechos Digitales*, cit., pág. 36.

los intereses del interesado»[159]. De manera que el RGPD reenvía a la normativa interna de cada Estado miembro, por lo que habrá que estar a lo que prescriban sus normas. Y una de las prescripciones en el tratamiento de datos personales se refiere a la transparencia e información que se debe proporcionar al interesado que se regula en el artículo 11 LOPD que se remite a su vez al artículo 13 RGPD.

Con carácter general, el artículo 11 LOPD, sobre transparencia e información al afectado y los artículos 13, 14 y 22 RGPD, nos ofrecen los criterios sobre el contenido y la forma de la información que se debe dar al interesado, distinguiendo, según que los datos hayan sido obtenidos por el interesado o no hayan sido obtenidos por él.

1.1. Datos personales obtenidos del interesado

Entre los derechos de información que se debe facilitar al interesado cuando los datos personales provengan del mismo, caben resaltar[160]: La identidad y los datos de contacto del responsable y, en su caso, de su representante; datos de contacto del delegado de protección de datos; fines del tratamiento y base jurídica del tratamiento; intereses legítimos del responsable o de un tercero; destinatarios o las categorías de destinatarios de los datos personales, en su caso; la intención del responsable de transferir datos personales a un tercer país u organización internacional; posibilidad de ejercer los derechos establecidos en los artículos 15 a 22

---

[159] En este mismo sentido, el considerando 155 RGPD, señala que el Derecho de los Estados miembros o los convenios colectivos, «pueden establecer normas específicas relativas al tratamiento de datos personales de los trabajadores en el ámbito laboral, en particular en relación con las condiciones en las que los datos personales en el contexto laboral pueden ser objeto de tratamiento sobre la base del consentimiento del trabajador, los fines de la contratación, la ejecución del contrato laboral, incluido el cumplimiento de las obligaciones establecidas por la ley o por convenio colectivo, la gestión, planificación y organización del trabajo, la igualdad y seguridad en el lugar de trabajo, la salud y seguridad en el trabajo, así como a los fines del ejercicio y disfrute, sea individual o colectivo, de derechos y prestaciones relacionados con el empleo y a efectos de la rescisión de la relación laboral».

[160] Concretamente, cuando se obtengan de un interesado datos personales del mismo, el responsable del tratamiento en el momento en que se obtengan debe facilitar al interesado toda la información contenida en el artículo 13 RGPD

del RGPD[161], a los que se remite el capítulo II de la LOPD, que aprovecha para introducir matices al Reglamento.

Además de lo anterior el responsable facilitará, una vez obtenidos los datos personales la siguiente información necesaria para garantizar un tratamiento de datos leal y transparente[162]: el plazo de conservación de los datos personales; la existencia de los derechos a solicitar al responsable del tratamiento el acceso a los datos personales relativos al interesado y su rectificación o supresión, la limitación de su tratamiento, o a oponerse al tratamiento, a la portabilidad de los datos, posibilidad de retirar el consentimiento en cualquier momento, presentar una reclamación ante una autoridad de control; requisito legal o contractual para facilitar los datos personales y estar informado de las posibles consecuencias de no facilitar tales datos; la existencia de decisiones automatizadas, incluida la elaboración de perfiles, información de otro fin al que se destinen los datos posteriormente.

Por su parte la LOPD, en el artículo 11, regula la transparencia e información al interesado, remitiéndose al artículo 13 RGPD, cuando los datos personales sean obtenidos por el interesado. Si bien, le añade que deberá facilitar al interesado la información básica (identidad del responsable del tratamiento, la finalidad del mismo, así como la posibilidad de ejercer los derechos de los artículos 15 a 22 RGPD) indicándole una dirección electrónica u otro medio que le permita acceder a la restante información de forma sencilla e inmediata.

En el caso de que los datos obtenidos del interesado vayan a ser tratados para la elaboración de perfiles, la información básica comprenderá asimismo esta circunstancia. En este caso, el interesado deberá ser informado de su derecho a oponerse a la adopción de decisiones individuales automatizadas que produzcan efectos jurídicos sobre él o le afecten significativamente de modo similar, cuando concurra este derecho de acuerdo con lo previsto en el artículo 22 del RGPD, según el cual, «todo

---

[161]   Se refiere a los derechos de: acceso a los datos personales, rectificación, supresión (derecho al olvido), a la limitación del tratamiento, a la obligación de notificación relativa a la rectificación o supresión de datos personales o la limitación del tratamiento, a la portabilidad de datos y oposición.

[162]   Artículo 13.2 RGPD.

interesado tendrá derecho a no ser objeto de una decisión basada únicamente en el tratamiento automatizado, incluida la elaboración de perfiles, que produzca efectos jurídicos en él o le afecte significativamente de modo similar». Pero para eso es necesario que se le informe al interesado de la finalidad del tratamiento de los datos personales.

1.2. Datos personales no obtenidos del interesado

Especialidad del anterior derecho es el caso de que los datos personales no provengan del interesado sino de otra fuente, en cuyo caso el artículo 14 RGPD, establece una información más exhaustiva a la que se remite el artículo 11.3 LOPD, debiendo informarse al interesado la información básica señalada para el caso de que la información proceda del propio interesado y, además, las categorías de datos objeto de tratamiento y las fuentes de las que proceden los datos.

En cuanto al plazo, el responsable del tratamiento debe facilitar la información dentro de un plazo razonable, una vez obtenidos los datos personales, y a más tardar dentro de un mes.

Finalmente, el RGPD señala expresamente las excepciones a la obligación de informar, en la medida en que[163]: el interesado ya disponga de la información; la comunicación de dicha información resulte imposible o suponga un esfuerzo desproporcionado, en particular para el tratamiento con fines de archivo en interés público, fines de investigación científica o histórica o fines estadísticos, etc.; la obtención o la comunicación esté expresamente establecida por el Derecho de la Unión o de los Estados miembros que se aplique al responsable del tratamiento y que establezca medidas adecuadas para proteger los intereses legítimos del interesado; cuando los datos personales deban seguir teniendo carácter confidencial sobre la base de una obligación de secreto profesional. Además, se prevé que cuando el responsable del tratamiento proyecte el tratamiento ulterior de los datos personales para un fin que no sea aquel para el que se obtuvieron, antes deberá proporcionar al interesado, información sobre ese otro fin y cualquier otra información

---

[163]   Artículo 14.5 RGPD.

pertinente para garantizar un tratamiento de datos leal y transparente respecto al interesado.

De manera que, en realidad, en este aspecto la LOPD se remite a los artículos 13 y 14 RGPD, con la única especialidad de incluir la denominada información básica que deberá facilitarse mediante una dirección electrónica u otro medio que le permita acceder a la restante información de forma sencilla e inmediata.

La información debe ser exigida incluso en los casos en que el consentimiento no es la base jurídica del tratamiento, de ahí que el Reglamento distinga entre los supuestos en que los datos se obtengan del interesado, de aquellos otros en que los datos no se han obtenido del interesado[164], y quizá en este último caso con mayor razón.

1.3. *Tratamiento de datos personales en el ámbito laboral sin información previa*

En relación al tratamiento de los datos, en el ámbito laboral, viene al caso un supuesto en el que un trabajador entregó un currículo en papel para trabajar en un hotel. Este currículum fue remitido mediante fax a otro hotel que necesitaba un trabajador. Desde este hotel se llamó al trabajador por teléfono, y se destruyó el currículo que no fue incorporado a un fichero. La AEPD sancionó al hotel, por el tratamiento de los datos personales del trabajador sin su consentimiento. La sanción se anuló por entenderse que no se había producido tratamiento de datos, ya que los datos no fueron incorporados a un fichero, que tan solo hubo una llamada telefónica que no puede tener la consideración de tratamiento. Por lo que no basta «la realización de una de estas actuaciones en relación con datos personales para que la Ley despliegue sus efectos protectores y sus garantías y derechos del afectado. Es preciso algo más: que las actuaciones de recogida, grabación, conservación, etc., se realicen de forma automatizada o bien, si se realizan de forma manual, que los

---

[164]   PRECIADO DOMÉNECH, C. H.: *Los Derechos Digitales de las Personas Trabajadoras. Aspectos Laborales de la Ley Orgánica 3/2018, de 5 de diciembre, de Protección de Datos y Garantía de los Derechos Digitales*, cit., págs. 36-37.

datos personales estén contenidos o destinados a un fichero»[165]. Pese a tratarse de una sentencia anterior al RGPD, este criterio es aplicable actualmente al exigir en el tratamiento no automatizado de los datos, que estén contenidos o vayan a ser incluidos en un fichero[166].

En otro supuesto, en el que también hubo transmisión de datos personales de una empresa a otra del mismo grupo, el trabajador envió a una de las empresas un correo electrónico con su currículo en un archivo adjunto. Trabajó en esta empresa durante un tiempo, para pasar a trabajar en la otra. Finalmente fue despedido impugnando el despido judicialmente, y en el acto del juicio, la empresa presentó como prueba el correo electrónico que le había remitido el trabajador a la primera empresa con su currículo adjunto. En este caso, la sentencia[167] distinguió la actuación de ambas empresas. Respecto de la primera señaló que se trataba de una cesión no consentida de los datos facilitados por el trabajador vulnerando así el derecho a la protección de datos personales. En definitiva, concluye la sentencia respecto a la primera empresa: «la contravención prevista en la ley se consuma por la revelación de datos a persona distinta del interesado y sin su previo consentimiento».

Por lo que respecta a la segunda empresa en la que trabajó, «no consta en los hechos probados que exista tratamiento automatizado, ni tratamiento no automatizado pero contenidos o destinados a estar incluidos en un fichero, por lo que no se considera tratamiento el aportar tales datos en un proceso judicial, y ello con independencia de su validez en el seno del mismo».

En consecuencia, al no considerar que hubo tratamiento de datos personales del trabajador, con respecto a la segunda empresa, la sentencia anuló la sanción que le impuso la AEPD, mientras que confirmó la sanción impuesta a la primera empresa por la citada agencia.

---

[165] SAN (Sala de lo Contencioso Administrativo), 18 diciembre 2006 rec. 241/2005 (RJCA 2007, 99).

[166] ORELLANA CANO, A. M.: *El derecho a la protección de datos personales como garantía de la privacidad de los trabajadores*, cit., pág. 99.

[167] SAN (sala de lo Contencioso Administrativo) 4 marzo 2013, rec. 61/2011 (JUR 2013, 93071).

La conclusión a la que se puede llegar después del análisis de estas dos importantes sentencias, es la de que mientras los datos personales de los trabajadores no se sometan a un tratamiento, ni se incluyan en algún fichero automatizado no consentidos por el trabajador, en principio no existen elementos que puedan llevarnos a considerar infringida la normativa en esta materia.

1.4. Indicaciones de la AEPD sobre el cumplimiento del deber de informar al interesado

De forma más específica, la Guía para el cumplimiento del deber de informar de la Agencia Española de Protección de Datos, establece una serie de reglas sobre quién y cuándo debe informarse, en concreto, según el apartado 3[168]:

- La obligación de informar a las personas interesadas sobre las circunstancias relativas al tratamiento de sus datos recae sobre el responsable del tratamiento (empleador).

- La información se debe poner a disposición de los interesados en el momento en que se soliciten los datos, previamente a la recogida o registro, si es que los datos se obtienen directamente del interesado.

- En el caso de que los datos no se obtengan del propio interesado, por proceder de alguna cesión legítima, o de fuentes de acceso público, el responsable informará a las personas interesadas dentro de un plazo razonable pero en cualquier caso, antes de un mes desde que se obtuvieron los datos personales; antes o en la primera comunicación con el interesado, o antes de que los datos, en su caso, se hayan comunicado a otros destinatarios.

- Esta obligación se debe cumplir sin necesidad de requerimiento alguno y el responsable deberá poder acreditar con posterioridad que la obligación de informar ha sido satisfecha.

---

[168] https://www.aepd.es/media/guias/guia-modelo-clausula-informativa.pdf.

La Guía también señala aquellos supuestos en los que no es necesario informar. Concretamente, cuando el interesado ya disponga de la información, ni tampoco, en el caso de que los datos no procedan del interesado cuando:

- La comunicación resulte imposible o suponga un esfuerzo desproporcionado
- El registro o la comunicación esté expresamente establecido por el Derecho de la Unión o de los Estados miembros.
- Cuando los datos deban seguir teniendo carácter confidencial por un deber legal de secreto.

Desde una perspectiva crítica el derecho a ser informado cuando se produce el tratamiento por parte del responsable de los datos personales de los interesados, resulta exhaustivo y a veces reiterativo y creo que se podría haber establecido de una forma más sencilla y clara, sin por ello prescindir de ese derecho en todo su rigor.

Para hacer compatible la mayor exigencia de información que introduce el RGPD y la concisión y comprensión en la forma de presentarla, desde las Autoridades de Protección de Datos[169] se recomienda adoptar un modelo de información por capas o Niveles. El enfoque de información multinivel podría consistir en lo siguiente:

- Presentar una información básica en un primer nivel, de forma resumida, en el mismo momento y en el mismo medio en que se recojan los datos. En todo caso, en la primera capa debe incluirse la siguiente información según la AEPD[170]:
  - Identidad del responsable del tratamiento o su representante
  - Finalidad del tratamiento
  - Modo de ejercicio de los derechos
- Remitir a la información adicional en un segundo nivel, donde se presentarán detalladamente el resto de las informaciones, en un

---

[169]   https://www.aepd.es/sites/default/files/2019-11/guia-modelo-clausula-informativa.pdf.

[170]   AEPD. «Preguntas de los asistentes». *10ª Sesión anual abierta de la AEPD*, pág. 3.

medio más adecuado para su presentación, comprensión y, si se desea, archivo.

1.5. *Excepciones al deber de información*

Por otro lado, la información del tratamiento al interesado sobre sus datos no es un deber absoluto, pues existen circunstancias que determinan que el deber de información no se produzca porque se encuentre limitado (art. 23 RGPD) o que no se aplique en la medida en que el interesado ya dispone de la información, como se indica en los artículos 13.4 y 14.5 RGPD. Un supuesto concreto de exclusión del deber de información cuando los datos no son obtenidos del titular y existe una obligación de secreto profesional prevista en el artículo 14.5.d) del RGPD, podría ser, como viene diciendo la AEPD desde el año 2000[171], la improcedencia de que los abogados informen a la contraparte de su cliente acerca del tratamiento de sus datos, porque ello contravendría el secreto profesional y el derecho a la defensa del que es titular el cliente.

1.6. *Obtención de datos para la elaboración de perfiles*

En caso de que los datos obtenidos del afectado fueran a ser tratados para la elaboración de perfiles[172], la información básica comprenderá asimismo esta circunstancia. En este caso, el afectado deberá ser informado de su derecho a oponerse a la adopción de decisiones individuales automatizadas que produzcan efectos jurídicos sobre él o le afecten significativamente de modo similar, cuando concurra este derecho de acuerdo con lo previsto en el artículo 22 RGPD.

---

[171] Ibidem, pág. 10.
[172] Por elaboración de perfiles debemos entender, «toda forma de tratamiento automatizado de datos personales consistente en utilizar datos personales para evaluar determinados aspectos personales de una persona física, en particular para analizar o predecir aspectos relativos al rendimiento profesional, situación económica, salud, preferencias personales, intereses, fiabilidad, comportamiento, ubicación o movimientos de dicha persona física» (art. 4.4 RGPD).

1.7. *El deber de información en el ámbito laboral, como manifestación del principio de transparencia*

En el ámbito laboral, el consentimiento del trabajador pasa con carácter general a segundo plano cobrando mayor fuerza el cumplimiento de otros deberes como el deber de información[173]. Por eso, frente a la regla general del sistema asentada en el consentimiento previo en el tratamiento de datos, en el ámbito laboral rige lo contrario, pues la firma del contrato presume el consentimiento, con ello, el límite se fija en la transparencia[174]. Es lógico, pues, que de acuerdo con la dependencia que resulta de la relación empresario/trabajador, este último rara vez esté en condiciones de dar, denegar o revocar el consentimiento libremente, en consecuencia, salvo en circunstancias excepcionales, los empleadores deberán basarse en otro fundamento jurídico distinto del consentimiento, como la necesidad de tratar los datos para su interés legítimo, si bien, también es verdad que el interés legítimo en sí mismo no es suficiente para primar sobre los derechos y libertades de los trabajadores[175]. De manera que puede afirmarse que, en el ámbito de las relaciones laborales, la regla por defecto en materia de tratamiento de datos —entre los que se obtienen de los datos biométricos—, es la de «información», más que el consentimiento del afectado[176]. En este sentido, puede decirse[177], que en el ámbito de la relación laboral se excepciona la necesidad de solicitar el consentimiento expreso en determinadas situaciones, ya que, se interpreta que con la firma del contrato se entiende el consen-

---

[173] DESDENTADO BONETE, A. y MUÑOZ RUIZ, A. B.: *Control informático, videovigilancia y protección de datos en el trabajo*, cit., pág. 105.

[174] MOLINA NAVARRETE, C.: «Artículo 87. Derecho a la intimidad y uso de dispositivos digitales en el ámbito laboral». *Protección de Datos. Comentarios a la Ley Orgánica de Protección de Datos y Garantía de Derechos Digitales (en relación con el RGPD)*. Directores: Mónica Arenas Ramiro y Alfonso Ortega Jiménez. Sepín, Las Rozas (Madrid), págs. 369-370.

[175] GT29 2/2017, pág. 4.

[176] GONZÁLEZ BIEDMA, E.: «Derecho a la información y consentimiento del trabajador en materia de protección de datos», cit., pág. 246.

[177] ORTEGA GIMÉNEZ, A.: «Cuestiones prácticas laborales en materia de protección de datos de carácter personal tras el nuevo reglamento general de protección de datos de la UE», cit., pág. 10.

timiento implícito del trabajador cuando el tratamiento esté amparado en la relación laboral. Sin embargo, el empresario no podrá tratar sin consentimiento expreso del trabajador aquellos datos que se consideran especiales, a no ser que existan obligaciones legales del ámbito del Derecho laboral, Seguridad Social, Agencia Tributaria, que justifique ese tratamiento.

El deber de información como manifestación del principio de transparencia, significa a juicio del GT29[178] que un empleador debe indicar de forma clara y abierta sus actividades, pues, el control secreto del correo electrónico por el empleador está prohibido. Y el principio de transparencia —señala el considerando (39) RGPD—, exige que toda información y comunicación relativa al tratamiento de datos sea fácilmente accesible y fácil de entender, y que se utilice un lenguaje sencillo y claro. Dicho principio se refiere en particular a la información de los interesados sobre la identidad del responsable del tratamiento y los fines del mismo y a la información añadida para garantizar un tratamiento leal y transparente con respecto a las personas físicas afectadas y a su derecho a obtener confirmación y comunicación de los datos personales que les conciernan que sean objeto de tratamiento. Las personas físicas deben tener conocimiento de los riesgos, las normas, las salvaguardias y los derechos relativos al tratamiento de datos personales, así como del modo de hacer valer sus derechos en relación con el tratamiento. En particular, los fines específicos del tratamiento de los datos personales deben ser explícitos y legítimos, y deben determinarse en el momento de su recogida. Los datos personales deben ser adecuados, pertinentes y limitados a lo necesario para los fines para los que sean tratados.

2. Derecho de acceso

Se puede definir el derecho de acceso como el derecho que tienen los interesados de obtener la información sobre el tratamiento de sus

---

[178]	GT29, *Documento de trabajo relativo a la vigilancia de las comunicaciones electrónicas en el lugar de trabajo*, de 29 de noviembre de 2002.

datos personales[179]. Parece obvio que cualquier persona debería tener derecho a conocer los datos que se refieren a su persona sin necesidad de que se contuviera en alguna norma, sin embargo, ha sido necesario que se establecieran legalmente tanto en el artículo 15 RGPD como en el artículo 13 LOPD. El derecho de acceso viene a ser como la puerta de entrada al resto de derechos que garantizan la protección de datos. La CDFUE, en el artículo 8.2, no solo reivindica este derecho sino que incidentalmente recoge otro de los derechos, al señalar que «toda persona tiene derecho a acceder a los datos recogidos que le conciernan y a obtener su rectificación». Y es que este sería el primer derecho que posibilita el reconocimiento de los demás, así el TJUE[180], lo considera como indispensable, en particular para permitir al interesado obtener, en su caso, del responsable del tratamiento de los datos, la rectificación, la supresión o el bloqueo de esos datos.

Según el artículo 13.1 LOPD, el derecho al acceso del afectado se remite a lo establecido en el artículo 15 RGPD. Según este, el interesado tendrá derecho a obtener del responsable del tratamiento confirmación de si se están tratando o no datos personales que le conciernen y, en tal caso, derecho de acceso a los datos personales y a la siguiente información[181]: los fines del tratamiento; la categoría de datos personales que se traten; categorías de destinatarios a los que se comuniquen datos personales; plazo previsto de conservación de los datos personales; existencia del derecho a la rectificación o supresión de datos personales o la limitación del tratamiento de datos personales relativos al interesado, o a oponerse a dicho tratamiento; el derecho a presentar una reclamación ante una autoridad de control; cuando los datos personales no se hayan obtenido del interesado, cualquier información disponible sobre su origen; la existencia de decisiones automatizadas; cuando se transfieran datos personales a un tercer país o a una organización internacional, el interesado tendrá derecho a ser informado de las garantías adecuadas relativas a la transferencia; facilitar una copia de los datos

---

[179]   ORELLANA CANO, A. M.: *El derecho a la protección de datos personales como garantía de la privacidad de los trabajadores*, cit., pág. 86.

[180]   STJUE 20 diciembre 2017, asunto Peter Nowak (C-434/16).

[181]   Artículo 15 RGPD.

personales objeto de tratamiento, en un formato electrónico de uso común. Si bien, el responsable podrá percibir por otra copia solicitada por el interesado un canon razonable basado en los costes administrativos. Además, según el artículo 15.4 RGPD, el derecho a obtener copia no afectará negativamente a los derechos y libertades de otros, como podría ser que el acceso a información diferente de los datos personales que le conciernan al interesado[182]. Como se ha recordado por la doctrina[183], este es un problema muy común en el acceso a imágenes, y en el que la AEPD estima que podría sustituirse el acceso mediante una declaración de existencia de las imágenes en el sistema cuando aparece un tercero o que cupiera pixelarlas.

Es lógico y razonable que el interesado tenga derecho a conocer qué es lo que se hace con el tratamiento de sus datos personales, y de ahí la importancia de que se le informe de ello mediante el acceso a sus datos configurado como un derecho.

Puede ocurrir que el responsable trate una gran cantidad de datos relativos al interesado y este ejercite su derecho de acceso sin especificar si se refiere a todos o a una parte de los datos, y en este caso —señala el artículo 13.1 LOPD—, el responsable podrá solicitarle, antes de facilitar la información, que el interesado especifique los datos o actividades de tratamiento a los que se refiere la solicitud. El problema que puede presentarse con ello, es que el interesado no conozca que el responsable trata gran cantidad de datos, por lo que en la práctica podría ser una facultad obstativa del responsable al derecho de acceso del interesado[184].

Según el artículo 13.2 LOPD, el derecho de acceso se entiende otorgado si el responsable del tratamiento facilitara al afectado un sis-

---

[182]   STJUE 17 julio 2014, Caso Y. S.

[183]   MARTÍNEZ MARTÍNEZ, R.: «Derecho de acceso». *Comentarios a la Ley Orgánica de Protección de Datos y Garantía de Derechos Digitales (en relación con el RGPD)*. Directores: Mónica Arenas Ramiro y Alfonso Ortega Giménez. Sepín. 2019, pág. 101.

[184]   PRECIADO DOMÉNECH, C. H.: *Los Derechos Digitales de las Personas Trabajadoras. Aspectos Laborales de la Ley Orgánica 3/2018, de 5 de diciembre, de Protección de Datos y Garantía de los Derechos Digitales*, cit., págs. 36-37.

tema de acceso remoto, directo y seguro a los datos personales que garantice, de modo permanente, el acceso a su totalidad[185]. A tales efectos, la comunicación por el responsable al interesado del modo en que este podrá acceder a dicho sistema bastará para tener por atendida la solicitud de ejercicio del derecho. No obstante, el interesado podrá solicitar del responsable que la información referida a los extremos previstos en el artículo 15.1 RGPD no se incluya en el sistema de acceso remoto. Lo que implica que será el interesado quien pida que se complete, con lo que se impone una carga adicional al interesado que no figura en el RGPD, lo que otorga a esta disposición dudosa validez[186].

Por otro lado, al igual que otros derechos, el TS[187] ha estimado que el derecho de acceso no es un derecho absoluto. De modo que las organizaciones sindicales, en el marco de su derecho a la información ostentan el derecho de acceso a los datos de los trabajadores para el cumplimiento de las funciones que le son propias porque el derecho a la protección de datos personales de los trabajadores no es absoluto. Por consiguiente, según el TS, estará justificado que la empresa comunique datos personales de los trabajadores a los representantes legales y/o sindicales a fin de que éstos puedan ejercer las competencias que la ley les confiere.

Con respecto a la consideración, como repetitivo, del ejercicio del derecho de acceso en más de una ocasión durante el plazo de seis meses del artículo 13.3 LOPD, a menos que exista causa legítima para ello, cabe contrastarlo con el artículo 12.5 RGPD, según el cual, el responsable del tratamiento soportará la carga de demostrar el carácter manifiestamente infundado o excesivo de la solicitud, con lo que no podría considerarse

---

[185]   Sobre la problemática que plantea el acceso remoto en este supuesto véase, MAR-TÍNEZ MARTÍNEZ, R.: «Derecho de acceso». *Comentarios a la Ley Orgánica de Protección de Datos y Garantía de Derechos Digitales (en relación con el RGPD)*, cit., págs. 100-101.

[186]   PRECIADO DOMÉNECH, C. H.: *Los Derechos Digitales de las Personas Trabajadoras. Aspectos Laborales de la Ley Orgánica 3/2018, de 5 de diciembre, de Protección de Datos y Garantía de los Derechos Digitales*, cit., págs. 36-37.

[187]   STS ud. 7 febrero 2018, rec. 78/2017, (RJ 2018, 740).

el acceso de más de una vez en 6 meses como repetitivo *iuris et de iure*, como con acierto apunta la doctrina[188].

Sobre el medio elegido por el interesado, según el artículo 13.4 LOPD, si es diferente al que se le ofrece y suponga un coste desproporcionado, la solicitud se considerará excesiva y será el interesado quien asuma el exceso del coste[189].

3. *Derecho de rectificación*

La Carta Europea de los Derechos Fundamentales de la Unión Europea (CDFUE) señala expresamente, que «toda persona tiene derecho a acceder a los datos recogidos que le conciernan y a obtener su rectificación»[190]. Y el artículo 16 RGPD, pese a su brevedad deja bien claro lo que significa el derecho de rectificación, al establecer que el interesado tendrá derecho a obtener sin dilación indebida del responsable del tratamiento la rectificación de los datos personales inexactos que le conciernan. Además, teniendo en cuenta los fines del tratamiento, el interesado tendrá derecho a que se completen los datos personales que sean incompletos, inclusive mediante una declaración adicional. El artículo 14 LOPD completa lo anterior, al señalar que el interesado deberá indicar en su solicitud a qué datos se refiere y la corrección que haya de realizarse. Deberá acompañar, cuando sea preciso, la documentación justificativa de la inexactitud o carácter incompleto de los datos objeto de tratamiento. Al concretar la forma en que debe realizar la solicitud y sobre todo al exigirle al interesado que aporte la documentación justificativa de la corrección le añade obligaciones que no aparecen en el RGPD, lo que pone en duda la validez de tales obligaciones. El derecho de rectificación viene a completar el principio de exactitud que analizamos en el artículo 5.1.d) RGPD, al señalar, que los datos personales serán exactos y, si fuera necesario, actualizados; se adoptarán todas las

---

[188]   PRECIADO DOMÉNECH, C. H.: *Los Derechos Digitales de las Personas Trabajadoras. Aspectos Laborales de la Ley Orgánica 3/2018, de 5 de diciembre, de Protección de Datos y Garantía de los Derechos Digitales*, cit., pág. 41.

[189]   Ibidem, pág. 44.

[190]   Artículo 8.2 CDFUE.

medidas razonables para que se supriman o rectifiquen sin dilación los datos personales que sean inexactos con respecto a los fines para los que se tratan. Sobre la importancia de este derecho de rectificación y a la vista de la evolución de la tecnología que estamos viviendo, si se observa la Ley 39/2015, de 1 de octubre, del Procedimiento Administrativo Común de las Administraciones Públicas y su modificación por la LO-PD, se aprecia, como se ha afirmado[191], hasta qué punto se apuesta por la interoperabilidad de los sistemas de información, de manera que se pretende que el usuario «no presente documentos» y «no aporte datos», pero si su perfil informacional es inexacto, si los datos son incorrectos o incompletos podría perder el acceso a un derecho o a una prestación.

Además de al interesado, el artículo 19 RGPD, establece que el responsable del tratamiento comunicará cualquier rectificación o supresión de datos personales o limitación del tratamiento efectuada a cada uno de los destinatarios a los que se hayan comunicado los datos personales, salvo que sea imposible o exija un esfuerzo desproporcionado. El responsable informará al interesado acerca de dichos destinatarios, si este así lo solicita. Pero no solo eso, sino que, según el artículo 32.1 LOPD, el responsable del tratamiento estará obligado a bloquear los datos cuando proceda a su rectificación o supresión. Y ese bloqueo consiste, según el apartado 2 del citado artículo, en la identificación y reserva de los mismos, adoptando medidas técnicas y organizativas, para impedir su tratamiento, incluyendo su visualización, excepto para la puesta a disposición de los datos a los jueces y tribunales, el Ministerio Fiscal o las Administraciones Públicas competentes, en particular de las autoridades de protección de datos, para la exigencia de posibles responsabilidades derivadas del tratamiento y solo por el plazo de prescripción de las mismas[192]. Teniendo en cuenta que una vez transcurrido ese plazo deberá procederse a la destrucción de los datos.

---

[191] MARTÍNEZ MARTÍNEZ, R.: «Derecho de rectificación». *Comentarios a la Ley Orgánica de Protección de Datos y Garantía de Derechos Digitales (en relación con el RGPD)*. Directores: Mónica Arenas Ramiro y Alfonso Ortega Giménez. Sepín. 2019, pág. 101.

[192] No obstante, según el artículo 32.5 LOPD, la AEPD y las autoridades autonómicas de protección de datos, dentro del ámbito de sus respectivas competencias, podrán fijar excepciones a la obligación de bloqueo, en los supuestos en que, aten-

4. Derecho de supresión o derecho al olvido

El derecho de supresión o derecho al olvido se regula en el artículo 15 LOPD, que vuelve a remitirse al RGPD, no siendo esta técnica la más adecuada, para algunos[193] o considerándose como un ajuste técnico para otros[194]. Se trata de un novedoso derecho que aparece en el RGPD en el artículo 17, y que supone un paso más, respecto al derecho de rectificación, pues ya no se trata de corregir datos o de modificarlos, sino del derecho del interesado a obtener sin dilación indebida del responsable del tratamiento la supresión de los datos personales que le conciernan, el cual estará obligado a suprimir sin dilación indebida los datos personales cuando concurra alguna de las circunstancias siguientes: datos personales que ya no sean necesarios en relación con los fines para los que fueron recogidos o tratados de otro modo; el interesado retire el consentimiento en que se basa el tratamiento y este no se base en otro fundamento jurídico; el interesado se oponga al tratamiento y no prevalezcan otros motivos legítimos para el tratamiento; los datos personales hayan sido tratados ilícitamente; los datos personales deban suprimirse para el cumplimiento de una obligación legal establecida en el Derecho de la Unión o de los Estados miembros que se aplique al responsable del tratamiento o se hayan obtenido en relación con la oferta de servicios de la sociedad de la información. Una vez tengan los responsables la obligación de suprimir la información de los datos personales, teniendo en cuenta la tecnología disponible y el coste de su aplicación, adoptará medidas razonables.

---

dida la naturaleza de los datos o el hecho de que se refieran a un número particularmente elevado de afectados, su mera conservación, incluso bloqueados, pudiera generar un riesgo elevado para los derechos de los afectados, así como en aquellos casos en los que la conservación de los datos bloqueados pudiera implicar un coste desproporcionado para el responsable del tratamiento.

[193]   ORELLANA CANO, A. M.: *El derecho a la protección de datos personales como garantía de la privacidad de los trabajadores*, cit., pág. 88.

[194]   MARTÍNEZ MARTÍNEZ, R.: «Derecho de supresión». *Comentarios a la Ley Orgánica de Protección de Datos y Garantía de Derechos Digitales (en relación con el RGPD)*. Directores: Mónica Arenas Ramiro y Alfonso Ortega Giménez. Sepín, 2019, pág. 101.

Igualmente, establece el apartado 3 del citado artículo, los supuestos en que no se aplica la supresión, tales como el ejercicio del derecho a la libertad de expresión e información; para el cumplimiento de una obligación legal que requiera el tratamiento de datos impuesta por el Derecho de la Unión o de los Estados miembros que se aplique al responsable del tratamiento, o para el cumplimiento de una misión realizada en interés público o en el ejercicio de poderes públicos conferidos al responsable; por razones de interés público en el ámbito de la salud pública; con fines de archivo en interés público, fines de investigación científica o histórica o fines estadísticos, o para la formulación, el ejercicio o la defensa de reclamaciones.

Cuando la supresión derive del ejercicio del derecho de oposición al tratamiento con fines de mercadotecnia directa, los datos personales dejarán de ser tratados para dichos fines y el responsable podrá conservar los datos identificativos del afectado necesarios con el fin de impedir tratamientos futuros para tales fines de mercadotecnia directa (art. 15.2 LOPD en relación con el artículo 21.3 RGPD).

Por otro lado, en cuanto al contenido del derecho, se justifica el derecho a la supresión de datos en el caso de noticias que incluyen a las personas, cuando ha transcurrido un período razonable, suele perder interés público, y si se mantienen esos datos con el mismo criterio cuando ha desaparecido ese interés público, el tratamiento podría ser ilícito, y el daño que sufren los derechos al honor y a la intimidad del interesado sería desproporcionado con respecto al interés público que ampara el tratamiento de estos datos, cuando no se trata de una persona de relevancia pública, ni los hechos tienen interés histórico[195].

Creo que resulta algo restrictivo este derecho, en el sentido de que resulta insuficiente, y salvo que se conculque alguna norma o se trate de circunstancias delictivas del interesado, el derecho al olvido debería tener un margen más amplio de acción por parte del interesado que no desea que sus datos sigan apareciendo en cualquiera de los soportes digitales, físicos o materiales sin su voluntad.

---

[195]   ORTEGA GIMÉNEZ, A.: *El nuevo Régimen Jurídico de la Unión Europea para las empresas en materia de protección de datos de carácter personal.* Thomson Reuters Aranzadi. Cizur Menor. 2017, págs. 26-27.

En esta materia, resulta relevante la STJUE (gran sala) 13 mayo 2013, Asunto C-131/12, cuyo litigio principal consistía en que una persona particular, presentó ante la AEPD una reclamación contra el periódico la Vanguardia de gran difusión, y contra Google Spain y Google Inc, basada en que, cuando un internauta introducía el nombre del interesado en el motor de búsqueda de Google obtenía como resultado vínculos hacia dos páginas del periódico La Vanguardia, del 19 de enero y del 9 de marzo de 1998, respectivamente, en las que figuraba un anuncio de una subasta de inmuebles relacionada con un embargo por deudas a la Seguridad Social, que mencionaba el nombre de una persona. El particular solicitaba, por un lado, que se exigiese a La Vanguardia eliminar o modificar la publicación para que no apareciesen sus datos personales, o utilizar las herramientas facilitadas por los motores de búsqueda para proteger estos datos. Por otro lado, solicitaba que se exigiese a Google Spain o a Google Inc. que eliminaran u ocultaran sus datos personales para que dejaran de incluirse en sus resultados de búsqueda y dejaran de estar ligados a los enlaces de La Vanguardia. En este marco, el interesado afirmaba que el embargo al que se vio sometido en su día estaba totalmente solucionado y resuelto desde hace años y carecía de relevancia actualmente. La STJUE declaró que se había vulnerado el derecho a la privacidad del interesado, ordenando a Google que eliminara «de la lista de resultados obtenida tras una búsqueda efectuada a partir del nombre de una persona vínculos a páginas web, publicadas por terceros y que contienen información relativa a esta persona, también en el supuesto de que este nombre o esta información no se borren previa o simultáneamente de estas páginas web, y, en su caso, aunque la publicación en dichas páginas sea en sí misma lícita». Y es que las razones que apoyan tal supresión o derecho al olvido se basan en que el interesado puede, habida cuenta de los derechos que le reconocen los artículos 7 y 8 de la CDFUE, «solicitar que la información de que se trate ya no se ponga a disposición del público en general mediante su inclusión en tal lista de resultados, estos derechos prevalecen, en principio, no sólo sobre el interés económico del gestor del motor de búsqueda, sino también sobre el interés de dicho público en acceder a la mencionada información en una búsqueda que verse sobre el nombre de esa persona».

De relevancia en esta materia es la STC núm. 58/2018, 4 junio 2018 (RTC 2018, 58), en la que se debatía que el diario El País, S. L. publicó, en los años ochenta, y en su edición impresa, el desmantelamiento de una red de tráfico de estupefacientes, en la que se hallaba implicado el familiar de un destacado cargo público y otros miembros de la clase alta de una localidad determinada. Entre ellos se encontraban las personas demandantes de amparo. La noticia —que identificaba a éstas por su nombre, apellidos y profesión— describía el modus operandi de la red, el ingreso en prisión de los partícipes, así como la condición de toxicómanas de las personas recurrentes que habrían sufrido, según la noticia, el síndrome de abstinencia durante su estancia en prisión. Veinte años más tarde, en 2007, El País estableció el acceso gratuito a su hemeroteca digital, contenida en el sitio web. A partir de ese momento, al introducir los nombres y apellidos de quienes son recurrentes en amparo, en el principal proveedor de servicios de intermediación de búsqueda en Internet aparecía como primer resultado aquella noticia, y un extracto de la misma. Cuando D. F. C. y M. F. C. tomaron conocimiento de ello, ante la advertencia de un tercero, solicitaron de El País que cesara en el tratamiento de sus datos personales o, subsidiariamente, que sustituyera en la noticia digital sus nombres y apellidos por las iniciales de éstos, adoptando, en todo caso, las medidas tecnológicas necesarias para que la página web, donde se había publicado la noticia, no fuera indexada como resultado de la búsqueda en la red de información sobre las personas demandantes. El diario, basándose en su derecho fundamental a la libertad de información y en la imposibilidad de evitar la indexación por los buscadores, no accedió a la solicitud.

El TC declaró, que «la noticia relata hechos pasados sin ninguna incidencia en el presente. No se trata de una noticia nueva sobre hechos actuales, ni de una nueva noticia sobre hechos pasados, que pueden merecer una respuesta constitucional distinta. Su difusión actual en poco contribuye al debate público. Por tanto, la retransmisión de la noticia en cuestión, transcurridos más de treinta años desde que los hechos ocurrieron, carece a día de hoy de toda relevancia para la formación de la opinión pública libre, más allá de la derivada de la publicación en la hemeroteca digital. De un lado, las personas recurrentes eran y son personas privadas, cuya relevancia pública sólo se derivó de su participación en los hechos noticiables. De otro lado, la noticia relata un suceso penal, sobre los que este Tribunal ha reiterado que revisten interés público, especialmente si entrañan una cierta gravedad o causan un impacto considerable en la opinión pública (por todas, STC 185/2002 de 14 de octubre, FJ 4). Sin embargo, en el caso de autos el delito relatado en la noticia ni fue particularmente grave ni ocasionó especial impacto en la sociedad de la época. En consecuencia, el transcurso de tan amplio margen de tiempo ha provocado que el inicial interés que el asunto suscitó haya desaparecido por completo. A la inversa, el daño que la difusión actual de la noticia produce en los derechos al honor, intimidad y protección de datos personales de las personas recurrentes reviste particular gravedad, por el fuerte descrédito que en su vida personal y profesional origina la naturaleza de los datos difundidos (participación en un delito, drogadicción). Este daño, por consiguiente, se estima desproporcionado frente al escaso interés actual que la noticia suscita, y que se limita a su condición de archivo periodístico», por lo que se estimó la pretensión, parcialmente en lo que a la difusión de la noticia se refiere, por haber vulnerado el derecho de los demandantes de amparo, al honor, a la intimidad y a la protección de sus datos personales, que es lo que implica la protección de dichos derechos, pero no así la supresión del nombre y apellidos o a la sustitución de éstos por sus iniciales en el código fuente de la página web que contiene la noticia por estimar no ser necesaria su anonimización, y justificando tal decisión en que supondría una injerencia más intensa en la libertad de prensa que la simple limitación en la difusión, resulta por tanto innecesaria.

Finalmente, en cuanto a la obligación de bloqueo de los datos por el responsable del tratamiento, me remito a lo comentado en el derecho a la rectificación.

5. *Derecho a la limitación del tratamiento*

Según el artículo 4.3 RGPD, se entiende por «limitación al tratamiento», el marcado de los datos de carácter personal conservados con el fin de limitar su tratamiento en el futuro. Ciertamente no se acaba de entender con la suficiente claridad lo que esa expresión significa. Se intuye que se trata de lo que se desprende de la misma, pero no aclara en qué consiste la limitación. Y ni siquiera se aclara en el artículo 18 RGPD, cuando se desarrolla este derecho del interesado. Tan solo se enumeran las circunstancias en que podrá solicitarse. Concretamente señala que el interesado tendrá derecho a obtener del responsable del tratamiento la limitación del tratamiento de los datos cuando se cumpla alguna de las condiciones siguientes: el interesado impugne la exactitud de los datos personales, durante un plazo que permita al responsable verificar la exactitud de los mismos; el tratamiento sea ilícito y el interesado se oponga a la supresión de los datos personales y solicite en su lugar la limitación de su uso; el responsable ya no necesite los datos personales para los fines del tratamiento, pero el interesado los necesite para la formulación, el ejercicio o la defensa de reclamaciones; el interesado se haya opuesto al tratamiento, mientras se verifica si los motivos legítimos del responsable prevalecen sobre los del interesado.

La LOPD, en su artículo 16, se remite al RGPD, añadiendo el apartado 2, la obligación de que el hecho de que el tratamiento de los datos personales esté limitado debe constar claramente en los sistemas de información del responsable. Para la AEPD[196], la limitación de tratamiento supone que, a petición del interesado, no se aplicarán a sus datos personales las operaciones de tratamiento que en cada caso corresponderían, pudiendo solicitar la limitación cuando: el interesado ha ejercido los derechos de rectificación u oposición y el responsable está en proceso de determinar si procede atender a la solicitud; el tratamiento es ilícito, lo que determinaría el borrado de los datos, pero el interesado se opone a ello; los datos ya no son necesarios para el tratamiento, que también determinaría su borrado, pero el interesado solicita la limitación porque los necesita para la formulación, el ejercicio o la defensa de reclamaciones. Además, en el tiempo que dure la limitación, el responsable sólo podrá tratar los datos afectados, más allá de su conservación:

- Con el consentimiento del interesado
- Para la formulación, el ejercicio o la defensa de reclamaciones
- Para proteger los derechos de otra persona física o jurídica
- Por razones de interés público importante de la Unión o del Estado miembro correspondiente.

---

[196] https://www.aepd.es/sites/default/files/2019-12/guia-rgpd-para-responsables-de-tratamiento.pdf.

Cuando el tratamiento de datos personales se haya limitado, dichos datos solo podrán ser objeto de tratamiento, con excepción de su conservación, con el consentimiento del interesado o para la formulación, el ejercicio o la defensa de reclamaciones, o con miras a la protección de los derechos de otra persona física o jurídica o por razones de interés público importante de la Unión o de un determinado Estado miembro. Como es lógico, el interesado que haya obtenido la limitación del tratamiento debe ser informado por el responsable antes del levantamiento de dicha limitación.

Por otro lado, se observa una relación entre la limitación del tratamiento con el bloqueo de datos, entre el artículo 18.1.c) RGPD y el artículo 32 LOPD, pues mientras en el primero, el interesado tendrá derecho a obtener del responsable del tratamiento la limitación del tratamiento de los datos cuando el responsable ya no necesite los datos personales para los fines del tratamiento, pero el interesado los necesite para la formulación, el ejercicio o la defensa de reclamaciones; el artículo 32 LOPD parece que vacía de contenido el primero al señalar que el responsable del tratamiento estará obligado a bloquear los datos cuando proceda a su rectificación o supresión.

6. *Derecho a la portabilidad*

El derecho a la portabilidad aparece en el artículo 17 LOPD, remitiéndose al contenido del artículo 20 RGPD. El derecho a la portabilidad consiste en que el interesado tiene derecho a recibir los datos personales que le incumban, que haya facilitado a un responsable del tratamiento, en un formato estructurado, de uso común y lectura mecánica, y a transmitirlos a otro responsable del tratamiento sin que lo impida el responsable al que se los hubiera facilitado, cuando el tratamiento esté basado en el consentimiento o en un contrato de acuerdo con lo previsto en el RGPD y el tratamiento se efectúe por medios automatizados.

El interesado tiene derecho a que los datos personales se transmitan directamente de responsable a responsable cuando sea técnicamente posible. El ejercicio del derecho a la portabilidad se entenderá sin perjuicio del derecho a la supresión y al olvido. El derecho a la portabilidad no se aplica al tratamiento que sea necesario para el cumplimiento de una misión realizada en interés público o en el ejercicio de poderes públicos conferidos al responsable del tratamiento.

Según el GT 29[197], «el nuevo derecho a la portabilidad de los datos tiene por objetivo facultar a los interesados con respecto a sus propios datos personales, ya que aumenta su capacidad de trasladar, copiar o transmitir los datos personales fácilmente de un entorno informático a otro. De hecho, el objetivo primordial de la portabilidad de los datos es facilitar el cambio de un proveedor de servicios a otro, reforzando así la competencia entre servicios (al hacer más fácil para las personas la opción de cambiar entre diferentes proveedores). Asimismo, permite la creación de nuevos servicios en el contexto de la estrategia de mercado único digital».

Finaliza el artículo 20.4 RGPD, advirtiendo, que el derecho a la portabilidad, no afectará negativamente a los derechos y libertades de otros. En ese sentido, el GT 29, señala, que tales derechos y libertades de otros pueden referirse también a «los derechos o libertades de otros, incluidos los secretos comerciales o la propiedad intelectual y en particular los derechos de autor que protegen los programas informáticos» mencionados en el considerando (63) a fin de proteger el modelo de negocio de los responsables del tratamiento (art. 15). Aunque estos derechos deben tomarse en consideración antes de responder a una solicitud de portabilidad de datos, «el resultado de dichas consideraciones no debe ser la negativa a proporcionar toda la información al interesado».

7. *Derecho de oposición*

Como señala el artículo 18 LOPD, el derecho se oposición, se ejercerá según lo establecido, en el artículo 21 RGPD.

El derecho de oposición supone que el interesado tendrá derecho a oponerse en cualquier momento, por motivos relacionados con su situación particular, a que datos personales que le conciernan sean objeto de un tratamiento incluida la elaboración de perfiles sobre la base de dichas

---

[197]   GT29 sobre protección de datos: *Directrices sobre la portabilidad a los datos*, 16/EN, GT 242, pág. 4.

disposiciones. En estos supuestos, el responsable del tratamiento dejará de tratar los datos personales, salvo que acredite motivos legítimos imperiosos para el tratamiento que prevalezcan sobre los intereses, los derechos y las libertades del interesado, o para la formulación, el ejercicio o la defensa de reclamaciones.

Asimismo, cuando el tratamiento de datos personales tenga por objeto la mercadotecnia directa, el interesado tendrá derecho a oponerse en todo momento al tratamiento de los datos personales que le conciernan, incluida la elaboración de perfiles en la medida en que esté relacionada con la citada mercadotecnia, en cuyo caso, los datos personales dejarán de ser tratados para dichos fines. También, cuando los datos personales se traten con fines de investigación científica o histórica o fines estadísticos, el interesado tendrá derecho, por motivos relacionados con su situación particular, a oponerse al tratamiento de datos personales que le conciernan, salvo que sea necesario para el cumplimiento de una misión realizada por razones de interés público.

8. *Derechos relacionados con decisiones individuales automatizadas, incluida la elaboración de perfiles*

Los derechos relacionados con las decisiones individuales automatizadas incluida la realización de perfiles, se ejercerán según lo previsto en el artículo 22 RGPD, que prevé que todo interesado tendrá derecho a no ser objeto de una decisión basada únicamente en el tratamiento automatizado, salvo que sea necesaria para la celebración o la ejecución de un contrato entre el interesado y un responsable del tratamiento, esté autorizada por el Derecho de la Unión o de los Estados miembros que se aplique al responsable del tratamiento y que establezca asimismo medidas adecuadas para salvaguardar los derechos y libertades y los intereses legítimos del interesado, o se base en el consentimiento explícito del interesado. Este derecho debe tenerse en cuenta, en el ámbito laboral, en relación con la elaboración de listas negras[198]. El responsable debe

---

[198] ORELLANA CANO, A. M.: *El derecho a la protección de datos personales como garantía de la privacidad de los trabajadores*, cit., pág. 92.

adoptar las medidas adecuadas para la salvaguarda de los derechos y no se aplicará en las categorías especiales de datos.

Cabe señalar que la LOPD no contempla una disposición autónoma relativa a la prohibición de la elaboración de perfiles, recurriendo a la constante remisión al ya de por si complejo articulado del RGPD que constituye una oportunidad perdida para consolidar la adecuación de nuestro ordenamiento jurídico al avance de las tecnologías aplicables a la elaboración de perfiles[199].

VII. INSTITUCIONES BASADAS EN EL PRINCIPIO DE RESPONSABILIDAD PROACTIVA

Como señala el Preámbulo de la LOPD «es preciso tener en cuenta que la mayor novedad que presenta el Reglamento (UE) 2016/679 es la evolución de un modelo basado, fundamentalmente, en el control del cumplimiento, a otro que descansa en el principio de responsabilidad activa, lo que exige una previa valoración por el responsable o por el encargado del tratamiento del riesgo que pudiera generar el tratamiento de los datos personales para, a partir de dicha valoración, adoptar las medidas que procedan. Con el fin de aclarar estas novedades, la ley orgánica mantiene la misma denominación del capítulo IV del Reglamento, dividiendo el articulado en cuatro capítulos dedicados, respectivamente, a las medidas generales de responsabilidad activa, al régimen del encargado del tratamiento, a la figura del delegado de protección de datos y a los mecanismos de autorregulación y certificación. La figura del delegado de protección de datos adquiere una destacada importancia en el Reglamento (UE) 2016/679 y así lo recoge la ley orgánica, que parte del principio de que puede tener un carácter obligatorio o voluntario, estar o no integrado en la organización del responsable o encargado y ser tanto una persona física como

---

[199]   DÍAZ LAFUENTE, J.: «Transparencia e información». Protección de Datos. *Comentarios a la Ley Orgánica de Protección de Datos y Garantía de Derechos Digitales (en relación con el RGPD).* Directores: Mónica Arenas Ramiro y Alfonso Ortega Giménez. Sepín. 2019, pág. 93

una persona jurídica. La designación del delegado de protección de datos ha de comunicarse a la autoridad de protección de datos competente. La Agencia Española de Protección de Datos mantendrá una relación pública y actualizada de los delegados de protección de datos, accesible por cualquier persona. Los conocimientos en la materia se podrán acreditar mediante esquemas de certificación. Asimismo, no podrá ser removido, salvo en los supuestos de dolo o negligencia grave. Es de destacar que el delegado de protección de datos permite configurar un medio para la resolución amistosa de reclamaciones, pues el interesado podrá reproducir ante él la reclamación que no sea atendida por el responsable o encargado del tratamiento».

Conviene distinguir, por tanto estas tres figuras (responsable y encargado del tratamiento y delegado de protección de datos) con objeto de conocer las atribuciones encomendadas a cada una, su relación entre ellas, y las funciones que pueden desempeñar en orden a la protección de datos de los interesados, en concreto de los trabajadores. A este respecto, cabe comentar[200] que el RGPD contiene obligaciones que se dirigen explícitamente a los encargados, pese a que la responsabilidad final sobre el tratamiento descansa, valga la redundancia, en la figura del responsable que es quien determina la existencia del tratamiento y su finalidad. Y ello, pese a que, como señala el GT29[201], la función de encargado del tratamiento no se deriva de la naturaleza de un ente que trata datos, sino de sus actividades concretas en un contexto específico, de manera, que un mismo ente puede actuar a la vez como responsable del tratamiento para determinadas operaciones de tratamiento y como encargado del tratamiento para otras, y la condición de responsable o encargado debe evaluarse respecto de unos conjuntos muy determinados de datos u operaciones.

---

[200] GUDÍN RODRÍGUEZ-MAGARIÑOS, F.: «Obligaciones generales del responsable y encargado del tratamiento». Protección de Datos. *Comentarios a la Ley Orgánica de Protección de Datos y Garantía de Derechos Digitales (en relación con el RGPD)*. Directores: Mónica Arenas Ramiro y Alfonso Ortega Giménez. Sepín. 2019, pág. 152.

[201] GT29, Dictamen 1/2010 sobre los conceptos de «responsable del tratamiento» y «encargado del tratamiento», pág. 28.

1. Responsable del tratamiento

Según los artículos 28 LOPD y 24 RGPD, los responsables[202] así como los encargados[203], determinarán las medidas técnicas y organizativas apropiadas que deben aplicar a fin de garantizar y acreditar que el tratamiento es conforme con el RGPD, con la LOPD, sus normas de desarrollo y la legislación sectorial aplicable. Además, deben valorar si procede la realización de la evaluación de impacto[204] en la protección de datos del artículo 35 RGPD y la consulta previa a la autoridad de control antes de proceder al tratamiento previsto en el artículo 36 RGPD, cuando una evaluación de impacto relativa a la protección de los datos muestre que el tratamiento entrañaría un alto riesgo si el responsable no toma medidas para mitigarlo. En este punto es interesante distinguir lo que son los informes de auditoría de protección de datos o de la información que derive del registro de incidencias preexistente, ya que las auditorías se orientan a evaluar los resultados de las medidas y su puesta en marcha, mientras que en la evaluación de impacto, que consiste en determinar los riesgos de un tratamiento, con carácter previo a su puesta

---

[202]   En el ámbito de las relaciones laborales el responsable del tratamiento es la empresa, pudiendo designarse un responsable del tratamiento en el caso de un grupo de empresas.

[203]   Según el artículo 4.8 RGPD, el «encargado del tratamiento» o «encargado», es la persona física o jurídica, autoridad pública, servicio u otro organismo que trate datos personales por cuenta del responsable del tratamiento. En el ámbito laboral podría equipararse a los asesores, gestores o abogados laboralistas que llevan la documentación de los trabajadores de las empresas, en las que figuran datos de los trabajadores.

[204]   La evaluación de impacto tiene lugar, según el artículo 35.1 RGPD, cuando sea probable que un tipo de tratamiento, en particular si utiliza nuevas tecnologías, por su naturaleza, alcance, contexto o fines, entrañe un alto riesgo para los derechos y libertades de las personas físicas. En tal caso, el responsable del tratamiento realizará, antes del tratamiento, una evaluación del impacto de las operaciones de tratamiento en la protección de datos personales. El considerando (94) señala además, que «debe consultarse a la autoridad de control antes de iniciar las actividades de tratamiento si una evaluación de impacto muestra que, en ausencia de garantías, medidas de seguridad y mecanismos destinados a mitigar los riesgos, el tratamiento entrañaría un alto riesgo para los derechos y libertades de las personas físicas, y el responsable del tratamiento considera que el riesgo no puede mitigarse por medios razonables en cuanto a tecnología disponible y costes de aplicación».

en marcha[205]. Por ello, el artículo 25.1 RGPD, establece que el responsable del tratamiento debe aplicar, tanto en el momento de determinar los medios de tratamiento como en el momento del propio tratamiento, medidas técnicas y organizativas apropiadas, como la seudonimización, concebidas para aplicar de forma efectiva los principios de protección de datos, como la minimización de datos, e integrar las garantías necesarias en el tratamiento, a fin de cumplir los requisitos del RGPD y proteger los derechos de los interesados.

Para adoptar tales medidas los responsables y encargados del tratamiento tendrán en cuenta, en particular, los mayores riesgos que podrían producirse en los siguientes supuestos (art. 28.2 LOPD):

a) Cuando el tratamiento pudiera generar situaciones de discriminación, usurpación de identidad o fraude, pérdidas financieras, daño para la reputación, pérdida de confidencialidad de datos sujetos al secreto profesional, reversión no autorizada de la seudonimización o cualquier otro perjuicio económico, moral o social significativo para los afectados.

b) Cuando el tratamiento pudiera privar a los afectados de sus derechos y libertades o impedirles el ejercicio del control sobre sus datos personales.

c) Cuando se produjese el tratamiento no meramente incidental o accesorio de las categorías especiales de datos o de los datos relacionados con la comisión de infracciones administrativas.

d) Cuando el tratamiento implicase una evaluación de aspectos personales de los afectados con el fin de crear o utilizar perfiles personales de los mismos, en particular mediante el análisis o la predicción de aspectos referidos a su rendimiento en el trabajo, su situación económica, su salud, sus preferencias o intereses personales, su fiabilidad o comportamiento, su solvencia financiera, su localización o sus movimientos.

e) Cuando se lleve a cabo el tratamiento de datos de grupos de afectados en situación de especial vulnerabilidad y, en particular, de menores de edad y personas con discapacidad.

---

[205] AEPD. «Preguntas de los asistentes». *10ª Sesión anual abierta de la AEPD*, pág. 19.

f) Cuando se produzca un tratamiento masivo que implique a un gran número de afectados o conlleve la recogida de una gran cantidad de datos personales.

g) Cuando los datos personales fuesen a ser objeto de transferencia, con carácter habitual, a terceros Estados u organizaciones internacionales respecto de los que no se hubiese declarado un nivel adecuado de protección.

h) Cualesquiera otros que a juicio del responsable o del encargado pudieran tener relevancia.

El responsable del tratamiento en el ámbito laboral suele ser el empresario, si bien no cabe excluir otros responsables, como los sujetos colectivos o los servicios de prevención[206]. En este sentido se entiende por empresa según el artículo 4.18 RGPD, como la «persona física o jurídica dedicada a una actividad económica, independientemente de su forma jurídica, incluidas las sociedades o asociaciones que desempeñen regularmente una actividad económica». En este sentido, resulta interesante conocer qué se entiende por grupo de empresas en este contexto, pues como sabemos en España se trata de un concepto jurisprudencial, al no haberse fijado ninguna definición por el legislador. Concretamente, el artículo 4.19 RGPD, lo entiende de una forma bastante simple, al considerarlo como «un grupo constituido por una empresa que ejerce el control y sus empresas controladas». Pero es que el considerando (37) amplía su descripción en este contexto, al señalar que «un grupo empresarial debe estar constituido por una empresa que ejerce el control y las empresas controladas, debiendo ser la empresa que ejerce el control la que pueda ejercer una influencia dominante en las otras empresas, por razones, por ejemplo, de propiedad, participación financiera, normas por las que se rige, o poder de hacer cumplir las normas de protección de datos personales. Una empresa que controle el tratamiento de los datos personales en las empresas que estén afiliadas debe considerarse, junto con dichas empresas, grupo empresarial». En el ámbito laboral, el artículo 88.2 RGPD, hace hincapié en la necesidad de prestar especial aten-

---

[206]   MERCADER UGUINA, J. R.: *Protección de datos y garantía de los derechos digitales en las relaciones laborales*, cit., pág. 69.

ción a la transparencia del tratamiento, a la transferencia de los datos personales dentro de un grupo empresarial o de una unión de empresas con una actividad económica conjunta y a los sistemas de supervisión en el lugar de trabajo.

Por otro lado, sobre la creación de una base de datos centralizada, que se sustenta de los datos de los empleados que envían a la misma las distintas empresas que forman un grupo de empresas, la AEPD[207], se ha pronunciado, señalando que la existencia de un grupo de empresas no afecta para que cada una de las sociedades integradas en el mismo no mantenga diferenciada y plena su personalidad jurídica. A todos los efectos jurídicos, la circunstancia de que una sociedad esté participada por otra, no afecta al hecho de que ambas sean distintas personas, de modo que la comunicación de datos se produce entre dos personas distintas, sin que exista una previsión legal que flexibilice los requisitos para la legitimidad de dicha cesión. En el mismo sentido se pronunció el TSJ Madrid[208], cuando en su fundamento de derecho cuarto señala que, «cualquier empresa es libre de constituirse en cualquiera de las formas societarias que el Derecho Mercantil regula. Asimismo, las empresas pueden unirse a través de las distintas formas reguladas en derecho: fusión, absorción, etc. Pero, desde luego, lo que no cabe es que existan dos sociedades anónimas y, como tales, independientes y con personalidad jurídica autónoma y que por el hecho de que una sea propiedad de la otra, el particular que contrata con la primera pueda verse perjudicado, precisamente, por la estructura empresarial que la sociedad ha elegido. Si la recurrente ha preferido constituir dos sociedades y trabajar con ellas de manera independiente, beneficiándose así del mantenimiento de dos personas jurídicas distintas, no puede, al mismo tiempo, pretender justificar el conocimiento por parte de la matriz de los datos que le constan a la filial por las operaciones que esta última ha intervenido pues ello supone olvidarse de que se trata de personas jurídicas distintas». Sin embargo, como señala el considerando (48) RGPD, los responsables que forman parte de un grupo empresarial o de entidades afiliadas a un organismo central pueden tener un interés legítimo

---

[207]   AEPD, Informe Jurídico 0494/2008.
[208]   STSJ Madrid, 16 octubre 2000 (rec. 1132/97).

en transmitir datos personales dentro del grupo empresarial para fines administrativos internos, incluido el tratamiento de datos personales de clientes o empleados. Interés legítimo que debería acreditarse con base en alguna de la condiciones de licitud del artículo 6 RGPD.

1.1. *Registro de las actividades de tratamiento del responsable*

Cada responsable y, en su caso, su representante, según el artículo 30.1 RGPD, deben llevar un registro en el que debe constar por escrito las actividades de tratamiento efectuadas bajo su responsabilidad, que deberá incluir, con carácter general, la siguiente información:

a) nombre y datos de contacto del responsable y, en su caso, del corresponsable, del representante del responsable, y del delegado de protección de datos;

b) fines del tratamiento;

c) descripción de las categorías de interesados y de las categorías de datos personales;

d) las categorías de destinatarios a quienes se comuniquen los datos personales;

e) en su caso, las transferencias de datos personales a un tercer país o una organización internacional, incluida la identificación de estos;

f) cuando sea posible, los plazos previstos para la supresión de las diferentes categorías de datos;

g) cuando sea posible, una descripción general de las medidas técnicas y organizativas de seguridad.

Las obligaciones anteriores no se aplicarán, según el artículo 30.5 RGPD, a ninguna empresa ni organización que emplee a menos de 250 personas, a menos que el tratamiento que realice pueda entrañar un riesgo para los derechos y libertades de los interesados, no sea ocasional, o incluya categorías especiales de datos personales o datos personales relativos a condenas e infracciones penales.

1.2. Registro de las actividades de tratamiento del encargado

Cada encargado o su representante, según el artículo 30.2 RGPD, llevará un registro en el que consten por escrito todas las categorías de actividades de tratamiento efectuadas por cuenta de un responsable que contenga:

a) nombre y datos de contacto del encargado o encargados y de cada responsable por cuenta del cual actúe el encargado, y, en su caso, del representante del responsable o del encargado, y del delegado de protección de datos;

b) las categorías de tratamientos efectuados por cuenta de cada responsable;

c) en su caso, las transferencias de datos personales a un tercer país u organización internacional, incluida la identificación de estos;

d) cuando sea posible, una descripción general de las medidas técnicas y organizativas de seguridad.

Al igual que en el caso del registro de los responsables las obligaciones anteriores no se aplicarán, según el artículo 30.5 RGPD, a ninguna empresa ni organización que emplee a menos de 250 personas, a menos que el tratamiento que realice pueda entrañar un riesgo para los derechos y libertades de los interesados, no sea ocasional, o incluya categorías especiales de datos personales o datos personales relativos a condenas e infracciones penales.

El objetivo de estos registros es que los interesados puedan conocer de la forma más fielmente posible qué se está realizando con sus datos personales cuando los aporta a la Administración o a una entidad privada, y dónde puede ejercer sus derechos sobre la protección de datos[209].

---

[209] GUDÍN RODRÍGUEZ-MAGARIÑOS, F.: «Registro de las actividades de tratamiento». *Comentarios a la Ley Orgánica de Protección de Datos y Garantía de Derechos Digitales (en relación con el RGPD)*. Directores: Mónica Arenas Ramiro y Alfonso Ortega Giménez. Sepín. 2019, pág. 173.

2. Encargado del tratamiento

La figura del encargado del tratamiento es esencial en la legislación de protección de datos, de modo que el encargado, junto con el responsable del tratamiento, debe adoptar medidas necesarias que garanticen la seguridad de los datos[210]. El encargado del tratamiento, es, según el artículo 4.8 RGPD, «la persona física o jurídica, autoridad pública, servicio u otro organismo que trate datos personales por cuenta del responsable del tratamiento». Según el artículo 28 RGPD, el responsable del tratamiento, elige únicamente un encargado que ofrezca garantías suficientes para aplicar medidas técnicas y organizativas apropiadas, conforme con los requisitos del RGPD y garantice la protección de los derechos del interesado. La condición de responsable o encargado del tratamiento se delimita en virtud de la capacidad de decisión sobre la finalidad, contenido o uso del tratamiento que ostentará el responsable, no correspondiendo dicha potestad al encargado, habida cuenta del hecho de que el mismo se limitará a actuar en virtud de las instrucciones conferidas por el responsable del tratamiento[211].

Lo típico del encargo de tratamiento es que un sujeto externo o ajeno al responsable del tratamiento va a tratar datos de carácter personal pertenecientes a los tratamientos efectuados por aquél con el objeto de prestarle un servicio en un ámbito concreto[212].

El tratamiento por el encargado se rige por un contrato que vincule al encargado respecto del responsable y establezca el objeto, la duración, la naturaleza y la finalidad del tratamiento, el tipo de datos personales y categorías de interesados, y las obligaciones y derechos del responsable. Eso no significa que exista una dependencia jerárquica al modo de una relación laboral entre empresa y trabajador, sino que se trata de una delegación de funciones en una organización externa, jurídicamente

---

[210] AEPD Informe 0333/2012.
[211] AEPD Informe 0227/2010.
[212] AN (Sala de lo Contencioso-Administrativo) 29 abril 2005, rec. 259/2003 (JUR 2006, 124220).

diferenciada, que realizará el tratamiento de datos en nombre del responsable que es quien requiere sus servicios[213].

En el ámbito laboral, lo más común, es que la empresa como responsable del tratamiento, celebre con la asesoría laboral o gestoría el contrato por la que la designa como encargada del tratamiento, pues le elabora los recibos oficiales de salario, las altas y bajas de los trabajadores en la Seguridad Social, confecciona los contratos de trabajo, y en puridad maneja los datos personales de los trabajadores[214], pero también, facturas de clientes, prevención de riesgos laborales, asuntos judiciales, servicios técnicos e informáticos de mantenimiento, hosting o gestión de webs, empresas que realicen formación en su empresa y en definitiva, todo aquel que disponga de información de sus clientes, trabajadores o proveedores considerados datos de carácter personal son considerados encargados de tratamiento[215], lo que lo convierten en el verdadero protagonista del tratamiento, excepto en las dos funciones esenciales que corresponden al responsable como son la de decidir los fines y los medios del tratamiento[216]. Habría por tanto encargo de tratamiento en los supuestos de *outsourcing* o en los de prestación derivada de un contrato de obra o arrendamiento de servicios con un fin concreto. Siendo esencial, para no desnaturalizar la figura, que el encargado del tratamiento se limite a realizar el acto material de tratamiento encargado, y no siendo supuestos de encargo de tratamiento aquellos en los que el objeto del contrato fuese el ejercicio de una función o actividad independiente del encargado[217]. La figura del encargado del tratamiento responde a la necesidad de dar respuesta a fenómenos como la externalización de

---

[213] NÚÑEZ GARCÍA, J. L.: «El encargado del tratamiento». *Reglamento General de Protección de Datos. Hacia un nuevo modelo europeo de privacidad.* Director: Piñar Mañas, J. L. Reus, Madrid, 2016, pág. 328.

[214] ORELLANA CANO, A. M.: *El derecho a la protección de datos personales como garantía de la privacidad de los trabajadores,* cit., pág. 94.

[215] MERCADER UGUINA, J. R.: *Protección de datos y garantía de los derechos digitales en las relaciones laborales,* cit., pág. 71.

[216] PRECIADO DOMÉNECH, C. H.: *Los Derechos Digitales de las Personas Trabajadoras. Aspectos Laborales de la Ley Orgánica 3/2018, de 5 de diciembre, de Protección de Datos y Garantía de los Derechos Digitales,* cit., pág. 66.

[217] AN (Sala de lo Contencioso-Administrativo) 29 abril 2005, rec. 259/2003 (JUR 2006, 124220).

servicios por parte de las empresas y otras entidades, de manera que en aquellos supuestos en que el responsable del tratamiento encomiende a un tercero la prestación de un servicio que requiera el acceso a datos de carácter personal por éste, dicho acceso no pueda considerarse como una cesión de datos[218]. En consecuencia, existe encargo de tratamiento cuando la transmisión o cesión de los datos está amparada en la prestación de un servicio que el responsable del tratamiento recibe de una empresa externa o ajena a su propia organización, y que le ayuda en el cumplimiento de la finalidad del tratamiento de datos consentida por el afectado[219].

El encargado del tratamiento, según el artículo 28.2 RGPD, no puede recurrir a otro encargado sin la autorización previa por escrito del responsable. En este último caso, el encargado informará al responsable de cualquier cambio previsto en la incorporación o sustitución de otros encargados, dando así al responsable la oportunidad de oponerse a dichos cambios. No obstante, según el artículo 28.4 RGPD, en el caso de que el encargado del tratamiento recurra a otro encargado para llevar a cabo determinadas actividades de tratamiento por cuenta del responsable, se impondrán a este otro encargado, mediante contrato las mismas obligaciones de protección de datos que las estipuladas en el contrato u otro acto jurídico entre el responsable y el encargado, en particular la prestación de garantías suficientes de aplicación de medidas técnicas y organizativas apropiadas de manera que el tratamiento sea conforme con las disposiciones del RGPD. Si ese otro encargado incumple sus obligaciones de protección de datos, el encargado inicial seguirá siendo plenamente responsable ante el responsable del tratamiento por lo que respecta al cumplimiento de las obligaciones del otro encargado.

Cuando el encargado finalice la prestación de los servicios, establece el artículo 33.3 LOPD, el responsable del tratamiento determinará si, los datos personales deben ser destruidos, devueltos al responsable o entregados, en su caso, a un nuevo encargado, sin que proceda la destrucción de los datos cuando exista una previsión legal que obligue a su

---

[218]   AEPD Informe 0227/2010.
[219]   AN (Sala de lo Contencioso-Administrativo) 29 abril 2005, rec. 259/2003 (JUR 2006, 124220).

conservación, en cuyo caso deberán ser devueltos al responsable, que garantizará su conservación mientras tal obligación persista. Además, según el artículo 33.4 LOPD, el encargado del tratamiento podrá conservar, debidamente bloqueados, los datos en tanto pudieran derivarse responsabilidades de su relación con el responsable del tratamiento.

En fin, si quisiéramos resumir, en qué consiste lo esencial del encargado, lo resume bien el GT29[220], al señalar que para poder actuar como encargado del tratamiento tienen que darse dos condiciones básicas: por una parte, ser una entidad jurídica independiente del responsable del tratamiento y, por otra, realizar el tratamiento de datos personales por cuenta de éste.

2.1. Contrato de vinculación del encargado con el responsable: delimitación de atribuciones

El contrato que vincule al encargado respecto del responsable estipulará, en particular, que el encargado, entre otras cláusulas, debe: tratar los datos personales únicamente siguiendo instrucciones documentadas del responsable; garantizar que las personas autorizadas para tratar datos personales se hayan comprometido a respetar la confidencialidad o estén sujetas a una obligación de confidencialidad de naturaleza estatutaria; tomar todas las medidas necesarias de seguridad de los datos personales que se contienen en el RGPD; asimismo, respetará las condiciones para recurrir a otro encargado del tratamiento; asistirá al responsable, teniendo cuenta la naturaleza del tratamiento, a través de medidas técnicas y organizativas apropiadas, siempre que sea posible, para que este pueda cumplir con su obligación de responder a las solicitudes que tengan por objeto el ejercicio de los derechos de los interesados; a elección del responsable, suprimirá o devolverá todos los datos personales una vez finalice la prestación de los servicios de tratamiento, y suprimirá las copias existentes a menos que se requiera la conservación de los datos personales en virtud del Derecho de la Unión o de los Estados miem-

---

[220]   GT29, Dictamen 1/2010 sobre los conceptos de «responsable del tratamiento» y «encargado del tratamiento», pág. 27.

bros; pondrá a disposición del responsable toda la información necesaria para demostrar el cumplimiento de las obligaciones establecidas, así como para permitir y contribuir a la realización de auditorías, incluidas inspecciones, por parte del responsable o de otro auditor autorizado por dicho responsable.

Interesa señalar dos cuestiones importantes que afectan al encargado del tratamiento: la primera tiene que ver con que tanto el encargado del tratamiento como cualquier persona que actúe bajo la autoridad del responsable o del encargado y tenga acceso a datos personales solo podrán tratar dichos datos, puntualiza el artículo 29 RGPD, siguiendo instrucciones del responsable, a no ser que estén obligados a ello en virtud del Derecho de la Unión o de los Estados miembros. Y la segunda, si un encargado del tratamiento infringe el RGPD al determinar los fines y medios del tratamiento será considerado, según el art. 28.10 RGPD, responsable del tratamiento con respecto a dicho tratamiento, lo que constituye la excepción de que las obligaciones corresponden en principio al responsable del tratamiento.

En relación al contrato, tiene la consideración de responsable del tratamiento y no la de encargado, según el artículo 33 LOPD quien en su propio nombre y sin que conste que actúa por cuenta de otro, establezca relaciones con los interesados aun cuando exista un contrato o acto jurídico. Se exceptúa de esta previsión a los encargos de tratamiento efectuados en el marco de la legislación de contratación del sector público[221]. También tendrá la consideración de responsable del tratamiento quien figurando como encargado utilizase los datos para sus propias finalidades. Con ello lo que parece que intenta el RGPD es derivar hacia la condición de responsable del tratamiento a aquellos encargados cuya conducta se separe de la estrictamente encomendada por la normativa, actuando directamente con los interesados o por su cuenta.

---

[221] En el ámbito del sector público, según precisa el artículo 33.5 LOPD, «podrán atribuirse las competencias propias de un encargado del tratamiento a un determinado órgano de la Administración General del Estado, la Administración de las comunidades autónomas, las Entidades que integran la Administración Local o a los Organismos vinculados o dependientes de las mismas mediante la adopción de una norma reguladora de dichas competencias, que deberá incorporar el contenido».

2.2. Notificación de violaciones de la seguridad de datos personales a la autoridad de control

Como es obvio, señala el artículo 31 RGPD, que el responsable y el encargado del tratamiento y, en su caso, sus representantes cooperarán con la autoridad de control que lo solicite en el desempeño de sus funciones.

El encargado del tratamiento debe notificar, según el artículo 33.2 RGPD, sin dilación indebida al responsable del tratamiento las violaciones de la seguridad[222] de los datos personales de las que tenga conocimiento. A este respecto, es importante señalar, según el artículo 33.1 RGPD, que en caso de violación de la seguridad de los datos personales, el responsable del tratamiento la notificará a la autoridad de control competente sin dilación indebida y, de ser posible, a más tardar 72 horas después de que haya tenido constancia de ella, a menos que sea improbable que dicha violación de la seguridad constituya un riesgo para los derechos y las libertades de las personas físicas. Si la notificación a la autoridad de control no tiene lugar en el plazo de 72 horas, deberá ir acompañada de indicación de los motivos de la dilación.

La siguiente cuestión importante, es conocer el contenido de las notificaciones de las violaciones de seguridad de datos personales que debe trasladar a la autoridad de control; y el apartado 3 del artículo 33 RGPD, enumera las siguientes:

a) describir la naturaleza de la violación de la seguridad de los datos personales, inclusive, cuando sea posible, las categorías y el número aproximado de interesados afectados, y las categorías y el número aproximado de registros de datos personales afectados;

b) comunicar el nombre y los datos de contacto del delegado de protección de datos o de otro punto de contacto en el que pueda obtenerse más información;

---

[222] Por «violación de la seguridad de los datos personales», debemos entender «toda violación de la seguridad que ocasione la destrucción, pérdida o alteración accidental o ilícita de datos personales transmitidos, conservados o tratados de otra forma, o la comunicación o acceso no autorizado a dichos datos» (art. 4.12. RGPD).

c) describir las posibles consecuencias de la violación de la seguridad de los datos personales;

d) describir las medidas adoptadas o propuestas por el responsable del tratamiento para poner remedio a la violación de la seguridad de los datos personales, incluyendo, si procede, las medidas adoptadas para mitigar los posibles efectos negativos.

Además, el artículo 33.5 RGPD, exige que el responsable del tratamiento documente cualquier violación de la seguridad de los datos personales, incluidos los hechos relacionados con ella, sus efectos y las medidas correctivas adoptadas. La documentación presentada permitirá a la autoridad de control verificar el cumplimiento del contenido de las notificaciones. Viene a ser la forma de acreditar lo afirmado en las notificaciones del responsable del tratamiento.

3. Delegado de protección de datos

La tercera figura considerada como elemento de responsabilidad activa o proactiva es el delegado de protección de datos, que viene a ser el que posee los conocimientos técnicos necesarios para poder aplicar la normativa en materia de protección de datos. Pero antes de examinar cuáles son sus atribuciones conviene conocer qué posición ocupan en este organigrama en materia de tratamiento de datos[223]. Y lo primero que debe saberse, según el artículo 37.5 RGPD, es que el delegado de protección de datos es designado por el responsable y el encargado atendiendo a sus cualidades profesionales y, en particular, a sus conocimientos especializados del Derecho y la práctica en materia de protección de datos y a su capacidad para desempeñar las funciones que le

---

[223] Puede ser de gran utilidad, la consulta de las *Directrices sobre los delegados de protección de datos*, del GT29, 16/ES, WP 243 rev.01, que tienen como objetivo aclarar las disposiciones pertinentes del RGPD con el fin de ayudar a los responsables y encargados del tratamiento a cumplir con la legislación, pero también ayudar a los delegados de protección de datos en el desempeño de su labor. Las directrices ofrecen, además, recomendaciones sobre las mejores prácticas, basadas en la experiencia adquirida en algunos Estados miembros de la UE.

son atribuidas[224]. La AEPD[225] clarifica un poco más, al especificar que aunque no debe tener una titulación específica, en la medida en que entre las funciones del delegado de protección de datos se incluye el asesoramiento al responsable o encargado en todo lo relativo a la normativa sobre protección de datos, los conocimientos jurídicos en la materia son necesarios, pero también es necesario contar con conocimientos ajenos a lo estrictamente jurídico, como por ejemplo en materia de tecnología aplicada al tratamiento de datos o en relación con el ámbito de actividad de la organización en la que el delegado de protección de datos desempeña su tarea.

Además, como señala el artículo 37.6 RGPD, podrá formar parte de la plantilla del responsable o del encargado del tratamiento o desempeñar sus funciones en el marco de un contrato de servicios, pudiendo, según el artículo 34.5 LOPD, establecer la dedicación completa o a tiempo parcial del delegado, entre otros criterios, en función del volumen de los tratamientos, la categoría especial de los datos tratados o de los riesgos para los derechos o libertades de los interesados. En caso de que se le contrate a tiempo parcial, es preciso evitar que existan conflictos de intereses. Estos conflictos pueden surgir —señala la AEPD[226]—, cuando el delegado de protección de datos, en su tarea de supervisión de las actividades de tratamiento de datos llevadas a cabo por la organización, debe valorar su propio trabajo dentro de ella, como sucede si se designa delegado de protección de datos al responsable de tecnologías de la información (cuando estas tecnologías se emplean para el tratamiento de datos) o al responsable de un área de negocio que decide sobre determinados tratamientos. En cualquier caso, como señala, el considerando (97) RGPD, los delegados de protección de datos, «sean o no empleados

---

[224]   En ese sentido, el artículo 37.5 LOPD, señala que los conocimientos especializados en el derecho y la práctica en materia de protección de datos podrá demostrarse, entre otros medios, a través de mecanismos voluntarios de certificación que tendrán particularmente en cuenta la obtención de una titulación universitaria.

[225]   https://www.aepd.es/sites/default/files/2019-12/guia-rgpd-para-responsables-de-tratamiento.pdf.

[226]   https://www.aepd.es/sites/default/files/2019-12/guia-rgpd-para-responsables-de-tratamiento.pdf.

del responsable del tratamiento, deben estar en condiciones de desempeñar sus funciones y cometidos de manera independiente».

3.1. Funciones del delegado de protección de datos

Importante es conocer las funciones que tiene atribuidas el delegado de protección de datos y el artículo 39 RGPD, le otorga como mínimo las siguientes funciones:

a) informar y asesorar al responsable o al encargado del tratamiento y a los empleados que se ocupen del tratamiento de las obligaciones que les incumben en virtud de las disposiciones de protección de datos;

b) supervisar el cumplimiento de lo dispuesto en el RGPD, de otras disposiciones de protección de datos de la Unión o de los Estados miembros y de las políticas del responsable o del encargado del tratamiento en materia de protección de datos personales, incluida la asignación de responsabilidades, la concienciación y formación del personal que participa en las operaciones de tratamiento, y las auditorías correspondientes;

c) ofrecer el asesoramiento que se le solicite acerca de la evaluación de impacto relativa a la protección de datos y supervisar su aplicación;

d) cooperar con la autoridad de control;

e) actuar como punto de contacto de la autoridad de control para cuestiones relativas al tratamiento, incluida la consulta previa, y realizar consultas, en su caso, sobre cualquier otro asunto. Finalmente, el delegado de protección de datos desempeñará sus funciones prestando la debida atención a los riesgos asociados a las operaciones de tratamiento, teniendo en cuenta la naturaleza, el alcance, el contexto y fines del tratamiento.

3.2. *Organismos y entidades que deben designar delegado de protección de datos*

Según el artículo 37.1 RGPD, el responsable y el encargado del tratamiento designarán un delegado de protección de datos en alguno de los siguientes supuestos:

a) En caso de que el tratamiento lo lleve a cabo una autoridad u organismo público, excepto los tribunales de justicia;

b) Cuando las actividades principales del responsable o del encargado consistan en operaciones de tratamiento que requieran una observación habitual y sistemática de interesados a gran escala,

c) En caso de que las actividades principales del responsable o del encargado consistan en el tratamiento a gran escala de categorías especiales de datos personales y de datos relativos a condenas e infracciones penales.

Ciertamente, se trata de supuestos genéricos que exigen una mayor concreción, y así el artículo 34 LOPD, enumera nada menos que hasta dieciséis clases de entidades, tales como: colegios profesionales y sus consejos generales, centros docentes Universidades públicas y privadas, entidades que exploten redes y presten servicios de comunicaciones electrónicas cuando traten habitual y sistemáticamente datos personales a gran escala, establecimientos financieros de crédito, entidades aseguradoras y reaseguradoras, empresas de servicios de inversión, reguladas por la legislación del Mercado de Valores, distribuidores y comercializadores de energía eléctrica y los distribuidores y comercializadores de gas natural, entidades que desarrollen actividades de publicidad y prospección comercial, incluyendo las de investigación comercial y de mercados, centros sanitarios legalmente obligados al mantenimiento de las historias clínicas de los pacientes, entidades que tengan como uno de sus objetos la emisión de informes comerciales que puedan referirse a personas físicas, entre otros. Como en otras materias también aquí podría plantearse, si esta acotación de los supuestos genéricos del RGPD, que hace la LOPD, supone ir más allá, si podría considerarse como una legislación de desarrollo *ultra vires*, desde el momento que exista una entidad que responda al perfil que prevé el RGPD y que no se contemple en alguna de las entidades que se enumeran en el artículo 34

LOPD. La consecuencia que se puede extraer es que la mayoría de las empresas no tienen obligación de nombrar a un delegado de protección, su designación es voluntaria, de acuerdo con la LOPD, sin embargo, en la normativa alemana[227], se establece la obligación de nombrar lo que denominan como un «encargado empresarial de protección de datos», obligatorio en plantillas de al menos diez trabajadores, y también cuando se tengan que realizar operaciones de tratamiento sujetas a una evaluación de impacto de la protección de datos según el artículo 35 RGPD y cuando se traten los datos personales de forma comercial, a efectos de la transmisión, transmisión anonimizada o de estudios de mercado o de opinión, algo que se ha considerado interesante dadas las peculiaridades de la protección de datos en las relaciones laborales y la complejidad de la estructura empresarial.

3.3. *La independencia del delegado de protección de datos en el desempeño de sus funciones*

Con el mismo título se refieren el artículo 38 RGPD y el artículo 36 LOPD, para indicar cómo debe ser la relación entre el responsable, el encargado, la autoridad de control, y en definitiva con todo aquello que tenga que ver con el tratamiento de datos personales.

El RGPD, hace una serie de indicaciones de cómo debe ser la relación. Concretamente, el responsable y el encargado del tratamiento deben respaldar al delegado de protección de datos en el desempeño de sus funciones, facilitando los recursos necesarios para el desempeño de dichas funciones y el acceso a los datos personales y a las operaciones de tratamiento[228], y para el mantenimiento de sus conocimientos especializados. Asimismo, deben garantizar —en aras de garantizar su autonomía e independencia—, que el delegado de protección de datos

---

[227] Véase a este respecto, ORELLANA CANO, A. M.: *El derecho a la protección de datos personales como garantía de la privacidad de los trabajadores*, cit., pág. 94.

[228] En ese sentido, apunta el artículo 36.3 LOPD, que en el ejercicio de sus funciones el delegado de protección de datos tendrá acceso a los datos personales y procesos de tratamiento, no pudiendo oponer a este acceso el responsable o el encargado del tratamiento la existencia de cualquier deber de confidencialidad o secreto.

no reciba ninguna instrucción en lo que respecta al desempeño de dichas funciones. No será destituido ni sancionado por el responsable o el encargado por desempeñar sus funciones[229], y como concreta el artículo 36.2 LOPD, cuando se trate de una persona física integrada en la organización del responsable o encargado del tratamiento, el delegado de protección de datos no podrá ser removido ni sancionado por el responsable o el encargado por desempeñar sus funciones salvo que incurriera en dolo o negligencia grave en su ejercicio. En ese sentido, se garantizará la independencia del delegado de protección de datos dentro de la organización, debiendo evitarse cualquier conflicto de intereses. Cabe por tanto, subrayar, como apunta el GT29[230], que el RGPD prohíbe expresamente, las sanciones únicamente si se imponen como resultado del desempeño de las funciones del delegado de protección de datos en cuanto tal. Y así, por ejemplo, es posible que un delegado de protección de datos considere que un tratamiento concreto es susceptible de causar un riesgo elevado y aconseje al responsable o al encargado del tratamiento que realice una evaluación de impacto relativa a la protección de datos, y que el responsable o el encargado del tratamiento no esté de acuerdo con la valoración del delegado de protección de datos. En un caso así, no puede destituirse al delegado de protección de datos por dar ese consejo.

Además el delegado de protección de datos rendirá cuentas directamente al más alto nivel jerárquico del responsable o encargado. Como no podía ser de otra forma, el delegado de protección de datos está obligado a mantener la confidencialidad en el desempeño de sus funciones. Finalmente podrá desempeñar otras funciones y cometidos. El responsable o encargado del tratamiento garantizará que dichas funciones y cometidos no den lugar a conflicto de intereses, como podrían ser, apun-

---

229 Cabe señalar, según el GT29 que el RGPD no especifica cómo o cuándo puede un delegado de protección de datos ser destituido o sustituido por otra persona. Sin embargo, cuanto más estable sea el contrato del delegado de protección de datos y más garantías existan contra el despido improcedente, más probabilidad habrá de que pueda actuar con independencia (GT29. *Directrices sobre los delegados de protección de datos*, 16/ES, WP 243 rev.01, págs. 17-18).

230 GT29. *Directrices sobre los delegados de protección de datos*, 16/ES, WP 243 rev.01, pág. 17.

ta el GT29[231], los puestos de alta dirección (tales como director general, director de operaciones, director financiero, director médico, jefe del departamento de mercadotecnia, jefe de recursos humanos o director del departamento) pero también otros cargos inferiores en la estructura organizativa si tales cargos o puestos llevan a la determinación de los fines y medios del tratamiento. También puede surgir un conflicto de intereses, por ejemplo, si se pide a un delegado de protección de datos que represente al responsable o al encargado del tratamiento ante los tribunales en asuntos relacionados con la protección de datos.

El delegado de protección de datos actúa como interlocutor del responsable o encargado del tratamiento ante la AEPD y las autoridades autonómicas de protección de datos. Además podrá inspeccionar los procedimientos relacionados con el objeto de la LOPD y emitir recomendaciones en el ámbito de sus competencias (art. 36.1 LOPD).

En caso de que el delegado de protección de datos aprecie la existencia de una vulneración relevante en materia de protección de datos lo documentará y lo comunicará inmediatamente a los órganos de administración y dirección del responsable o el encargado del tratamiento.

3.4. *Actuación del delegado de protección de datos en caso de reclamación ante las autoridades de protección de datos*

Cada Estado establece un procedimiento propio, según su normativa interna, en aquellos supuestos en que se produzca una reclamación por parte de algún interesado contra la entidad responsable o el encargado del tratamiento. En España, existe un procedimiento en el Título VIII LOPD. En lo que afecta al papel que desempeña el delegado de protección de datos, el artículo 37 LOPD, especifica que el interesado podrá, con carácter previo a la presentación de una reclamación contra aquéllos ante la AEPD o, en su caso, ante las autoridades autonómicas de protección de datos, dirigirse al delegado de protección de datos de la entidad contra la que se reclame. En este caso, el delegado de protección

---

[231]   GT29. *Directrices sobre los delegados de protección de datos*, 16/ES, WP 243 rev.01, pág. 18.

de datos comunicará al interesado la decisión que se hubiera adoptado en el plazo máximo de dos meses a contar desde la recepción de la reclamación. Cuando el interesado presente una reclamación ante la AEPD o, en su caso, ante las autoridades autonómicas de protección de datos, aquellas podrán remitir la reclamación al delegado de protección de datos a fin de que este responda en el plazo de un mes. Si transcurrido dicho plazo el delegado de protección de datos no hubiera comunicado a la autoridad de protección de datos competente la respuesta dada a la reclamación, dicha autoridad continuará con el procedimiento establecido en el Título VIII LOPD y en sus normas de desarrollo.

Capítulo 3
Uso de dispositivos digitales de la empresa puestos a disposición del trabajador

I. LÍMITES AL CONTROL EMPRESARIAL SOBRE DISPOSITIVOS DIGITALES PUESTOS A DISPOSICIÓN DEL TRABAJADOR

A la vista del enunciado de este apartado, dos son las cuestiones primordiales que deberían ser resueltas: por un lado, hasta qué punto el trabajador puede hacer un uso privado de los dispositivos digitales puestos a su disposición por la empresa para el desempeño de su trabajo[232]. Y por otro, si el empresario, puede intervenir ese dispositivo con base en su poder de dirección, manifestado en este caso en la facultad de vigilancia y control del cumplimiento de la actividad del trabajador según el artículo 20.3 TRLET.

Lo que se plantea, con la masiva llegada de la incorporación de los dispositivos digitales en las relaciones laborales, es una nueva evaluación del equilibrio entre el interés legítimo del empresario de proteger su empresa y la expectativa razonable de confidencialidad de los trabajadores[233]. En el primer caso, el ordenador suele ser propiedad de la empresa, convirtiéndolo en una herramienta de trabajo sobre la que el trabajador no ejerce ninguna facultad de gozar o disponer del mismo para usos personales, ya que es un mero usuario debiéndolo

---

[232] El sentido de la expresión «dispositivos digitales» que se utilizará en este capítulo, se refiere, no tanto en sentido genérico, como pudiera ser los dispositivos empleados en las cámaras de videovigilancia, dispositivos de grabación de sonidos, sistemas de geolocalización o biométricos, etc., sino en sentido propio. Es decir, me referiré a ordenadores, portátiles, móviles, tabletas, etc.

[233] Dictamen 2/2017 sobre el tratamiento de datos en el trabajo (8 junio 2017). Grupo de Trabajo sobre Protección de Datos del artículo 29, pág. 4 (en adelante GT29 2/2017).

utilizar para satisfacer los intereses empresariales por ser la empresa su legítima titular[234].

De ahí que lo fundamental en esta cuestión no es tanto el dispositivo digital objeto de controversia, incluso la titularidad de la herramienta digital[235], sino, sobre todo, la forma de resolver los diversos conflictos y problemas que plantea esta situación como resultado de su uso en el ámbito de aplicación del Derecho del Trabajo. Así, la posibilidad de monitorizar los ordenadores, los controles sobre la navegación en internet y el correo electrónico permiten realizar controles más incisivos, con menor esfuerzo por parte del empresario. Dichos controles, aun siendo realizados dentro del más riguroso respeto al Derecho, pueden llegar a poner en riesgo el secreto a las comunicaciones y el derecho a la intimidad de los trabajadores[236].

A este respecto, el control que el empresario puede ejercer sobre los dispositivos digitales que utiliza el trabajador, puede tener hasta tres finalidades: en primer lugar, la de comprobar el cumplimiento de la actividad profesional del trabajador, la segunda finalidad, se refiere a garantizar la integridad de los dispositivos digitales puestos a disposición del trabajador; y la tercera finalidad aparece en el párrafo segundo del apartado tercero del artículo 87 LOPD, es la de comprobar que el uso de tales dispositivos no los utilice el trabajador para asuntos privados, o si lo ha tolerado el empresario, que no se extralimite en ese uso particular, especificando los usos autorizados y preservando la intimidad de los trabajadores. Si bien, es verdad que en la mayoría de ocasiones, como consecuencia de la primera o segunda finalidad se detecta un uso privado de tales dispositivos por parte del trabajador contrario a la buena fe. En este último aspecto, la doctrina entiende con carácter general que el empresario deberá respetar el derecho del trabajador a la privacidad

---

[234] APARICIO ALDANA, R. K.: *Derecho a la Intimidad y a la Propia Imagen en las Relaciones Jurídico Laborales*, cit., pág. 95.

[235] STS (Sala de lo Penal) 23 octubre 2018. Rec. 1684/2017 (RJ 2018, 4937).

[236] CARDONA RUBERT, M. B.: «Las relaciones laborales y el uso de las tecnologías informáticas». *Lan Harremana. Revista de Relaciones Laborales*, núm. Extra 1 (2003), pág. 165.

virtual[237]. Esto que parece casi elemental, sin embargo, ha sido objeto de enormes controversias desde mucho antes de la aparición del RGPD y LOPD.

II. CRITERIOS DE APLICACIÓN ANTERIORES A LA ENTRADA EN VIGOR DE LA LOPD

En relación al establecimiento de criterios jurídicos que orienten a empresarios y trabajadores sobre el uso correcto de los dispositivitos digitales, de manera que se respeten los derechos de uno y otro, ya hice algunos comentarios unos años anteriores a la publicación de la LOPD[238], en el sentido de la conveniencia de que el legislador tomara cartas en el asunto y no dejara a la interpretación de los Tribunales la escasa regulación laboral existente sobre este asunto, estableciendo una serie de criterios básicos destinados no tanto a todas y cada una de las posibles conductas empresariales, lo que supondría una casuística imposible de plasmar en la norma laboral, sino más bien en el establecimiento de una reglas básicas de coordinación y de equilibrio entre el poder de vigilancia empresarial y el derecho fundamental del trabajador[239]. Con ello, quise resaltar, los Tribunales tendrían recorrido parte del camino, pues el inicio del mismo lo llevaría a cabo la norma laboral. De ese modo, se incrementaría la dosis de seguridad jurídica en una cuestión

---

[237]   ORELLANA CANO, A. M.: *El derecho a la protección de datos personales como garantía de la privacidad de los trabajadores*, cit., pág. 160.

[238]   En FERNÁNDEZ ORRICO, F. J.: «Luces rojas al control empresarial por medios tecnológicos del derecho a la intimidad de los trabajadores» (comunicación en CD adjunto al libro), *Los derechos fundamentales inespecíficos en la relación laboral y en materia de protección social*. XXIV Congreso Nacional de Derecho del Trabajo y de la Seguridad Social. Ediciones Cinca. Madrid. 2014, pág. 4.

[239]   En ese sentido, señala GOÑI SEIN, J. L.: «Los derechos fundamentales inespecíficos en la relación laboral individual: ¿Necesidad de una reformulación?», cit., pág. 32: «En todo caso, no se trata tanto de ampliar el catalogo de derechos fundamentales reconocidos por el Estatuto de los Trabajadores, cuanto de ofrecer pautas de reequilibrio de acuerdo con la defensa de los derechos fundamentales, en una relación laboral individual un tanto debilitada y desequilibrada por los incesantes cambios normativos que se vienen produciendo en el orden laboral».

en la que, no existía un criterio uniforme ni en la doctrina del TS ni en la del TC, al bascular hacia uno y otro sentido. En suma, se facilitaría el trabajo a los tribunales, evitando resoluciones contradictorias, pues, como reclamó la doctrina científica, la intervención en las comunicaciones llevadas a cabo a través del correo electrónico o en Internet debería quedar amparada por una normativa suficientemente precisa[240], ya que el desierto de regulación legal específica hasta la llegada de la LOPD, obligó a los operadores jurídicos y a los tribunales a realizar ímprobos esfuerzos aplicativos de las normas generales al ámbito laboral, intentando solucionar los desajustes con los que en esa labor se tropezaban, no consiguiendo eliminar, en toda situación, la sensación de inseguridad jurídica y de desconcierto sobre los límites a la utilización de la tecnología informática en el trabajo[241].

Obviamente, ante la ausencia de respuesta normativa en esta materia, tenía que reconocerse a los órganos judiciales su labor creadora, *quasi* legislativa, no exenta de contradicciones y de falta de seguridad jurídica, pero que ha proporcionado algunas claves de interés incluidas en la reciente normativa de protección de datos[242].

Creo que ese trabajo de jueces y tribunales ha sido fructífero, en el sentido de que han ido abriendo camino en la elaboración de una normativa que en España ha tenido como resultado la LOPD. Era importante que esta normativa contuviera una regulación lo suficientemente equilibrada para que se respeten los derechos fundamentales de los trabajadores y al mismo tiempo se garantice la facultad de dirección,

---

[240]   CARRASCO DURÁN, M.: «El Tribunal Constitucional y el uso del correo y los programas de mensajería en la empresa», cit., pág. 6. Así por ejemplo señala el autor, que en el caso Copland contra Reino Unido la STEDH de 3 de abril de 2007 (TEDH 2007, 23) consideró contrario al artículo 8 del Convenio Europeo de Derechos Humanos (CEDH) el seguimiento del correo electrónico de la persona demandante debido a la falta de habilitación legal para ello.

[241]   CARDONA RUBERT, M. B.: «Las relaciones laborales y el uso de las tecnologías informáticas» *Lan Harremanak.* cit., pág. 159.

[242]   RODRÍGUEZ ESCANCIANO, S.: «Videovigilancia empresarial: límites a la luz de la Ley Orgánica, 3/2018, de 5 de diciembre de protección de datos personales y garantía de los derechos digitales». *Diario La Ley,* núm. 9328, Sección Tribuna, 2 de enero de 2019, pág. 5.

manifestada en el poder de control y vigilancia del empresario. En ese sentido, es posible asumir el control por parte del empresario del uso privado por el trabajador de los ordenadores de la empresa, mediante la autorización de su uso, pero introduciendo una serie de reglas o un código de conducta[243] sobre el uso moderado de los ordenadores para fines personales, con el fin de evitar abusos que podrían originar perjuicios económicos[244] o de otro tipo para la empresa[245]. Es posible, por tanto, incorporar controles empresariales, como en el caso del uso de Internet, siempre que sean respetuosos con la esfera de los derechos fundamentales o privada de los trabajadores[246].

Asimismo, la AEPD[247], resuelve sobre el supuesto de un trabajador despedido que denunció a su empresa, por llevar a cabo de modo subrepticio una auditoria informática en el ordenador que la empresa le había asignado, lo que sirvió de justificación para su despido disciplinario por uso abusivo de Internet, con las siguientes irregularidades:

---

[243]   Sobre el funcionamiento de los códigos de conducta, véase en GIL PLANA, J.: «Uso particular por los trabajadores de las nuevas tecnologías empresariales en los códigos de conducta». *Revista española de Derecho del Trabajo*, núm. 155, 2012, págs. 153-184.

[244]   APARICIO ALDANA, R. K.: *Derecho a la Intimidad y a la Propia Imagen en las Relaciones Jurídico Laborales*, cit., pág. 95.

[245]   Un ejemplo de Código de Conducta o también llamado «cláusula para regular el uso de herramientas informáticas de la empresa», podría ser la siguiente:
«La Empresa facilitará al empleado las herramientas tecnológicas y los sistemas de información necesarios para desarrollar su actividad: teléfono móvil, ordenador portátil, correo electrónico corporativo y acceso a información, base de datos y sistemas. Dichas herramientas son propiedad de la Empresa.
El empleado deberá hacer un uso responsable y adecuado de las herramientas y sistemas que se le faciliten. A estos efectos, el empleado autoriza expresamente a la Empresa a controlar la utilización de dichas herramientas, pudiendo llegar a sancionar el uso inapropiado o abusivo del mismo.
La dirección de correo electrónico del usuario contiene el nombre de la Empresa y, por tanto, todas las comunicaciones a través del e-mail deberán tratarse como si fueran enviadas en papel con membrete o como correspondencia interna».

[246]   CARDONA RUBERT, M. B.: «Las relaciones laborales y el uso de las tecnologías informáticas», cit., pág. 171.

[247]   AEPD. Expediente nº E/03490/2009.

- no había ningún tipo de prohibición en el uso privativo de Internet;
- no se había avisado ni solicitado permiso al comité de empresa ni a él, y
- se rastrearon las páginas web accedidas por él sin su conocimiento ni consentimiento.

En este caso existía una política empresarial materializada en la existencia de un «Manual de acogida», cuyo contenido era el siguiente: «La empresa puede acceder a información almacenada o transmitida empleando sistemas de su propiedad y se reserva el derecho de vigilar sus sistemas con propósito de auditoría, para asegurar el uso adecuado y detectar violaciones de seguridad. Los usuarios no deben suponer que las comunicaciones que realicen empleando los sistemas de la Compañía son privadas. El correo electrónico solo debe utilizarse para llevar a cabo tareas de negocio autorizadas por la Dirección».

En este caso la AEPD otorga la razón a la empresa no sólo porque se encontraba legitimada, de acuerdo con la jurisprudencia y lo determinado por el artículo 20.3 del Estatuto de los Trabajadores, a realizar actuaciones de control sobre los ordenadores proporcionados a los trabajadores, que se instauran como una herramienta de trabajo, y no como un efecto personal del profesional, sino que realizó las oportunas previsiones en cuanto al uso de los mismos, que si bien, se ven sometidas a un margen de actuación privada reconocido como hábito social, también encuentran limitado su alcance, de acuerdo tanto al Manual de Acogida referenciado, como por lo considerado tanto jurisprudencial como doctrinalmente. Resolviendo, que «la intervención en el ordenador facilitado por la empresa al afectado, no supone como tal, una actividad infractora de la normativa en materia de protección de datos, ni afectación de la intimidad del afectado».

El problema se planteaba hasta la LOPD, cuando el trabajador utilizaba el dispositivo digital para usos privados, sin que el empleador hubiera establecido un código de conducta o acuerdo con los trabajadores, y en un momento dado, un trabajador comete un acto ilícito con tales dispositivos contrarios a la buena fe laboral. Lo que se plantea es, si el empresario en estos casos se encuentra facultado para controlar el uso del dispositivo en cuestión y su contenido con la finalidad de controlar el cumplimiento de sus empleados[248].

1. Precepto de aplicación y márgenes de uso privado de dispositivos digitales del empleador puestos a disposición del trabajador

Como no podía ser de otra manera, los criterios que ha venido aplicando el TS en los últimos años han variado en función de la doctrina que ha ido marcando el TJUE. Y a falta de otra disposición en la que sustentarse hasta la llegada de la LOPD, parece claro que debía ser el artículo 20.3 TRLET el que debía aplicarse, en lugar del artículo 18 TRLET cuyo contenido trata sobre la inviolabilidad de la persona del trabajador. Para ello debía establecerse una analogía respecto a su contenido, pues no es lo mismo el registro de efectos personales del trabajador (art. 18 TRLET) que la comprobación por la empresa del uso indebido por el trabajador de un instrumento de trabajo (propiedad del empresario), en aplicación de su poder de adoptar medidas para verificar el cumplimiento de las obligaciones laborales del trabajador (art. 20.3 TRLET). En otras palabras, como ha señalado el TS[249]: «tanto la persona del trabajador, como sus efectos personales y la taquilla forman parte de la esfera privada de aquél y quedan fuera del ámbito de ejecución del contrato de trabajo al que se extienden los poderes del artículo 20 del Estatuto de los Trabajadores». Un símil de ello vendría a ser lo que son las embajadas diplomáticas, respecto a los Estados en que se encuentran ubicadas, en relación a su régimen interno de funcionamiento, que no permiten ninguna injerencia del Estado en que se encuentran.

En esta sentencia, el TS desgrana una argumentación que podría haberse tenido en cuenta, de cara a la elaboración de una norma al efecto, y que de hecho se ha visto reflejada en la LOPD. Se trataba del Director General de una empresa que prestaba servicios en un despacho sin llave, en el que disponía de un ordenador carente de clave de acceso y conectado a la red de la empresa que dispone de ADSL. En un momento dado,

---

[248] APARICIO ALDANA, R. K.: *Derecho a la Intimidad y a la Propia Imagen en las Relaciones Jurídico Laborales*, cit., pág. 96.

[249] STS de 26 septiembre 2007. RCUD 966/2006 (RJ 2007, 7514) F.J. tercero.

un técnico de una empresa de informática fue requerido para comprobar los fallos del citado ordenador. En la comprobación se detectó la existencia de virus informáticos, como consecuencia de «la navegación por páginas poco seguras de Internet». En presencia del administrador de la empresa se comprobó la existencia en la carpeta, de archivos temporales de «antiguos accesos a páginas pornográficas». Tales archivos, se almacenaron en un dispositivo de USB, que se entregó a un notario. La sentencia señala, que «las operaciones llevadas a cabo en el ordenador se hicieron sin la presencia del actor, de representantes de los trabajadores ni de ningún trabajador de la empresa». El ordenador fue retirado de la empresa para su reparación y, una vez devuelto, se procedió a realizar la misma operación con la presencia de delegados de personal. El trabajador fue despedido, y su impugnación se basó en la obtención de una prueba ilícita a través de un registro que no había cumplido con las condiciones del artículo 18 del Estatuto de los Trabajadores, aplicándose en este caso un artículo incorrecto.

Lo relevante de esta sentencia, a mi juicio es que parecía sentar doctrina sobre la forma en que debía proceder el empresario en el control del cumplimiento del deber laboral del trabajador sin vulnerar su derecho a la intimidad, al señalar, que «lo que debe hacer la empresa de acuerdo con las exigencias de buena fe es establecer previamente las reglas de uso de esos medios —con aplicación de prohibiciones absolutas o parciales— e informar a los trabajadores de que va existir control y de los medios que han de aplicarse en orden a comprobar la corrección de los usos…»[250]. Con ello, el camino más simple para el empresario será proceder a la regulación de este asunto, comunicando fehacientemente a los trabajadores de su empresa los usos permitidos de los ordenadores y del acceso a internet, así como los mecanismos que se implantarán para su control[251].

---

[250] F.J. cuarto
[251] GÓMEZ SANCHIDRIAN, D.: «Las nuevas tecnologías en las relaciones laborales: Control empresarial del correo electrónico y de Internet», *Noticias jurídicas* artículos doctrinales, noviembre 2012, http://noticias.juridicas.com/articulos/40-Derecho-Laboral/201211-correo_electronico_internet_relaciones_laborales.html.

Creo que con esta medida sería suficiente para garantizar la salvaguarda de un mínimo del derecho a la intimidad del trabajador. Es lo que denomina la Sala como «una expectativa razonable de intimidad»[252]. Criterio que también adoptó en términos similares, lo veremos, el TC en el caso del uso de cámaras de vigilancia[253].

Establecido ese criterio, el Tribunal señala gráficamente los argumentos que justifican la incorrecta actuación del empresario lesionando la intimidad del trabajador, pues, aunque «efectivamente los archivos mencionados registraran la actividad del actor, la medida adoptada por la empresa, sin previa advertencia sobre el uso y el control del ordenador, supone una lesión a su intimidad (…). Es cierto que la entrada inicial en el ordenador puede justificarse por la existencia de un virus, pero la actuación empresarial no se detiene en las tareas de detección y reparación, sino que, como dice con acierto la sentencia recurrida, en lugar de limitarse al control y eliminación del virus, "se siguió con el examen del ordenador" para entrar y apoderarse de un archivo cuyo examen o control no puede considerarse que fuera necesario para realizar la reparación interesada»[254].

Lo cierto es que se van consolidando una serie de criterios como los siguientes[255]:

1. La posibilidad de que el empresario esté legitimado para realizar el registro de los ordenadores de la empresa se basa en el artículo 20.3 del Estatuto de los Trabajadores y no en el artículo 18.

---

[252] STS de 26 septiembre 2007 (RJ 2007, 7514) F.J. cuarto. El Tribunal finaliza su aserto señalando que esa «expectativa razonable de intimidad» deberá realizarse en los términos que establecen las sentencias del Tribunal Europeo de Derechos Humanos de 25 de junio de 1997 (TEDH 1997, 37) (caso Halford) y 3 de abril de 2007 (TEDH 2007, 23) (caso Copland) para valorar la existencia de una lesión del artículo 8 del Convenio Europeo para la protección de los derechos humanos (RCL 1999, 1190, 1572).

[253] Me refiero a la importante STC 11 febrero 2013 (RTC 2013, 29), más conocida como el caso de la Universidad de Sevilla.

[254] STS de 26 septiembre 2007 (RJ 2007, 7514) F.J. quinto.

[255] DESDENTADO BONETE, A., y MUÑOZ RUIZ, A. B.: *Control informático, videovigilancia y protección de datos en el trabajo*, cit., pág. 162.

2. Salvo norma convencional, acuerdo o condición más beneficiosa en contrario, el trabajador no tiene derecho a un uso personal del ordenador que le facilita la empresa, por lo que esta puede excluir o limitar ese uso personal y establecer los correspondientes controles.

3. Que existe, no obstante, una práctica social de tolerancia que admite, salvo regulación en contrario, los usos personales moderados de estos instrumentos y crea una expectativa razonable de confidencialidad que no puede ser desconocida, salvo que por la empresa se formulen las correspondientes advertencias en orden a la prohibición o limitación de estos usos y a los controles de aplicación.

Sin embargo, pese a la posible prohibición absoluta de los dispositivos digitales, siempre existirá, como lo corroborará la normativa (LOPD), esa expectativa razonable de intimidad o de confidencialidad que deberá ser respetada. Incluso, en el caso de que se busque una solución salomónica, según la cual, los empleadores pueden considerar la posibilidad de proporcionar a los trabajadores dos cuentas de correo electrónico[256]:

a) una de uso profesional exclusivo, en la que se permitiría un control dentro de los límites del presente documento de trabajo,

b) otra de uso estrictamente privado (o con autorización de utilizar el correo web), que sólo sería objeto de medidas de seguridad y que se controlaría para prevenir abusos en casos excepcionales.

Pero es que, además, existen otras razones que permiten la entrada del empresario al ordenador del trabajador, en concreto de su correo electrónico, cuando el trabajador contrae una enfermedad o se encuentra de vacaciones o finaliza su relación laboral. En esos casos debe establecerse algún tipo de protocolo que permita el uso del ordenador por otro empelado, con objeto de que no se interrumpa la comunicación con las personas con quien se relacionaba el trabajador como clientes, proveedores, etc.

---

[256] Como propone el GT29, en el *Documento de trabajo relativo a la vigilancia de las comunicaciones electrónicas en el lugar de trabajo.*

2. Período de fortalecimiento del poder empresarial frente al derecho de intimidad del trabajador

Cuando parecía que se había encontrado una solución relativamente equitativa, la jurisprudencia basculó en defensa del poder de control del empresario, dejando sin espacio al derecho a la intimidad del trabajador, con base en que ya se advirtió por la empresa la prohibición del uso privado del ordenador y de que habría controles de verificación.

2.1. El margen de la expectativa razonable de confidencialidad en la prohibición del uso privado de los dispositivos digitales

En otra sentencia posterior del TS[257], el empresario entregó a todos los trabajadores una carta en la que se comunicaba que quedaba terminantemente prohibido el uso de medios de la empresa (ordenadores, móviles, internet, etc.) para fines propios tanto dentro como fuera del horario de trabajo. Se decidió hacer una comprobación sobre el uso de sus medios de trabajo para lo que procedió a la motorización de los ordenadores de la trabajadora denunciante y de otra trabajadora, al objeto de captar las pantallas a las que accedía la trabajadora para su posterior visualización. Se trataba de un sistema «pasivo» poco agresivo que no permitía acceder a los archivos del ordenador que están protegidos por contraseñas de cada uno de los usuarios. El tribunal entendió, quizá de forma excesivamente dura, que la prohibición absoluta descarta cualquier margen de tolerancia, y que de ese modo no cabe alegar un derecho fundamental a la intimidad a causa de la advertencia de prohibición. Sin embargo, el voto particular, en consonancia con la doctrina de la sentencia antes comentada, desmonta tal argumento con base en que la empresa «no dio cumplimiento a la previsión contenida en el apartado b), ya que no informó a los trabajadores de que iba a existir un control, ni de los medios que iban a utilizar para comprobar la corrección del uso del ordenador (…). Por lo tanto, al haberse realizado el control empresarial sin advertir previamente de los controles y medidas aplicables, se ha vulnerado "una expectativa razonable de intimidad", ya que no es

---

[257]   STS 6 octubre 2011 (RJ 2011, 7699).

suficiente la prohibición del uso del ordenador para actividades privadas, sino que, tal como ha venido entendiendo la doctrina de la Sala, dicha prohibición ha de ir acompañada de una información sobre la existencia de un control y de los medios que van a aplicarse».

Esto plantea muchos problemas pues se puede autorizar o tolerar el uso del ordenador con la advertencia de que puede ser objeto de un registro, con lo que se cumpliría el requisito de la información, al haber advertido que la utilización del sistema puede ser objeto de una supervisión y registro, por razones de seguridad y control. Pero la siguiente cuestión es cómo deberá ser esa información al trabajador, en el caso de que la empresa le haya dado un margen de uso privado del ordenador al trabajador y este no hubiera cumplido con esos márgenes, sin actuar de buena fe. En estos casos, la doctrina judicial[258] estableció una argumentación, según la cual, «la medida de realizar una copia de seguridad del disco duro del ordenador asignado al actor, herramienta de trabajo y propiedad de la empresa y proceder a verificar su contenido, resulta una medida *adecuada y correcta* por cuanto el usuario siempre y en todo momento fue advertido de la posibilidad de supervisión y control empresarial, de tal manera que si la utilización privada fue excesiva o inapropiada, ello se debió a imprudencia del trabajador que decidió ignorar la advertencia empresarial de, incluso, adoptar las correcciones disciplinarias correspondientes. La medida es *necesaria* por cuanto es el único medio que la empresa tiene, no de restringir el uso, que tolera dentro de ciertos límites, sino el abuso, siendo evidente que notificar al trabajador cuándo se va a realizar la inspección conllevaría la desaparición y destrucción de la prueba, y, por tanto, de todo vestigio de una conducta irregular; y *equilibrada* pues el registro tenía como única finalidad obtener conocimiento de cuál era el comportamiento laboral del actor».

2.2. *El límite del grado de intensidad en el control empresarial*

Por su parte, en igual sentido, el TC, en un supuesto cercano al derecho a la intimidad personal[259], el del secreto de las comunicacio-

---

258   STSJ Madrid 13 mayo 2003 (AS 2003, 3649).
259   STC 241/2012, de 17 de diciembre (RTC 2012, 241).

nes del artículo 18.3 CE, conoció de un supuesto en el que también existió expresa prohibición de instalar programas en los ordenadores de la empresa y sin embargo, dos compañeras de trabajo instalaron el programa «*Trillian*» de mensajería instantánea, con el que llevaron a cabo, entre ellas, diversas conversaciones en las que vertían comentarios críticos, despectivos o insultantes en relación a sus compañeros de trabajo, superiores y clientes. Hay que decir que el ordenador utilizado fue puesto a disposición de todos los trabajadores, sin clave para acceder a la unidad «C». Finalmente fueron descubiertas accidentalmente por otro compañero de trabajo que puso al corriente a la empresa de todo ello, y aunque tan solo fueron amonestadas verbalmente, reclamaron la vulneración a su derecho al secreto en las comunicaciones, que fue sistemáticamente decaído hasta la interposición de recurso de amparo, que tampoco fue reconocido en este asunto, con base en que «quedan fuera de la protección constitucional por tratarse de formas de envío que se configuran legalmente como comunicación abierta, esto es, no secreta». La Sala entendió que no puede calificarse como vulneradora del derecho al secreto de las comunicaciones la intervención empresarial porque se ha realizado con «un suficiente canon de razonabilidad, sin que se atisbe lesión de derechos fundamentales de las trabajadoras afectadas puesto que el acceso al contenido del programa de mensajería "Trillian" sólo se produjo cuando la empresa tuvo conocimiento de la instalación del programa». La Sentencia termina de forma sintética declarando la inexistencia de vulneración del derecho al secreto en las comunicaciones, «pues éstas estaban abiertas y no rodeadas de las condiciones que pudieran preservarlas», por lo que, al tratarse de comunicación abierta, ya no sería secreta.

El ordenador era de uso común y sin claves de acceso, lo que podría producir que tal expectativa razonable de secreto decaiga, en tanto, que la emisora y la receptora de la información, no podían presumir que el medio utilizado para transmitir sus mensajes les garantizaba cierto grado de privacidad por lo que no se podía alegar la vulneración del secreto de las comunicaciones[260].

---

[260]   APARICIO ALDANA, R. K.: *Derecho a la Intimidad y a la Propia Imagen en las Relaciones Jurídico Laborales*, cit., pág. 121.

Esta sentencia, cuenta con un voto particular[261], al entender que no se tutela el derecho al secreto de las comunicaciones. Por la importancia de las argumentaciones vertidas por el voto particular, se señalan a continuación, algunos de sus razonamientos por los que considera vulnerado el derecho fundamental al secreto de las comunicaciones del artículo 18.3 CE:

- La intervención empresarial no se limitó a la comprobación de la instalación realizada en el soporte informático de uso común, al contrario, la empleadora accedió a todos los mensajes e, incluso, resumió sus contenidos en la reunión posteriormente celebrada, lo que acredita que se manejaron los datos sin facilitar información alguna a las trabajadoras afectadas hasta dos meses después de haber tenido conocimiento de la existencia del programa de mensajería.

- No se acredita que el acceso a los correos fuera sencillo al tratarse de un programa de mensajería que archiva en el ordenador el texto de las conversaciones en ficheros independientes, uno por cada comunicación establecida, siendo necesario abrir hasta siete carpetas distintas para acceder a los ficheros de las grabaciones, guardados a su vez con un nombre coincidente con la dirección de correo electrónico usada por la persona con la que se mantiene la conversación y que, tras acceder a cada una de las siete carpetas señaladas, los ficheros hay que abrirlos uno a uno para tener acceso al contenido concreto de los mensajes.

- El trabajador en la empresa tiene reconocido, como ciudadano portador de un patrimonio de derechos que no desaparecen con ocasión de la contratación laboral, un ámbito de libertad constitucionalmente consagrado (el derecho de libertad de comunicaciones), sin perjuicio de las eventuales y posibles modalizaciones adoptadas por el empresario o de las regulaciones efectuadas por la negociación colectiva del uso de los medios tecnológicos existentes en la organización empresarial.

---

[261] Voto particular formulado por el Magistrado D. Fernando Valdés Dal Re.

- Resulta inasumible que el uso común del ordenador por todos los empleados haga que la pretensión de secreto carezca de cobertura constitucional.

- Asimismo, resulta inasumible que la comunicación realizada quede fuera de la protección constitucional, por el mero hecho de tratarse de formas de envío que se configuran legalmente como comunicación abierta, esto es, no secreta.

- La infracción de las órdenes empresariales tolera la imposición de las sanciones previstas en el ordenamiento jurídico, pero ni consiente la vulneración directa de derechos fundamentales al amparo del incumplimiento de la orden empresarial, ni tampoco las intromisiones empresariales enderezada a verificar o comprobar la existencia de las comunicaciones.

- La comunicación es secreta; y lo es, además, sea cual sea su contenido.

Además, parte de la doctrina[262], entiende que la conducta de la empresa al acceder al contenido de los mensajes, no debería ser amparada por las facultades de control empresarial, porque estas deben respetar el margen de los derechos fundamentales; y el secreto de las comunicaciones ampara no solo el contenido de la comunicación sino también sus datos periféricos (STEDH 2 agosto 1984, Caso Malone c. UK). Y aunque el empresario comprobó la existencia de un indicio indebido del ordenador como instrumento de trabajo, al introducir un nuevo programa informático pese a la prohibición expresa, sin embargo el empleador no tenía razón alguna para ir más allá de lo que la verificación de la infracción exige, de modo que una vez constatada, el acceso al contenido de los mensajes de la trabajadora sin motivo constituye una actuación arbitraria del ejercicio de su poder de dirección, porque realiza una actividad innecesaria y gravosa, que sobrepasa la finalidad que su acción de control pretendía, cual es, la comprobación del cumplimiento de la or-

---

[262]   PRECIADO DOMÉNECH, C. H.: *Los Derechos Digitales de las Personas Trabajadoras. Aspectos Laborales de la Ley Orgánica 3/2018, de 5 de diciembre, de Protección de Datos y Garantía de los Derechos Digitales.* cit., pág. 124.

den de no colocar sistemas informáticos ajenos a la empresa, vulnerando de ese modo su derecho a la intimidad[263].

Pese a las anteriores argumentaciones, en esta sentencia el TC entiende que las trabajadoras no podían basar su reclamación en una expectativa de secreto de su comunicación porque utilizaron un canal abierto, quedando así fuera de la protección constitucional, al entender que de esa forma ya no sería secreta, obviando de este modo la expectativa de confidencialidad en el secreto de las comunicaciones. Sin embargo, lo que se cuestiona, es si el empleador se encontraba legitimado para realizar un control de tal intensidad que le llevara incluso a leer y a resumir el contenido de los mensajes que obraban en el programa incorporado al ordenador. Para lo que debía contar con una razón de importancia que justificara tal acción, algo que no parece en este supuesto que llegara a probarse fehacientemente[264].

2.3. ¿Puede un convenio colectivo establecer una prohibición absoluta a los trabajadores en el uso privado de los dispositivos digitales facilitados por la empresa?

En otra importante sentencia posterior del TC[265], el trabajador prestaba servicios para una empresa dedicada a la actividad químico industrial de obtención de alcaloides (morfina, codeínas), consistiendo la misma en el cultivo de la planta adormidera y posterior tratamiento de la cosecha en sus instalaciones industriales. Recibió carta de despido por transgresión de la buena fe. Entre otros hechos se le imputaba haber mantenido durante mucho tiempo una conducta de máxima deslealtad por haber proporcionado indebidamente información confidencial de la empresa a personal de otra entidad mercantil, sin haber pedido nunca autorización para ello y utilizando en dicha transmisión medios que eran propiedad de la empresa —en concreto, teléfono móvil y correo electrónico—.

---

[263] APARICIO ALDANA, R. K.: *Derecho a la Intimidad y a la Propia Imagen en las Relaciones Jurídico Laborales*, cit., págs. 123-124.
[264] Ibidem, pág. 125.
[265] STC 170/2013, de 7 octubre (RTC 2013, 170).

Se declaró probado que, con carácter previo a la comunicación del acto extintivo y para verificar el incumplimiento, a requerimiento de la empresa se había personado en su sede un notario. Se puso a su disposición un teléfono móvil propiedad de la empresa que utilizaba el trabajador, comprobándose el contenido de los mensajes SMS, y se le entregó en depósito, además, un ordenador portátil, también propiedad de la empresa; ordenador utilizado por el trabajador y del cual, en la notaría, en presencia del notario y por parte de un técnico, se procedió a efectuar una copia del disco duro. Todo ello, sin conocimiento alguno por parte del trabajador afectado.

El resultado fue el despido del trabajador y después de las demandas al Juzgado y Tribunal Superior de Justicia, la interposición del recurso de amparo por vulneración del derecho a la intimidad y del secreto de las comunicaciones[266]. En este caso, el TC señala que el acceso por la empresa a los correos electrónicos del trabajador reunía las exigencias requeridas por el principio de proporcionalidad, que sintetiza en los cuatro puntos siguientes: se trataba de una medida *idónea, justificada, necesaria*, y *equilibrada* o ponderada, por lo que consideró que no se habían vulnerado los derechos a la intimidad personal y al secreto de las comunicaciones invocados por el trabajador[267].

Esta STC es interesante, porque, aunque no hubo prohibición expresa de la empresa en el uso privado de los dispositivos digitales, ni información que pudieran neutralizar la expectativa de confidencialidad del trabajador, la prohibición del uso del ordenador para fines particu-

---

[266] En el mismo sentido, la STSJ Andalucía, Granada 14 noviembre 2013 (AS 2013, 2935), resolvió inexistencia de lesión por el control empresarial del ordenador utilizado por el trabajador al existir una prohibición, absoluta y válida, sobre el uso de medios de la empresa para fines propios, con independencia de la información que la empresa haya podido proporcionar sobre la posible instalación de sistemas de control del uso del ordenador.

[267] Un comentario sobre las citadas SSTC 241/2012 y 170/2013, en MARÍN ALONSO, I.: «El uso por los trabajadores de las comunicaciones electrónicas en la empresa: ¿Se encuentran protegidas por el derecho al secreto de las comunicaciones?», (comunicación en CD adjunto al libro), *Los derechos fundamentales inespecíficos en la relación laboral y en materia de protección social*. XXIV Congreso Nacional de Derecho del Trabajo y de la Seguridad Social. Ediciones Cinca. Madrid. 2014.

lares se contemplaba en el convenio colectivo. Y esa fue la novedad de la Sentencia, en que permitió que la prohibición del uso privado del ordenador, como neutralizadora de la expectativa de confidencialidad[268], se contuviera en el convenio colectivo, en el contrato de trabajo o en las normas TIC de la empresa[269]. Con ello, podría interpretarse[270] que se sustituye la autorización judicial del artículo 18.3 CE por el convenio colectivo a la hora de alzar el secreto de las comunicaciones, en el seno de la empresa, facultando de forma implícita al empresario en el control exorbitado de las comunicaciones y sus contenidos.

Se trata este, de un período que bascula a favor del poder de control del empresario sobre el derecho a la intimidad del trabajador y desde luego, respecto al derecho a la protección de datos personales o como en este caso del derecho al secreto de las comunicaciones, con relación a la garantía de su privacidad, pues bastaba con la prohibición del uso del ordenador a los trabajadores para usos particulares, así como la de informar sobre la posibilidad del registro del ordenador de los emplea-dos para arrogarse la facultad de su examen inclusive de la expectativa razonable de su intimidad. Y es que si el correo electrónico no se con-sidera un medio o canal cerrado por el mero hecho de que un convenio colectivo sancione o apruebe el abuso del correo corporativo facilitado por la empresa, convierte a este correo en un medio abierto, dejando de ser tutelado por el derecho al secreto de las comunicaciones, con consecuencias imprevisibles, en particular para las empresas, porque si se considera como un medio abierto, nada impediría al trabajador obte-ner copia de lo que se comunique, ya intervenga o no, en la comunica-

---

[268]   La Agencia Española de Protección de Datos se pronunció favorable en el Infor-me 464/2013, a la posibilidad de que el empresario entregara al trabajador, junto con el recibo oficial de salarios, un anexo al contrato de trabajo que contuviera la prohibición expresa de utilizar el ordenador para fines privados, a los efectos de neutralizar la expectativa de confidencialidad.

[269]   ORELLANA CANO, A. M.: *El derecho a la protección de datos personales como garantía de la privacidad de los trabajadores*, cit., pág. 165.

[270]   PRECIADO DOMÉNECH, C. H.: *Los Derechos Digitales de las Personas Tra-bajadoras. Aspectos Laborales de la LOPD, de 5 de diciembre, de Protección de Datos y Garantía de los Derechos Digitales*, cit., pág. 126.

ción, mientras tenga acceso, porque no existe expectativa razonable de confidencialidad[271].

En ese sentido la AEPD, considera que el empresario está legitimado para filtrar el contenido del correo electrónico de los trabajadores, basándose en el artículo 6 apartados 1 y 2 de la LOPD de 1999 (Informes jurídicos 0391/2007 y 0247/2008). No se necesita, por tanto, a juicio de la AEPD, del consentimiento del trabajador, pero sí debe cumplir determinados parámetros:

a) Debe tratarse de una cuenta de correo proporcionada por la empresa para el desarrollo de sus funciones laborales.

b) Se debe informar previamente a los trabajadores sobre dicho filtrado y los medios que se van a utilizar.

3. *Vulneración del derecho al secreto de las comunicaciones de un tercero ajeno a la relación laboral*

La cuestión se podría complicar, cuando se dé la circunstancia de que un tercero ajeno a la relación laboral, pase a encontrar sus comunicaciones sometidas a la injerencia del empresario. A este tercero sí le era posible abrigar una expectativa razonable de confidencialidad que desaparece con el criterio de la STC 170/2013, pues hoy en día también a través del correo electrónico, incluido el proporcionado por la empresa, se generan relaciones interpersonales, vínculos o actuaciones, y cuando una persona ajena a una empresa dirige una comunicación a una cuenta de correo de esa empresa tiene que saber que no está dirigiendo el correo únicamente a su interlocutor sino también a la organización a la que este pertenece[272], y si la empresa tiene luz verde para vigilar y controlar el correo electrónico de sus trabajadores, sin embargo no lo tiene para

---

[271] Ibidem, págs. 126-127.

[272] DE LA CUADRA-SALCEDO JANINI, T. y SUÁREZ CORUJO, B.: «¿Trabajadores incomunicados?: La deriva de la doctrina constitucional en torno a los márgenes de actuación empresarial en el control de las comunicaciones», (comunicación en CD adjunto al libro), *Los derechos fundamentales inespecíficos en la relación laboral y en materia de protección social*. XXIV Congreso Nacional de Derecho del Trabajo y de la Seguridad Social. Ediciones Cinca. Madrid. 2014, págs. 12-13.

hacerlo respecto de aquellos terceros con quienes se relacionan a través de ese medio o de cualquier otro dispositivo digital, pudiendo vulnerar su derecho a la intimidad.

En cualquier caso, a juicio de la doctrina[273], se trataría de una vulneración del derecho al secreto de las comunicaciones del trabajador, al haber intervenido su correo electrónico sin haberle informado previamente de la posibilidad de hacerlo y de las circunstancias de las inspecciones del correo electrónico, porque no se puede ignorar que la monitorización implica tratamiento de datos, que puede ser legítima pero solo si se observan ciertas exigencias de transparencia informativa. Al no tomar en consideración estas otras garantías del artículo 18.4 CE, no se ha realizado un enjuiciamiento completo de los derechos del trabajador afectado[274].

La expectativa razonable de secreto de las comunicaciones existe cuando el empleador no prohíbe el uso exclusivamente laboral de las herramientas informáticas de la empresa, pues al no existir tal prohibición los trabajadores han de suponer que no solo existe una mera tolerancia sino que se encuentran plenamente legitimados para utilizar los ordenadores también para fines personales y por tanto los contenidos de las comunicaciones no pueden ser interceptados por el empleador; si este prohíbe el uso personal rompe con la expectativa razonable de secreto de las comunicaciones y el empleador en caso de indicios razonables de lesión puede acceder al contenido de la información de la herramienta informática[275].

4. *Replanteamiento de los anteriores criterios de los tribunales mayores españoles*

Del comentario de las anteriores sentencias tanto del TS como del TC, se observa que los pronunciamientos de ambos tribunales bascula-

---

[273]   CARRASCO DURÁN, M.: «El Tribunal Constitucional y el uso del correo y los programas de mensajería en la empresa» cit., pág. 1.

[274]   GOÑI SEIN, J. L.: «Los derechos fundamentales inespecíficos en la relación laboral individual: ¿Necesidad de una reformulación?», cit., pág. 71.

[275]   APARICIO ALDANA, R. K.: *Derecho a la Intimidad y a la Propia Imagen en las Relaciones Jurídico Laborales*, cit., págs. 101-102.

ron en uno y otro sentido, lo que ha venido propiciando una peligrosa inseguridad jurídica, pues ni el empresario ni el trabajador sabían a qué atenerse con esta dispersión de criterios en muchos casos contradictorios. La cuestión es si con la nueva normativa plasmada en el artículo 87 LOPD, será posible calmar las aguas y que se asienten los criterios de actuación sobre esta materia. Pero hasta la llegada de esta ley orgánica tan importante, todavía hubo tiempo para replantearse los anteriores criterios, ya fuera por el Comité de Ministros del Consejo de Europa, como por las decisivas SSTEDH, caso Barbulesco o caso Libert, y su reflejo en la jurisprudencia española: caso Inditex.

4.1. *Recomendación del Comité de Ministros del Consejo de Europa de 1 de abril de 2015*

No debe dejar de analizarse la Recomendación del Comité de Ministros del Consejo de Europa de 1 de abril de 2015 (CM/Rec de 1 de abril de 2015), relativa al tratamiento de datos personales en el entorno laboral en el que entre otras cuestiones referentes al uso de las nuevas tecnologías en el ámbito laboral pueden destacarse las siguientes:

a) En relación a los momentos de acceso al empleo, se recomienda:

1. Que el empleador debería evitar solicitar el acceso a aquella información que los candidatos al trabajo compartan online, especialmente en redes sociales, y que los datos de los candidatos deberían eliminarse en el momento en que se tome la decisión de no contratarlos (aunque será posible conservarlos para futuras convocatorias si se advierte de ello y se permite a los candidatos solicitar la cancelación de sus datos en cualquier momento).

2. Las pruebas psicológicas deberían realizarse por profesionales especializados, sujetos al secreto médico, y solo cuando sea legítimo y necesario por el tipo de actividad concreta a desempeñar por el trabajador e informando en todo caso a éste de forma previa del uso que se dará a los resultados de estas pruebas.

Más concretamente, en los casos de envío por un trabajador del currículum a una empresa, también ésta deberá cumplir con el deber de información. A este respecto la Guía de la AEPD para la protección de datos en las relaciones laborales[276] ofrece una serie de pautas que pueden facilitar el cumplimiento del deber de información por parte de las empresas en las diversas fases de la contratación. Por ejemplo, en la fase de selección de personal:

- Es conveniente, cuando los recursos lo permitan, disponer de impresos de modelos de impresos tipo para la formalización del currículo y de un procedimiento de formalización y entrega de los mismos por los candidatos, ya que ello permite no sólo informar adecuadamente sino definir con precisión el tipo de datos a tratar, establecer las medidas de seguridad etc.

- Si para la selección de personal se realiza algún tipo de anuncio o convocatoria pública debería incluirse en ella la información.

- Si el currículo se presenta directamente por el candidato sin habérsele solicitado deben fijarse procedimientos de información que supongan algún acuse o confirmación de conocer las condiciones en las que se desarrollará el tratamiento.

- Si el currículum se remitió por correo postal o electrónico y se cuenta con una dirección electrónica facilitada por el propio interesado puede remitírsele información por ese medio solicitando confirmación de la recepción y condicionando el tratamiento de los datos al acuse de recibo.

- Si se presentó en un mostrador u oficina de atención debería ser informado allí por cualquier medio que acredite el cumplimiento de este deber como por ejemplo carteles, documentos de acuse de recibo y en general cualquier me-

---

[276] http://www.bono-che.es/resources/guia_relaciones_laborales2009.pdf.

dio que garantice y permita probar el cumplimiento del deber de información.

- En casos de grupos de empresas o de cualquier otra fórmula de colaboración empresarial debe tenerse en cuenta que la cesión de los datos contenidos en el currículum, o del propio documento debe contar con el consentimiento del candidato.

b) Una vez incorporado al trabajo:

- En relación con el uso de Internet por los empleados, la Recomendación del citado Comité señala que deben prevalecer las medidas preventivas (por ejemplo, filtrar las páginas web) sobre las de control o monitorización. Las comunicaciones electrónicas privadas en el trabajo no deberían monitorizarse en ningún caso.

- No debería permitirse el uso de sistemas que tenga por principal finalidad la monitorización de la actividad y el comportamiento de los empleados. Cuando dicha monitorización responda a fines legítimos como puede ser el correcto funcionamiento de la empresa, deberán adoptarse garantías adicionales, incluida la consulta a los representantes de los trabajadores.

- El empleador debería tomar las medidas necesarias para desactivar automáticamente la cuenta de correo electrónico del trabajador al término de la relación laboral. En caso de que sea necesario recuperar contenidos de dicha cuenta, esta recuperación debería hacerse previamente a la salida del trabajador y, si es posible, en su presencia.

- En relación al correo electrónico o las comunicaciones electrónicas privadas en el ámbito laboral, establece la Recomendación que, en ningún caso, podrán ser objeto de vigilancia, el contenido, el envío y la recepción.

Qué duda cabe que se trata de recomendaciones, que tratan de garantizar la privacidad de los trabajadores, si bien se deja un margen para que ello no impida el ordinario funcionamiento de la empresa.

4.2. El caso Barbulescu: un test revelador sobre la privacidad en el uso por el trabajador de dispositivos digitales facilitados por la empresa

Con respecto a la doctrina del Tribunal Europeo de Derechos Humanos previa a la LOPD, sobre el uso privado por el trabajador de dispositivos digitales de la empresa, podría resumirse en las dos resoluciones del caso Barbulescu, que viene a corregir la doctrina del TC expresada en las SSTC 241/2012 y 170/2013.

En la primera (conocida como Barbulesco I) de 12 de enero de 2016, el Sr. Barbulesco abrió una cuenta de Yahoo Messenger para comunicarse con los clientes para uso profesional, a instancia del empresario. La empresa le comunicó que su cuenta había sido objeto de vigilancia durante nueve días y que se comprobó que se utilizó para uso privado. El trabajador lo negó, y la empresa hizo pública una transcripción de mensajes, de naturaleza personal de esa cuenta y de otra cuenta particular que tenía el trabajador. Finalmente, el trabajador fue despedido por utilizar la cuenta para su uso privado e impugnó judicialmente el despido, siendo desestimada la demanda por la sentencia de instancia con base en que había sido informado de la prohibición de utilizar el ordenador de la empresa para fines particulares. Recurrió la sentencia ante el Tribunal de apelación, se desestimó el recurso. El trabajador invocaba en su demanda la vulneración de la Constitución rumana, que reconoce el derecho a la privacidad de la vida familiar y personal, así como la correspondencia privada; del Código Penal rumano (art. 195), que castiga con penas de prisión de seis meses a tres años, a quien intercepte o tenga acceso de forma ilegal, a la correspondencia de otra persona; y del Código de Trabajo vigente en la fecha del despido, que tuvo lugar el 1 de agosto de 2007, que reconocía el poder de control del empresario en la manera en la que los empleados llevan a cabo sus tareas profesionales y el deber de confidencialidad de los datos del trabajador [art. 40.1.d) y 40.2.i), respectivamente].

La STEDH 12 enero 2016 declaró que la expectativa razonable de confidencialidad se neutralizó por la prohibición expresa del uso del correo electrónico para fines privados. Asimismo, la conducta del empresario había superado los tres juicios de idoneidad, de necesidad y de proporcionalidad, por lo que no se apreció vulneración del artículo

8.1 del Convenio Europeo de Derechos Humanos, según el cual, «toda persona tiene derecho al respeto de su vida privada y familiar, de su domicilio y de su correspondencia».

No contento el Sr. Barbulesco con el resultado de la Sentencia, y haciendo uso del artículo 43.1 del Convenio Europeo de Derechos Humanos, según el cual, «en el plazo de tres meses a partir de la fecha de la sentencia de una Sala, cualquier parte en el asunto podrá solicitar, en casos excepcionales, la remisión del asunto ante la Gran Sala», solicitó que la Gran Sala conociera del asunto, siendo estimada su solicitud el 6 de junio de 2016. La Gran Sala del TEDH resolvió, finalmente mediante Sentencia de 5 de septiembre de 2017 (conocida como Barbulesco II), que revocó la anterior declarando que se había vulnerado el artículo 8 del Convenio Europeo de Derechos Humanos. La Sentencia, sienta la doctrina de que constituyó una vulneración del derecho a la intimidad y al secreto de las comunicaciones el hecho de vigilar los mensajes enviados por un trabajador mediante el uso de los dispositivos digitales de la empresa, así como el acceso al contenido de los mismos, si no había sido informado previamente de esta posibilidad, y de si existían normas en la empresa que prohibían su utilización con fines personales.

Se trata de una Sentencia importante y definitiva[277], que declaró la violación del artículo 8 del Convenio Europeo de Derechos Humanos basándose en los siguientes argumentos:

1. **Falta de información previa al trabajador.** Él empresario, no informó (al menos no se pudo demostrar que existió tal información) con antelación del alcance y la naturaleza de la supervisión efectuada por el empleador sobre el correo electrónico, ni de la posibilidad de acceder al contenido de sus comunicaciones; tampoco de las medidas que podía adoptar, así como de que el empresario tenía acceso a las cuentas de correo electrónico del trabajador.

2. **Falta de aplicación del juicio de proporcionalidad.** Los órganos jurisdiccionales nacionales, no determinaron, en primer lugar, qué

---

[277]   Según el artículo 44.1 del Convenio Europeo de Derechos Humanos, sobre sentencias definitivas, «la sentencia de la Gran Sala será definitiva».

motivos concretos justificaban la introducción de las medidas de control, en segundo lugar, si el empresario pudo haber utilizado medidas menos intrusivas para la vida privada y la correspondencia del demandante y, en tercer lugar, si el acceso al contenido de las comunicaciones hubiera sido posible sin su conocimiento.

3. **Falta de espacio a la expectativa razonable de intimidad**. Aunque el Tribunal consideró que no estaba claro que las normas restrictivas de la empresa empleadora dejaran al demandante con la expectativa razonable de privacidad —una expectativa que queda por determinar—, sin embargo, las instrucciones de una empresa no pueden anular el ejercicio de la privacidad social en el puesto de trabajo. El respeto a la privacidad y confidencialidad de las comunicaciones sigue siendo necesario, aunque pueden limitarse dentro de las medidas de necesidad.

4. **Falta de equilibrio entre intereses de las partes**. Finalmente, el Tribunal considera que las autoridades nacionales no protegieron adecuadamente el derecho del demandante respecto de su vida privada y su correspondencia y que, por lo tanto, no valoraron el justo equilibrio entre los intereses en juego. En consecuencia, se había producido una violación del artículo 8 del Convenio.

Con carácter general, me parece ilustrativo de cara a futuros conflictos trasladar los criterios del TEDH, en esta materia, en forma de pregunta y comentarios a las mismas, que figuran plasmados en esta importante Sentencia de la Gran Sala, especialmente dirigidos a las autoridades nacionales, en aspectos tan esenciales como la proporcionalidad y las garantías procesales contra el carácter arbitrario en el control y vigilancia sobre el uso de los dispositivos digitales por parte del trabajador. Tales cuestiones son las siguientes:

- *¿El empleado ha sido informado de la posibilidad de que el empleador tome medidas para supervisar su correspondencia y otras comunicaciones, así como la aplicación de tales medidas?* Si bien en la práctica esta información puede ser comunicada efectivamente al personal de diversas maneras, según las especificidades fácticas de cada caso, el Tribunal considera que, para que las medidas puedan ser consideradas conforme a los requisitos del artículo 8 del Convenio, la advertencia debe ser, en principio, clara en cuanto a la naturaleza de la supervisión y antes del establecimiento de la misma.

- *¿Cuál fue el alcance de la supervisión realizada del empleador y el grado de intrusión en la vida privada del empleado?* A este respecto, debe hacerse una distinción entre el control del flujo de comunicaciones y el de su contenido. También se debería tener en cuenta si la supervisión de las comunicaciones se ha realizado sobre la totalidad o sólo una parte de ellas y si ha sido o no limitado en el tiempo y el número de personas que han tenido acceso a sus resultados. Lo mismo se aplica a los límites espaciales de la vigilancia.

- *¿El empleador ha presentado argumentos legítimos para justificar la vigilancia de las comunicaciones y el acceso a su contenido?* Dado que la vigilancia del contenido de las comunicaciones es por su naturaleza un método mucho más invasivo, requiere justificaciones más fundamentadas.

- *¿Habría sido posible establecer un sistema de vigilancia basado en medios y medidas menos intrusivos que el acceso directo al contenido de comunicaciones del empleado?* A este respecto, es necesario evaluar, en función de las circunstancias particulares de cada caso, si el objetivo perseguido por el empresario puede alcanzarse sin que éste tenga pleno y directo acceso al contenido de las comunicaciones del empleado.

- *¿Cuáles fueron las consecuencias de la supervisión para el empleado afectado?*

- *¿De qué modo utilizó el empresario los resultados de la medida de vigilancia, concretamente si los resultados se utilizaron para alcanzar el objetivo declarado de la medida?*

- *¿Al empleado se le ofrecieron garantías adecuadas, particularmente cuando las medidas de supervisión del empleador tenían carácter intrusivo?* En particular, estas garantías debían impedir que el empleador tuviera acceso al contenido de las comunicaciones en cuestión sin que el empleado hubiera sido previamente notificado de tal eventualidad.

Resumiendo[278], son decisivos factores a tener en cuenta:

a) El grado de intromisión del empresario.

b) La concurrencia de legítima razón empresarial justificativa de la monitorización.

c) La inexistencia o existencia de medios menos intrusivos para la consecución del mismo objetivo.

d) El destino dado por la empresa al resultado del control.

e) La previsión de garantías para el trabajador.

4.3. *Reflejo del caso Barbulescu en la jurisprudencia española: Caso Inditex*

La STEDH de 5 de septiembre de 2017, tuvo su aplicación casi inmediata, en la STS 8 febrero 2018 (RJ 2018, 666), en un supuesto sobre control del correo electrónico de un trabajador.

Se trataba del despido disciplinario de un trabajador por haber transgredido la buena fe contractual y abuso de confianza, al haber percibido dinero de un proveedor de la empresa Inditex, en la que había participado activamente en la compra de una importante facturación. Las sospechas se iniciaron cuando otro trabajador descubrió accidentalmente que en la fotocopiadora corporativa de la empresa alguien se había dejado olvidados dos resguardos de transferencias. Este trabajador lo comunicó a su superior jerárquico y se comenzó a investigar sobre el asunto.

La sentencia estimó que no se vulneraron los derechos del trabajador porque realizó un control moderado del correo electrónico del trabajador. En ese sentido señala:

- **Prohibición para usos privados.** La normativa interna de la empresa prohibía el uso de los ordenadores de la empresa para fines privados. De hecho, los empleados del Grupo Inditex, cada vez que acceden con su ordenador a los sistemas informáticos de la compañía, y de forma previa a dicho acceso, deben de aceptar las directrices establecidas en la Política de Seguridad de la Informa-

---

[278]   STS 8 febrero 2018 RCUD 1121/2015 (RJ 2018, 666).

ción del Grupo Inditex, en la que se señala que el acceso lo es para fines estrictamente profesionales.

- **Información previa.** La empresa se reservaba el derecho de adoptar las medidas de vigilancia y control necesarias para comprobar la correcta utilización de las herramientas que pone a disposición de su empleados, respetando en todo caso la legislación laboral y convencional sobre la materia y garantizando la dignidad e intimidad del empleado, por lo que el actor era conocedor de que no podía utilizar el correo para fines particulares y que la empresa podía controlar el cumplimiento de las directrices en el empleo de los medios informáticos por ella facilitados

- **Comprobación, basada en sospecha de falta de lealtad del trabajador.** El examen del ordenador utilizado por el trabajador fue acordado tras el «hallazgo casual» de fotocopias de las transferencias bancarias efectuadas por un proveedor de la empresa en favor del trabajador demandante —hecho expresamente prohibido en el Código de Conducta de la empresa e imputado en la carta de despido—.

- **Examen no intrusivo.** Se examinó el contenido de ciertos correos electrónicos de la cuenta de correo corporativo del actor, pero no de modo genérico e indiscriminado, sino tratando de encontrar elementos que permitieran seleccionar qué correos examinar, utilizando para ello palabras clave que pudieran inferir en qué correos podría existir información relevante para la investigación atendiendo además a la proximidad con la fecha de las transferencias bancarias.

- **Acceso restringido a los correos sobre las «transferencias» y al servidor de la empresa.** La Sentencia considera relevantes dos circunstancias: a) que el contenido extraído se limitó a los correos relativos a las transferencias bancarias que en favor del trabajador le había realizado —contrariando el Código de Conducta— un proveedor de la empresa; y b) que el control fue ejercido sobre el «correo corporativo del demandante, mediante el acceso al servidor alojado en las propias instalaciones de la empresa; es decir, nunca se accedió a ningún aparato o dispositivo particular del demandante...; a lo que se accedió es al servidor de la empresa, en la que se encuentran alojados los correos remitidos y enviados desde las cuentas corporativas de todos y cada uno de los empleados».

- **Respeto al triple juicio de proporcionalidad.** A la vista de lo anterior se evidencia que se han respetado escrupulosamente los requisitos exigidos por la jurisprudencia constitucional y se han superado los juicios de idoneidad, necesidad y proporcionalidad.

- **En estas circunstancias, no existe expectativa razonable de intimidad.** Recuerda la sentencia que «si no hay derecho a utilizar el ordenador para usos personales, no habrá tampoco derecho para hacerlo en unas condiciones que impongan un respeto a la intimidad o al secreto de las comunicaciones, porque, al no existir una situación de tolerancia del uso personal, tampoco existe ya una *expectativa razonable de intimidad* y porque, si el uso personal es ilícito, no puede exigirse al empresario que lo soporte y que además se abstenga de controlarlo»[279].

4.4. *La privacidad de los dispositivos digitales debe estar bien identificada*

En el caso *Libert* contra Francia, el TEDH[280] se plantea la injerencia de los poderes públicos, en el ámbito laboral, al producirse el despido de un trabajador de una empresa pública de ferrocarriles por el contenido encontrado en los archivos personales del ordenador del trabajador. Como consecuencia del registro de los archivos en el marco de la investigación llevada a cabo en ausencia del trabajador y sin su consentimiento, la empresa tras el descubrimiento de los documentos sospechosos en su ordenador por parte de su sustituto, consistentes en documentos falsificados e imágenes y películas de carácter pornográfico, se plantea su legítimo interés en asegurar el buen funcionamiento de su empresa y el uso correcto de los equipos informáticos puestos a su disposición para el desempeño de sus funciones, aplicando medidas que le permitan verificar que sus empleados cumplen con sus deberes profesionales de manera adecuada y con la celeridad requerida.

---

[279]　STS 6 octubre 2011 (RJ 2011, 7699).
[280]　STEDH Caso Libert contra Francia, de 22 febrero 2018 (TEDH 2018, 35).

El alto tribunal explica que los archivos que fueron creados por el empleado con la ayuda de la herramienta informática puesta a su disposición por el empleador para el desempeño de su trabajo se suponían de carácter profesional, por lo que el empleador tenía derecho a abrirlos en su ausencia, excepto si están identificados como personales. Como el trabajador manifestó que se había violado su derecho al respeto de su vida privada, encontró que, en las circunstancias del caso, este principio no era obstáculo para que su empleador abriera los archivos en causa, dado que estos no habían sido debidamente identificados como de carácter privado.

La sentencia termina señalando «que los archivos y ficheros creados por el empleado gracias a los medios informáticos puestos a su disposición por su empleador para el desempeño de sus funciones, se presumían de carácter profesional, excepto si el empleado los identificaba como personales, y por tanto el empleador podía abrirlos en su ausencia». En consecuencia, el empresario, en aplicación de su facultad de vigilancia y control del cumplimiento de la actividad laboral de sus trabajadores, puede efectuar su registro, siempre que guarde el debido respecto a su intimidad. Y lo que aporta esta sentencia es que, si no están debidamente identificados los archivos como de uso privado, el empleador no lesionaría su intimidad porque el trabajador no ha establecido una frontera entre lo que pertenece a su vida personal y privada y lo que corresponde a su labor profesional en un dispositivo proporcionado por el empresario para realizar su actividad.

Procede pues, examinar, a la vista del bagaje acumulado a través de las diversas resoluciones judiciales, la nueva LOPD, con objeto de buscar en su aplicación la interpretación adecuada a cada circunstancia.

III. CRITERIOS JURÍDICOS DE APLICACIÓN A PARTIR DE LA LOPD

Tras un largo peregrinar en la búsqueda de criterios de aplicación, en los casos de colisión de los derechos, de intimidad, de protección de datos personales o secreto de las comunicaciones del trabajador y del poder de dirección del empresario en el ámbito laboral, según el parecer de los distintos tribunales, por fin, el legislador ha entrado en lo que a la regulación del problema se refiere, pero sin olvidar que en realidad la norma que marca el paso en esta materia es el RGPD, siendo la LOPD, un desarrollo particularizado de su aplicación para España, de manera que lo que no contenga la LOPD, será de aplicación subsidiariamente el RGPD, sin perjuicio de que en caso de divergencias, será el reglamento el que deberá aplicarse

Y aunque cabe esperar que seguirán los conflictos en esta materia, al menos, los tribunales nacionales tienen un marco normativo —el artículo 87 LOPD—, en dónde apoyarse, con un contenido que marca los criterios que deben ser observados por el empresario marcados por el derecho a la intimidad del trabajador o la protección de datos personales; por la posibilidad en determinados supuestos del control por el empleador del contenido de los dispositivos digitales puestos a disposición del trabajador; y finalmente, por el establecimiento de los criterios que deberá seguir el empresario y que deberán ser puestos en conocimiento de los trabajadores informándoles de los mismos.

1. Derecho a la intimidad del trabajador en un contexto laboral

El epígrafe del artículo 87 LOPD, delimita, con acierto a mi entender, las circunstancias objeto de aplicación. Concretamente se refiere al problema analizado hasta el momento: «Derecho a la intimidad y uso de dispositivos digitales en el ámbito laboral», que es en el que nos encontramos, como dando a entender que se va a priorizar el derecho a la intimidad del trabajador en el trabajo, también cuando utilicen dispositivos digitales de la empresa para su uso privado[281].

---

[281] El legislador ha optado por aplicar el mismo tratamiento jurídico a ordenadores, correo electrónico, teléfonos móviles washapp, tabletas, etc., con la denominación común a todos ellos de «dispositivos digitales», algo que es calificado de interesante por ORELLANA CANO, A. M.: *El derecho a la protección de datos personales como garantía de la privacidad de los trabajadores*, cit., pág. 168. Ciertamente con ello, se consigue un ahorro de esfuerzos, pues en realidad nos estamos refiriendo a instrumentos propiedad de la empresa puestos a disposición del trabajador para desempeñar su actividad laboral. Dispositivos digitales, técnicamente diversos, pero que a efectos jurídicos sus diferencias no revisten relevancia.

Si bien, cuando el legislador se refiere al derecho a la intimidad como derecho que ha de protegerse en el uso de los dispositivos digitales en el ámbito laboral, el alcance de la protección a los trabajadores debería ser más amplio y no limitarse al derecho a la intimidad, sino que se ampliara al derecho a la privacidad virtual del trabajador en el uso de los dispositivos digitales en el ámbito laboral[282]. Esto permitiría, incluir la protección, no solo del derecho a la intimidad, sino de otros derechos fundamentales que tienen que ver con la vida privada del trabajador. Derechos inespecíficos, pero no por ello faltos de protección por encontrarse el trabajador en su entorno laboral, como el secreto a las comunicaciones, a la propia imagen o incluso a la propia protección de datos personales, pues este derecho no solo tiene como misión garantizar la protección de los otros derechos fundamentales, sino que constituye un derecho autónomo en sí mismo considerado, desde el momento que entra en juego la necesidad de garantizar la privacidad de las personas. Se trata, por tanto, de un desarrollo del derecho fundamental a la intimidad en el contexto laboral del uso de dispositivos digitales puestos por el empleador a disposición del trabajador[283].

El apartado 1 del artículo 87 LOPD, señala que trabajadores y empleados públicos «tendrán derecho a la protección de su intimidad, en el uso de los dispositivos digitales puestos a su disposición por su empleador». Obsérvese que el derecho no distingue entre relación laboral efectuada en empresas privadas y los empleados que prestan servicios en la Administración Pública, sentando así un principio de igualdad en la protección del derecho a la intimidad, con independencia de la naturaleza de la relación, ya sea privada o pública. Algo que, por otra parte, ya se presumía en la normativa vigente de forma implícita, como vimos en las precedentes sentencias con las que tuvieron que lidiar los tribunales en estos conflictos. Si bien, se podría conjugar ese derecho a la intimidad del trabajador con la posibilidad de acceso del empresario al contenido

---

[282]   ORELLANA CANO, A. M.: *El derecho a la protección de datos personales como garantía de la privacidad de los trabajadores*, cit., págs. 161 y 168.

[283]   PRECIADO DOMÉNECH, C. H.: *Los Derechos Digitales de las Personas Trabajadoras. Aspectos Laborales de la Ley Orgánica 3/2018, de 5 de diciembre, de Protección de Datos y Garantía de los Derechos Digitales*, cit., pág. 113.

de tales dispositivos en las condiciones establecidas por la normativa[284], a las que se hará referencia en el apartado 3 del artículo 87 LOPD.

La norma parece dar a entender que prevalece de forma expresa la intimidad del trabajador en el uso de los dispositivos digitales facilitados por el empresario. Sin embargo, no hace referencia al uso privado que pudiera llevar a cabo el trabajador, sino solo se invoca su «derecho a la protección de su intimidad», dejando este espinoso asunto en manos de los tribunales.

El problema que se plantea radica en que ese derecho a la privacidad no se ha plasmado en la Constitución si no es a través de los diversos derechos fundamentales del artículo 18 CE, por lo que hubiera sido preferible que en lugar de referirse la norma al derecho a la intimidad del trabajador en el uso de tales dispositivos digitales, se aludiera a la protección de los derechos fundamentales del artículo 18 CE. Con ello abarcaría también a los demás derechos del citado artículo constitucional, como el derecho al secreto en las comunicaciones, al honor, a la propia imagen y a la protección de datos personales.

2. *Acceso del empleador a los dispositivos digitales puestos a disposición del trabajador*

En el otro lado se encuentra el empresario, al que la norma también da cabida en el apartado 2 del artículo 87 LOPD. Concretamente, el lenguaje que emplea es más tenue, porque no alude a ningún derecho, sino tan solo a la posibilidad de «acceder a los contenidos derivados del uso de medios digitales facilitados a los trabajadores»[285], olvidándo-

---

[284]　SERRANO OLIVARES, R.: «Los derechos digitales en el ámbito laboral: Comentario de urgencia a la Ley Orgánica 3/2018, de 5 de diciembre, de Protección de Datos Personales y Garantía de los Derechos digitales». *IUSLabor* 3/2018, pág. 221.

[285]　Al posibilitar la ley orgánica el acceso a los «contenidos» derivados del uso de dispositivos digitales, podría generarse la duda de si tal expresión se refiere o no al contenido de las comunicaciones, afectando al derecho fundamental del secreto de las comunicaciones. En este sentido, SERRANO OLIVARES, R.: «Los derechos digitales en el ámbito laboral: Comentario de urgencia a la Ley Orgánica 3/2018, de 5 de diciembre, de Protección de Datos Personales y Garantía de los Derechos

se, sin embargo, de incluir a los empleados públicos al igual que en el apartado 1, como destinatarios de una norma restrictiva al derecho de la intimidad[286]. Y ello, tan solo en dos supuestos[287]: el control del cumplimiento de las obligaciones laborales y garantizar la integridad de los dispositivos digitales.

2.1. *Control del cumplimiento de las obligaciones laborales*

Según el artículo 87.2 LOPD, «el empresario podrá acceder a los contenidos derivados del uso de medios digitales facilitados a los trabajadores a los solos efectos de controlar el cumplimiento de las obligaciones laborales o estatutarias» del trabajador. Es lógico, pues el artículo 20.3 TRLET, señala que el empresario, puede «adoptar las medidas que estime más oportunas de vigilancia y control para verificar el cumplimiento por el trabajador de sus obligaciones y deberes laborales», advirtiendo también que para ello deberá atender a la «consideración debida

---

digitales», cit., pág. 221, entiende, que «la expresión empleada debe interpretarse restrictivamente, por cuanto que no siempre resultará proporcionado acceder al "contenido" de las comunicaciones a fin de comprobar el cumplimiento de las obligaciones laborales, bastando, a menudo, con un control del flujo de las comunicaciones u otros medios alternativos».

[286]   Según PRECIADO DOMÉNECH, C. H.: *Los Derechos Digitales de las Personas Trabajadoras. Aspectos Laborales de la Ley Orgánica 3/2018, de 5 de diciembre, de Protección de Datos y Garantía de los Derechos Digitales,* cit., pág. 115, con ello, ningún juez o tribunal puede interpretar extensivamente el precepto e incluirlos en el ámbito subjetivo de una norma que no contempla a los empleados públicos, lo cierto es que la omisión del artículo 87.2 LOPD, parece más un olvido del legislador o una mala técnica legislativa, que una deliberada toma de postura en este sentido, pues como señala el autor, acto seguido se habla de controlar el cumplimiento de las obligaciones legales o «estatutarias».

[287]   La norma pone el acento en recalcar que el acceso a los contenidos derivados del uso de medios digitales facilitados a los trabajadores solo será «a los efectos» de controlar el cumplimiento de las obligaciones laborales o estatutarias y de garantizar la integridad de dichos dispositivos. Con ello, parece que no exista espacio para justificar el acceso al dispositivo, con objeto de comprobar si el trabajador hace un uso privado del instrumento digital proporcionado por la empresa. Si acaso, podría indirectamente comprobarlo, como consecuencia del control del cumplimento de sus obligaciones laborales.

a su dignidad». Por lo que, si se mira bien, en realidad poco más añade a lo previsto en el artículo 20.3 TRLET.

Con la llegada de las nuevas tecnologías, ha sido necesaria la concreción porque, aunque el espíritu sigue siendo el mismo con o sin dispositivos digitales, precisamente su complejidad ha obligado a establecer reglas que otorguen seguridad jurídica al empresario y al trabajador, como lo refrenda la frecuente conflictividad en esta materia. Y es que, si el empleo de las nuevas tecnologías para el control de la prestación de trabajo aparece como una prolongación de un órgano humano; si el empresario puede vigilar con su mirada o con sus oídos —o con los de sus delegados— lo que sucede en la empresa mientras se realiza el trabajo, parece que podrá utilizar un instrumento técnico para realizar esa función, cuando el control se realiza exclusivamente sobre los lugares de trabajo[288]. Con la innovación tecnológica se produce la transición del modelo clásico de control vertical o jerárquico que ejerce el empresario sobre los trabajadores a un control horizontal, según el cual la información obtenida sobre la actividad de cada trabajador puede ser valorada por las distintas secciones de la empresa[289].

2.2. Garantizar la integridad de los dispositivos digitales

La otra posibilidad que permite el acceso a los dispositivos digitales por el empresario, como señala la LOPD, tiene como finalidad la de «garantizar la integridad de dichos dispositivos». Es decir, que el empresario puede acceder a los dispositivos digitales de la empresa que utiliza el trabajador, para cuidar que no sufran desperfectos o daños por el uso inadecuado o por meras circunstancias fortuitas que hagan presumir averías o problemas de funcionamiento del dispositivo. Fuera de estos dos supuestos (control del cumplimiento de la actividad del trabajador y garantizar integridad de sus dispositivos), si como consecuencia del control de los dispositivos digitales por el empresario fuera

---

[288]   DESDENTADO BONETE, A., y MUÑOZ RUIZ, A. B.: *Control informático, videovigilancia y protección de datos en el trabajo*, cit., pág. 19.

[289]   MARÍN ALONSO, I.: *El poder de control empresarial sobre el uso del correo electrónico en la empresa. Su limitación en base al secreto de las comunicaciones*, cit., pág. 45.

más allá de ambas finalidades, podría considerarse una lesión al derecho de la intimidad o al menos de la privacidad del trabajador. Incluso, me atrevo a decir, que cuando inicialmente se atuviera al control en alguno de ambos supuestos, pero quizá motivado por la curiosidad o por otras motivaciones obtenga en el transcurso del control, información sensible del trabajador que afecte a su intimidad, y que no tenga relación con los dos únicos supuestos que permiten el control de los mencionados dispositivos, también transgrediría el derecho a la intimidad.

Por otro lado, el hecho de que se legitime esta restricción al derecho a la intimidad que supone el artículo 87.2 LOPD, no significa que no se deba excluir el juicio de proporcionalidad, en el sentido de que sea una medida idónea, necesaria y equilibrada, de manera que, el principio de proporcionalidad, junto con el contenido esencial de los Derechos Fundamentales son los dos «límites de límites», que actúan como muros infranqueables respecto del legislador y de los sujetos privados[290].

Por otro lado, hubiera sido interesante que el legislador previera la posibilidad, poco recomendable de que el trabajador utilice su propio dispositivo para desempeñar su trabajo por indicación del empresario. Sobre ello me referiré al final del capítulo.

2.3. El uso de dispositivos digitales desde el domicilio o lugar elegido libremente por trabajador para desarrollar su trabajo

Un fenómeno que ya existía antes del COVID-19, se ha desarrollado en la actividad laboral de forma extraordinaria: me refiero al uso del teletrabajo, en las actividades que lo permiten, como actividades bancarias, educativas, oficinas…, en definitiva aquellos trabajos en los que es posible realizar la actividad telemáticamente a través de un ordenador o cualquier otro dispositivo digital, desde el domicilio privado del trabajador o el de cualquier lugar libremente elegido, como medio de salvar,

---

[290] PRECIADO DOMÉNECH, C. H.: *Los Derechos Digitales de las Personas Trabajadoras. Aspectos Laborales de la Ley Orgánica 3/2018, de 5 de diciembre, de Protección de Datos y Garantía de los Derechos Digitales*, cit., pág. 116.

una situación que podría haberle abocado al despido o de forma menos grave con un ERTE. Ello ha obligado al adelanto de la regulación de estas situaciones, mediante el importante Real Decreto 28/2020, de 22 de septiembre, de trabajo a distancia. Ciertamente esta forma de trabajar ha permitido mantener muchos puestos de trabajo, y al mismo tiempo abre el debate sobre las consecuencias jurídicas de esta nueva realidad. Durante la pandemia, la mayoría de los trabajadores que se encontraban en estas circunstancias, hicieron uso de sus propios dispositivos, hicieron gasto de la luz privada. Por otro lado, es obvio que el no desplazarse al trabajo, supone un ahorro de tiempo, tanto al acudir al centro de trabajo, como al volver a casa. También un ahorro económico, por el gasto que supone el uso de medios públicos o del propio vehículo para desplazarse. Si bien, todos estos factores son aspectos importantes que van a suponer un cambio en las relaciones laborales, cuyo lugar propio de ser abordado y regulado será sin duda la negociación colectiva, el aspecto concreto al que quiero referirme es el de hasta qué punto al uso por el trabajador en el lugar libremente elegido (trabajo a distancia) de un dispositivo digital puesto o pagado por la empresa (propiedad de la empresa), debería aplicarse el mismo criterio que si ese dispositivo se utiliza por el trabajador en la sede del centro de trabajo de la empresa. Obviamente, las circunstancias no son las mismas, pues si el dispositivo se encuentra ubicado en el centro de trabajo, las facultades empresariales sobre su registro y control parece que son mayores que si el portátil o el ordenador se los lleva el trabajador a casa. Esto, conecta con otra cuestión íntimamente ligada al control empresarial del dispositivo digital puesto a disposición del trabajador, como es el deslinde entre el tiempo de trabajo y el tiempo de descanso, que el teletrabajo puede poner en riesgo, hasta el punto de afectar a la salud del propio trabajador, a su derecho a la conciliación de su vida laboral, personal y familiar, y en fin indirectamente con las facultades de acceso al dispositivo digital, que otorga al empresario el artículo 87.2. LOPD. Quizá sea el novedoso derecho a la desconexión digital al que me referiré extensamente en el capítulo 7, el que ponga orden en la forma de distribuir el tiempo de uso del dispositivo facilitado o no por la empresa, pero que se utiliza por el trabajador para desarrollar la actividad laboral.

3. Criterios en el uso de dispositivos digitales

Hasta la llegada de la LOPD, se han ido extrayendo de la doctrina constitucional y de la doctrina judicial del TEDH algunas premisas, que han servido de referencia al análisis del artículo 87.3 LOPD, concretamente[291]:

- Según tales criterios, el trabajador tiene una expectativa razonable de confidencialidad, por la que puede realizar un uso moderado de los dispositivos digitales proporcionados por la empresa, para uso privado.

- La prohibición expresa del uso para fines privados de los dispositivos digitales proporcionados por la empresa, puede neutralizar la expectativa razonable de confidencialidad.

- Los trabajadores deben ser debidamente informados de la prohibición. Entendiéndose cumplida esta obligación, si esta se contempla en el convenio colectivo, en el contrato de trabajo o, en la normativa sobre las técnicas de información y comunicación de la empresa.

En el tercer apartado del artículo 87 LOPD, se entra de lleno en la forma de llevar a cabo el acceso del empresario a los dispositivos digitales, estableciendo la forma y las precauciones que debe tomar para ello.

3.1. Respeto a la intimidad del trabajador

La redacción del apartado 3 del artículo 87 LOPD[292], no es del todo afortunada, pues de su lectura parece que a quien se le debe proteger su derecho a la intimidad es al empresario, al señalar que «los empleadores deberán establecer criterios de utilización de los dispositivos digitales

[291] ORELLANA CANO, A. M.: *El derecho a la protección de datos personales como garantía de la privacidad de los trabajadores*, cit., págs. 168-169.
[292] Según el artículo 87.3 LOPD, «los empleadores deberán establecer criterios de utilización de los dispositivos digitales respetando en todo caso los estándares mínimos de protección de su intimidad de acuerdo con los usos sociales y los derechos reconocidos constitucional y legalmente. En su elaboración deberán participar los representantes de los trabajadores».

respetando en todo caso los estándares mínimos de protección de *su intimidad…*». Al decir, «de su intimidad», parece dar a entender que se refiere a la de los empleadores, tal como está redactado, pues no alude a los trabajadores. Podría considerarse una elipsis, pues, en efecto se sobreentiende que debe referirse al trabajador, aunque no aparezca así redactado de forma clara en el texto legal. Como observa la doctrina[293], en lo que afecta a la información que debe proporcionar al trabajador, presenta la novedad de que serán los empresarios quienes deberán establecer los criterios de utilización de los dispositivos digitales, y a elaborarlos junto a los representantes legales de los trabajadores, que deberán participar en su elaboración, con lo que se apuesta por una generalización de los protocolos sobre el uso de los citados dispositivos, lo que exigirá que se concreten los usos autorizados de forma precisa.

La norma ofrece un matiz relacionado con la privacidad del trabajador, aunque no del todo claro, al indicar en relación a los criterios de utilización de los dispositivos establecidos por el empresario, una enigmática frase: «respetando en todo caso los estándares mínimos de protección de su intimidad». Y ¿cómo se concreta esta expresión? La norma lo intenta explicar señalando que se refiere a «los usos sociales y los derechos reconocidos constitucional y legalmente». Algo que sigue sin resolver el interrogante, pues al derivarlo a los «usos sociales», nos encontramos con una expresión difusa que no resuelve el problema de un estándar de protección a la intimidad y que contrariamente, puede ocasionar dificultades de interpretación y, en definitiva, de seguridad jurídica. ¿Qué debemos entender por usos sociales?

Por tanto, se trata de una expresión desafortunada cuya redacción no aporta nada positivo si no se concreta lo que significa esa expresión de los «usos sociales». En ese sentido, un sector doctrinal[294], entiende que, si bien el artículo 87 LOPD no alude expresamente al principio

---

[293] TALÉNS VISCONTI, E. E.: *Incidencia de las Redes Sociales en el ámbito laboral y en la práctica procesal*. Claves Prácticas. Francis Lefebvre. Madrid. 2020, pág. 46, núm. 1870.

[294] SERRANO OLIVARES, R.: «Los derechos digitales en el ámbito laboral: Comentario de urgencia a la Ley Orgánica 3/2018, de 5 de diciembre, de Protección de Datos Personales y Garantía de los Derechos digitales», cit., pág. 221.

de proporcionalidad, la aplicación de este principio debe inferirse de la previsión legal relativa a que los criterios de utilización de los dispositivos digitales deben respetar «en todo caso los estándares mínimos de protección de la intimidad de acuerdo con los usos sociales y los derechos reconocidos constitucional y legalmente», en consecuencia, el acceso del empleador a los contenidos derivados del uso de dispositivos digitales deberá regirse por el principio de proporcionalidad, sin que la información previa sobre los usos concretos pueda suponer un cheque en blanco al poder de control empresarial.

Estando de acuerdo con los presupuestos de esta postura doctrinal, sin embargo, creo que la interpretación que se ha dado a la expresión es diferente y conecta mejor con la opinión de otra línea doctrinal[295], que comparto, en el sentido de que cuando señala la norma que el empresario debe respetar «en todo caso» «los estándares mínimos de protección de su intimidad» (del trabajador), el legislador está haciendo referencia a esa expectativa razonable de confidencialidad, que es encuadrable en los estándares mínimos de protección, conforme a los usos sociales y a la ley. Es decir, que, según la norma, parece que no se quiere que exista la posibilidad de prohibición absoluta por parte del empleador, debiendo prever siempre un resquicio al trabajador para hacer valer su derecho a la intimidad personal.

Más adecuada parece la remisión a los derechos reconocidos en la constitución y en la ley. Si bien, se trata de un estándar mínimo de protección que bien pudiera haberse omitido, pues es obvio que, si no se adecuan los criterios del uso de los dispositivos digitales a la constitución y las leyes, existen recursos constitucionales y legales para hacerles frente, por lo que puede entenderse como un recordatorio de tal posibilidad.

3.2. *Forma de participación de los representantes de los trabajadores*

La norma concreta los criterios de actuación, al señalar que «los empleadores deberán establecer criterios de utilización de los dispositivos

---

[295]   ORELLANA CANO, A. M.: *El derecho a la protección de datos personales como garantía de la privacidad de los trabajadores*, cit., pág. 174.

digitales», si bien «en su elaboración deberán participar los representantes de los trabajadores». Sin embargo, no será la ley ni la negociación colectiva (aunque tengan un importante espacio de participación en su elaboración) las que deban establecer los criterios de uso de tales dispositivos en el trabajo, sino que va a ser el empresario, porque es quien tiene un conocimiento más amplio del funcionamiento de la empresa. Las actividades profesionales son enormemente variadas y cada una utiliza los dispositivos digitales de una manera que no tiene por qué coincidir con la forma de funcionar de otro sector e incluso de empresas del mismo sector de actividad. Obviamente, el uso de los dispositivos digitales de una empresa dependerá del uso que haya previsto el empleador y por tanto solo él debe establecer los criterios de uso de sus trabajadores.

No obstante, resulta acertada la previsión de la participación de los representantes de los trabajadores —a los que se refiere la última línea del primer párrafo de este tercer apartado del artículo 87 LOPD—, en la elaboración de tales criterios. Aunque no queda claro cuál es el tipo de participación (información, audiencia, consulta o negociación), pareciendo que será la negociación colectiva la que integre tal laguna[296]. Y es que, en todo lo que afecta a las nuevas tecnologías y su utilización en el ámbito laboral, sin perjuicio de que la decisión la debe adoptar el empresario, mucho tiene que decir el acuerdo o la negociación colectiva. Por eso, resulta recomendable que los criterios de uso de los dispositivos digitales proporcionados por la empresa al trabajador, se plasmen en el convenio colectivo, y en caso de que figuraran en el contrato de trabajo o en la normativa interna de la empresa resultará también preceptivo que participen en la elaboración de los mismos los representantes de los trabajadores[297]. Con ello, se logra una mayor seguridad jurídica para el trabajador, al saber desde el inicio de su relación laboral a qué atenerse en relación al uso privado de los dispositivos digitales facilitados por el empresario.

---

[296]   MOLINA NAVARRETE, C.: «Artículo 87. Derecho a la intimidad y uso de dispositivos digitales en el ámbito laboral», cit., pág. 372.

[297]   ORELLANA CANO, A. M.: *El derecho a la protección de datos personales como garantía de la privacidad de los trabajadores*, cit., pág. 169.

3.3. Condiciones de acceso del empleador a dispositivos digitales facilitados al trabajador respecto de los que se admita su uso privado

En los dos últimos párrafos del apartado 3 del artículo 87 LOPD, se localizan los criterios de mayor enjundia, pues en ellos se ofrece una serie de instrucciones que permiten, también al empresario, saber a qué atenerse y le otorga una mayor seguridad jurídica a la hora de controlar el acceso a los dispositivos de la empresa que utiliza el trabajador. La norma establece la forma en que debe actuar el empleador a la hora del control de los dispositivos de la empresa utilizados por los trabajadores. Pero atención, se ciñe a los casos en que el empleador «admita» el uso de los dispositivos digitales de la empresa para «su uso con fines privados». El legislador emplea el término «admitir», en lugar de otro más apropiado como podría ser, el de «autorizar» o «permitir».

En cualquier caso, la norma establece claramente que el empresario debe especificar «de modo preciso los usos autorizados», de manera que se conozca hasta dónde puede llegar el trabajador en el uso privado del dispositivo facilitado por la empresa. Si acaso, se vuelve a echar de menos alguna ausencia, como la que se refiere al principio de proporcionalidad, que es exigible en todo caso (Dictamen GT29 2/2017, Recomendación 2015, 5, Consejo de Europa)[298].

Además, señala que deben establecerse «garantías para preservar la intimidad de los trabajadores», y pone un ejemplo: «la determinación de los períodos en que los dispositivos podrán utilizarse para fines privados». Sin embargo, quizá podría ser más interesante establecer como garantía el tiempo de uso respecto de la jornada laboral, pues la expectativa razonable de confidencialidad se extiende al uso necesario en momentos puntuales, que no suelen coincidir con el período establecido por la empresa, y es que la necesidad de hacer una llamada o enviar un correo o consultar en Internet alguna cuestión, no suele surgir en un período concreto sino en un momento puntual, no predecible[299].

---

[298]   MOLINA NAVARRETE, C.: «Artículo 87. Derecho a la intimidad y uso de dispositivos digitales en el ámbito laboral», cit., págs. 372.

[299]   ORELLANA CANO, A. M.: *El derecho a la protección de datos personales como garantía de la privacidad de los trabajadores*, cit., pág. 170.

Es claro que lo que intenta el legislador es crear un mecanismo en el que se armonicen los derechos del trabajador y el control del empresario. Y para ello, se dirige al empleador para que establezca los límites en el uso por el trabajador del correspondiente dispositivo, si bien, el problema será si pese a la decisión de prohibición del uso privado del ordenador, el trabajador no hace caso y lo utiliza para asuntos privados. En ese supuesto, el problema es que se tope la empresa con algún dato personal que pudiera afectar a su intimidad o al derecho a la protección de datos. Obviamente, si como consecuencia de un registro del ordenador accede a tales datos, el empleador deberá interrumpir el control y activar la segunda parte de este apartado, que debería darse por supuesto pero que no está de más recordarlo como es el de que establezca garantías que preserven la intimidad de los trabajadores. Para ello y por mor de una mayor seguridad jurídica podría establecer un protocolo de actuación para tales casos. Así, se podría permitir que el trabajador cree un espacio reservado (como puede ser una carpeta que incluya archivos o la creación de una nube), que figure identificado como tal, sin perjuicio de salvarlo para comprobar aspectos relacionados directamente con su relación laboral, por ejemplo, con el tiempo de trabajo dedicado a ese espacio privado.

3.4. Deber empresarial de informar a los trabajadores sobre los criterios de uso de los dispositivos digitales

Finaliza el artículo 87.3 LOPD, con lo que entiendo es importante: la obligación impuesta por el párrafo tercero, en el que se establece que «los trabajadores deberán ser informados de los criterios de utilización» de los dispositivos digitales[300]. Viene a ser una manifestación del principio de transparencia, en el sentido de que, como apunta el GT29 «el empleador debe transmitir a su personal una declaración clara, precisa y fácilmente accesible de su política relativa a la vigilancia del correo

---

[300] Esta obligación de información del empresario, es de carácter general, en el sentido de que abarca los criterios de uso de tales dispositivos, de acuerdo con los usos sociales y los derechos reconocidos constitucional y legalmente, así como los usos autorizados para usos privados de tales dispositivos.

electrónico y la utilización de Internet. Los trabajadores deben ser informados de manera completa sobre las circunstancias particulares que pueden justificar esta medida excepcional; así como del alcance y el ámbito de aplicación de este control. Esta información[301] debería incluir:

- La política de la empresa en cuanto a utilización del correo electrónico e Internet, describiendo de forma pormenorizada en qué medida los trabajadores pueden utilizar los sistemas de comunicación de la empresa con fines privados o personales (por ejemplo, períodos y duración de utilización).

- Los motivos y finalidad de la vigilancia, en su caso. Cuando el empleador autorice a los trabajadores a utilizar los sistemas de comunicación de la empresa con fines personales, las comunicaciones privadas podrán supervisarse en circunstancias muy limitadas, por ejemplo, para garantizar la seguridad del sistema informático (detección de virus).

- Información detallada sobre las medidas de vigilancia adoptadas, por ejemplo, ¿quién? ¿qué? ¿cómo? ¿cuándo?

- Información detallada sobre los procedimientos de aplicación, precisando cómo y cuándo se informará a los trabajadores en caso de infracción de las directrices internas y de los medios de que disponen para reaccionar en estos casos».

Con todo, resulta innegable la influencia que ha recibido la redacción de este artículo 87 LOPD, de las últimas sentencias de los tribunales mayores, sin embargo, se echa de menos alguno de los criterios que puso de relieve el TEDH en la sentencia de 5 de septiembre de 2017, conoci-

---

[301]   Según el GT29 en el *Documento de trabajo relativo a la vigilancia de las comunicaciones electrónicas en el lugar de trabajo*, «es aconsejable desde un punto de vista práctico que el empleador informe inmediatamente al trabajador de cualquier abuso de las comunicaciones electrónicas detectado, salvo si razones imperiosas justifican la continuación de la vigilancia, lo que normalmente no es el caso.
»Puede transmitirse información rápida fácilmente mediante un programa informático, por ej. ventanas de advertencia que avisen al trabajador de que el sistema ha detectado una utilización ilícita de la red. Un gran número de malentendidos podrían también evitarse de esta manera». El caso Inditex es una buena muestra de ello.

da como Barbulesco II[302], y es sintéticamente que haya una advertencia clara y previa sobre las instrucciones de uso por el trabajador de los recursos tecnológicos de la empresa[303]; un sometimiento del control empresarial al triple juicio de la proporcionalidad, y escoger medidas menos intrusivas en la vida del trabajador, de tal manera que los tribunales deberán valorar, en primer lugar, las concretas razones que justifican la puesta en práctica de determinados medios de control especialmente intrusivos; en segundo lugar, la existencia o no de mecanismos de control menos invasivos de la intimidad y la correspondencia, y, en tercer lugar, y en base a las anteriores consideraciones, si resulta o no justificado o proporcionado acceder, en su caso, al contenido de las comunicaciones[304].

3.5. ¿Es posible una prohibición absoluta por el empleador del uso privado de los dispositivos digitales proporcionados al trabajador para el desempeño de su actividad profesional?

Al no haberlo previsto el artículo 87 LOPD, persiste la gran duda de cómo se resuelve el uso privado de tales dispositivos por los trabajadores, cuando no lo haya admitido o autorizado el empresario, y más aún

---

[302]   Amplios comentarios se han ocupado sobre las dos STEDH (Barbulesco I y Barbulesco II), en PÉREZ DE LOS COBOS ORIHUEL, F. y GARCÍA RUBIO, M. A.: «El control empresarial sobre las comunicaciones electrónicas del trabajador; criterios convergentes de la jurisprudencia del Tribunal Constitucional y del Tribunal Europeo de Derechos Humanos». *Revista Española de Derecho del Trabajo*, núm. 196/2017; también en RUIZ GONZÁLEZ, C.: *La incidencia de las tecnologías de la información y la comunicación en las relaciones laborales*, cit., págs. 199-207.

[303]   En este sentido, quiero subrayar que el artículo 87.3 LOPD, se refiere, por un lado, a que el empresario debe «establecer *criterios de utilización* de los dispositivos digitales», y por otro, a que, «el acceso por el empleador al contenido de dispositivos digitales respecto de los que haya admitido su uso con fines privados requerirá que se *especifiquen de modo preciso los usos autorizados*», finaliza el apartado 3, con una disposición de cierre, según la cual: «los trabajadores *deben ser informados de los criterios de utilización* a los que se refiere este apartado», si bien omite algo esencial, como es, que se les informe con carácter previo.

[304]   SERRANO OLIVARES, R.: «Los derechos digitales en el ámbito laboral: Comentario de urgencia a la Ley Orgánica 3/2018, de 5 de diciembre, de Protección de Datos Personales y Garantía de los Derechos digitales», cit., pág. 221.

si lo hubiera prohibido. Aunque se ha analizado alguna sentencia sobre ello, la nueva normativa no ofrece una respuesta clara ante tal situación, porque si el empresario prohíbe el uso del ordenador puesto a disposición del trabajador para asuntos privados y, sin embargo, el trabajador desobedece tal indicación y aquél decidiera realizar una comprobación y detecta un uso privado ¿Deberá entenderse vulneración al derecho a la intimidad pese a la advertencia del empresario?

Esa hipotética prohibición absoluta del uso para fines privados de los dispositivos digitales proporcionados por la empresa, supondría la neutralización de la expectativa razonable de confidencialidad, algo que según la interpretación del apartado 3 del artículo 87 LOPD, al señalar que, se deberán respetar «los estándares mínimos de protección de su intimidad», parece que no podría dar lugar a la prohibición absoluta del empleador. Por tanto, la LOPD no prevé esa posibilidad de que el empleador prohíba el uso privado de los dispositivos digitales en todo caso, quizá pensando que eso supondría descartar esa expectativa de privacidad, lo que supondría una contradicción. Por eso, al contemplar la admisión por la empresa del uso privado por el trabajador de los dispositivos, prevé que los empleadores, «especifiquen de modo preciso los usos autorizados y se establezcan garantías para preservar la intimidad de los trabajadores, tales como, en su caso, la determinación de los períodos en que los dispositivos podrán utilizarse para fines privado».

Y es que, aunque la LOPD no prevé la prohibición absoluta, parece que en la realidad hay que contar con que no se puede establecer esa total prohibición en el uso privado de los dispositivos digitales, entiendo, que siempre existirá, se admita o no se admita el uso privado de tales dispositivos una expectativa razonable de confidencialidad, en el sentido de que el trabajador puede en momentos puntuales enviar el correo electrónico o hacer alguna llamada a través del móvil facilitados por la empresa. En este sentido, dada la literalidad de la norma, debe entenderse que la voluntad del legislador es la de evitar prohibiciones absolutas, que además serían difíciles de que prosperaran habida cuenta de la obligación de participación de los representantes de los trabajadores en el establecimiento de los criterios[305]. Pero es que, además, la expectativa de intimidad y secreto de las comunicaciones sigue vigente, pese a la existencia de una prohibición empresarial expresa y absoluta del uso personal de los dispositivos digitales, salvo que el empleador informe con la debida antelación de la naturaleza, tipo y alcance del control, así como del grado de intrusión en la vida privada social (la que se desarrolla en el lugar de trabajo)[306].

En suma, lo que se desprende de lo anterior es que, aunque el empleador estableciera una prohibición absoluta del uso privado por el trabajador de dispositivos digitales facilitados por la empresa, lo que hipotéticamente supondría la neutralización de la expectativa razonable de confidencialidad, esa prohibición absoluta no podría darse en la práctica por la exigencia legal de que «en todo caso» el empresario debe respetar «los estándares mínimos de protección de su intimidad» (del trabajador).

Pero es que, aunque no figurara esa indirecta alusión a la expectativa razonable de confidencialidad o privacidad, el empleador no puede traspasar el ámbito de privacidad más profundo del trabajador, esto es, su derecho a la intimidad. De manera que, aunque no lo dijera la norma, aunque el protocolo de la empresa estableciera el control *quasi* absoluto de los dispositivos digitales facilitados al trabajador, su reducto de intimidad no puede, no debe ser objeto de control porque representa lo más sagrado de la privacidad del trabajador, sin que, por otro lado, tenga por qué tener relación con algún aspecto laboral de la empresa para la que presta servicios.

Otra cuestión, poco probable, sería que el objeto concreto de la intimidad del trabajador tuviera relación directa con su relación laboral en la empresa. En ese hipotético caso, cabría preguntarse hasta qué punto puede el empleador irrumpir en la intimidad del trabajador. A mi entender, tampoco tendría derecho el empleador a entrar en lo que constituye

---

[305]   ORELLANA CANO, A. M.: *El derecho a la protección de datos personales como garantía de la privacidad de los trabajadores*, cit., pág. 170.

[306]   SERRANO OLIVARES, R.: «Los derechos digitales en el ámbito laboral: Comentario de urgencia a la Ley Orgánica 3/2018, de 5 de diciembre, de Protección de Datos Personales y Garantía de los Derechos digitales», cit., pág. 221.

la intimidad del trabajador, pese a que también afecte de algún modo a la relación laboral del trabajador y el propio empleador.

En consecuencia, bien está que exija el legislador al empleador que respete los estándares mínimos de protección de la intimidad del trabajador en el control de los dispositivos facilitados al trabajador para desempeñar su trabajo, y «en todo caso», es decir sin excepción, porque de ese modo no cabe ninguna duda en la exigencia de ese respeto. Pero aunque no lo dijera, entiendo que existen resortes jurídicos de hondo calado que garantizan el respeto a ese derecho fundamental de la intimidad personal plasmado en el artículo 18.1 CE, así como en la Ley Orgánica 1/1982, de 5 de mayo, de protección civil del derecho al honor, a la intimidad personal y familiar y a la propia imagen.

3.6. *El control empresarial del cumplimiento de la actividad laboral sobre dispositivos digitales o sistemas de mensajería particulares del trabajador*

Se trata de una posibilidad poco frecuente. No es habitual que la empresa ocupe a un trabajador por cuenta ajena sirviéndose de los dispositivos digitales de este último. Es más, si eso ocurre habría que plantearse si no será más bien un indicio de que nos encontramos ante un trabajador autónomo. En cuyo caso, huelga ningún tipo de control, al no encontrarse sujeto al poder de dirección materializado en la facultad de controlar el cumplimiento de la actividad laboral del trabajador, en este caso, a través de cualquier dispositivo digital del trabajador. Conviene recordar, que una de las manifestaciones de ajenidad que acreditan la laboralidad de una relación, radica en que las herramientas de trabajo que utiliza el trabajador son de la empresa, es decir que no son suyas, tan solo las utiliza para desarrollar su actividad.

Pero no es ese el caso, lo que se plantea es un trabajador que, cumpliendo las notas de laboralidad, es decir, trabajo, dependiente y por cuenta ajena, sin embargo, para desempeñar su trabajo utiliza sus propios dispositivos digitales.

Lo primero que sucedería en este hipotético supuesto, es que uno de los dos objetivos que justifican el control por el empresario de los dispositivos digitales que utiliza el trabajador, según el artículo 87.2 LOPD, decae pues al no pertenecer a la empresa, el objetivo de que se garantice la integridad de los mismos deja de tener sentido, al perderse el interés de la empresa en garantizar los dispositivos digitales utilizados por el trabajador porque son de este y no de la empresa.

Y lo que a continuación se plantea en este caso, es si el trabajador que aporta su propio dispositivo digital al trabajo, podría ser objeto, no ya del control del dispositivo por el empresario, sino del control del cumplimiento de su actividad laboral, teniendo en cuenta, que ahora el dispositivo ya no es de la empresa y por tanto, parece que la expectativa razonable de privacidad sería incuestionable porque se trata de una intromisión en un ámbito privado (representado por el dispositivo digital) perteneciente al trabajador para el que, obviamente, no habría restricciones para su uso privado, pero sí de control por parte del empleador, y aún más que si fuera de su propiedad, porque se esfuman las razones para el registro del dispositivo del trabajador.

De ahí que, en un principio, parece que cuando el empleador pretende dar uso laboral a los dispositivos digitales de los trabajadores se podría considerar un abuso del poder empresarial[307]. En este caso, el empleador no tendría derecho al acceso del dispositivo en lo que afecta a la intimidad del trabajador, pero sí tiene la facultad de poder efectuar el control y vigilancia de su actividad, si bien deberán delimitarse los límites para no traspasar esa facultad más allá de los estrictamente necesario para el seguimiento de los deberes laborales del trabajador. En estos casos, se recomienda por el GT29[308], con el fin de evitar la observación de información privada (como podrían ser carpetas que almacenan fotos tomadas con el dispositivo), que se adopten medidas adecuadas para distinguir entre el uso privado y profesional del dispositivo. Porque como ha señalado la sala segunda del TS, desde una perspectiva jurídico penal, la titularidad del ordenador o dispositivo digital resulta irrelevante, «lo importante a los efectos que ahora interesan no es la titularidad real, sino quién sea el usuario»[309]. Sin embargo, desde la perspectiva laboral,

---

[307] APARICIO ALDANA, R. K.: *Derecho a la Intimidad y a la Propia Imagen en las Relaciones Jurídico Laborales*, cit., pág. 127.
[308] GT29 2/2017, pág. 18.
[309] STS (Sala de lo Penal) 489/2018, 23 octubre (RJ 2018, 4937).

tanto la doctrina[310], como la Audiencia Nacional[311], entienden que no se debe admitir el acceso del empleador a los contenidos derivados del uso de medios digitales privados o personales cuyo titular es el trabajador, y que constituiría un abuso de derecho. A mi entender, y siguiendo la doctrina de la citada STS (Sala de lo Penal) 489/2018, 23 octubre y las recomendaciones del GT29, creo que, en determinados supuestos, el dispositivo del trabajador podría ser seguido por el empleador únicamente con la finalidad de controlar el cumplimiento de las obligaciones laborales o estatutarias, pero en ningún caso obviamente de garantizar la integridad de tales dispositivos, ni de controlar carpetas ni otros elementos alojados en el dispositivo. Si bien, debe reconocerse que esto no sería lo habitual, y para ello deberían adoptarse muchas cautelas y precauciones que eviten una vulneración de los derechos fundamentales del trabajador, como consecuencia del control empresarial sobre el dispositivo digital del trabajador, con la exclusiva finalidad de controlar el cumplimiento de su actividad, pero insisto esto no será lo habitual, porque además existirán muchas dudas acerca del consentimiento expreso otorgado por el trabajador, si de ello dependiera su empleo.

Asimismo, con independencia de que sea un dispositivo de la empresa o del trabajador, si se utiliza para uso privado durante la jornada de trabajo, deberá tenerse en cuenta el tiempo invertido en las comunicaciones, de manera que no suponga una pérdida significativa de tiempo de trabajo, en cuyo caso debería hacerlo fuera de la jornada de trabajo, y en caso de hacerlo dentro de la misma, que fuera de forma prudente y a

---

[310]   PRECIADO DOMÉNECH, C. H.: *Los Derechos Digitales de las Personas Trabajadoras. Aspectos Laborales de la LOPD, de 5 de diciembre, de Protección de Datos y Garantía de los Derechos Digitales*, cit., págs. 114 y 141.

[311]   Según la SAN 6 febrero 2019 (AS 2019, 905), se considera «que la exigencia de la aportación de un teléfono móvil con conexión de datos para desarrollar el trabajo en los términos efectuados supone un manifiesto abuso de derecho empresarial, ya que además de quebrar con la necesaria ajenidad en los medios que caracteriza la nota de ajenidad del contrato de trabajo (art. 1.1. ET) y desplazando el deber empresarial de proporcionar ocupación efectiva del trabajador [arts. 4.2 a) y 30 ET] a éste al que se responsabiliza de los medios, de forma que cualquier impedimento en la activación del sistema de geolocalización implica cuando menos la suspensión del contrato de trabajo y la consiguiente pérdida del salario —ex artículo 45.2 ET—».

su costa[312]. Por lo que se refiere al control empresarial sobre tales dispositivos personales del trabajador para uso de su trabajo, lo que si podría hacer el empleador, es utilizar otro sistema alternativo, como controlar los tiempos de uso del dispositivo en horarios de trabajo, como medio menos invasivo de control empresarial.

Una modalidad de lo anterior es el del uso impuesto por el empresario, no tanto de dispositivos digitales propios del trabajador, sino de sistemas de mensajería o de cuentas de correo personales (no corporativas) creadas o abiertas por el trabajador para el desarrollo de su actividad laboral, ordinariamente utilizadas para ponerse en contacto con proveedores o clientes del empresario. Es el supuesto analizado en el denominado caso Barbulesco. Se trata, en definitiva, de un sistema de mensajería que, pese a abrirse a instancia del empresario, la titularidad es del trabajador. Sobre esta cuestión parece claro que no resulta lícito que el empresario solicite al trabajador, que abra un sistema de mensajería personal para realizar en él, solo actividades laborales, viene a ser algo así como si pretendiera dar uso exclusivamente laboral a los teléfonos móviles o correos electrónicos de sus empleados, lo que supone un abuso empresarial[313].

---

[312] APARICIO ALDANA, R. K.: *Derecho a la Intimidad y a la Propia Imagen en las Relaciones Jurídico Laborales*, cit., págs. 120-121.
[313] Ibidem, pág. 127.

Capítulo 4
Uso de dispositivos de videovigilancia y de grabación de sonidos en el lugar de trabajo

I. CUESTIONES PLANTEADAS

Al igual que ocurre en el supuesto del uso privado por el trabajador de dispositivos digitales puestos a disposición por la empresa, en el que la posible irregularidad podría proceder del empleador en la forma de vigilancia y control del ordenador, móvil o tableta utilizado por el trabajador para un uso diferente del previsto, lo que podría designarse como control indirecto por realizarse por medios intermedios como son los dispositivos digitales; en el caso del uso de cámaras de videovigilancia o dispositivos de grabación de sonidos, también es el empleador quien podría cometer irregularidades en la forma de vigilar y controlar al trabajador, pero no tanto sobre algún dispositivo digital interpuesto sino directamente sobre el propio trabajador, mediante la visualización de su actividad laboral, si bien, en muchos casos motivada por la sospecha fundada en alguna conducta irregular. En ambos casos, el bien jurídico protegido es la invasión de la intimidad del trabajador o de los derechos a la protección de datos personales o del secreto en las comunicaciones, con independencia del uso de cualquier dispositivo digital o cámara de videovigilancia. Pero esa invasión o intrusión sobre la vida privada del trabajador puede tener diversos grados, porque una cosa es la tolerancia por los trabajadores de un determinado grado de intrusión en su privacidad, como parte de una organización empresarial, y otra distinta el uso ilimitado de estos mecanismos que podría atentar contra la dignidad de los trabajadores[314]. En este sentido, ya percibía el profesor Montoya[315] a mediados de los ochenta del siglo pasado, que «la facultad de control del empresario se agiganta en nuestros días mediante artilugios —cir-

---

[314] AEPD, Informe 475/2014.

[315] MONTOYA MELGAR, A.: «Dirección de la actividad laboral. Comentario al artículo 20 del Estatuto de los Trabajadores». *Comentarios a las leyes laborales. El Estatuto de los Trabajadores*. Edersa. Madrid. 1985, pág. 143.

cuitos de televisión, medios acústicos y visuales, procedimientos mecá-
nicos de control de asistencia—, y que se convierten en el ojo universal».
En el presente caso nos referimos a los sistemas de videovigilancia, que
consisten en estructuras que permiten la captación, en un determinado
espacio, tanto de imágenes como de sonido, pudiendo éstas ser visuali-
zadas —incluso de forma remota o vía internet—y grabadas, facilitando,
el perfecto medio de prueba de la comisión de un ilícito laboral[316].

Según la disposición final primera LOPD, el artículo 89 tiene naturaleza de ley orgánica. Desarrolla, por tanto, los derechos fundamentales
del artículo 18 CE. De hecho, tanto el artículo 87 como el 89 LOPD,
inician su título aludiendo, respectivamente, al derecho a la intimidad y
al uso de dispositivos digitales en el ámbito laboral, y al uso de dispositivos de videovigilancia y de grabación de sonidos en el lugar de trabajo.
Y esta es una de las cuestiones del artículo 89 LOPD que ha llamado
la atención: que sólo mencione el derecho a la intimidad, obviando la
estrecha vinculación de la videovigilancia con el derecho a la protección
de datos[317]. Sin embargo, el artículo 2.1 LOPD[318], incluye el artículo 89
(derecho a la intimidad frente al uso de dispositivos de videovigilancia
y de grabación de sonidos en el lugar de trabajo) en el ámbito del derecho a la protección de datos. Por lo que la sensación es la de proteger
expresamente la intimidad, la privacidad del trabajador en el entorno laboral, pero también los datos personales, en este caso, cuando se utilicen
dispositivos de videovigilancia y de grabación de sonidos en el lugar de
trabajo. De manera que debe garantizarse a los trabajadores no solo el

---

[316] LENZI, O.: «La video-vigilancia de las empleadas al servicio del hogar familiar a
la luz de la sentencia de la Audiencia Provincial de Pontevedra de 9 de enero de
2019, rec. 618/20181». *Revista de Derecho Social*, núm. 88 (octubre 2019), pág. 168.

[317] GONZÁLEZ GONZÁLEZ, C.: «Control empresarial de la actividad laboral
mediante la videovigilancia y colisión con los derechos fundamentales del trabajador. Novedades de la Ley Orgánica 3/2018, de 5 de diciembre, de Protección
de Datos Personales y garantía de los derechos digitales». *Aranzadi digital* núm.
1/2018 parte Estudios y comentarios, pág. 23.

[318] El artículo 2.1 LOPD establece, que «lo dispuesto en los Títulos I a IX y en los
artículos 89 a 94 de la presente ley orgánica se aplica a cualquier tratamiento total o parcialmente automatizado de datos personales, así como al tratamiento no
automatizado de datos personales contenidos o destinados a ser incluidos en un
fichero».

derecho a la intimidad, también el derecho a la protección de datos personales, porque la captación viene referida a datos protegidos, y lo que se protege es algo más amplio como es la privacidad de los trabajadores, de manera que como señala la doctrina[319], parecería más acertado que el artículo 89 LOPD, regulara el derecho a la protección de datos personales del trabajador frente al uso de cámaras de videovigilancia y de grabación de sonidos en el lugar de trabajo como garantía de su privacidad, porque la imagen de las personas constituyen un dato personal y su captación con la finalidad de vigilancia y control está sometida a la LOPD, en la medida que la imagen es objeto de tratamiento[320].

Una vez más, debe agradecerse al legislador que haya atendido lo que era un clamor de empresarios y de trabajadores: que se regularan estas situaciones, en las que se tenía claro que el interés superior era la salvaguarda del derecho a la intimidad del trabajador, su derecho a la protección de datos personales, así como el del secreto de las comunicaciones. Pero no existía una norma que especificara la forma de ejercer la vigilancia y control, en el caso del uso de dispositivos digitales o cámaras de videovigilancia o aparatos de grabación. Ni siquiera la negociación colectiva llegó a alcanzar acuerdos que suplieran esta falta de regulación normativa[321]. La ausencia de regulación legal no permitía obtener una respuesta segura sobre los límites de la facultad empresarial, lo que daba lugar a la adopción de criterios contradictorios por el TC, que no siempre fueron bien recibidos por la doctrina científica y por los interlocutores sociales[322], sobre todo por la inseguridad jurídica que ofrecían.

---

[319]   ORELLANA CANO, A. M.: *El derecho a la protección de datos personales como garantía de la privacidad de los trabajadores*, cit., págs. 129 y 135.

[320]   AGUILERA IZQUIERDO, R.: «El derecho a la protección de datos en el ámbito laboral. Los sistemas de videovigilancia y geolocalización». *Revista de Trabajo y Seguridad Social, CEF*, núm. 442, (2020) pág. 111.

[321]   MOLINA NAVARRETE, C.: «El poder empresarial de control digital: ¿"nueva doctrina" del TEDH o mayor rigor aplicativo de la precedente?», *IusLabor*, núm. 3, 2017, pág. 290.

[322]   GONZÁLEZ GONZÁLEZ, C.: *Guía práctica sobre Protección de Datos: ámbito laboral*. Thomson Reuters Aranzadi, Cizur Menor, 2019, pág. 326.

Y es que, en el caso de las cámaras de videovigilancia, el criterio sobre su uso por el empleador ha ido basculando de uno a otro criterio de forma más acentuada que en el caso del control empresarial de los dispositivos digitales facilitados a sus trabajadores, cuando estos los utilizan para asuntos personales.

Conviene insistir que, en el fondo, la cuestión que se plantea es similar al supuesto anterior, es decir, la de si el empresario puede utilizar estos instrumentos como medio de vigilancia y control de la actividad laboral del trabajador, y en caso afirmativo, cómo debe llevarse a cabo y si existen algunas limitaciones para su uso, con objeto de evitar que se vulnere el derecho a la intimidad de los trabajadores, y los demás derechos fundamentales del artículo 18 CE. Además, cabe preguntarse, si en este tipo de control ejercido por el empresario se plantean los mismos problemas que en el correo electrónico o son diferentes, aunque incidan en el mismo derecho a la intimidad de los trabajadores[323]. En cualquier caso, conviene adelantar, según la AEPD[324], que los sistemas de videovigilancia para control empresarial sólo se adoptarán cuando exista una relación de proporcionalidad entre la finalidad perseguida y el modo en que se traten las imágenes y no haya otra medida más idónea.

---

[323] Sobre el distinto criterio con que el TC resuelve respecto a la presunta vulneración del derecho a la intimidad, la consideración del requisito de la información previa al trabajador, según se trate del registro de ordenadores de la empresa por la utilización a través de correo electrónico para asuntos privados de los trabajadores y la vigilancia de éstos a través de cámaras de televisión o video, resulta de interés el comentario de SANTIAGO REDONDO, K. M.: «Intimidad, secreto de las comunicaciones y protección de datos de carácter personal. El artículo 18 CE», cit., pág. 137, quien se pregunta: «¿Podrían haberse cuestionado las decisiones empresariales de injerencia enjuiciadas en los dos primeros pronunciamientos —correo electrónico— al hilo del artículo 18.4 CE? ¿Por qué no juega, por ejemplo, ese límite de la previa información de la eventualidad de la injerencia? ¿Es razonable una tan contradictoria manera de aproximarse a los distintos derechos del artículo 18 CE?».

[324] AEPD. *Fichas prácticas de videovigilancia*. VI. «Cámaras para el control empresarial». Disponible en:
https://www.aepd.es/sites/default/files/2019-09/ficha-videovigilancia-control-empresarial.pdf.

II. SITUACIÓN PREVIA A LA LOPD

Si hay un período convulso en el uso por los empresarios de las cámaras de video para, mediante la grabación, controlar y vigilar el cumplimiento de la actividad laboral de los trabajadores, este ha sido sin duda, el de las dos primeras décadas de este siglo XXI, y todavía hay cuestiones que siguen sin resolverse de forma definitiva. Son abundantes las sentencias de los tribunales llamados mayores (TEDH, TC, TS) que han sentado su doctrina, pero también ha ocurrido que algunos criterios han variado sustancialmente, creando un clima de cierta inseguridad jurídica, porque se ha intentado afinar cada vez más en la protección del derecho a la intimidad, el secreto de las comunicaciones, el derecho a la propia imagen o el derecho a la protección de datos. La cuestión es encontrar ese punto ideal, que sin vulnerar la dignidad y ninguno de los derechos fundamentales de los trabajadores permitan al empresario realizar las oportunas comprobaciones sobre el desarrollo de su actividad laboral. Y es que, como señala el GT29, «los datos constituidos por imagen y sonido son personales, aunque las imágenes se utilicen en el marco de un sistema de circuito cerrado y no estén asociados a los datos personales del interesado, incluso, si no se refieren a personas cuyos rostros hayan sido filmados, e independientemente del método utilizado para el tratamiento, la técnica, el tipo de equipo, las características de la captación de imágenes y las herramientas de comunicación utilizadas»[325]. Y es que, partiendo de que la imagen es un dato personal, su tratamiento está sujeto a la normativa de protección de datos personales, por lo que la primera cuestión a analizar es la relativa a la necesidad de obtener el consentimiento inequívoco de los afectados por los sistemas de videovigilancia[326].

Lo que sigue en este apartado, es una descripción más o menos amplia (dependiendo de la trascendencia de la doctrina emanada de los tribunales correspondientes), de los criterios que han ido desgranando los tribunales de justicia, hasta llegar a las dos normas de cabecera que deberán ser observadas atentamente: el RGPD y la LOPD. Esta

---

[325]   AEPD. Informe 0533/2006. *Cuestiones Generales sobre Videovigilancia.*
[326]   AEPD Informe 0495/2009.

última ley orgánica viene a ser la aplicación específica para España del derecho a la protección de datos. A este respecto, es importante recordar que, en caso de vacío normativo en la legislación española, rige con toda su fuerza el RGPD, y en este punto nos podemos dar algunas sorpresas, en sentencias posteriores al citado Reglamento de la UE, que está por encima, por decirlo así, de la propia LOPD, en el sentido de que en caso de contradicción, tiene prioridad de aplicación el Reglamento UE, lo que podría plantear cuál sería entonces el sentido de la nueva LOPD. La respuesta es lógica si se piensa que existen cuestiones concretas que el RGPD deja a los Estados su desarrollo legislativo. Sin embargo, en algunos casos que vimos al analizar el capítulo sobre tratamiento de datos personales, se ha observado que la norma española, restringe o amplía derechos, obligaciones, etc. Es decir que incluye una legislación *ultra vires* que va más allá del contenido del propio RGPD, sin que este se haya pronunciado sobre si permite un cambio de su contenido. Y es que, la normativa de la LOPD, reitera en ocasiones lo mismo que en el RGPD y en otras se remite al mismo. En el caso específico del control del trabajador por el empresario mediante videovigilancia, o de grabación de sonidos, el RGPD no hace alusión alguna, lo que deja vía libre a la regulación de esta materia a la LOPD, y ello sin perjuicio de las indicaciones que, en materia de protección de datos personales establece el RGPD. Y en concreto es el artículo 89 LOPD el que regula esta materia.

Así pues, parece llegado el momento de conocer los criterios básicos de aplicación por el empleador de la videovigilancia en el ámbito laboral, para seguir por orden cronológico con algunos comentarios de las sentencias más relevantes y de referencia emanadas por los tribunales con competencia para ello.

1. Criterios jurisprudenciales de aplicación

Con carácter previo al comentario sobre la evolución de los criterios que los diversos tribunales han resuelto hasta la llegada del RGPD, primero y la LOPD después, se podrían resumir una serie de criterios en relación a la licitud de las grabaciones mediante cámaras de video o de audio, que son los siguientes[327]:

- Que se obtengan las grabaciones en el regular ejercicio de los poderes de vigilancia y control.
- Que se hallen destinadas a verificar el cumplimiento por el trabajador de sus obligaciones y deberes.
- Que se informe previamente al trabajador de la posibilidad de que se capten imágenes o sonido con la finalidad de controlar la actividad laboral y que las imágenes o el sonido captados no se utilicen para finalidades distintas de aquellas para las que el trabajador ha sido informado.
- Que se respete la dignidad y los derechos fundamentales del trabajador, comprobando que las grabaciones de video o sonido se sujetan al test de proporcionalidad, esto es que se cumplen las condiciones siguientes:
  - Juicio de idoneidad: que con la medida adoptada se cumple con el objetivo propuesto.
  - Juicio de necesidad: que no se encuentre otra medida menos invasiva para alcanzar el objetivo con igual eficacia.
  - Juicio de proporcionalidad: que la medida adoptada sea ponderada o equilibrada, en el sentido de que se obtendrán más beneficios que perjuicios.

2. *Doctrina del Tribunal Constitucional*

❑ STC 37/1998 de 17 febrero

La doctrina del TC ha evolucionado, desde la STC 37/1998 de 17 febrero (RTC 1998, 37), en el caso de la filmación por agentes de policía de un piquete de huelga, en que se declaró por el TC la falta de habili-

---

[327] En este apartado seguiré el resumen efectuado por PRECIADO DOMÉNECH, C. H.: *Los Derechos Digitales de las Personas Trabajadoras. Aspectos Laborales de la LOPD, de 5 de diciembre, de Protección de Datos y Garantía de los Derechos Digitales*, cit., págs. 160-161.

tación legal y el carácter desproporcionado de la filmación. En esos años no existía una normativa suficiente sobre la utilización de las filmaciones, su uso, controles posteriores, etc. En este caso el TC consideró que la filmación supuso un obstáculo al libre ejercicio del derecho de huelga, como derecho fundamental reduciendo su efectividad, y sin saber los motivos y sin conocer el uso que se va a hacer de esa filmación.

❏ STC 98/2000, de 19 de abril (RTC 2000, 98)

Es el conocido caso La Toja, en cuyo casino se instalaron sistemas audiovisuales de control para incrementar la seguridad del casino. El TC entiende, según el criterio de proporcionalidad, que «la instalación de los micrófonos no ha sido efectuada como consecuencia de la detección de una quiebra en los sistemas de seguridad y control anteriormente establecidos, sino que (…) se tomó dicha decisión para complementar los sistemas de seguridad ya existentes en el casino». Con ello, concluye que la medida de instalar un sistema de audio no es necesario, ni indispensable para la seguridad del casino. Además, el uso de un sistema que capta la audición continuada e indiscriminada de todas las conversaciones, tanto trabajadores como de clientes supone una actuación que rebasa ampliamente las facultades que se otorga al empresario por el artículo 20.3 del Estatuto de los Trabajadores, y por ello el tribunal considera que se trata de una vulneración al derecho a la intimidad del artículo 18.1 CE

❏ STC 186/2000, de 19 de julio

En esta importante sentencia se declara la existencia de proporcionalidad en el uso de la videovigilancia, que no fue advertida ni por supuesto informados los trabajadores ni el comité de empresa, porque se sospechaba de ciertas irregularidades en la conducta de los cajeros en una sección del economato y un acentuado descuadre contable. Como consecuencia de ello, se despidió a uno de los cajeros y a los otros dos implicados, se les sancionó con una suspensión de empleo y sueldo durante dos meses. En este caso, las cámaras se limitaron a grabar las cajas registradoras y la zona del mostrador de paso de las mercancías más cercana a los cajeros, por lo que se consideró que se había respetado el principio de proporcionalidad, porque existían razonables sospechas de irregularidades de los trabajadores a los que se les grabó de forma oculta.

❏ STC 29/2013, de 11 de febrero

El conocido como caso de la Universidad de Sevilla, es el supuesto más célebre en relación al uso de las cámaras de videovigilancia empleadas como dispositivo de control de los trabajadores en el ámbito laboral. Fue objeto de un pronunciamiento constitucional[328] de referencia, que sin duda ha servido de modelo al período anterior a la aparición de la LOPD. Se trata de un trabajador que prestaba servicios en la Universidad de Sevilla, y ante la sospecha de irregularidades en el cumplimiento de su jornada laboral, se decidió que se controlaran las horas de entrada y salida del trabajador de su puesto de trabajo durante los meses de enero y febrero de 2006, para lo que debía valerse, si fuera necesario, de la información de las cámaras de video instaladas en los accesos a las dependencias con la finalidad de evitar robos. En las hojas de control de asistencia de su unidad administrativa, correspondientes a los meses de enero y febrero de 2006, el trabajador consignó y firmó cada día como momento de entrada las 8:00 horas, y de salida, las 15:00 horas. Gracias al control realizado se pudo constatar, en cambio, que permaneció en las dependencias de su unidad en horarios muy diferentes a los señalados en tales hojas, acreditándose en la mayor parte de los días laborables (cerca de una treintena, según concretan los hechos probados de las resoluciones recurridas) una demora variable en la hora de entrada al trabajo de entre treinta minutos y varias horas.

En marzo de 2006 se acordó la incoación de un expediente disciplinario. El resultado de todo ello fue que el TC entendía vulnerado el de-

---

[328]   STC 2013, 11 febrero (RTC 2013, 29). Sobre la evolución que ha sufrido el tratamiento de las SSTC en materia del uso cámaras de videovigilancia como medio de control del empresario a sus trabajadores, resulta de especial interés la consulta en, GONZÁLEZ GONZÁLEZ, C.: «Control empresarial de la actividad laboral mediante la videovigilancia y colisión con los derechos fundamentales del trabajador. Novedades de la Ley Orgánica 3/2018, de 5 de diciembre, de Protección de Datos Personales y garantía de los derechos digitales», cit., págs. 2-14. Un resumen de la doctrina de esta sentencia, por el mismo autor en *Guía práctica sobre Protección de Datos: ámbito laboral*, cit., pág. 327.

recho del trabajador a ser informado de la medida de vigilancia, señalando que la Universidad de Sevilla utilizó al fin de control del trabajador «las grabaciones, siendo la responsable del tratamiento de los datos sin haber informado al trabajador sobre esa utilidad de supervisión laboral asociada a las capturas de su imagen. Vulneró, de esa manera, el artículo 18.4» CE[329].

Realmente, lo decisivo del pronunciamiento es su sólida argumentación, que se detiene en señalar al detalle cómo debe ser el control empresarial para que no se produzca la citada vulneración del derecho a la intimidad.

En efecto, argumenta la Sala que «era necesaria además la información *previa y expresa, precisa, clara e inequívoca* a los trabajadores de la *finalidad de control* de la actividad laboral a la que esa captación podía ser dirigida. Una información que debía concretar las características y el alcance del tratamiento de datos que iba a realizarse, esto es, en qué casos las grabaciones podían ser examinadas, durante cuánto tiempo y con qué propósitos, explicitando muy particularmente que podían utilizarse para la imposición de sanciones disciplinarias por incumplimientos del contrato de trabajo»[330].

No se queda ahí el Tribunal, pues además esa información debe concretar los supuestos en que podrán examinarse las grabaciones, durante cuanto tiempo y con qué propósitos, dejando claro que podían utilizarse para imposición de sanciones disciplinarias.

Si a lo anterior se añaden esas otras características exigidas en las anteriores sentencias constitucionales respecto al control en los supuestos de dispositivos digitales facilitados por el empresario y que el trabajador utiliza para usos privados, consistentes en las notas de «idoneidad» «necesidad», «proporcionalidad», y que sea «justificado» resulta un nivel de exigencia ciertamente alto para el empresario.

En cualquier caso, no veo inconveniente que los criterios de esta sentencia se apliquen a los supuestos sobre utilización de correo electrónico

---

[329] F.J. 7.
[330] F.J. 8.

para uso particular, Internet, y en general a todas las formas vigilancia y control empresarial[331].

Quizá en este tipo de supuestos el mayor escollo, es que, si se avisa al trabajador de la vigilancia con pelos y señales podría obstaculizar la comprobación efectiva de conductas irregulares[332]. En ese sentido, la mayoría de las resoluciones de los órganos judiciales, consideran que los controles ocultos, realizados sin el consentimiento previo de los trabajadores solo deben considerarse lícitos por motivos de seguridad para las personas o las cosas, o en los supuestos en los que se trata de poner al descubierto una conducta irregular de un trabajador concreto por existir una fundada sospecha por la empresa, en los casos en que no exista otro medio menos lesivo de los derechos fundamentales para comprobar tal conducta[333].

❏ STC 39/2016, de 3 de marzo

Se mantiene el criterio empleado por el propio TC, en la sentencia 39/2016, de 3 de marzo, al admitir como prueba lícita, que justificara el despido por apropiación de dinero de una caja registradora, comprobada a través de las grabaciones de una cámara de vigilancia colocada por las sospechas previas. En el caso de las relaciones laborales, no es preciso el consentimiento del trabajador, pero sí es necesaria la información previa, que permite al afectado ejercer sus derechos de acceso, rectificación, cancelación y oposición.

En este caso no se informó a la trabajadora de la colocación de la cámara, pero el TC consideró que el deber empresarial de información se cumplió porque se encontraba a la vista un cartel de «zona videovigilancia», en lugar visible, en el que se colocó el distintivo informativo exigido por la Instrucción 1/2006, por lo que —entiende el TC—, la

[331] GOÑI SEIN, J. L.: «Los derechos fundamentales inespecíficos en la relación laboral individual: ¿Necesidad de una reformulación?», cit., pág. 74.

[332] SEMPERE NAVARRO, A. V. y SAN MARTÍN MAZZUCCONI, C.: «Nuevas tecnologías y relaciones laborales: una tipología jurisprudencial», *Revista Aranzadi Derecho y Nuevas Tecnologías*, núm. 10, 2006, Tomo I, pág. 47.

[333] RODRÍGUEZ ESCANCIANO, S.: «Videovigilancia empresarial: límites a la luz de la Ley Orgánica 3/2018, de 5 de diciembre de protección de datos personales y garantía de los derechos digitales», cit., págs. 5-6.

trabajadora podía conocer la existencia de cámaras y la finalidad para la que se había instalado. Sin embargo, se le achaca a esta doctrina[334], que se devalúe el contenido esencial de la libertad de autodeterminación informativa que deriva del derecho de protección de datos de carácter personal, tal como lo entendió la STC (Pleno) 292/2000, de 30 de noviembre y la STC/2013.

La misma línea parecía seguir el TS[335] que admitió válida la prueba de videovigilancia que capta un hurto en una tienda cuando las cámaras se colocan como respuesta a una situación de pérdidas importantes de material en el interior del centro de trabajo y con carteles que advertían de su presencia, de modo que los trabajadores conocían su existencia y finalidad. Se cumple el principio de proporcionalidad, se trata de un medio de control idóneo, y además es una intervención equilibrada al derivarse más beneficios para el interés general que perjuicios sobre otros bienes o valores en conflicto.

En ese mismo sentido, otra sentencia del mismo tribunal[336], considera inexistente la lesión al derecho a la intimidad, siendo válida la utilización por la empresa de cámaras de videovigilancia estando indicada su existencia y siendo el trabajador conocedor de su existencia, siendo una medida justificada por razones de seguridad; expresión amplia que incluye la vigilancia de actos ilícitos de los empleados y de terceros y en definitiva de la seguridad del centro de trabajo, idónea para el logro de ese fin y necesaria y proporcionada al fin perseguido[337]. Sin embar-

---

334 GONZÁLEZ GONZÁLEZ, C.: *Guía práctica sobre Protección de Datos: ámbito laboral*, cit., pág. 329.

335 STS 7 julio 2016 (RJ 2016, 4434)

336 STS 31 enero 2017 (RJ 2017, 1429)

337 La sentencia argumenta que «la instalación de cámaras de seguridad era una medida justificada por razones de seguridad (control de hechos ilícitos imputables a empleados, clientes y terceros, así como rápida detección de siniestros), idónea para el logro de ese fin (control de cobros y de la caja en el caso concreto) y necesaria y proporcionada al fin perseguido, razón por la que estaba justificada la limitación de los derechos fundamentales en juego, máxime cuando los trabajadores estaban informados, expresamente, de la instalación del sistema de vigilancia, de la ubicación de las cámaras por razones de seguridad, expresión amplia que incluye la vigilancia de actos ilícitos de los empleados y de terceros y en definitiva de la seguridad del centro de trabajo pero que excluye otro tipo de control laboral que

go, hubo una voz discordante, al obtener un voto particular, según el cual, «las cámaras están instaladas de forma permanente y su objeto es la prevención de hurtos por parte de los clientes, habiéndose utilizado para una finalidad distinta cuando no existían sospechas sobre la posible actuación irregular de la trabajadora», por lo que entiende la magistrada que la sentencia debió desestimar el recurso planteado.

3. Doctrina del Tribunal europeo de Derechos Humanos

❏ STEDH de 28 de noviembre 2017

Conocida como Antovic y Mirkovic contra Montenegro. Esta sentencia no se refiere estrictamente a un problema laboral, sino a la desestimación de una demanda civil presentada por unos profesores que reclamaban una indemnización por la instalación de unas cámaras de vigilancia en varios auditorios de una facultad de matemáticas, alegando la vulneración a su vida privada. Las cámaras ya habían sido retiradas tras una decisión de la agencia de protección de datos. El interés de la Sentencia Antovic y Mirkovic radica en el debate que se plantea entre la mayoría y los votos particulares acerca de si la grabación de imágenes en un aula universitaria puede suponer una intromisión en la vida privada. El TEDH se apoya en la idea de «vida privada social» y en la consideración de que las aulas son un espacio de trabajo para los profesores. Mientras el tribunal nacional, alegaba que el control de las acciones que tenían lugar en público no constituía una interferencia con la vida privada de una persona cuando esos medios acababan de registrar lo que otros podrían ver si estuvieran en el mismo lugar al mismo tiempo, por lo que el uso de la videovigilancia y la recogida de datos «no habían violado el derecho a la intimidad de los solicitantes y, por lo tanto, no les habían causado ninguna angustia mental». Sin embargo, la argumentación del voto concurrente del TEDH señaló entre las argumentaciones

---

sea ajeno a la seguridad, esto es el de la efectividad en el trabajo, las ausencias del puesto de trabajo, las conversaciones con compañeros, etc. Y frente a los defectos informativos que alegan pudieron reclamar a la empresa más información o denunciarla ante la Agencia Española de Protección de Datos, para que la sancionara por las infracciones que hubiese podido cometer».

de la violación de la privacidad, que se trata de espacios académicos donde no solo se enseña a los estudiantes, sino que también interactúan con ellos, desarrollando relaciones recíprocas y construyendo su identidad social. Por eso, en «la interacción que se produce en una clase, el profesor puede tener una expectativa de privacidad, en el sentido de que normalmente puede esperar que lo que está ocurriendo en el aula sólo pueda ser seguido por aquellos que tienen derecho a asistir a la clase y que en realidad asisten a ella. Ninguna "atención indeseada" de otros, que no tienen nada que ver con la clase. Puede haber excepciones, por ejemplo, cuando se graba una conferencia con fines educativos, incluso para uso de los estudiantes que no pudieron asistir físicamente a la clase. Sin embargo, en el caso de las demandantes no existía tal finalidad».

La estimación de la demanda se basa sencillamente en el hecho de que la instalación de las cámaras de vigilancia no se adecuaba a la legislación nacional, faltando el requisito de que la intromisión esté prevista en la ley.

❑ STEDH de 9 de enero de 2018, un hito en la utilización de cámaras de videovigilancia

Así las cosas, entra en escena la STEDH de 9 de enero de 2018 (caso López Ribalda y otras contra España)[338], que aplica la doctrina de la prohibición de la videovigilancia encubierta, en el sentido de condicionar la validez de las medidas, a que se cumpla con rigor el deber de informar previamente al trabajador de la finalidad de la instalación de las cámaras, excluyendo de licitud a las grabaciones encubiertas o no informadas. Y es que según los principios generales[339] la videovigilancia encubierta debe considerarse, como una importante intrusión en la vida privada del empleado. Implica la documentación grabada y reproducible de la conducta de una persona en su lugar de trabajo, que el empleado,

---

[338] Demandas núms. 1874/13 y 8567/13. Sobre el particular, resulta de interés el comentario de MOLINA NAVARRETE, C.: «De Barbulesco II» a "López Ribalda": ¿Qué hay de nuevo en la protección de datos de los trabajadores?». *Revista de Trabajo y Seguridad Social*. CEF., núm. 419 (febrero 2018).

[339] Principios generales que se basan en *Antović y Mirković v. Montenegro*, nº 70838/13, 28 de noviembre de 2017, § 44, y *Köpke v. Alemania* (dec), nº 420/07, 5 de octubre de 2010.

que está obligado por contrato de trabajo a realizar en ese lugar, no puede evadir.

En este caso, como consecuencia de una serie de irregularidades en el stock del supermercado, el empleador instaló unas cámaras de seguridad visibles para control de seguridad general del establecimiento de las que fueron informadas las trabajadoras, mientras que también se colocaron otras cámaras ocultas que tenían como finalidad controlar a las trabajadoras. Sin embargo, de la existencia de estas últimas cámaras no fueron informadas.

El Tribunal señala que la videovigilancia realizada por el empleador, que tuvo lugar a lo largo de un periodo de tiempo prolongado, no habría cumplido con las estipulaciones del artículo 5 de la Ley Orgánica de Protección de Datos de Carácter Personal de 1999 (LOPD 1999), en concreto en lo que respecta a la obligación de informar a los interesados previamente y de modo expreso, preciso e inequívoco sobre la existencia de un sistema de recolección de datos personales, así como de las características especiales del mismo. El Tribunal observa que los derechos del empleador podrían haber sido salvaguardados, al menos hasta cierto punto, mediante la utilización de otros medios, concretamente informando a las demandantes, incluso de un modo general, sobre la instalación de un sistema de videovigilancia, y proporcionándoles la información descrita en la anterior LOPD 1999. Y concluye: los tribunales nacionales no fueron capaces de establecer un equilibrio justo entre los derechos de las demandantes al respeto hacia su vida privada en virtud del artículo 8 del Convenio y el interés del empleador en la protección de sus derechos a la propiedad. Y es que como asevera el Tribunal, «en una situación donde el derecho de cada afectado a ser informado de la existencia, el objetivo y la forma de la videovigilancia encubierta estaba claramente regulado y protegido por la ley, las demandantes tenían unas expectativas razonables de privacidad».

Esta doctrina es importante y tiene trascendencia, porque como es sabido, cualquier sentencia española firme que haya vulnerado un derecho fundamental conforme a los declarado por el TEDH cabe ser revisada, pudiendo alegarse como doctrina de contradicción la establecida en las sentencias dictadas por el Tribunal Constitucional y los *órganos jurisdiccionales* instituidos en los Tratados y Acuerdos internacionales en materia de derechos humanos y libertades fundamentales ratificados por España[340]. Asimismo, «se podrá interponer recurso de revisión ante el Tribunal Supremo contra una resolución judicial firme, con arreglo a las normas procesales de cada orden jurisdiccional, cuando el Tribunal Europeo de Derechos Humanos haya declarado que dicha resolución ha sido dictada en violación de alguno de los derechos reconocidos en el Convenio Europeo para la Protección de los Derechos Humanos y Libertades Fundamentales y sus Protocolos, siempre que la violación, por su naturaleza y gravedad, entrañe efectos que persistan y no puedan cesar de ningún otro modo que no sea mediante esta revisión»[341].

De manera que tanto las sentencias del Tribunal Constitucional, como la jurisprudencia del Supremo deben adaptar sus criterios a la doctrina del TEDH en el caso de la STEDH de 9 de enero de 2018 (caso López Ribalda y otras contra España).

En este sentido, la doctrina se ha manifestado[342], señalando que la STEDH es una llamada de atención respecto a los criterios del Tribunal Constitucional y del Tribunal Supremo sobre el limitado alcance del deber informativo en materia de videovigilancia, al imponer el carácter absoluto del deber informativo vinculado a las garantías propias del derecho a la protección de datos en los términos de los artículos 12 y 13 del RGPD. De manera que, si no es por aplicación directa de la doctrina del TEDH, los tribunales españoles deberán aplicar la misma como consecuencia obligada de la prioritaria aplicación sobre la regulación del deber informativo del citado Reglamento[343].

Casi dos años después, a finales de 2019, una nueva sentencia del TEDH corrigió este criterio. Concretamente, la sentencia de la Gran Sala del TEDH de 17 de octubre de 2019, caso *López Ribalda and others versus Spain* (López Ribalda II) en la que rectificó su criterio. Conside-

---

[340]   Artículo 219.2 Ley 36/2011, de 10 de octubre, reguladora de la Jurisdicción Social.
[341]   Artículo 5 bis Ley Orgánica 6/1985, de 1 de julio del Poder Judicial.
[342]   GONZÁLEZ GONZÁLEZ, C.: «Control empresarial de la actividad laboral mediante la videovigilancia y colisión con los derechos fundamentales del trabajador. Novedades de la Ley Orgánica 3/2018, de 5 de diciembre, de Protección de Datos Personales y garantía de los derechos digitales», cit., pág. 18.
[343]   Ibidem, pág. 22.

ra la sentencia que los tribunales españoles realizaron una ponderación adecuada entre el derecho de las recurrentes a la protección de sus datos y el interés del empresario en proteger su patrimonio. Así, la Gran Sala postuló que la falta de información previa sobre la existencia de las cámaras ocultas, podría estar justificada por sospechas razonables de que se estaban cometiendo graves irregularidades.

❑ La STEDH de 17 octubre de 2019 da la vuelta al caso López Ribalda

La STEDH de 9 de enero de 2018, fue recurrida en la última instancia posible, que tuvo como resultado la importantísima STEDH 17 octubre 2019 (TEDH 2019, 144), caso López Ribalda y otros contra España. Conviene recordar, que se trata de una Sentencia resuelta por la Gran Sala, como consecuencia de la remisión del asunto por el Gobierno español, al no estar conforme con la STEDH de 9 enero 2018.

Como cabía esperar, el pronunciamiento de la Sala generó una gran controversia en torno al difícil equilibrio entre el derecho de la empresa al control y vigilancia de la actividad de sus empleados y el derecho de los mismos a la protección de su vida privada y sus datos de carácter personal[344]. Por su trascendencia, reproduciré brevemente los hechos, con objeto de conocer los detalles que justifican el cambio de criterio del Tribunal.

En el caso concreto, todas las demandantes trabajaban en un supermercado. Las tres primeras demandantes trabajaban como cajeras, la cuarta y la quinta demandantes trabajaban como vendedoras en un stand. A partir de marzo de 2009, el gerente de la tienda observó irregularidades entre los niveles de stocks y las cifras de ventas del supermercado. En los meses siguientes identificó pérdidas por un importe de 7.780 euros en febrero, 17.971 euros, en marzo, 13.936 euros, en abril, 18.009 euros, en mayo y 24.614 euros, en junio. En el marco de una investigación interna destinada a esclarecer dichas pérdidas, el 15 de junio

---

[344] OCHOA RUIZ, N.: «Tribunal Europeo de Derechos Humanos. Asunto López Ribalda y otros c. España [GC_], nos 1874/13 y 8567/13, de 17 de octubre de 2019». *Revista Aranzadi Doctrinal*, núm. 1/2020 (versión electrónica) BIB\2019\10878, pág. 3.

de 2009, el gerente instaló cámaras de vigilancia, tanto visibles como ocultas. Las cámaras visibles estaban orientadas hacia las entradas y salidas del supermercado. Las cámaras ocultas estaban situadas en altura y dirigidas hacia las cajas registradoras. Cada cámara incluía en su campo de visión tres cajas, así como los espacios delante y detrás de éstas. No se precisó el número de cámaras instaladas; de los documentos del expediente se deduce que al menos fueron grabadas cuatro cajas.

En el trascurso de una reunión, los empleados de supermercado fueron informados por la dirección, de la instalación de las cámaras visibles debido a las sospechas de robos. Ni ellos ni el comité del personal de la empresa fueron informados de la presencia de cámaras ocultas. Previamente, en 2007, la empresa había advertido a la Agencia Española de Protección de Datos que tenía la intención de colocar cámaras de vigilancia en sus tiendas. En esa ocasión, la Agencia les había recordado la obligación de informar, según la legislación sobre protección de datos personales. Se instaló en la tienda donde trabajaban las demandantes una señal advirtiendo la existencia de una cámara de vigilancia, pero las partes no han precisado ni su emplazamiento ni el contenido exacto.

El 25 de junio de 2009 la dirección de la tienda informó a la delegada sindical que las imágenes captadas por las cámaras ocultas mostraban los robos producidos en las cajas por varios empleados. La delegada sindical visionó las grabaciones. Los días 25 y 29 de junio de 2009 todos los trabajadores sospechosos de robos fueron convocados a una reunión individual. Catorce empleados fueron despedidos, entre ellas las cinco demandantes. Previamente a su reunión, las demandantes y otros empleados implicados mantuvieron una reunión con la delegada sindical, que les indicó que había visto las grabaciones del vídeo. En el trascurso de esta reunión, varios trabajadores admitieron haber participado en los robos junto a otros compañeros.

Durante las entrevistas individuales en las que participaron el gerente de la tienda, la representante legal de la empresa, y la delegada sindical, se notificó a los empleados su despido disciplinario con efecto inmediato. Las cartas de despido entregadas a las demandantes indicaban que las cámaras de vigilancia encubiertas les habían grabado en varias ocasiones, entre los días 15 y 18 de junio de 2009 ayudando a clientes o a otros empleados del supermercado a robar mercancía, o robando ellas mismas. En los hechos expuestos, afirmaban que las tres primeras demandantes, que trabajaban de cajeras, habían autorizado a clientes y a compañeros de trabajo a pasar por caja y abandonar el supermercado con mercancía que no habían pagado. Precisaban que una comparativa entre los productos efectivamente cogidos por los clientes y los tickets de caja permitían probarlo. Con respecto a las demandantes cuarta y quinta, las cámaras les habían grabado robando mercancías con ayuda de sus compañeras de caja. Según el empleador, estos hechos eran constitutivos de un incumplimiento grave de las obligaciones de buena fe y lealtad exigidas en una relación laboral y justificaba la ruptura del contrato con efecto inmediato.

Las demandantes tercera, cuarta y quinta firmaron cada una de ellas un acuerdo transaccional con la representante legal de la empresa. Estos actos fueron consignados por la delegada sindical. Mediante dichas transacciones, ambas confirmaban la ruptura del contrato de trabajo decidida por el empleador y declaraban firmar un acuerdo con el fin de evitar la incertidumbre con respecto a un litigio judicial futuro. Las demandantes reconocían los robos de los productos expuestos en las cartas de despido y daban validez a la decisión del empleador de poner fin al contrato de trabajo. La empresa se comprometía a no presentar denuncia contra las trabajadoras. Se adjuntaba al acuerdo el saldo de cualquier cuenta y las partes declaraban renunciar a cualquier reclamación entre ellas derivada del contrato de trabajo.

En ningún momento antes de su despido, ni durante la reunión con la delegada sindical ni durante sus entrevistas individuales, las demandantes pudieron visionar las grabaciones recogidas por las cámaras de vigilancia

Contrariamente a la anterior STEDH 9 enero 2018, la nueva sentencia se pronuncia, en primer lugar, sobre la admisión de las imágenes de videovigilancia como elementos de prueba. En ese sentido, el Tribunal recuerda que no ha declarado la violación del artículo 8 del Convenio debido a la videovigilancia de que fueron objeto las demandantes. No obstante, señala que las demandantes mantienen que la videovigilancia se instaló incumpliendo la obligación de informar previamente, establecida en derecho interno y que los órganos jurisdiccionales no examinaron dicha cuestión por considerarlo irrelevante. El Tribunal señala que, durante el procedimiento ante los tribunales de lo social, las demandantes tuvieron acceso a las grabaciones obtenidas mediante la videovigilancia en causa y tuvieron la oportunidad de impugnar su autenticidad y de oponerse a su uso como prueba. Los órganos jurisdiccionales internos examinaron las alegaciones de las demandantes según las cuales las grabaciones debían quedar excluidas del expediente porque se habían obtenido en violación de un derecho fundamental, y las decisiones sobre esta cuestión fueron ampliamente motivadas. De este modo, declararon que, según la jurisprudencia del Tribunal Constitucional, la videovigilancia no había violado el derecho a la intimidad de las demandantes. También constataron que las imágenes captadas mediante la videovigilancia no eran las únicas pruebas del expediente.

Por lo que respecta a la calidad de las pruebas, el Tribunal señala que las demandantes no impugnaron en ningún momento la autenticidad o exactitud de las imágenes grabadas mediante videovigilancia, siendo su principal queja la falta de información previa a la instalación de la vigilancia. Por su parte, los órganos jurisdiccionales internos constataron que las grabaciones ofrecían suficientes garantías de autenticidad. Considerando las circunstancias en las que se obtuvieron estas grabaciones, el Tribunal no observa ningún elemento que permita dudar de su autenticidad o fiabilidad. Por consiguiente, considera que se trataba de pruebas sólidas que no necesariamente tenían que ser corroboradas por otras pruebas.

El Tribunal señala no obstante que las grabaciones en causa no eran las únicas pruebas en las que se basaron los órganos jurisdiccionales internos. De hecho, se deduce de sus decisiones, que también tuvieron en cuenta las declaraciones de las demandantes, los testimonios del gerente de la tienda y de la delegada sindical, ante los cuales las demandantes habían admitido los hechos, así como el informe pericial que comparaba las imágenes captadas por la videovigilancia y los tickets de compra emitidos. El Tribunal señala que los tickets de caja, que constituyen elementos de prueba objetivos, no susceptibles de estar «viciados» por la visualización de las grabaciones, presentan un número importante de compras anuladas e irregulares. Con respecto a las demandantes tercera, cuarta y quinta, los órganos jurisdiccionales se basaron en el reconocimiento de los hechos que ellas mismas habían firmado en los acuerdos transaccionales. Habiendo examinado estos elementos en su conjunto, consideraron los hechos suficientemente probados. El Tribunal considera que la utilización como prueba de las imágenes captadas mediante videovigilancia, no vulneró el carácter equitativo del procedimiento en el presente asunto,

En cuanto a la admisión de los acuerdos transaccionales firmados por las demandantes tercera, cuarta y quinta, el Tribunal observa en primer lugar que las jurisdicciones internas validaron los acuerdos transaccionales firmados por estas tres demandantes, al considerar que su consentimiento no había estado viciado. No obstante, y contrariamente al juez de lo social, que había considerado que, al firmar los acuerdos, ellas habían renunciado a su derecho a actuar en justicia, el Tribunal Superior, resolviendo en apelación, declaró que dichos acuerdos no constituían una renuncia por parte de las demandantes a su derecho de acceso a un tribunal y examinó el asunto sobre el fondo. Sobre el fondo, consideró que los acuerdos firmados daban fe de la aceptación inequívoca de las demandantes de la decisión del empleador de poner fin a su contrato de trabajo por los motivos expuestos en la carta de despido. En estas circunstancias, el Tribunal estima que la queja, tal como fue formulada por las demandantes, se refiere a la validez y a la valoración de un elemento de prueba por parte de las jurisdicciones internas. Señala, en este sentido, que las tres demandantes tuvieron la posibilidad de impugnar la validez de los acuerdos transaccionales y de oponerse a su admisión como prueba. Los órganos jurisdiccionales internos analizaron todos los argumentos presentados por las interesadas y consideraron que en las circunstancias del asunto no se apreciaba intimidación, ni dolo por parte del empleador. Examinaron las circunstancias en las que se firmaron los acuerdos transaccionales y declararon que la presencia de la delegada sindical en el momento de la firma, el reconocimiento previo de los hechos por parte de las demandantes durante la reunión con la delegada, y el hecho de que otros trabajadores despedidos no habían firmado el acuerdo propuesto por el empleador, excluían cualquier indicio de coacción. Sus constataciones en ese sentido no parecen ni arbitrarias ni manifiestamente irrazonables. Finalmente, como se ha señalado anteriormente, los órganos jurisdiccionales internos basaron sus decisiones en otras pruebas.

Lo fundamental sobre la argumentación jurídica de la Gran Sala, pivota sobre las siguientes cuestiones:

Se plantea si ha existido un justo equilibrio entre ambos intereses divergentes, es decir, por una parte, el derecho de las demandantes al respeto de su vida privada y a la falta de información previa de la existencia de las cámaras ocultas, y por otro, la facultad del empleador de garantizar la protección de sus bienes y el buen funcionamiento de su empresa, ejerciendo especialmente su poder disciplinario. Para ello, acude a las siguientes argumentaciones:

– **Justificación por sospecha grave de hurto**. La instalación de la videovigilancia estaba justificada por razones legítimas, a saber, la sospecha del gerente de la tienda debida a las pérdidas significativas durante varios meses, de que se habían cometido robos. La existencia de sospechas razonables de que se habían cometido graves irregularidades, y el alcance de los robos constatados en el presente asunto, pueden parecer una justificación seria.

– **Medida limitada en el espacio y personal**. La medida estaba limitada en cuanto a los espacios y al personal vigilado —puesto que las cámaras solo enfocaban las cajas registradoras que podían ser la causa de las pérdidas—, y que su duración en el tiempo no había excedido lo necesario para confirmar las sospechas de robo.

– **Limitación en el tiempo de la grabación**. El empleador no había establecido previamente la duración de la videovigilancia, de hecho, duró diez días y cesó tan pronto como los empleados responsables fueron identificados.

– **Proporcionalidad de la medida.** Las funciones de las demandantes se cumplían en un lugar abierto al público e implicaban un contacto permanente con los clientes. En este sentido, el Tribunal considera que en el análisis de la proporcionalidad de una medida de videovigilancia, es necesario distinguir los diferentes lugares donde se realiza, en vista de la expectativa de privacidad que razonablemente pueda tener un empleado.

– **Finalidad de identificación de los autores de los hurtos**. El empleador solo utilizó videovigilancia y grabaciones para el único fin de identificar a los responsables de las pérdidas de la mercancía y sancionarles.

- **Medida necesaria.** No existía otro medio que permitiera alcanzar el fin legítimo perseguido y que, por tanto, la medida debía juzgarse como «necesaria» en el sentido de la jurisprudencia del Tribunal Constitucional.

- **Proporcionalidad de la medida.** El objetivo legítimo perseguido por el empleador no podía alcanzarse mediante medidas menos intrusivas para el derecho de las demandantes. El Tribunal considera que la intrusión en la intimidad de las demandantes no era de una gravedad muy alta.

- **Otros medios de prueba.** Las grabaciones en causa no eran las únicas pruebas en las que se basaron los órganos jurisdiccionales internos. De hecho, se deduce de sus decisiones, que también tuvieron en cuenta las declaraciones de las demandantes, los testimonios del gerente de la tienda y de la delegada sindical, ante los cuales las demandantes habían admitido los hechos, así como el informe pericial que comparaba las imágenes captadas por la videovigilancia y los tickets de compra emitidos.

A la vista de estas observaciones, no hay nada que permita al Tribunal cuestionar las conclusiones de las jurisdicciones internas en lo relativo a la validez y el alcance de los acuerdos transaccionales firmados por las demandantes tercera, cuarta y quinta. En consecuencia, concluye también la ausencia de la violación del artículo 6 sobre este punto. Por todo ello, Tribunal considera que la utilización como prueba de las imágenes captadas mediante videovigilancia, no vulneró el carácter equitativo del procedimiento en el presente asunto.

Con todo, la sentencia de la Gran Sala tiene especial trascendencia en cuanto al alcance del derecho al respeto de la vida privada, reconocido por el artículo 8 del Convenio de Roma, en su relación con el ejercicio de los poderes de dirección y disciplinario del empresario mediante el uso de cámaras de videovigilancia en la empresa, en particular porque aclara el alcance de la información que debe ser facilitada a los trabajadores sobre la finalidad del uso de la videovigilancia encubierta en la empresa: si basta con proporcionar una información general o si, por el contrario, debe existir una información específica; en cualquier caso, la sentencia de la Gran Sala, que se encuentra en sintonía con la doctrina de nuestro TC, no es aplicable en todos los casos, sino que es preciso superar un juicio estricto de proporcionalidad[345].

4. Doctrina del Tribunal Supremo (Sala 4ª)

También en el TS se produjeron diversos vaivenes en los criterios de aplicación.

❏ STS 13 mayo 2014 (RJ 2014, 3307)

En esta sentencia, se declaró el despido nulo por fundamentarse en grabaciones realizadas por cámaras previstas para otra finalidad que no fue la del control de la actividad laboral. Concretamente, «no se dio información previa a la trabajadora de la posibilidad de tal tipo de grabación ni de la finalidad de dichas cámaras instaladas permanentemente, ni, lo que resultaría más trascendente, tampoco se informó, con carácter previo ni posterior a la instalación, a la representación de los trabajadores de las características y el alcance del tratamiento de datos que iba a realizarse, esto es, en qué casos las grabaciones podían ser examinadas, durante cuánto tiempo y con qué propósitos, ni explicitando muy particularmente que podían utilizarse para la imposición de sanciones disciplinarias por incumplimientos del contrato de trabajo; por el contrario, al requerir tales representantes de los trabajadores a la empresa, una vez instaladas, se les indicó que su finalidad era evitar robos por terceros y no se trataba de un sistema para el control de la actividad laboral, que unas funcionarían y otras no y sin precisar tampoco el almacenamiento o destino de tales grabaciones, y que, a pesar de ello, "lo cierto es que en este concreto caso se usó con la indicada y distinta finalidad de controlar la actividad de la demandante y luego para sancionar a la misma con el despido" y sin que se acredite que la información de un cliente fue la que

---

[345]   OCHOA RUIZ, N.: «Tribunal Europeo de Derechos Humanos. Asunto López Ribalda y otros c. España [GC_], nos 1874/13 y 8567/13, de 17 de octubre de 2019», cit., pág. 30.

produjo la sospecha sobre la conducta de la trabajadora y la subsiguiente actuación empresarial»[346].

En ese sentido —continúa la sentencia[347]—, la ilegalidad de la conducta empresarial no desaparece por el hecho de que la existencia de las cámaras fuera apreciable a simple vista, puesto que según la STC 29/2013: «No contrarresta esa conclusión que existieran distintivos anunciando la instalación de cámaras y captación de imágenes en el recinto universitario, ni que se hubiera notificado la creación del fichero a la Agencia Española de Protección de Datos; era necesaria además la información previa y expresa, precisa, clara e inequívoca a los trabajadores de la finalidad de control de la actividad laboral a la que esa captación podía ser dirigida. Una información que debía concretar las características y el alcance del tratamiento de datos que iba a realizarse, esto es, en qué casos las grabaciones podían ser examinadas, durante cuánto tiempo y con qué propósitos, explicitando muy particularmente que podían utilizarse para la imposición de sanciones disciplinarias por incumplimientos del contrato de trabajo».

❏ STS 31 enero 2017 (RJ 2017, 1429)

La sentencia da un viraje a la doctrina anterior. Trata sobre la validez de las pruebas de videovigilancia utilizada por la empresa para justificar el despido de un trabajador. El trabajador conocía el sistema de videovigilancia, pero no su finalidad ni el destino que se daría a las imágenes.

La sentencia justifica el despido por el empresario porque este «no necesita el consentimiento expreso del trabajador para el tratamiento de las imágenes que han sido obtenidas a través de las cámaras instaladas en la empresa con la finalidad de seguridad o control laboral, ya que se trata de una medida dirigida a controlar el cumplimiento de la relación laboral y es conforme con el artículo 20.3 del texto refundido de la Ley del estatuto de los trabajadores, que establece que "el empresario podrá adoptar las medidas que estime más oportunas de vigilancia y control para verificar el cumplimiento por el trabajador de sus obligaciones y deberes laborales, guardando en su adopción y aplicación la conside-

---

[346]   F.J. 6º.2.
[347]   F.J. 6º.3.

ración debida a su dignidad humana"». Considera la sentencia que, «el consentimiento se entiende implícito en la propia aceptación del contrato que implica reconocimiento del poder de dirección del empresario». Y justifica la conducta empresarial en el sentido de que «la instalación de cámaras de seguridad era una medida justificada por razones de seguridad (control de hechos ilícitos imputables a empleados, clientes y terceros, así como rápida detección de siniestros), idónea para el logro de ese fin (control de cobros y de la caja en el caso concreto) y necesaria y proporcionada al fin perseguido, razón por la que estaba justificada la limitación de los derechos fundamentales en juego, máxime cuando los trabajadores estaban informados, expresamente, de la instalación del sistema de vigilancia, de la ubicación de las cámaras por razones de seguridad, expresión amplia que incluye la vigilancia de actos ilícitos de los empleados y de terceros y en definitiva de la seguridad del centro de trabajo pero que excluye otro tipo de control laboral que sea ajeno a la seguridad, esto es el de la efectividad en el trabajo, las ausencias del puesto de trabajo, las conversaciones con compañeros, etc. etc.»[348]. Según la doctrina[349] esta doctrina choca con el principio de responsabilidad proactiva (art. 5.2 RGPD), que impone al responsable la carga de demostrar que el tratamiento de los datos se ha realizado de forma lícita, leal y transparente en relación con el afectado.

❏ STS 1 febrero 2017 (RJ 2017, 1105)

El presente supuesto trata de una trabajadora que venía prestando servicios para la empresa desde el 13 de noviembre de 2000, con la categoría de dependiente. El centro de trabajo cuenta con un sistema de videovigilancia por razones de seguridad (para impedir robos y otros delitos, según declaración de la empresa a la AEPD), siendo la actora conocedora de dicho sistema, sin que fuera informada del destino que pueda darse a las imágenes o que pudieran ser utilizadas en su contra. El 25 de septiembre de 2013 la empresa le entregó carta de despido por

---

[348] F.J. 2º.2.
[349] En este apartado seguiré el resumen efectuado por PRECIADO DOMÉNECH, C. H.: *Los Derechos Digitales de las Personas Trabajadoras. Aspectos Laborales de la LOPD, de 5 de diciembre, de Protección de Datos y Garantía de los Derechos Digitales*, cit., págs. 178-179.

transgresión de la buena fe contractual, fraude, deslealtad y abuso de confianza, mediante manipulación de los tickets y hurtando diferentes cantidades en fechas concretas durante el periodo del 7 al 23 de septiembre de 2013.

La sentencia, justifica la conducta empresarial empleando exactamente la misma fundamentación que la STS 31 enero 2017.

❏ STS 2 febrero 2017 (RJ 2017, 1628)

Se trata de un trabajador que ha venido prestando servicios por cuenta y orden de la empresa desde el 1 de abril de 2008 con categoría de director técnico, hasta su despido por razones disciplinarias comunicado por escrito al demandante el 13 de octubre de 2014. Interpuesta demanda por despido la misma fue estimada por el Juzgado de lo Social que declaró su improcedencia, condenado a Dir Fitness S.L. y absolviendo a la codemandada Avenida de Madrid DIR, S.A. La anterior resolución fue confirmada por la sentencia dictada en suplicación que, entre otras motivaciones, rechaza la validez del empleo de las cámaras de videovigilancia instaladas en el acceso al gimnasio.

En este caso, las cámaras se encuentran instaladas en la entrada y en los espacios públicos del gimnasio (excepto en los vestuarios y aseos), siendo el Jefe de Seguridad el único autorizado para examinar las grabaciones. La Autorización concedida por al Agencia de protección de datos no contempla su uso con fines de control de horario laboral ni la utilización disciplinaria para con los trabajadores, los cuales no han sido advertidos explícitamente de esta posibilidad, ni por medio de la representación laboral unitaria (inexistente en el gimnasio) ni individual si bien son conocedores de la instalación de las cámaras.

En cuanto a las conductas imputadas en la carta de despido, consisten en mala gestión de los pagos domiciliados por los clientes, no cumplir con su obligación de hacer las reuniones individuales y de equipo con los técnicos a su cargo, no realizar los informes para la dirección del club y la Dirección de fitness, dejar pasar a entrenar al Club Dir Avenida Madrid a compañeros de otros clubes que no tiene permiso de acceso, a los cuales les abre el torniquete, dejar pasar al club Dir Avenida Madrid a personas no socios, sin pagar nada ni con invitación y sin registrarlos en recepción, a los cuales abre el torniquete con su pulsera y les permite el uso gratuito de las instalaciones, incumplimiento grave y reiterado de su jornada laboral[350].

La sentencia entiende que «el uso de la videocámara revistió carácter razonable y proporcionado a su objeto sin que por el lugar de su instalación exista riesgo para la vulneración del derecho al honor a la intimidad personal y familiar ni por las circunstancias de tiempo y oportunidad lo haya tampoco para el pleno ejercicio de sus derechos al haber actuado el demandante como lo ha hecho siendo conocedor de que su conducta estaba siendo grabada y de que por lo que respecta a las cámaras de la entrada, el acceso indebido con auxilio interno ya había sido objeto de sanción»[351].

En suma, la sentencia considera inexistente la vulneración del derecho a la intimidad, y por ello resulta: válida utilización por la empresa de cámaras de videovigilancia al conocer el trabajador su existencia en el centro de trabajo, aun cuando no hubiera sido informado expresamente sobre su uso y destino. Considerándose de ese modo, una medida razonable y proporcionada al objeto pretendido por el empresario.

III. CRITERIOS SOBRE USO DE CÁMARAS DE VIDEOVIGILANCIA Y GRABACIÓN DE SONIDOS EN EL ÁMBITO LABORAL A PARTIR DE LA LOPD

La cuestión sobre la forma de controlar la actividad laboral de los trabajadores mediante videocámaras ha suscitado grandes controversias, por la dificultad para encontrar un criterio pacífico porque tanto el TC, como el TS han construido la mayoría de sus criterios examinando la incidencia de la videovigilancia en los derechos fundamentales respecto a la intimidad y a la propia imagen (art. 18.1 CE). En cambio, cuando se invoca la vulneración del derecho a la protección de datos en los casos de videovigilancia (art. 18.4 CE) el conflicto jurídico adquiere otra dimensión, precisamente por la exigencia estructural de este derecho de

---

[350] F.J. 2º.
[351] F.J. 2º.

que se cumpla necesariamente el deber informativo a los trabajadores como único medio de conseguir una protección eficaz del derecho de autodeterminación informativa inherente al derecho a la protección de datos[352].

Es tal la conflictividad suscitada en los casos de videovigilancia en el ámbito laboral y la especialidad que si bien, la propia LOPD en el artículo 22, sobre tratamientos con fines de videovigilancia con carácter general, establece el tratamiento de los datos con fines de vigilancia, se remite al artículo 89 LOPD, en los casos en que sea el empresario el que realice el tratamiento de los datos obtenidos a través de las cámaras o videocámaras, al establecer que «el tratamiento por el empleador de datos obtenidos a través de sistemas de cámaras o videocámaras se somete a lo dispuesto en el artículo 89 de esta ley orgánica». Probablemente las razones que le asisten para ello residen en que entiende el legislador que los casos más frecuentes y conflictivos que han venido conociendo los tribunales han sido precisamente los que afectan a la vigilancia, mediante videocámaras del trabajo que desarrollan los empleados. Y ello sin perjuicio de que, en determinados supuestos, se aplique la norma general del artículo 22 LOPD, en los casos de captación de comisión flagrante de un acto ilícito o en los casos de supresión de sonidos, como tendremos ocasión de comprobar.

La LOPD, se ha mostrado cauta y prudente, pues viene a considerar el control de la actividad laboral mediante cámaras de videovigilancia, como un desarrollo del artículo 20.3 TRLET, que trata sobre medidas de vigilancia y control del empresario para verificar el cumplimiento de las obligaciones del trabajador. En concreto, se establece que los empresarios «podrán tratar las imágenes obtenidas a través de sistemas de cámaras o videocámaras para el ejercicio de las funciones de control de los trabajadores o los empleados públicos» (art. 89.1 LOPD). De manera que se permite ese tipo de medidas,

---

[352] Un interesante estudio sobre las consecuencias de la distinción entre el derecho a la intimidad del trabajador y su derecho a la protección de datos, frente al derecho al control y vigilancia de su actividad por el empresario en, ARRABAL PLATERO, P.: «La videovigilancia laboral como prueba en el proceso». *Revista General de Derecho Procesal*, 37, 2015.

pero siempre —apostilla la norma— que tales «funciones se ejerzan dentro de su marco legal y con los límites inherentes al mismo». Se ha considerado difícil de encontrar una fórmula más vacía de contenido regulador, al renunciar a decantar todo un cuerpo jurisprudencial y de práctica administrativa, en la que el juego de esos límites adquiera concreción práctica, evitando abusos y vulnerabilidad como por el contrario aportan por ejemplo los informes de la AEPD (Informes 0495/2009 y 0475/2014)[353]. Cabe interpretar que ese marco legal se refiere a la normativa aplicable en estos supuestos en el propio artículo 89 y en el artículo 20.3 TRLET.

Por otro lado, al igual que a cualquier persona, también se le aplica al empresario, por tratarse de un contenido más amplio en el que se encuentra englobado, lo dispuesto por el artículo 22.1 LOPD, según el cual, «Las personas físicas o jurídicas, públicas o privadas, podrán llevar a cabo el tratamiento de imágenes a través de sistemas de cámaras o videocámaras con la finalidad de preservar la seguridad de las personas y bienes, así como de sus instalaciones». De manera, que son dos finalidades las que prevé la LOPD para que la empresa pueda realizar el tratamiento de imágenes mediante videocámaras, pues al control y vigilancia, se añade, la de seguridad de las personas, incluyendo los trabajadores, así como la propia empresa. En cualquier caso, en ambos supuestos, deberán informar previamente sobre la colocación de las videocámaras. Sin embargo, mientras que en el caso, sobre la seguridad de las personas, bienes e instalaciones, el deber de información se entenderá cumplido mediante la colocación de un dispositivo informativo en lugar suficientemente visible (pegatina o cartel), en la otra finalidad, sobre control del cumplimiento de las obligaciones laborales, el deber de información presenta un alcance más amplio, exigiéndose que los empleadores informen con carácter previo, y de forma expresa, clara y concisa, a los tra-

---

[353] MIÑARRO YANINI.: «Artículo 89. Derecho a la intimidad frente al uso de dispositivos de vigilancia y de grabación de sonidos en el lugar de trabajo», *Protección de Datos. Comentarios a la Ley Orgánica de Protección de Datos y Garantía de Derechos Digitales (en relación con el RGPD)*. Directores: Mónica Arenas Ramiro y Alfonso Ortega Giménez. Sepin. Las Rozas (Madrid) 2019, pág. 378.

bajadores o a los empleados públicos, y en su caso, a sus representantes, acerca de esta medida[354].

Una cuestión de interés es la de conocer cómo se materializan esos carteles o pegatinas pomposamente denominadas como «dispositivos informativos», suavemente conocidos como distintivos informativos. En este sentido, la AEPD[355], señala que este distintivo se exhibirá en lugar visible, y como mínimo, en los accesos a las zonas vigiladas ya sean interiores o exteriores. En caso de que el espacio videovigilado disponga de varios accesos deberá disponerse de dicho distintivo de zona videovigilada en cada uno de ellos. Además, según un informe de la AEPD[356], se disponen una serie de criterios en relación al cartel o pegatina. Y así, sobre sus dimensiones, no existe ningún criterio de la Agencia, debiendo de ser un cartel informativo acorde con el espacio en el que se vayan a ubicar, dado que no es equiparable colocar un cartel informativo en un autobús o en la entrada de un edificio. Y respecto a la ubicación del cartel informativo, señala la Agencia, que no es necesario que se coloque debajo de la cámara, será suficiente colocar el distintivo informativo en lugar suficientemente visible, tanto en espacios abiertos como cerrados. Por tanto, resultaría aconsejable que, si se trata de un edificio sometido a videovigilancia, se ubique el distintivo informativo en la entrada del mismo.

1. El uso de videocámaras en el trabajo doméstico

Sobre las garantías del trabajo doméstico de empleados de hogar que realizan en las viviendas, en materia de tratamiento de datos personales, podría llevar a confusión el artículo 2.2.c) RGPD dice expresamente que este Reglamento no se aplicará, al tratamiento «efectuado por una persona física en el ejercicio de actividades exclusivamente personales o

---

[354] SERRANO OLIVARES, R.: «Los derechos digitales en el ámbito laboral: Comentario de urgencia a la Ley Orgánica 3/2018, de 5 de diciembre, de Protección de Datos Personales y Garantía de los Derechos digitales», cit., pág. 222.

[355] AEPD, *Guía sobre el uso de videocámaras para seguridad y otras finalidades*, pág. 21.

[356] AEPD, Informe jurídico, disponible en la *Guía sobre el uso de videocámaras para seguridad y otras finalidades*, pág. 22.

domésticas». Por su parte el artículo 22.5 LOPD, al amparo de la citada norma considera excluido de su ámbito de aplicación el tratamiento por una persona física de imágenes que solamente capten el interior de su propio domicilio, sin que la exclusión abarque «el tratamiento realizado por una entidad de seguridad privada que hubiera sido contratada para la vigilancia de un domicilio y tuviese acceso a las imágenes». Si bien, el considerando (18) RGPD, especifica que, aunque no se aplique al tratamiento de datos de carácter personal por una persona física en el curso de una actividad exclusivamente personal o doméstica y, por tanto, sin conexión alguna con una actividad profesional o comercial, sin embargo, se aplica a los responsables o encargados del tratamiento que proporcionen los medios para tratar datos personales relacionados con tales actividades personales o domésticas. De modo que, como señala la AEPD[357] no sería objeto de tratamiento de datos personales y por tanto estaría excluida de la aplicación por el RGPD, las imágenes obtenidas por la utilización de los videoporteros, cuando su función se limite a verificar la identidad de la persona que llama al timbre, así como facilitar el acceso a la vivienda. En cambio, cuando el servicio se articula mediante dispositivos que reproducen y/o graban imágenes de modo constante, y en particular cuando el objeto de las mismas alcance al conjunto del patio y/o a la vía pública colindante, o se graben imágenes sobre situaciones que concurran en la portería de un edificio, al exceder estas actuaciones del ámbito personal y doméstico, resultará de plena aplicación el RGPD. Lo mismo cabe decir de las mirillas digitales.

En el caso de los empleados de hogar, como relación laboral especial, regulada por el RD 1620/2011, constituye una relación laboral, y por ello, se encuentran en igualdad de garantías que cualquier otro trabajador a los efectos de que se le aplique el artículo 20.3 TRLET, desde la perspectiva del empleador, por lo que se les aplicará la normativa en materia de protección de datos, en este caso específico (art. 89 LOPD) el uso de videocámaras en el domicilio privado en donde prestan servicio, debiendo ser informado por el empleador del uso de videocámaras para su control y vigilancia de la actividad doméstica.

---

[357]   AEPD, *Guía sobre el uso de videocámaras para seguridad y otras finalidades*, págs. 38-39.

Debe tenerse en cuenta, que la vivienda goza de esa doble condición de domicilio privado respecto a su titular, pero también es el centro de trabajo de los empleados de hogar, cuando realizan las funciones domésticas que les son propias, y precisamente por desarrollar la actividad en un espacio tan íntimo como es el hogar familiar, los derechos de estas trabajadoras no colisionarían únicamente con el poder de control y vigilancia que el artículo 20.3 TRLET reconoce a los empleadores, sino, con derechos constitucionales como, por ejemplo, el derecho a la intimidad personal y familiar que también le corresponde al empleador y a todos los miembros de la familia o con el derecho a la inviolabilidad de domicilio —que ya de por sí limita la intervención de la Inspección de Trabajo y Seguridad Social en esta relación laboral—, generando así una situación de conflicto de derechos fundamentales[358]. Pues bien, creo que precisamente a causa de todas estas peculiaridades, a las empleadas de hogar, les son aplicables su normativa laboral especial, subsidiariamente la ordinaria del TRLET, así como su alta en el sistema especial del Régimen General de la Seguridad Social.

Existe una sentencia[359], de la jurisdicción penal, en la que, precisamente se da la circunstancia de que se coloca una cámara de videovigilancia para controlar a la empleada de hogar, de la que se sospecha sustrae diversas cantidades de dinero. No se advierte a la empleada, y se colocan cebos o trampas para sorprenderla. El tribunal declaró dudosa la legalidad del uso de una cámara de seguridad encubierta para vigilar los actos de una empleada, sin haberle informado previamente de su uso, por posible vulneración de la Ley de Protección de Datos de Carácter Personal. No obstante, sobre esta cuestión entiendo, que, con las debidas garantías, como puede ser la aplicación escrupulosa del triple juicio de proporcionalidad y adoptando las cautelas de la STEDH, en el caso López Ribalda, cabría la colocación de cámaras ocultas, de forma puntual para comprobar la posible irregularidad de la trabajadora.

---

[358] LENZI, O.: «La video-vigilancia de las empleadas al servicio del hogar familiar a la luz de la sentencia de la Audiencia Provincial de Pontevedra de 9 de enero de 2019, rec. 618/20181», cit. pág. 176.

[359] Sentencia Audiencia Provincial (SAP) Pontevedra, núm. 25/2019, 9 enero.

2. *Criterio de proporcionalidad en el uso de las videocámaras*

Con respecto a los límites inherentes al «marco legal» al que alude el artículo 89.1 LOPD, cabría entender[360] que se refiere al principio de proporcionalidad y al contenido esencial, porque la videovigilancia y grabación de sonidos afectan a la privacidad del trabajador, teniendo en cuenta además que el tratamiento de los datos debe limitarse por el derecho de la protección de datos (art. 18.4 CE) siguiendo los principios del artículo 5 RGPD, que son de obligado cumplimiento para el legislador interno, así como los derechos de las personas. En ese sentido, se pronuncia la AEPD[361], subrayando que la proporcionalidad es un elemento fundamental en todos los ámbitos en los que se instalen sistemas de videovigilancia u otro tipo de controles, dado que son numerosos los supuestos en los que la vulneración del mencionado principio puede llegar a generar situaciones abusivas, tales como la instalación de sistemas de videovigilancia en espacios comunes, o aseos del lugar de trabajo. Por todo ello se trata de evitar la vigilancia omnipresente, con el fin de impedir la vulnerabilidad de la persona.

En consecuencia, como señala la AEPD[362], el tratamiento de imágenes de los trabajadores con fines de control laboral se admite con carácter general, al aparecer legitimado por el artículo 20.3 TRLET, en la medida en que cumpla todos los requisitos de la LOPD incluyendo en todo caso la previa información a los trabajadores y a sus representantes. Sin embargo, ello no implica que en el ámbito laboral quepa todo tratamiento de datos personales para el control por el empresario del cumplimiento de los deberes laborales del trabajador, porque una cosa es la finalidad del tratamiento, que en este caso sería la prevista en el artículo 20.3 TRLET, y otra la necesaria aplicación del principio de proporcionalidad. Y ello se traduce en que, el tratamiento de todas las imágenes que ocupan la jornada laboral de un trabajador, como mecanismo de seguimiento continuo y permanente de su actividad podría resultar

---

[360] PRECIADO DOMÉNECH, C. H.: *Los Derechos Digitales de las Personas Trabajadoras. Aspectos Laborales de la LOPD, de 5 de diciembre, de Protección de Datos y Garantía de los Derechos Digitales*, cit., pág. 154.

[361] AEPD Informe 0495/2009.

[362] AEPD Informe 0475/2014.

excesivo porque supondría una monitorización de los trabajadores, salvo en el caso de que se ofrezca una causa concreta, temporalmente limitada y ponderada, como podría suceder si existiera un problema concreto con un trabajador determinado relativo al cumplimiento de sus deberes laborales. En cualquier caso, es evidente que existe un conflicto latente en esta materia, a saber, los límites de control empresarial derivados del ejercicio de los derechos fundamentales del trabajador en el trabajo[363].

3. Criterios sobre cómo debe ser la información que debe proporcionarse al trabajador sobre el uso de cámaras de videovigilancia

El artículo 89.1 LOPD, explica cómo deberá llevarse a cabo esa videovigilancia: establece que «los empleadores habrán de informar con carácter previo, y de forma expresa, clara y concisa, a los trabajadores o los empleados públicos y, en su caso, a sus representantes, acerca de esta medida». De manera que no bastaría con los carteles que se ponen de manera visible como medio de advertir a los clientes de un establecimiento que se encuentran vigilados por si se les ocurriera sustraer algún artículo o cometer alguna conducta delictiva o irregular. En el caso del uso de tales dispositivos, con la finalidad de controlar y vigilar la actividad del trabajador, se exige, según el artículo 89.1 LOPD:

- *Información previa del uso de las cámaras de videovigilancia.* El trabajador debe conocer que le pueden estar observando, con la finalidad de verificar que el trabajo encomendado por la empresa es adecuado. Por tanto, ese control, pese a no requerir la autorización del trabajador, exige que el trabajador al menos sea informado, que sepa que le pueden observar mientras trabaja.

- *La información debe ser expresa por parte de la empresa.* De forma que no la obtenga por medios indirectos o implícitos, como puede ser a través del comentario de un compañero de trabajo o de otra persona ajena a la empresa. Se trata de que se le informe directamente sin intermediarios.

---

[363] ORELLANA CANO, A. M.: *El derecho a la protección de datos personales como garantía de la privacidad de los trabajadores,* cit., pág. 136.

- *La información debe ser clara y concisa.* Sin ambigüedades, que no quepa la duda al trabajador de que le pueden estar vigilando por este dispositivo. La concisión significa que no debe extenderse la explicación de que le pueden observar más allá de lo necesario, en el sentido de que ha de ser suficiente, para comprender que le pueden estar vigilando a través de videocámara.

- *La información debe darse obligatoriamente a los trabajadores* sujetos al ámbito laboral y también a los *empleados públicos*, sujetos a la normativa administrativa, en su caso, *a sus representantes*.

Cabe precisar, según la AEPD, que la información, deberá realizarse personalmente a los trabajadores y a la representación sindical, por cualquier medio que garantice la recepción de la información precisando que nunca deberá efectuarse a direcciones particulares de los trabajadores ni a través de llamadas a sus móviles privados[364].

Vistas las exigencias que establece el artículo 89 LOPD, echo de menos algo que me parece fundamental, y que inexplicablemente no figura en su contenido, y es, la ausencia de especificar, cuál es la finalidad del tratamiento de las imágenes o de la grabación de sonidos. Algo que debería exigirse, con independencia de que se haya producido un acto ilícito, como señala el párrafo segundo, del artículo 89.1 LOPD, al remitirse al artículo 22.4 del mismo cuerpo legal. El trabajador, debe conocer previamente, no solo que se le puede grabar, sino cuál va a ser la finalidad de esa grabación. Es decir, para qué se le va a grabar. Y la finalidad no debería ir más lejos de la vigilancia y control del cumplimiento del trabajo encomendado por el empresario, salvo que incurriera en algún acto ilícito que se hubiera captado de forma flagrante por las videocámaras. Es más, no solo la finalidad sino también a través de qué medios tecnológicos va a ser controlado. Y en ese sentido apunta la AEPD[365], que tanto los trabajadores como sus representantes, deberán ser informados del tipo de tecnología utilizada por el empresario en relación con la vigilancia y seguimiento de su actividad laboral, debiendo abstenerse el empleador de recoger datos personales que resulten excesivos en ra-

---

[364] AEPD. *Fichas prácticas de videovigilancia.* VI. «Cámaras para el control empresarial», cit.
[365] AEPD Informe 475/2014.

zón de la propia naturaleza de la relación laboral, sin que por otro lado se aclare por la LOPD, los efectos de un eventual incumplimiento de este deber empresarial de información[366]. Incluso se ha llegado a expresar[367] el deseo de que el propio texto de la LOPD, contemplara no solo la finalidad o el tipo de tecnología sino la forma del derecho a la información, poniendo en duda en este caso la aplicación del artículo 12 RGPD, apartados 1 y 7, sobre transparencia de la información que debe facilitarse por el responsable del tratamiento a los interesados.

3.1. *Información previa a los representantes de los trabajadores*

No queda claro, en qué supuestos deben ser informados de la medida los representantes de los trabajadores. La expresión: cuando se establezca «en su caso», resulta ambigua. Quizá se refiera a que esa información previa a los representantes de los trabajadores debe ser preceptiva, cuando se establezca, por ejemplo, por convenio colectivo, en cuyo caso, la medida debería extenderse a los representantes de los trabajadores.

Con respecto a esta obligación de informar, en su caso, a los representantes de los trabajadores, la doctrina[368], apunta que al incluirse en un precepto con naturaleza de derecho fundamental, se añade a la legalidad ordinaria que ya existía con respecto a este deber de información, en el artículo 64.1.3.d) TRLET, considerado por el TC como derecho de configuración legal (STC 173/1992, de 29 de febrero), su naturaleza de derecho fundamental del artículo 89.1 LOPD, por tener naturaleza de ley orgánica, desarrollando en este caso el derecho fundamental de protección de datos contenido en el artículo 18.4 CE.

---

[366]   SERRANO OLIVARES, R.: «Los derechos digitales en el ámbito laboral: Comentario de urgencia a la Ley Orgánica 3/2018, de 5 de diciembre, de Protección de Datos Personales y Garantía de los Derechos digitales», cit., pág. 223.

[367]   ORELLANA CANO, A. M.: *El derecho a la protección de datos personales como garantía de la privacidad de los trabajadores*, cit., pág. 139.

[368]   PRECIADO DOMÉNECH, C. H.: *Los Derechos Digitales de las Personas Trabajadoras. Aspectos Laborales de la LOPD, de 5 de diciembre, de Protección de Datos y Garantía de los Derechos Digitales*, cit., págs. 158-159.

Vemos pues, que, al contenido adicional del derecho fundamental del trabajador a la protección de datos, se integra un deber de información colectivo, que también es tutelado en amparo ordinario y constitucional, no solo cuando viene reconocido por ley (art. 89.1 LOPD), sino cuando ese reconocimiento se da en la negociación colectiva. En ese sentido, la AEPD[369] señala que los representantes de los trabajadores obtendrán cumplida información sobre la introducción de cualquier nuevo sistema de registro de datos que afecte al conjunto de los trabajadores, teniendo estos últimos la posibilidad de acceder a los datos que se procesen sobre ellos y el derecho a rectificar los posibles errores que les afecten. De hecho, debe tenerse en cuenta, como señala la AEPD[370], que en el ámbito laboral además de la información personalizada a los trabajadores de la que deberá quedar la adecuada constancia, exigirá su comunicación a los representantes de los trabajadores, en tanto que el artículo 64.1 TRLET dispone que «El comité de empresa tendrá derecho a ser informado y consultado por el empresario sobre aquellas cuestiones que puedan afectar a los trabajadores…» y en el punto 5 que «El comité de empresa tendrá derecho a emitir informe, con carácter previo a la ejecución por parte del empresario de las decisiones adoptadas por éste, sobre las siguientes cuestiones: f) La implantación y revisión de sistemas de organización y control del trabajo, estudios de tiempos, establecimiento de sistemas de primas e incentivos y valoración de puestos de trabajo».

En consecuencia, la obligación de la información previa a los representantes de los trabajadores sobre la eventual colocación de cámaras de videovigilancia, tiene adecuado soporte en la normativa laboral y deberá observarla el empresario, sin perjuicio de que el convenio colectivo establezca garantías adicionales sobre los derechos y libertades relacionados con el tratamiento de los datos personales de los trabajadores así, como la salvaguarda de derechos digitales en el ámbito laboral (art. 91 LOPD).

---

[369] AEPD Informe 475/2014.
[370] AEPD, Informe 0006/2009.

3.2. Principios y derechos del trabajador en relación a la información del tratamiento de datos

Aunque las notas que debe reunir la información del empleador al trabajador son las mencionadas, no deben perderse de vista las que figuran en el artículo 12.1 del RGPD, en particular, cuando el responsable del tratamiento deba facilitar la información al interesado, concretamente debe especificar que debe realizarse «de forma concisa, transparente, inteligible y de fácil acceso, con un lenguaje claro y sencillo». Y es que, la obligación de informar sobre las concretas actividades de control del empresario debe hacerse extensiva a los trabajadores de forma individualizada en virtud del principio de buena fe[371].

La información debe atenerse a los principios de tratamiento de datos del artículo 5 del RGPD, no siendo disponibles por la legislación interna, lo mismo que los derechos del interesado del artículo 13 RGPD, lo que hace que alguno se cuestione[372] la adecuación al RGPD de las normas internas (arts. 22 y 89 LOPD), que en videovigilancia limitan el contenido del derecho a la información (arts. 13 y 14 RGPD) y del principio de transparencia.

En cualquier caso, la norma española no puede rebajar la exigencia del deber informativo establecido por el RGPD, lo que permite afirmar[373], que los límites inherentes al control empresarial a través de la videovigilancia pasan por el necesario respeto de los derechos fundamentales del trabajador y significadamente los derechos a la intimidad, a la imagen y a la protección de datos personales, que sólo pueden ser objeto de limitaciones en la medida estrictamente necesaria para satis-

---

[371] Por todos, FERNÁNDEZ GARCÍA, A.: «Sistemas de geolocalización como medio de control del trabajador: un análisis jurisprudencial». *Revista Doctrinal Aranzadi Social* núm. 17/2010 parte Estudio (versión digital) BIB 2009\1901, pág. 4.

[372] PRECIADO DOMÉNECH, C. H.: *Los Derechos Digitales de las Personas Trabajadoras. Aspectos Laborales de la LOPD, de 5 de diciembre, de Protección de Datos y Garantía de los Derechos Digitales*, cit., pág. 157.

[373] GONZÁLEZ GONZÁLEZ, C.: «Control empresarial de la actividad laboral mediante la videovigilancia y colisión con los derechos fundamentales del trabajador. Novedades de la Ley Orgánica 3/2018, de 5 de diciembre, de Protección de Datos Personales y garantía de los derechos digitales», cit., pág. 26.

facer un derecho o un interés legítimo del empleador. Por lo mismo, la medida de control sólo es válida si supera el juicio de proporcionalidad (idoneidad, necesidad y proporcionalidad).

A la vista de lo anterior, se desprende que la falta de información incide en el contenido esencial del derecho a la protección de datos personales, por lo que la prueba obtenida a través de la grabación no informada debe considerarse ilícita, salvo en los supuestos excepcionales (como el de la captación de actos ilícitos) que prevé el precepto que deben ser objeto de interpretación restrictiva[374].

4. Supuestos excepcionales sobre captación de actos ilícitos

Puede suceder que, como consecuencia de la comprobación por las videocámaras de vigilancia general y no específica del control de los trabajadores, se capte la comisión flagrante de un acto ilícito por los trabajadores o empleados públicos. En esos supuestos se entenderá cumplido el deber de informar[375] —siguiendo la reciente jurisprudencia y el artículo 22.4 LOPD—, cuando se coloque «un dispositivo informativo en lugar suficientemente visible[376] identificando, al menos, la existencia del tratamiento, la identidad del responsable y la posibilidad de ejercitar los derechos previstos en los artículos 15 a 22 del Reglamento (UE) 2016/679. En todo caso, el responsable del tratamiento deberá mantener a disposición de los afectados la información a la que se refiere el citado reglamento»[377].

---

[374] PRECIADO DOMÉNECH, C. H.: *Los Derechos Digitales de las Personas Trabajadoras. Aspectos Laborales de la LOPD, de 5 de diciembre, de Protección de Datos y Garantía de los Derechos Digitales*, cit., pág. 155.

[375] Como señala el artículo 89.1 párrafo segundo LOPD: «En el supuesto de que se haya captado la comisión flagrante de un acto ilícito por los trabajadores o los empleados públicos se entenderá cumplido el deber de informar cuando existiese al menos el dispositivo al que se refiere el artículo 22.4 de esta ley orgánica».

[376] También podrá incluirse en el dispositivo informativo un código de conexión o dirección de internet a esta información.

[377] Artículo 22.4 LOPD. Los derechos del interesado a los que se refiere el Reglamento, son los de obtener del responsable del tratamiento, confirmación de si se están tratando datos personales que le conciernen, y en tal caso el acceso a los datos personales y a información que se especifica en el propio reglamento; así como al

Parece a primera vista[378] que el hecho de que se entienda cumplido el deber informativo con el dispositivo «zona videovigilada» cuando se capta un acto ilícito significa que la prueba es válida y se puede sancionar al trabajador. Por otro lado, da la impresión de haberse rebajado las exigencias del deber de información que figura en el RGPD, pues la LOPD no explica la necesidad de reducir el contenido de la información por el hecho de que la conducta sea ilícita[379], pero tampoco en este caso, se indica cuál es la finalidad del tratamiento, sino tan solo, la existencia del tratamiento, identidad del responsable del mismo y la posibilidad siempre abierta de ejercitar los derechos específicos establecidos, tanto por el RGPD, como por la LOPD.

Por otro lado, desde el punto de vista del enfoque de gestión de recursos humanos, significa un alivio, mientras que para la defensa del trabajador representa un límite de importancia[380].

Se trata de una solución intermedia, para el caso de que se haya sorprendido al trabajador en plena realización de un *acto ilícito* (expresión ambigua), como podría ser un delito, ajeno al mero control de su actividad laboral. La comisión de un delito flagrante, mientras el trabajador desempeña su actividad, es algo que no estaba previsto en la normativa antes de la LOPD, pues pertenece más al ámbito penal que al laboral. Por eso los magistrados vacilaban entre admitir el despido como nulo o improcedente, por no estar tales cámaras generalistas previstas para el control y vigilancia del trabajador en su ordinaria actividad laboral. Pese

---

[378] derecho de rectificación, derecho a la supresión, conocido, como derecho al olvido; derecho a la limitación del tratamiento; obligación de notificación relativa a la rectificación o supresión de datos personales o la limitación del tratamiento; derecho a la portabilidad de los datos; derecho de oposición y decisiones individuales automatizadas, incluida la elaboración de perfiles. A estos derechos, se les dedicaron amplios comentarios en el Capítulo 2 de la presente obra.

[378] SJS núm. Pamplona, 18 febrero 2019 (rec. 875/2018).

[379] PRECIADO DOMÉNECH, C. H.: *Los Derechos Digitales de las Personas Trabajadoras. Aspectos Laborales de la LOPD, de 5 de diciembre, de Protección de Datos y Garantía de los Derechos Digitales*, cit., pág. 155.

[380] MIÑARRO YANINI.: «Artículo 89. Derecho a la intimidad frente al uso de dispositivos de vigilancia y de grabación de sonidos en el lugar de trabajo», *Protección de Datos. Comentarios a la Ley Orgánica de Protección de Datos y Garantía de Derechos Digitales (en relación con el RGPD)*, cit., pág. 379.

a ello, esta solución no se compadece con la exigencia informativa de la finalidad de la videovigilancia, que forma parte del contenido esencial del derecho fundamental a la protección de datos personales, lo que supone que la LOPD no está respetando el derecho a la privacidad y a la protección de datos personales conforme a la doctrina del TEDH, y tampoco respecto al Reglamento (UE) 2016/679. La consecuencia es que, si se plantea un conflicto en el que se detecte un acto ilícito, y no ha informado previamente al trabajador en las condiciones conocidas, determinará que la prueba obtenida será nula de pleno derecho[381] por vulnerar un derecho fundamental, según la doctrina del TEDH[382] y del mencionado Reglamento.

El caso, es que resulta algo complicado, cuando se tienen sospechas de la conducta irregular de un trabajador por algún acto ilícito durante el desempeño de su actividad laboral, pretender sorprenderle, si con carácter previo se le informa de que se le va a vigilar mediante cámaras, y además explicarle la función concreta de esa videocámara, parece un contrasentido, pues el trabajador queda advertido, y poco astuto sería si mantuviera su presunta conducta ilícita. Es lo que defiende un sector de la doctrina[383] que considera que si hay previas sospechas fundadas de la comisión de actos ilícitos por parte del trabajador (hurtos a clientes o empleados) es obvio que el deber de transparencia no puede amparar, ni facilitar al trabajador la comisión de un acto ilícito y tampoco hacer

---

[381] GONZÁLEZ GONZÁLEZ, C.: «Control empresarial de la actividad laboral mediante la videovigilancia y colisión con los derechos fundamentales del trabajador. Novedades de la Ley Orgánica 3/2018, de 5 de diciembre, de Protección de Datos Personales y garantía de los derechos digitales», cit., pág. 28.

[382] Ese sería el criterio general, si bien, debe tenerse en cuenta de acuerdo con la doctrina del TEDH, que en determinadas circunstancias examinadas por la STDH 17 octubre 2019, (Ribalda II), sería posible la ocultación de cámaras, cuando existan sospechas fundadas de conductas ilícitas, siempre que reúnan las condiciones del test de proporcionalidad.

[383] «Propugna esta corriente que prevalezca el interés público de la sociedad y las salvaguardias contra la ilegalidad, y con ello admitir la posibilidad de un control oculto mediante cámaras cuando tiene un verdadero carácter defensivo. Se afirma que ese carácter defensivo está latente en la sentencia nº 186/2000 del TC, que admite el recurso al control oculto con base en los hurtos que se vienen registrando en las cajas de un economato» [SJS núm. Pamplona, 18 febrero 2019 (rec. 875/2018)].

imposible la comprobación de actos ilícitos. Ciertamente, el precepto no ofrece ninguna solución para el supuesto de que el empresario tenga claras sospechas de que se ha cometido una infracción y quiera llevar a cabo un control, «sorpresivo», pese a que una aplicación literal nos lleve a entender que el deber de información debe existir siempre y, por tanto, no cabe la instalación de cámaras ocultas, y sobre lo que se entienda por sospechas razonables o por graves irregularidades es algo que los tribunales irán fijando según las circunstancias de cada caso[384].

En ese sentido, se ha aportado por la doctrina[385] una solución consistente en invocar el auxilio judicial, de manera que en el caso de que existan sospechas de la comisión de hurtos u otras conductas delictivas, el empresario debería interponer una denuncia y solicitar las medidas adecuadas de investigación de la conducta delictiva que podría incluir la de la videovigilancia, que puede acordarse si es eficaz a los fines de la instrucción penal si concurren los requisitos legales, salvaguardando de ese modo los derechos del empleador con el amparo y el control judicial.

Sobre el significado de la comisión flagrante de un «acto ilícito», no se especifica si se trata de un ilícito penal o laboral, pues las consecuencias deberían ser diferentes. Un sector de la doctrina[386] se inclina a pensar que siendo el artículo 89.1 último párrafo LOPD, una norma limitativa del derecho a la protección de datos, que afecta a un contenido esencial del mismo, el derecho a la información sobre su tratamiento, la interpretación debe ser restrictiva, limitándose por tanto el ilícito, a un ilícito penal o a lo sumo, a un ilícito laboral muy grave.

---

[384] AGUILERA IZQUIERDO, R.: «El derecho a la protección de datos en el ámbito laboral. Los sistemas de videovigilancia y geolocalización», cit. pág. 124.

[385] GONZÁLEZ GONZÁLEZ, C.: *Guía práctica sobre Protección de Datos: ámbito laboral*. Thomson Reuters Aranzadi, Cizur Menor. 2019, pág. 344. Aprecia el autor una contradicción (falta de razón legítima) en el hecho de que en las relaciones laborales se permita al empleador el uso de cámaras ocultas de videovigilancia cuando sospeche que en el centro de trabajo se perpetren conductas delictivas, mientras que la policía judicial necesita la aprobación del juez de instrucción para el uso de cámaras encubiertas en la persecución de los delitos en sus investigaciones.

[386] PRECIADO DOMÉNECH, C. H.: *Los Derechos Digitales de las Personas Trabajadoras. Aspectos Laborales de la LOPD, de 5 de diciembre, de Protección de Datos y Garantía de los Derechos Digitales*, cit., pág. 156.

En cualquier caso, la excepción ampararía tanto el uso para fines disciplinarios de imágenes obtenidas a través de sistemas de cámaras o videocámaras instalados con fines (exclusivos) de seguridad (personas, bienes o instalaciones), como la instalación temporal de cámaras con fines de control laboral cuando existieran fundadas sospechas previas de incumplimientos laborales. En ambos casos, el deber de información previa se entenderá cumplido con la colocación del dispositivo informativo (pegatina o cartel), con tal que la grabación evidencie la comisión flagrante de un incumplimiento laboral[387]. Pero por encontrar alguna pista que nos ayude interpretar de la forma más aproximada posible, eso que aparece en la norma como «acto ilícito», parece conveniente traer a colación en este punto, un primer intento que se produjo en el Juzgado de lo Social nº 3 de Pamplona[388], al señalar, que por «acto ilícito» «sólo cabe entender lo que la propia expresión indica: cualquier acto que contraría el ordenamiento es un acto ilícito. Es ilícito el acto que constituye delito. También lo es el que constituya una infracción administrativa. Y, por último, los incumplimientos de las obligaciones laborales quedan incluidos en esa noción». De manera que, al no especificarse ni delimitarse debe interpretarse la expresión «acto ilícito» de forma amplia.

En cuanto al plazo de conservación de las imágenes en estos supuestos, se exceptúa la previsión del artículo 22.3 LOPD, de supresión de los datos en el plazo máximo de un mes desde su captación, salvo que hayan de ser conservados para acreditar la comisión de actos que atenten contra la integridad de personas, bienes o instalaciones, en cuyo caso, las imágenes deberán ser puestas a disposición de la autoridad competente en un plazo máximo de setenta y dos horas desde que se tuviera conocimiento de la existencia de la grabación, sin embargo, como apunta la doctrina[389], y a diferencia de los datos obtenidos al amparo de lo dispuesto en el artículo 22 LOPD, no se ha previsto un plazo máximo

---

[387]   SERRANO OLIVARES, R.: «Los derechos digitales en el ámbito laboral: Comentario de urgencia a la Ley Orgánica 3/2018, de 5 de diciembre, de Protección de Datos Personales y Garantía de los Derechos digitales», cit., pág. 223.

[388]   SJS núm. 3 Pamplona, 18 febrero 2019 (rec. 875/2018).

[389]   SERRANO OLIVARES, R.: «Los derechos digitales en el ámbito laboral: Comentario de urgencia a la Ley Orgánica 3/2018, de 5 de diciembre, de Protección de Datos Personales y Garantía de los Derechos digitales», cit., pág. 225.

para la supresión de las imágenes desde su captación en el caso de la videovigilancia en el ámbito laboral[390], a salvo los sonidos conservados por los sistemas de grabación, a los que sí se le aplica el régimen de supresión previsto en el citado artículo 22.3 LOPD.

5. Consecuencias de la captación de imágenes sobre conductas ilícitas de los trabajadores sin su consentimiento

En medio, entre el control y vigilancia ordinaria por el empleador de la actividad del trabajador a través de cámaras o videocámaras y la captación de la comisión flagrante de actos ilícitos, se encuentra un espacio en el que supuestamente se utiliza la videovigilancia para controlar la actividad del trabajador, pero que, sin embargo, ese control podría ser desproporcionado. Así por ejemplo[391], en el caso de un trabajador que prestaba servicios para una empresa desde 1994, con la categoría de dependiente. El centro de trabajo cuenta con un sistema de videovigilancia por razones de seguridad, siendo el trabajador conocedor de dicho sistema, pero sin que se le hubiera informado del destino que pueda darse a las imágenes o que pudieran ser utilizadas en su contra. El 4 de octubre de 2013 la empresa le entregó carta de despido por transgresión de la buena fe contractual, fraude, deslealtad y abuso de confianza, mediante manipulación de los tickets y hurtando diferentes cantidades en fechas concretas de 6, 18, 19 y 23 de septiembre de 2013.

El Tribunal, en este supuesto entiende que el deber de información previa forma parte del contenido esencial del derecho a la protección de datos, pues resulta un complemento indispensable de la necesidad de consentimiento del afectado. Pues el deber de información sobre el uso y destino de los datos personales está íntimamente vinculado con el principio general de consentimiento para el tratamiento de los da-

---

[390]   Pese a ello, la AEPD, señala que «las imágenes serán conservadas durante un plazo máximo de un mes desde su captación» (*Fichas prácticas de videovigilancia*. VI. «Cámaras para el control empresarial», cit.).

[391]   STS 31 enero 2017 rec. 3331/15 (RJ 2017, 1429). En el mismo sentido, SSTS 1 febrero 2017 (rec. 3262/2015 (RJ 2017, 1105) 2 febrero 2017, rec. 554/2016 (RJ 2017, 1628).

tos, pues si no se conoce su finalidad y destinatarios, difícilmente puede prestarse el consentimiento. Por ello, explica la sentencia, a la hora de valorar si se ha vulnerado el derecho a la protección de datos por incumplimiento del deber de información, la dispensa del consentimiento al tratamiento de datos en determinados supuestos debe ser un elemento a tener en cuenta dada la estrecha vinculación entre el deber de información y el principio general de consentimiento. La sentencia, entiende válida en este caso la instalación de cámaras de seguridad «al tratarse de una medida justificada por razones de seguridad (control de hechos ilícitos imputables a empleados, clientes y terceros, así como rápida detección de siniestros), *idónea* para el logro de ese fin (control de cobros y de la caja en el caso concreto) y *necesaria* y *proporcionada* al fin perseguido, razón por la que estaba justificada la limitación de los derechos fundamentales en juego, máxime cuando los trabajadores estaban informados, expresamente, de la instalación del sistema de vigilancia, de la ubicación de las cámaras por razones de seguridad, expresión amplia que incluye la vigilancia de actos ilícitos de los empleados y de terceros y en definitiva de la seguridad del centro de trabajo pero que excluye otro tipo de control laboral que sea ajeno a la seguridad, esto es el de la efectividad en el trabajo, las ausencias del puesto de trabajo, las conversaciones con compañeros, etc.».

Es en estos casos, en los que procedería aplicar la doctrina López Ribalda, así como el artículo 89.1 LOPD, referida a la forma de actuar de la empresa en caso de la comisión de actos ilícitos por parte del trabajador.

6. *Exclusión absoluta de instalación de cámaras de videovigilancia*

Como no podía ser de otra manera, el apartado 2 del artículo 89 LOPD, prohíbe la instalación de sistemas de grabación de sonidos y de videovigilancia en una serie de lugares de la empresa, en los que por la actividad que suelen realizar habitualmente los trabajadores en tales espacios, resulta más factible que sea violentada su intimidad.

Concretamente la norma establece taxativamente que la instalación de tales dispositivos en esos lugares no se admitirá «en ningún caso», por lo que descarta incluso su instalación en el supuesto de que se cometan actos ilícitos en tales lugares por los trabajadores; y señala algunos ejemplos, como aquellos, «lugares destinados al descanso o esparcimiento de los trabajadores o los empleados públicos, tales como vestuarios, aseos, comedores y análogos». Tales lugares tienen en común que en ellos no se realiza la actividad laboral ordinaria, y por ello tampoco existen razones que justifiquen el uso de los citados dispositivos, por no estar destinados tales espacios al desarrollo del trabajo, sino a otras actividades de diferente signo y que de ser controladas supondrían una clara lesión al derecho a la intimidad del trabajador, porque desaparece el fin de la grabación, que es el control y vigilancia de la actividad laboral del trabajador, en definitiva del cumplimiento de su trabajo.

Sin embargo, la relevancia de estos lugares en conexión con la intimidad es diferente según se trate de lugares públicos (salas de espera, cafeterías, comedores, parking, etc.) de otros privados de uso personal muy sensibles a la intimidad (aseos, servicios, duchas, vestuarios, etc.), y, por otro lado, podría existir una necesidad de vigilar esos lugares e incluso las pertenencias o la persona del trabajador, necesidad, por otra parte, reconocida en el artículo 18 TRLET[392].

7. *Sobre la reproducción de imágenes en tiempo real sin grabación*

Se plantea si sería necesario colocar en una zona videovigilada, en la que las cámaras no graban imágenes limitándose a su reproducción en tiempo real, el cartel informativo que ha puesto a disposición la AEPD para cumplir con el derecho de información regulado en el artículo 13 del RGPD, sin perjuicio de que el resto del contenido de ese derecho esté a disposición de los afectados. Pues bien, la AEPD[393], considera que resulta de aplicación lo previsto en el RGPD en relación a la captación de imágenes con independencia de que éstas se graben o no, incluyendo la elaboración del denominado registro de actividades de tratamiento, del artículo 30 de la citada norma. Con ello, resultará de aplicación el derecho de información que debe facilitarse cuando los datos persona-

---

[392]   DESDENTADO BONETE, A. y MUÑOZ RUIZ, A. B.: *Control informático, videovigilancia y protección de datos en el trabajo*, cit., pág. 31.
[393]   AEPD, Informe 0070/2010.

les, se hayan obtenido del interesado, según el artículo 13 RGPD[394]. No obstante, en materia de videovigilancia, la información debe facilitarse, según la AEPD[395], de la siguiente forma:

a) Debe colocarse, en las zonas videovigiladas, al menos un distintivo informativo ubicado en lugar suficientemente visible, tanto en espacios abiertos como cerrados, en el que se incluya lo referente a la existencia del tratamiento, identidad del responsable, la posibilidad del ejercicio de derechos de los artículos 15 a 22 del RGPD sobre acceso, rectificación, supresión, limitación de tratamiento, portabilidad, oposición[396], y una indicación de dónde pueden obtener más información sobre el tratamiento de sus datos personales.

b) Se debe tener a disposición de los interesados el resto de información referida en el artículo 13 del RGPD.

No obstante, el ejercicio de estos derechos, según la AEPD[397] debe ser matizado en el ámbito de la videovigilancia, porque, en primer lugar, no resulta posible el ejercicio del derecho de rectificación ya que por la naturaleza de los datos —imágenes tomadas de la realidad que reflejan un hecho objetivo—, se trataría del ejercicio de un derecho de contenido imposible. En segundo lugar, tampoco sería aplicable el derecho de portabilidad porque, aunque se trata de un tratamiento automatizado, la legitimación no se basa ni en el consentimiento ni en la ejecución de un contrato. En tercer lugar, no se aplicaría parte del contenido del derecho a la limitación del tratamiento, en su aspecto de «cancelación cautelar» que está vinculada al ejercicio de los derechos de rectificación y oposición[398].

---

[394] El derecho de información que debe facilitarse cuando los datos personales se hayan obtenido del interesado, según el artículo 13 RGPD fue objeto de análisis en el capítulo 2.

[395] AEPD, Informe 0070/2010.

[396] Se trata de derechos que fueron analizados con detenimiento en el capítulo 2, y que resultan de aplicación para todos los dispositivos digitales que traten los datos personales de las personas, incluidas las grabaciones y reproducciones de las videocámaras.

[397] AEPD, *Guía sobre el uso de videocámaras para seguridad y otras finalidades*, pág. 25.

[398] Por otra parte, sí serían aplicables los siguientes derechos:
  – El *derecho de acceso*, si bien éste reviste características singulares, ya que requiere aportar como documentación complementaria una imagen actualizada que per-

8. La grabación de sonidos en el lugar de trabajo

La voz, así como la imagen de una persona es un dato personal, al igual que lo será cualquier información que permita determinar, directa o indirectamente su identidad. De manera que las grabaciones de sonido permitirán identificar a una persona, más aún si esa grabación se adjunta a un expediente y por ello quedan incluidas en el ámbito de aplicación de la LOPD[399].

Esta vertiente del derecho a la intimidad, que consiste en el uso de dispositivos de grabación de sonidos, no se regula transversalmente en la LOPD, siendo exclusiva su regulación en el ámbito laboral a través del apartado 3 del artículo 89 LOPD, que es el que establece, con carácter general, los supuestos en que se admite la utilización de los sistemas de grabación de sonidos en el lugar de trabajo, concretamente:

– «Cuando resulten relevantes los riesgos para la seguridad de las instalaciones, bienes y personas derivados de la actividad que se desarrolle en el centro de trabajo», pero añade tres condiciones:

  • Que se respeten los principios de proporcionalidad, y de intervención mínima. En este sentido, las grabaciones indiscriminadas de sonido pueden ser consideradas desproporcionadas, porque suponen una mayor intromisión en la intimidad (STC 98/2000, de 10 de abril).

---

mita al responsable verificar y contrastar la presencia del afectado en sus registros. Resulta prácticamente imposible acceder a imágenes sin que pueda verse comprometida la imagen de un tercero. Por ello puede facilitarse el acceso mediante escrito certificado en el que, con la mayor precisión posible y sin afectar a derechos de terceros, se especifiquen los datos que han sido objeto de tratamiento. Si se ejerciese el derecho de acceso ante el responsable de un sistema que únicamente reproduzca imágenes sin registrarlas (visionado de imágenes en tiempo real) deberá responderse en todo caso indicando la ausencia de imágenes grabadas.
– El *derecho de supresión*. El *derecho a la limitación del tratamiento*, que se aplicaría en su otra vertiente, es decir, se solicite al responsable que se conserven las imágenes cuando el tratamiento de datos sea ilícito y el interesado se oponga a la supresión de sus datos y solicite en su lugar la limitación de su uso, y también cuando el responsable ya no necesite los datos para los fines del tratamiento pero el interesado si los necesite para la formulación, ejercicio o defensa de reclamaciones.
[399]   AEPD Informe jurídico 497/2007.

- Que se respeten, asimismo, las garantías previstas en los apartados anteriores (videovigilancia)[400].

- La supresión de los sonidos conservados por estos sistemas de grabación se realizará atendiendo a lo dispuesto en el apartado 3 del artículo 22 LOPD[401], que establece con carácter general el de un mes desde su captación. Aunque en este artículo se hace referencia al tratamiento de los datos con fines de videovigilancia, cabe interpretar conforme a la remisión efectuada, que ese mismo tratamiento se extiende asimismo a los dispositivos de grabación de sonidos.

En relación a la captación de sonidos, la Ley Orgánica 1/1982, de 5 de mayo, de Protección Civil del Derecho al Honor, a la Intimidad Personal y Familiar y a la Propia Imagen, establece en el artículo 7 que «tendrán la consideración de intromisiones ilegítimas en el ámbito de protección delimitado por el artículo segundo de esta Ley:

Uno. El emplazamiento en cualquier lugar de aparatos de escucha, de filmación, de dispositivos ópticos o de cualquier otro medio apto para grabar o reproducir la vida íntima de las personas.

Dos. La utilización de aparatos de escucha, dispositivos ópticos, o de cualquier otro medio para el conocimiento de la vida íntima de las personas o de manifestaciones o cartas privadas no destinadas a quien haga uso de tales medios, así como su grabación, registro o reproducción».

Se observa que las condiciones establecidas para la grabación de sonidos, resultan más exigentes que las requeridas mediante cámaras de videovigilancia, pues en aquellas, se incluye, además de las condi-

---

[400]   Se refiere sin duda a las condiciones que se imponen en el caso del tratamiento de las imágenes obtenidas a través de sistema de cámaras o video cámaras de videovigilancia para el ejercicio del control de los trabajadores a las que se ha hecho referencia en el anterior apartado.

[401]   Señala el artículo 22.3 LOPD, que «los datos serán suprimidos en el plazo máximo de un mes desde su captación, salvo cuando hubieran de ser conservados para acreditar la comisión de actos que atenten contra la integridad de personas, bienes o instalaciones. En tal caso, las imágenes deberán ser puestas a disposición de la autoridad competente en un plazo máximo de setenta y dos horas desde que se tuviera conocimiento de la existencia de la grabación».

ciones específicas, el cumplimiento de las que se acaban de analizar para los supuestos de captación de imágenes. Quizá se piense que los sonidos que emite el trabajador resultan más sensibles en relación con el derecho a la intimidad, por ser inequívocamente suyos representando la expresión más íntima de su ser, más que las imágenes, pues en este caso siempre podría acogerse a la célebre frase de que «no es lo que parece»[402]. Y es que, la grabación de una conversación puede ser más sensible que la de una imagen porque las palabras pueden revelar pensamientos y sentimientos internos, permitiendo comprobar fácilmente incumplimientos en el trabajo y adoptar medidas disciplinarias, de ahí que, el TEDH[403] haya sido claro en la necesidad de que se avise al trabajador sobre la posible interceptación de los diálogos[404]. El ejemplo más claro, lo tenemos en el caso ya examinado «La Toja», que según la STC 98/2000, «supuso intromisión ilegítima en el derecho a la intimidad consagrado en el artículo 18.1 CE, pues no existe argumento definitivo que autorice a la empresa a escuchar y grabar las conversaciones privadas que los trabajadores del casino mantengan entre sí o con los clientes».

En fin, la AEPD[405] en el caso de grabaciones de sonidos en un Ayuntamiento, considera con carácter general, que las grabaciones indiscriminadas de voz y conversaciones de los empleados y público en general que acceden a los edificios del Ayuntamiento, a través de sistemas de videovigilancia, no cumpliría el principio de proporcionalidad, considerándose una medida intrusiva para la intimidad de los menores y para su derecho a la protección de datos de carácter personal.

---

[402] Por el contrario, también podría argumentarse en algunos casos: «más vale una imagen que mil palabras».

[403] Sentencia 25 junio de 1997, asunto 1997/37, caso *Halford*.

[404] RODRÍGUEZ ESCANCIANO, S.: «Videovigilancia empresarial: límites a la luz de la Ley Orgánica 3/2018, de 5 de diciembre de protección de datos personales y garantía de los derechos digitales», cit., pág. 11.

[405] AEPD, Informe jurídico, disponible en la *Guía sobre el uso de videocámaras para seguridad y otras finalidades*. https://www.aepd.es/es/areas-de-actuacion/videovigilancia.

Grabaciones de sonidos en circunstancias especiales

Existen algunos supuestos en que es necesaria la grabación de la voz y de los sonidos. Concretamente, en situaciones de emergencia, como sucede en los casos de accidentes de aeronaves. Todos sabemos que entonces intervienen los investigadores para averiguar cuál o cuáles han sido las causas del accidente, para poner remedio o para corregir en el futuro situaciones iguales y también, en algunos casos para paralizar algunos vuelos, hasta que se resuelva la causa del accidente. Y eso, en cualquier accidente que precise esas grabaciones de voz que ayuden al esclarecimiento de las causas del accidente. También en los accidentes ferroviarios se plantea este problema, como sucedió en el grave accidente del Alvia, que iba de Madrid a Ferrol en la curva A Grandeira de Angrois, cerca de la estación de Santiago de Compostela el 24 de julio de 2013[406].

Y así, en un supuesto en el que se cuestionaba, si las grabaciones de las conversaciones telefónicas del servicio de maquinistas de los trenes, tanto con el personal de circulación de las estaciones, como las conversaciones que mantenían ellos a nivel personal, implica una vulneración de la normativa en materia de protección de datos, la AEPD[407] entiende que la grabación de las conversaciones constituye una medida necesaria para garantizar la seguridad y para poder investigar los hechos que dieron lugar a cualquier tipo accidente o incidente. En definitiva, el Reglamento de Seguridad concreta las medidas de seguridad ferroviaria a las que hace referencia la Ley del Sector Ferroviario, por lo que la grabación de dichas conversaciones se encuentra habilitada por una Ley.

Se podría concluir en relación a la grabación de sonidos o de voz, que, si a la videovigilancia se le incorpora la grabación de voz o a la inversa, ello puede suponer una doble acción sobre la protección de da-

---

[406] Las dos cajas negras del tren fueron abiertas el martes 30 de julio, permitiendo comprobar que dos minutos antes de los hechos el maquinista recibió una llamada de trabajo, y activó los frenos segundos antes del accidente, reduciendo la velocidad de 192 km/h hasta 153 km/h antes de salirse de la vía.

[407] AEPD Informe jurídico 0280/2009.

tos personales con el peligro de producir una grave intromisión en la intimidad de las personas, por su doble efecto invasivo mediante sendos dispositivos de captación de imágenes y de sonidos.

IV. CRITERIOS EN EL USO DE CÁMARAS DE VIDEOVIGILANCIA LABORAL EN LOS ESTADOS DE LA UE

Pocas referencias encontramos en el RGPD, que se refieran en el ámbito laboral a la regulación de cualquiera de los dispositivos digitales, entre ellos el uso de las cámaras de videovigilancia, con la clara intención de dejar a los Estados miembros, que su utilización sea acorde con la normativa del propio Estado y del RGPD. Ciertamente, el Reglamento no impide en modo alguno el uso de la videovigilancia en el ámbito laboral, eso dependerá de la normativa interna de cada Estado, según sus disposiciones internas, que tendrán que ver con la intensidad en la vigilancia y control de la actividad del trabajador con objeto de comprobar que cumple con el trabajo encomendado. De hecho, el considerando (155) RGPD, señala que «el Derecho de los Estados miembros o los convenios colectivos, incluidos los "convenios de empresa", pueden establecer normas específicas relativas al tratamiento de datos personales de los trabajadores en el ámbito laboral, en particular en relación con las condiciones en las que los datos personales en el contexto laboral pueden ser objeto de tratamiento sobre la base del consentimiento del trabajador» entre otros. Y aunque, a continuación lo basa en el consentimiento del trabajador, sabemos por el artículo 9.2.b) RGPD, que no sería necesario el consentimiento en los casos en que el tratamiento sea necesario «para el cumplimiento de obligaciones y el ejercicio de derechos específicos del responsable del tratamiento o del interesado en el ámbito del Derecho laboral y de la seguridad y protección social, en la medida en que así lo autorice el Derecho de la Unión, de los Estados miembros o un convenio colectivo con arreglo al Derecho de los Estados miembros que establezca garantías adecuadas del respeto de los derechos fundamentales y de los intereses del interesado»[408].

En consecuencia, con base en el derecho de la UE, representado por el RGPD, es posible el uso de las cámaras de videovigilancia laboral, según las disposiciones internas de cada Estado, pero con exquisito respeto al RGPD.

1. Estados miembros que restringen o prohíben el uso de videocámaras con la finalidad de control de la actividad laboral del trabajador

Pese a esta posibilidad que tienen los Estados de incorporar el uso de las videocámaras en el ámbito laboral, hay Estados que no permiten su uso en la normativa interna. Entre los Estados que no lo contemplan o lo tienen prohibido[409], se encuentra *Austria*, que prohíbe el control de los trabajadores mediante la implantación de cámaras de videovigilancia por el empresario, salvo acuerdo entre empresa y trabajador, dejando a voluntad de las partes ya sea por convenio colectivo o por contrato de trabajo. *Estonia*, prevé una mayor restricción, pues pese a que lo permite para proteger a las personas y a la propiedad, sin embargo, no pueden utilizarse para otros fines, entre ellos el control y vigilancia de la actividad de los trabajadores. En *Grecia*, la videovigilancia se limita a los espacios de entrada y salida, sin que puedan supervisarse salas de oficina o corredores específicos. Y aunque se permite la videovigilancia en luga-

---

[408] De hecho el considerando (155) RGPD, señala que las condiciones en las que los datos personales en el contexto laboral pueden ser objeto de tratamiento sobre la base no solo del consentimiento del trabajador, sino también respecto «de los fines de la contratación, la ejecución del contrato laboral, incluido el cumplimiento de las obligaciones establecidas por la ley o por convenio colectivo, la gestión, planificación y organización del trabajo, la igualdad y seguridad en el lugar de trabajo, la salud y seguridad en el trabajo, así como a los fines del ejercicio y disfrute, sea individual o colectivo, de derechos y prestaciones relacionados con el empleo y a efectos de la rescisión de la relación laboral».

[409] Sobre la normativa interna de los Estados en relación al uso de cámaras de videovigilancia en el ámbito laboral seguiré a ORELLANA CANO, A. M.: *El derecho a la protección de datos personales como garantía de la privacidad de los trabajadores*, cit., págs. 125 y 129.

res especiales, como cajas de seguridad, cajas fuertes o equipos electro-mecánicos, ello tiene por finalidad la protección del producto, pero no se pueden centrar en los trabajadores. *Italia,* después de una profunda modificación sobre la reforma del mercado de trabajo, establece la ilegalidad de instalaciones audiovisuales o cualquier otro instrumento que tenga que ver como fin exclusivo el control de los trabajadores. Pudiendo instalarlos excepcionalmente por razones organizativas y productivas y para la seguridad en el trabajo y la protección del patrimonio empresarial, para lo que se necesitará que exista un acuerdo previo con los representantes de los trabajadores y en su defecto deberá solicitar autorización a la Inspección de Trabajo. En *Luxemburgo,* tampoco se puede utilizar la vigilancia para observar el comportamiento, los movimientos y el rendimiento de los trabajadores. Finalmente, *Portugal,* establece en el artículo 20 del Código de Trabajo que «la utilización de un equipamiento tecnológico en el centro de trabajo, como medio de vigilancia a distancia, es ilícito si es usado con la única finalidad de controlar el desempeño laboral del trabajador. Siendo lícito, por el contrario, cuando tenga exclusivamente como objetivo la protección de la seguridad de las personas o bienes, o cuando haya razones inherentes a la actividad que lo justifiquen».

Como se puede apreciar, no existe con carácter general en los Estados miembros de la UE una prohibición absoluta a la grabación mediante videocámaras, cuando la finalidad de ello sea exclusivamente la protección del patrimonio de la empresa e incluso trabajadores o la seguridad de las personas, con algún caso más flexible como el de Austria, que lo permite siempre que exista acuerdo entre las partes por contrato de trabajo o mediante convenio colectivo, salvo que no exista Comité en la empresa, en cuyo caso, cada trabajador debe autorizar individualmente el control [es decir se necesita el consentimiento del artículo 9.2.a) RGPD], con información precisa del lugar que se graba, ubicación de las cámaras y lo que se pretende grabar, requiriéndose asimismo, la autorización de la Comisión Administrativa de Protección de Datos.

2. Estados miembros que permiten el uso de videocámaras con la finalidad de control de la actividad laboral del trabajador

Otros Estados miembros, permiten la instalación de videocámaras, si bien con algunas condiciones, así en *Irlanda*, el empresario debe realizar una valoración previa del riesgo y una Valoración del Impacto en la Privacidad, detallando el área de grabación y la razón para instalar la cámara. Además, debe incluirse la documentación sobre incidencias ocurridas que justifican la adopción de la decisión. La *normativa polaca*, en principio no permite la videovigilancia, con una excepción, en el caso de que el empresario introduzca un procedimiento especial en el convenio colectivo, en el Reglamento de Trabajo o en una comunicación, que contenga los objetivos, el ámbito y el uso de la videovigilancia. Además, como requisito imprescindible, se exige que se informe a los trabajadores sobre la puesta en marcha de la videovigilancia con dos semanas de antelación, así como informar de ello a los nuevos trabajadores que se incorporen a la empresa. También debe distinguir el espacio vigilado con señales gráficas o sistemas auditivos adecuados, que deberán ser colocados con un día de antelación, al menos del inicio de la videovigilancia. *Bélgica,* permite el control del trabajo del trabajador, si bien, no se permite la vigilancia continua con cámaras, porque no está permitida la videovigilancia a un trabajador específico con el único propósito de controlar la calidad de su trabajo[410].

En fin, si bien, en este segundo grupo de Estados miembros, se permite el uso de la videovigilancia laboral, se imponen medidas que garanticen los principios y derechos reconocidos por el RGPD.

---

[410] Ibidem, pág. 137.

Capítulo 5

Sistemas biométricos como medio de identificación y control de los trabajadores en el entorno laboral

I. CUESTIONES QUE SUSCITA EL ACERCAMIENTO A LOS SISTEMAS BIOMÉTRICOS

La biometría es un sistema de identificación de las personas que les permite ser identificadas para el acceso a determinados servicios y entrar a modo de clave para llevar a cabo su trabajo o, en fin, para de alguna manera traspasar el umbral de cualquier dispositivo que exija una previa identificación del sujeto. El reverso de esa moneda es que ese sistema puede tener como finalidad el control del trabajador por parte del empresario. De manera que la biometría es un arma de doble filo, pues al mismo tiempo que sirve de llave al trabajador para desarrollar su actividad, también el empresario puede obtener información sobre la misma o, incluso de algo más sensible, como son los datos personales del trabajador. Y la forma de llevarlo a cabo, trata de buscar el mismo resultado que ofrecen las claves que se introducen en los ordenadores o para el acceso a alguna estancia restringida.

La Memoria 2012 de la AEPD[411], puso de relieve que los sistemas biométricos están estrechamente ligados a una persona, porque pueden utilizar una característica específica que le es propia para fines de identificación o autenticación. Aquí se observa una curiosa contradicción, porque mientras que los datos biométricos de una persona pueden ser borrados o alterados, la fuente de la que se han extraído no puede, generalmente, ser modificada. Es obvio que el uso de estos sistemas ha generado ventajas indudables en terrenos como la investigación científica, la lucha contra la delincuencia o las relaciones sociales, pero al mismo

---

[411] https://www.prevent.es/Documentacion/memoria-2012-agencia-espa%C3%B1ola-de-proteccion-de-datos.pdf pág. 51.

tiempo se ha abierto también la puerta a potenciales riesgos que deben ser valorados y minimizados tomando en consideración la particular naturaleza de los datos biométricos. Un ejemplo gráfico, es la peligrosa posibilidad de discriminación genética o el robo de identidad, que se han convertido en una realidad viable. En ese sentido, la biometría posibilita métodos automatizados para reconocer una persona con base a características fisiológicas, psicológicas o de comportamiento[412], que a menudo contienen más información de la necesaria para las funciones de búsqueda de correspondencias. En ese caso, como apunta el GT29[413], el responsable del tratamiento deberá aplicar el principio de minimización de datos, lo que, en primer lugar, esto significa que solo deberá tratarse, transmitirse o almacenarse la información necesaria, no toda la información disponible. En segundo lugar, el responsable del tratamiento deberá garantizar que la configuración por defecto promueva la protección de datos, sin tener que tomar medidas al efecto.

Doctrinalmente la naturaleza de los datos biométricos pueden ser clasificados[414] entre aquellos que se caracterizan por ser más estáticos, que tienen que ver con los *rasgos fisiológicos* (aspecto físico) y que más han avanzado desde el punto de vista tecnológico como son, la huella dactilar, iris, el rostro o geometría de la mano, y los denominados *rasgos conductuales*, que responden al comportamiento de las personas presentando características dinámicas, como la firma, escritura manuscrita, el habla, o incluso el modo de caminar, son motivo de investigación; sin que este esfuerzo se refleje en aplicaciones prácticas para los ciudadanos, si bien sí podría tener consecuencias a la hora de analizar la mayor o menor vulneración de algún derecho fundamental. La principal característica de los rasgos conductuales, consiste en que el individuo tiene que llevar a cabo una realización de los mismos, como firmar o hablar,

---

[412] ARETIO BERTOLÍN, J. y ARETIO BERTOLÍN, M. T.: «Análisis en torno a la tecnología biométrica para los sistemas electrónicos de identificación y autenticación». *Revista española de electrónica*, núm. 630, 2007, pág. 54.

[413] GT29. *Dictamen 3/2012 sobre la evolución de las tecnologías biométricas*, 27 abril 2012. WP 193, pág. 10.

[414] PASCUAL GASPAR, J. M.: *Uso de la firma manuscrita dinámica para el reconocimiento biométrico de personas en escenarios prácticos*. Tesis doctoral. Universidad de Valladolid, 2010, pág. 1.

mientras que en el caso de los rasgos físicos siempre se encuentran presentes[415]. A ello cabría añadir también, el reciente ámbito de las técnicas basadas en elementos psicológicos, que incluyen la medición de la respuesta a situaciones concretas o pruebas específicas que se ajusten a un perfil psicológico[416].

En efecto, en el caso de los sistemas tradicionales de identificación personal la autenticación de una determinada entidad relacionada con la persona, se realiza a través de algo que tiene, como una llave, una tarjeta de identificación etc. (sistemas de autenticación por posesión) y/o algo que sabe, como una palabra clave, un PIN, etc. (sistemas de autenticación por conocimiento), en cambio, en un sistema biométrico, el reconocimiento de la identidad de un individuo se determina a partir de alguna de sus características fisiológicas o de comportamiento, con lo que se añade un nuevo paradigma a la identificación personal, al realizarse la autenticación por medio de algo que la persona es (rasgo fisiológico personal, como por ejemplo, la huella dactilar, el iris, etc.) o algo que la persona genera (patrón de comportamiento, como la voz, firma escrita, etc.)[417]. La ventaja en este caso, radica en que la clave o password no es necesario memorizarla o apuntarla ni llevarla consigo, pues es el propio cuerpo en alguna de sus potencialidades la que constituye la clave, ya sea el iris de los ojos, la huella dactilar, el tono de voz, la firma manuscrita, etc. Sin embargo, el proceso de autenticación de los sistemas biométricos se considera débil, al contrario de los sistemas que utilizan tarjeta y contraseña que son fuertes, porque en estos se exige que se proporcione, al menos, dos de los siguientes: algo que se sabe, algo que se tiene o algo que se es (biometría)[418].

---

[415]   ORTEGA GARCÍA, J., ALONSO FERNÁNDEZ, F., COOMONTE BELMONTE, R.: *Biometría y Seguridad*. Cuadernos Cátedra ISDEFE-UPM 3, Madrid, 2018, pág. 8.

[416]   GT29. *Dictamen 3/2012 sobre la evolución de las tecnologías biométricas*, 27 abril 2012. WP 193, pág. 4.

[417]   SIMÓN ZORITA, D.: *Reconocimiento automático mediante patrones biométricos de huella dactilar*. Tesis Doctoral. Universidad Politécnica de Madrid, 2003, pág. 11.

[418]   AEPD. «14 equívocos con relación a la identificación y autenticación biométrica». *Nota Técnica*, 23 junio 2020, pág. 4.

El reconocimiento biométrico es capaz de proporcionar un mayor grado de seguridad en relación al acceso a determinados dispositivos, en la identificación de las personas que pretenden acceder a dispositivos digitales o a estancias que, en los métodos tradicionales, de tal manera que los recursos sean accesibles solamente por usuarios autorizados. Las claves y PIN pueden copiarse u olvidarse, mientras que los «tokens» pueden robarse. Por el contrario, los datos biométricos no pueden copiarse, robarse u olvidarse[419]. Si bien, otra cuestión sería el grado de seguridad desde la perspectiva de la salud y los riesgos que podrían afectar al usuario portador de datos biométricos, ya sean estáticos o conductuales. Y no solo eso, sino que, a diferencia de los procesos basados en contraseñas o certificados, la mayor parte de características biométricas de una persona están expuestas y se pueden capturar a distancia, ya que no se oculta habitualmente el rostro, las huellas, la forma de moverse, la huella térmica, etc., y si no se toman medidas que reduzcan el riesgo de uso no autorizado de datos biométricos, su uso equivale a llevar escrito en la frente nuestras claves de acceso[420].

Sin ser un sistema biométrico en sí mismo considerado, apareció en la prensa que la sociedad belga de marketing digital Newfusion implantó a varios de sus empleados un «chip» bajo la piel que funciona como una «llave» de identificación para abrir puertas o acceder al ordenador[421]. En este caso, se ha utilizado el cuerpo de un individuo para implantar un chip, pero este dispositivo es extraño al cuerpo, luego simplemente lo que cambia es que, en lugar de llevarlo en una cartera junto con la agenda de claves, se encuentra íntimamente injertado en el cuerpo, pero no forma parte de este, por lo que se debe descartar de su consideración como un sistema biométrico.

Una de las cuestiones que sistemáticamente vengo testando en cada uno de los dispositivos digitales empleados para el control y vigilancia

---

[419] ORTEGA GARCÍA, J., ALONSO FERNÁNDEZ, F., COOMONTE BELMONTE, R.: *Biometría y Seguridad,* cit., págs. 9-10.

[420] AEPD. «14 equívocos con relación a la identificación y autenticación biométrica», cit., pág. 3.

[421] Circunstancia comentada en GARCÍA-PERROTE ESCARTÍN, I. y MERCADER UGUINA, J. R.: «El control biométrico de los trabajadores». *Revista de Información Laboral* núm. 3/2017, BIB 2017\1102 pág. 1.

de la actividad del trabajador consiste en comprobar, si la mayoría de los dispositivos digitales utilizados en las empresas (cámaras de vigilancia, registros de ordenadores, geolocalización, etc.), plantean si la facultad de control y vigilancia del empresario sobre el trabajador podría invadir en algunos casos la intimidad del trabajador, el secreto a las comunicaciones o el derecho a la protección de datos personales entre otros derechos fundamentales. Pues bien, en el caso de los sistemas biométricos, además de lo anterior, plantean algo más, como si el uso de las potencialidades de la propia persona para tales finalidades podría en algún caso vulnerar en sí mismo considerado el derecho a la intimidad o el derecho a la protección de datos personales, pues resulta obvio que las características de huellas dactilares, ojos, ADN, voz, etc., son lo más íntimo que las personas pueden expresar hacia el exterior y obviamente para valerse de ellas requeriría su consentimiento expreso. La cuestión, que plantearemos es si el acuerdo plasmado en un contrato de trabajo, sobre la inclusión del uso de aspectos tan íntimos de las personas es suficiente para habilitar a la empresa el empleo de la biometría. Y es que[422], a diferencia de una contraseña o un certificado, los datos biométricos recogidos durante un procedimiento de autenticación o identificación proporciona más información de los datos personales, dependiendo de los datos biométricos recogidos, tales como su raza o género (incluso de las huellas dactilares), su estado emocional, enfermedades, discapacidades y características genéticas, consumos de sustancias, etc., y el problema es que al estar implícita, el usuario no puede impedir la recogida de dicha información suplementaria.

Otra vertiente, sobre la que también conviene detenerse, es el posible perjuicio que los controles biométricos pueden suponer para la salud de los trabajadores; unos en mayor medida que otros.

Todo ello, genera nuevas cuestiones relacionadas con el uso de la biometría en el ámbito del Derecho del Trabajo. Porque cada persona presenta una serie de rasgos únicos e irrepetibles en otro individuo, lo que capacita para ser utilizados con fines de identificación, ya que, como

---

[422]   AEPD. «14 equívocos con relación a la identificación y autenticación biométrica», cit., pág. 1.

señala la doctrina[423], el control biométrico asegura la imposibilidad de suplantar un individuo por otro, a través de una característica física e intransferible de la persona, así como de algunas características de la conducta o mixtos. Sin embargo, debe tenerse en cuenta[424] que algunas personas no pueden utilizar determinados tipos de biometría porque sus características físicas no son reconocidas por el sistema, como en casos de lesiones, accidentes, problemas de salud (como parálisis) y otros, en los que la incompatibilidad puede ser temporal, y en el caso de la incompatibilidad biométrica permanente podría suponer una causa de exclusión social.

Y es que, son muchas las cuestiones abiertas sobre el uso de la biometría en este ámbito, a veces complejo de las relaciones laborales. Se tratará en consecuencia, de ofrecer respuestas a una serie de preguntas que suelen suscitarse y a las que no siempre acaba de darse respuesta satisfactoria. Y aunque no es frecuente que se anticipen los interrogantes principales que afectan a una investigación, sobre todo cuando todavía no se ha incoado con mayor amplitud el concepto, características, naturaleza, problemas que suscita, etc., y en definitiva los objetivos del estudio, creo que merece la pena anticipar las dificultades que plantea la biometría porque nos ayudarán a centrar el análisis de este medio de control e identificación de los trabajadores. Así, las cuestiones que pueden plantear algunas dudas en el ámbito laboral, son las siguientes:

– **Afectación a derechos fundamentales**. Si podría ser atentatorio contra algún derecho fundamental el uso de la biometría en el ámbito laboral, porque aparezcan datos no necesarios para la finalidad estricta para la que fue concebido (por ejemplo, en el caso de identificación mediante ADN o el iris, pueden obtenerse datos sobre la salud del trabajador).

– **Legitimación de su uso**. Simultáneamente habrá que dilucidar hasta qué punto se encuentra el empresario legitimado para su uso sin que vulnere algún derecho fundamental del trabajador.

---

[423] CUADROS GARRIDO, M. E.: *Trabajadores Tecnológicos y Empresas Digitales*. Thomson Reuters Aranzadi. Cizur Menor, 2018, pág. 414.

[424] AEPD. «14 equívocos con relación a la identificación y autenticación biométrica», cit., pág. 2.

- **Eficacia en el tiempo.** Si existe el peligro de que tales datos biométricos experimenten algún cambio con el paso del tiempo y malogre su operatividad para la que fue concebido.

- **Mayor eficiencia.** Entre todos los sistemas biométricos, cuál de ellos sería el más efectivo, el que menos errores presenta, según los expertos en la materia y constatada por la experiencia.

- **Salud y prevención laboral.** Sobre el grado de seguridad y peligro para la salud que supone la utilización de determinados dispositivos que se ponen en contacto con la fisiología del trabajador.

- **Consentimiento del trabajador.** Si como consecuencia de lo anterior puede el trabajador negarse a ser sometido a la obligación del uso de la biometría para acceder a sus dispositivos digitales o al control y vigilancia del empresario.

- **Grado de seguridad.** Frente a las ventajas que presentan estos sistemas biométricos, en especial, que no pueden en principio utilizarse por personas distintas al propio trabajador y por ello es más frecuente su uso en lugares que exigen fuertes medidas de seguridad, se plantea si sería posible la suplantación y el grado de posibilidades de que ello se produzca. Y ese es, precisamente el mayor riesgo que se da en un sistema biométrico, mediante la *imitación*, como por ejemplo a través de la suplantación de la voz o la firma manuscrita, o mediante la *reproducción* (generación fraudulenta de la imagen de la huella dactilar o el iris) del rasgo a reconocer[425]. En ese sentido, existen técnicas que pueden burlar sistemas de autenticación biométrica y suplantar la identidad de otra persona, como el uso de máscaras o de reproducciones de la huella, que no requieren de grandes conocimientos técnicos o recursos económicos, pero también existen los denominados «sistemas adversarios», diseñados específicamente para tratar de engañar a los sistemas de reconocimiento de imágenes y que pueden utilizarse para burlar la identificación biométrica[426].

---

[425]   SIMÓN ZORITA, D.: *Reconocimiento automático mediante patrones biométricos de huella dactilar*, cit., pág. 13.

[426]   AEPD. «14 equívocos con relación a la identificación y autenticación biométrica», cit., págs. 2-3.

278 Fco. Javier Fernández Orrico

- **Multimodalidad biométrica.** Se plantea, si se podrían combinar estos sistemas biométricos con otros más convencionales, como, por ejemplo, introducir una clave en el ordenador y además pasar el dedo por el lector de la huella dactilar. En efecto, se podrían combinar, tanto, sistemas biométricos entre sí, esto es, la llamada multimodalidad biométrica[427], como, además, con otros sistemas convencionales de identificación (tarjeta magnética, clave, etc.). Con ello se dotará de mayor seguridad a las empresas[428].

La respuesta a cada una de estas cuestiones no puede ser unívoca, desde el momento que no se pueden generalizar las vertientes que presenta la biometría, pues habrá que ir analizando cada una de ellas para ponerlas en relación con la actividad de la empresa, las funciones del trabajador, amplitud de la plantilla, nivel de seguridad exigida, etc. Y junto a ello, no se pueden desconocer los beneficios que proporciona la biometría. Algunos de ellos son los siguientes[429]:

1) La biometría vincula un evento a un individuo concreto no a una contraseña o dispositivo que lleve como tarjeta inteligente o llave criptográfica USB.

2) Puede considerarse una tecnología conveniente ya que no se tiene que recordar.

3) Es el mismo, independiente de donde se encuentre el individuo.

---

[427] Como señalan ORTEGA GARCÍA, J., ALONSO FERNÁNDEZ, F., COOMONTE BELMONTE, R.: *Biometría y Seguridad*, cit., pág. 61, Algunas de las limitaciones de los sistemas biométricos pueden solventarse utilizando más de un rasgo biométrico para el reconocimiento, lo que da lugar a los llamados sistemas multimodales. Estos sistemas biométricos:
• son más precisos al combinar varios frentes de información.
• son más difíciles de suplantar al tener que atacar a varios rasgos.
• permiten cubrir mayor población que un sistema unimodal, puesto que es más difícil que un individuo no posea varios rasgos a la vez.

[428] En ese sentido, RUIZ GONZÁLEZ, C.: *La incidencia de las tecnologías de la información y la comunicación en las relaciones laborales.* Ediciones Laborum. Murcia, 2018, pág. 270.

[429] ARETIO BERTOLÍN, J. y ARETIO BERTOLÍN, M. T.: «Análisis en torno a la tecnología biométrica para los sistemas electrónicos de identificación y autenticación», cit., pág. 54.

4) No puede averiguarse, robarse, transferirse, compartirse, delegarse, perderse, olvidarse o copiarse fácilmente.

5) Previene la suplantación (protege contra robo de identidad y posee un alto grado de no repudio).

6) Mejora la privacidad (protege contra acceso no autorizado a información personal).

7) Es complementario con otros mecanismos de autenticación (como tarjetas inteligentes con PIN y PKI).

Al tratarse la biometría de una tecnología relativamente reciente, es necesario conocer más a fondo, en qué consiste, antes de adentrarnos en las consecuencias jurídicas que implica su implantación en las empresas. De ahí, que me entretenga en profundizar en su concepto y significado, especialmente en conocer los diversos sistemas que existen, que como se verá son muchos más de lo que a primera vista se pudiera suponer.

II. DATOS BIOMÉTRICOS: CONCEPTO, PROPIEDADES Y PROCEDIMIENTO

Por tratarse de una nueva realidad incorporada al ámbito laboral, el uso de los datos biométricos, como medio de identificación de los trabajadores y de acceso a las aplicaciones de la empresa, supone un nuevo fenómeno que compite con las utilidades de los dispositivos digitales en la empresa, más comunes de autenticación por posesión o conocimiento. De ahí, la importancia de describir y conocer su significado, es decir, qué les añade a esos otros dispositivos y en qué se diferencian. Este tipo de mecanismos consisten en aplicaciones tecnológicas que permiten la verificación o identificación de personas a partir de determinadas características físicas o de comportamiento[430].

El concepto biometría viene de las palabras *bio* (vida) y *metría* (medida), consiste en técnicas que miden e identifican las características físicas únicas de organismos vivos o patrones de su comportamiento,

---

[430] En ese sentido, RUIZ GONZÁLEZ, C.: *La incidencia de las tecnologías de la información y la comunicación en las relaciones laborales*, cit., pág. 270.

que permiten identificar a los diferentes individuos, como por ejemplo mediante las huellas digitales[431].

Un concepto sencillo de sistema biométrico, es el de un sistema automático que permite el reconocimiento de seres vivos a través de sus rasgos inherentes[432]. Y es que, los riesgos que comportan los sistemas biométricos se derivan de la propia naturaleza de los datos biométricos que se utilizan en el tratamiento, por lo que, una definición más general sería un sistema que extrae y trata los datos biométricos[433]. En su vertiente más técnica, un sistema biométrico es un reconocedor de patrones que captura datos biométricos de un individuo, extrae un conjunto de características a partir de dichos datos y las compara con otros patrones previamente almacenados en el sistema[434]. Como señala la doctrina[435], lo relevante en este sentido es que los rasgos biométricos que se utilicen para identificar a las personas deben reunir una serie de condiciones esenciales para que sean aptas: que sean rasgos universales, en el sentido de que existan en todas las personas, pero que al mismo tiempo resulten únicas para cada individuo, distinguiéndoles de los demás, y que sean permanentes.

Según el GT29[436], pueden definirse los datos biométricos «como propiedades biológicas, características fisiológicas, rasgos de la personalidad o tics, que son, al mismo tiempo, atribuibles a una sola persona y mensurables, incluso si los modelos utilizados en la práctica para medirlos técnicamente implican un cierto grado de probabilidad». En este concepto, se da por supuesto que el uso de los datos biométricos en sí

---

[431] CORTÉS OSORIO, J. A., MEDINA AGUIRRE, F. A. y MURIEL ESCOBAR, J. A.: «Sistemas de seguridad basados en Biometría». *Scientia et Technica*. Vol. 3, núm. 46, 2010, pág. 98.

[432] PASCUAL GASPAR, J. M.: *Uso de la firma manuscrita dinámica para el reconocimiento biométrico de personas en escenarios prácticos*, cit., pág. 1.

[433] GT29. *Dictamen 3/2012 sobre la evolución de las tecnologías biométricas*, cit., pág. 5.

[434] ORTEGA GARCÍA, J., ALONSO FERNÁNDEZ, F., COOMONTE BELMONTE, R.: *Biometría y Seguridad*, cit., pág. 15.

[435] BAZ RODRÍGUEZ, J.: *Privacidad y protección de datos de los trabajadores en el entorno digital*. Bosch. Wolters Kluwer. Las Rozas (Madrid). 2019, pág. 245.

[436] GT29. *Dictamen 4/2007, sobre el concepto de datos personales*. Adoptado el 20 de junio de 2007, pág. 9.

mismos considerados pertenecen a un solo individuo, sin embargo, deja un espacio a la duda sobre la efectividad en función de los instrumentos utilizados en su medición. Por tanto, el uso de la biometría crea una expectativa de cierta inseguridad al depender de los modelos utilizados en su medición.

El RGPD, en el artículo 4.14 define los «datos biométricos» como los «datos personales obtenidos a partir de un tratamiento técnico específico, relativos a las características físicas, fisiológicas o conductuales de una persona física que permitan o confirmen la identificación única de dicha persona, como imágenes faciales o datos dactiloscópicos». Se trata de un concepto abierto, en el sentido de que no especifica las diversas técnicas existentes, sino que incide más en los rasgos a partir de los cuales es posible aplicar las diversas técnicas sobre las características corporales o conductuales. Esto se ha interpretado[437], como una manifestación implícita de su inadmisibilidad con carácter general, sólo exceptuable cuando se acredita su carácter necesario, declarado por una norma jurídica, en función de la actividad que se lleve a cabo y siempre que se trate de actividades de tratamiento realizadas por personal especializado y se sometan a confidencialidad. Lo que nos lleva a comprobar que es un sistema múltiple en el sentido de que las formas de aplicación pueden ser diversas, tantas como mecanismos sensoriales disfrutan las personas, como los que proporcionan las huellas dactilares, los modelos retinales, la estructura facial, las voces, pero también la geometría de la mano, las estructuras venosas e incluso determinada habilidad profundamente arraigada u otra característica del comportamiento (como la caligrafía, las pulsaciones, una manera particular de caminar o de hablar, etc.)[438].

Según la AEPD[439], son datos biométricos aquellos aspectos físicos que, mediante un análisis técnico, permiten distinguir las singularidades que concurren respecto de dichos aspectos y que, resultando que es imposible la coincidencia de tales aspectos en dos individuos, una vez

---

[437]   BAZ RODRÍGUEZ, J.: *Privacidad y protección de datos de los trabajadores en el entorno digital*, cit., págs. 246-247.
[438]   GT29 4/2007, pág. 9.
[439]   AEPD Informe 0324/2009, que reproduce el Informe de 28 de febrero de 2006.

procesados, permiten servir para identificar al individuo en cuestión. Así se emplean para tales fines las huellas digitales, el iris del ojo, la voz, etc. Sin embargo, conviene precisar que no todo tratamiento de datos biométricos implica siempre identificación/autenticación, así por ejemplo, el tratamiento biométrico para determinar si en un espacio restringido existe un intruso humano o animal, o en sistemas de *digital signage* (señalización digital), se puede diferenciar un hombre, mujer o niño, o más cotidiano, el tratamiento biométrico del movimiento del ratón utilizado para determinar si un robot está accediendo a una página web implica tratar la información biométrica para diferenciar humano de máquina[440].

De lo anterior se desprende que, en efecto, el dato biométrico que se va a instrumentalizar para un uso identificativo del trabajador, dependerá también del tipo del tratamiento técnico que se utilice para ello. Y en este punto, conviene profundizar en las propiedades que debe cumplir un rasgo para que pueda ser considerado como identificativo, de manera que cualquier característica, física o conductual, puede ser usada como característica biométrica siempre que cumpla las siguientes propiedades[441]:

- *Universalidad.* En el sentido de que todo el mundo debe poseer esa característica
- *Unicidad.* Dos personas deben ser suficientemente diferentes con referencia al rasgo concreto, sin que pueda ser idéntico para dos personas distintas.
- *Permanencia.* El rasgo debe permanecer suficientemente invariable en el tiempo durante un período de tiempo que resulte aceptable.
- *Evaluabilidad.* El rasgo debe poder ser medido cuantitativamente.
- *Rendimiento.* Se refiere al error cometido en el reconocimiento de individuos, a la velocidad y recursos necesarios para realizarlo,

[440]   AEPD. «14 equívocos con relación a la identificación y autenticación biométrica», cit., pág. 3.
[441]   ORTEGA GARCÍA, J., ALONSO FERNÁNDEZ, F., COOMONTE BELMONTE, R.: *Biometría y Seguridad,* cit., págs. 8-9.

así como a los factores externos que afecten a las capacidades de reconocimiento del sistema.

- *Aceptabilidad.* Los usuarios deben estar dispuestos a emplear este rasgo en las actividades de la vida cotidiana.
- *Fraude.* Los sistemas que usen el correspondiente rasgo deben ser suficientemente seguros para que sea difícil atacarlos.

No obstante, se reconoce que cada rasgo biométrico tiene sus ventajas e inconvenientes, sin que ninguno cumpla con alguna de las anteriores propiedades al 100% o que cumpla con todas a la vez de forma satisfactoria, por lo que ninguno de ellos puede cubrir de forma efectiva las necesidades de todas las aplicaciones siendo necesario siempre alguna clase de compromiso.

Puede ser interesante conocer el proceso en que se desarrolla un sistema de reconocimiento biométrico, que permite realizar las funciones necesarias para reconocer a un individuo que accede al sistema. Y son tres los módulos básicos: una base de datos, un módulo de inscripción y un módulo de reconocimiento[442].

a) *Módulo de inscripción.* Está formado por un sistema de adquisición encargado de proporcionar la señal biométrica que caracteriza al individuo. Así por ejemplo, en el caso de un sistema de huella dactilar, la etapa de extracción de características proporciona un patrón biométrico formado por las coordenadas espaciales de los puntos característicos de la imagen, tales puntos se denominan minucias.

b) *Base de datos.* El patrón biométrico extraído por el módulo de inscripción es almacenado en la base de datos del sistema de reconocimiento, conteniendo todos los patrones biométricos de los individuos que sean usuarios del sistema. Es interesante señalar, que, dependiendo de la aplicación podrá almacenarse la aplicación sobre otros soportes como, por ejemplo, una tarjeta magnética o una tarjeta inteligente, en cuyo caso los datos del individuo se

---

[442]   SIMÓN ZORITA, D.: *Reconocimiento automático mediante patrones biométricos de huella dactilar*, cit., págs. 12-13.

almacenan exclusivamente sobre el soporte tarjeta, sin que exista una base de datos centralizada.

c) *Módulo de reconocimiento.* Es el que se encarga de establecer la identidad del individuo que accede al sistema. Para ello, una vez se produce la adquisición del rasgo biométrico del individuo, se extraen las características y se obtiene el patrón biométrico que, es comparado con los patrones almacenados en la base de datos. Los resultados de las comparaciones son cuantificados y valorados, permitiendo así la toma de decisiones respecto a la identidad del individuo en función del grado de similitud obtenido.

En suma, dos son los elementos esenciales que concurren en el uso de la biometría: por un lado, la propia fisiología del trabajador, según se trate de la huella digital, iris de los ojos, etc., y por otro, el instrumento empleado en su identificación que deberá ser el mismo u otro idéntico.

Con respecto a este último, caben señalar[443], en primer lugar, el sensor que es un dispositivo de captura de los rasgos o características biométricas, que convierten los rasgos biométricos en datos en el ordenador; el repositorio o base de datos donde se almacenan las plantillas biométricas inscritas para su comparación y finalmente, los algoritmos para extracción y procesamiento de características y comparación.

Trataré en primer lugar de esas potencialidades que residen en dedos, ojos, garganta, etc. y que permite conocer cómo, a través respectivamente de las huellas dactilares, iris voz, etc., es posible la identificación, vigilancia y control del trabajador por el empleador de su actividad y de si con todo ello, se vulnera algún derecho fundamental.

Otra cuestión de interés que puede plantearse es si la implantación de un mecanismo biométrico de control podría hacer tambalear los derechos laborales de los trabajadores. El ejemplo de la condición más beneficiosa otorgada con antelación a la citada implantación lo tenemos en el supuesto de la STS 16 septiembre 2015[444], según la cual, se declaró

---

[443]   ARETIO BERTOLÍN, J. y ARETIO BERTOLÍN, M. T.: «Análisis en torno a la tecnología biométrica para los sistemas electrónicos de identificación y autenticación», cit. págs. 54-56.

[444]   STS 16 septiembre 2015 (RJ 2015, 5755).

nula la decisión empresarial de suprimir el descanso del bocadillo como tiempo efectivo de trabajo, y para un mayor control se implantó, además de los tornos, un control biométrico de huella dactilar, de manera que para salir de la empresa debían registrarse fichando en el sistema instalado, con objeto de identificar a las personas que entraban y salían de la empresa, si bien, no se debatía la legitimidad de la empresa por la incorporación del nuevo sistema biométrico de control, sino de la decisión empresarial de suprimir la condición más beneficiosa, considerando la sentencia que se trata de una decisión nula al no haber seguido el procedimiento del artículo 41 del Estatuto de los Trabajadores.

III. TRATAMIENTO DE DATOS PERSONALES MEDIANTE RASGOS BIOMÉTRICOS

Pese a la aún escasa implantación de los sistemas biométricos como instrumento de control por el empresario, se suscitan, al igual que en cualquier otra tecnología, algunas cuestiones laborales relativas a la legitimidad de su uso por el empleador y a su posible confrontación con los derechos fundamentales del trabajador[445], ya que se plantean riesgos para la privacidad de las personas en relación a diversos planos, y en relación a la naturaleza de los datos biométricos que se manejen, podría revelar información sobre el estado de salud del trabajador, así como de su origen racial o étnico[446]. De ahí la importancia de intensificar las técnicas que faciliten la preservación de la privacidad de las personas, como son las técnicas de anonimización que pueden aportar garantías de privacidad y usarse para generar procesos de anonimización eficientes[447]. A este respecto, y en relación a la privacidad, resulta interesante distinguir[448], dos tipos básicos de técnicas de tratamiento de datos

---

[445]   En ese sentido, RUIZ GONZÁLEZ, C.: *La incidencia de las tecnologías de la información y la comunicación en las relaciones laborales,* cit., pág. 271.

[446]   BAZ RODRÍGUEZ, J.: *Privacidad y protección de datos de los trabajadores en el entorno digital.* cit., pág. 245.

[447]   GT29. *Dictamen 05/2014, sobre técnicas de anonimización.* WP216, pág. 3.

[448]   BAZ RODRÍGUEZ, J.: *Privacidad y protección de datos de los trabajadores en el entorno digital,* cit., pág. 254.

biométricos: los que pueden llevar a cabo una función de *verificación*, consistentes en efectuar una «comparación-uno-a-uno» para posibilitar, sin ir más lejos, a la autenticación del trabajador a partir de sus datos biométricos, mientras que en un nivel más intenso o invasivo, se puede llevar a cabo una función de *identificación*, en que los datos se someten a una comparación múltiple con los rasgos biométricos de otros individuos que se encuentran almacenados en una base de datos centralizada, por lo que es obvio que la primera técnica resulta más respetuosa de la privacidad que la segunda.

En cualquier caso, en los sistemas biométricos, al igual que en el resto de dispositivos que realizan el tratamiento de datos personales deben ser sometidos al triple juicio de proporcionalidad, y en este sentido, siguiendo la doctrina del TC, argumenta la AEPD[449]: *Juicio de idoneidad.* Con respecto a la idoneidad, el registro de cualquier dato obtenido por sistemas biométricos, como pueda ser mediante huella dactilar consigue dicha finalidad de identificación/seguridad que la persona que accede es la que dice ser al poner el dedo en el lector y correlaciona su algoritmo o patrón registrado. Además, sobre la probabilidad de que el sistema sea eficaz para responder a la necesidad en cuestión de las características específicas de la tecnología biométrica que se va a utilizar, se aprecia que los datos que se almacenan en una base de datos en un servidor, podrían estar guardados en una tarjeta que portara el socio, y así resultaría menos excesivo el tratamiento a que se ven sometidos, al figurar en poder del propio socio el sistema de autenticación completo.

Juicio de necesidad. En cuanto a si el sistema biométrico es necesario para responder a la necesidad de identificar al afectado, y no solo el más adecuado o rentable, si no se detallaran aspectos que supongan la necesidad de la implantación del sistema, excepto la comodidad y la seguridad del uso por el propio titular, cabe concluir que la comodidad no puede prevalecer sobre los derechos de los afectados.

Juicio de proporcionalidad en sentido estricto. Desde esta perspectiva se debe valorar, si la medida biométrica es ponderada o equilibrada, por

---

[449] AEPD. Procedimiento sancionador, Nº PS/00038/2018, Resolución: R/1410/2018, págs. 8-9.

derivarse de ella más beneficios o ventajas para el interés general que perjuicios sobre otros bienes o valores en conflicto. En cuanto a la perdida de intimidad, se ha de ponderar que sea proporcional a los beneficios esperados. Si el beneficio es relativamente menor, como una mayor comodidad o un ligero ahorro, la perdida de intimidad no sería apropiada, se ha de considerar para evaluar la adecuación del sistema biométrico si hay un medio menos invasivo de la intimidad para alcanzar el fin deseado, por ejemplo, otros métodos que no recojan y centralicen datos en una base de datos para fines de autenticación o tarjetas inteligentes.

Pero antes de entrar en la problemática desde el punto de vista laboral, conviene conocer cómo funcionan estos sistemas. Para ello, iremos examinando, el funcionamiento técnico de cada uno de los sistemas biométricos más frecuentes.

1. Huella dactilar

La huella dactilar es el rasgo biométrico más utilizado por la humanidad, durante siglos, para la identificación de las personas, pues es un rasgo particular de cada individuo, cuyo origen tiene lugar durante la etapa fetal y permanece inmutable a lo largo de toda la vida, permitiendo discriminar perfectamente a los diferentes individuos, y su grado de aceptabilidad es relativamente alto[450].

La huella dactilar es frecuentemente utilizada en aplicaciones forenses y policiales, en aplicaciones civiles como el control de accesos; consiste en la reproducción de la epidermis de la parte posterior de los dedos de la mano, conformándola un conjunto de líneas denominadas crestas (líneas oscuras) y valles (líneas claras), y para ello, se utilizan diversos instrumentos que son los que identifican la huella, como pueden ser los sensores, ópticos, térmicos, acústicos o de presión[451]. Ahora bien, en ocasiones es preciso adoptar contramedidas, en el sentido de establecer acciones para hacer frente a ataques, como, por ejemplo, tomar la

---

[450]   SIMÓN ZORITA, D.: *Reconocimiento automático mediante patrones biométricos de huella dactilar*, cit., pág. 27.

[451]   CUADROS GARRIDO, M. E.: *Trabajadores Tecnológicos y Empresas Digitales*, cit., págs. 415-416.

temperatura del dedo al capturar la huella dactilar para comprobar que pertenece a un ser humano vivo[452], en lugar de a algún tipo de dispositivo que pueda reproducir la huella dactilar, pero ese mismo sistema también podría incluir la temperatura, con lo que tampoco es un sistema de alta seguridad.

Como se ha encargado de precisar la AEPD[453], «los datos biométricos solo pueden utilizarse si son adecuados, pertinentes y no excesivos, ello implica una evaluación estricta de la necesidad y de la proporcionalidad de los datos tratados y de si la finalidad prevista podría alcanzarse de manera menos intrusiva. De este modo, si la finalidad perseguida en un determinado contexto puede ser lograda sin necesidad de llevar a cabo el tratamiento de un determinado dato, sin verse por ello alterado o perjudicado este fin, debería optar necesariamente por esta posibilidad, dado que el tratamiento de datos de carácter personal supone, tal como consagra el Tribunal Constitucional en su Sentencia 292/2000, una limitación del derecho del afectado a disponer de la información referida a su persona». En ese sentido, continúa señalando la AEPD[454], el tratamiento del sistema de huellas para acceder a un establecimiento exige una especial atención a la proporcionalidad, no solo por el carácter excesivo en la recogida sino en la modalidad técnica para tratarlo reiteradas veces, es decir que el dato que figure en sus sistemas sea objeto de tratamiento en tanto resulte completamente imprescindible para el cumplimiento de la finalidad perseguida.

Sobre la trascendencia en la profundidad de esa intimidad más física que otra cosa, la AEPD, se plantea en el caso de la huella digital, si la información contenida en ese dato biométrico podría considerarse excesivo para el fin que motiva ese tratamiento. El caso concreto que planteaba el informe de la AEPD[455] era el control horario de los trabajadores basado en la lectura de la huella digital. A este respecto señala

---

[452] PASCUAL GASPAR, J. M.: *Uso de la firma manuscrita dinámica para el reconocimiento biométrico de personas en escenarios prácticos*, cit., pág. 118.

[453] AEPD. Procedimiento sancionador, Nº PS/00038/2018, Resolución: R/1410/2018, pág. 8.

[454] Ibidem, pág. 9.

[455] AEPD Informe 0324/2009, pág. 2.

que «tratándose del tratamiento de la huella digital, la información contenida en dicho dato no contiene ningún aspecto concreto de la personalidad y tan sólo cuando dicha información se vincula a la identidad de una persona es posible identificarla con toda certeza, de modo que los datos que se recaban no pueden considerarse de mayor trascendencia que los relativos a un número personal, a una ficha que tan solo pueda utilizar una persona o a la combinación de ambos». Pero, además, como señala la AEPD en diversos informes[456], podrían establecerse buenas prácticas que permitieran el control a través de la huella digital sin que el sistema tuviera que almacenar el dato biométrico (por ejemplo, por su incorporación a una tarjeta inteligente que se contrastase con la huella y se mantuviera siempre en poder del trabajador).

En ese sentido, el TC[457] señala que «no pueden entenderse como intromisiones forzadas en la intimidad aquellas actuaciones que, por las partes del cuerpo humano sobre las que se opera o por los instrumentos mediante los que se realiza, no constituyen, según un sano criterio, violación del pudor o recato de las personas».

En el ámbito laboral, su aplicación presenta ventajas, como el bajo coste de implantación de los lectores de huellas dactilares, y la posibilidad de instalación individual en cada ordenador, teléfono, etc. El problema reside en la posibilidad de alteración en los dedos producida por la humedad, sequedad, suciedad o cualquier enfermedad, como quemaduras o cortes, que pueden dificultar la obtención de huella de calidad que identifique al titular de la misma[458].

Desde el punto de vista del respeto a los derechos de los trabajadores, como lo atestiguan diversas resoluciones judiciales, el uso de la lectura biométrica de la mano, de la huella digital en concreto, como nuevo sistema de control horario no es coextensa la intimidad corporal con la realidad física del cuerpo humano, siendo aquella un concepto cultural determinado por los criterios que prevalecen en materia de recato

---

[456] https://www.aepd.es/agencia/transparencia/jornadas/common/10-sesion/9-preguntas.pdf pág. 4.

[457] Auto TC 57/2007, 26 febrero (RTC 2007, 57).

[458] En ese sentido, RUIZ GONZÁLEZ, C.: *La incidencia de las tecnologías de la información y la comunicación en las relaciones laborales*, cit., pág. 277.

corporal, en consecuencia no se aprecian vulneraciones de la intimidad corporal ante actuaciones sobre partes del cuerpo sobre las que no opera el recato corporal, pues el establecimiento de sistema de control horario que identifica al personal por la lectura de la mano mediante infrarrojos, no vulnera el derecho a la integridad física[459], ni constituye modificación sustancial de condiciones de trabajo o pérdida del poder de control y disposición sobre sus datos personales[460]. Y es que, «un mecanismo de lectura biométrica de la mano mediante un escáner que utiliza rayos infrarrojos y que es inocuo para la salud no puede considerarse lesivo

---

[459]   STS (Sala de lo contencioso administrativo) 2 julio 2007, rec. 5017/2003, (RJ 2007, 6598). Como apuntan, GARCÍA-PERROTE ESCARTÍN, I. y MERCADER UGUINA, J. R.: «El control biométrico de los trabajadores». *Revista de Información Laboral* num. 3/2017, «tal doctrina, a pesar de provenir de otro orden jurisdiccional, es perfectamente aplicable al caso de autos por dos cualificadas razones, en primer lugar, porque está concebida para quienes prestan servicios para la Administración Pública tanto mediante vínculo funcionarial como laboral (empleados públicos) y en segundo lugar porque viene a extractar toda la doctrina sentada por el Tribunal Constitucional al respecto. Por ello consideramos que es perfectamente extrapolable a quienes, como en el presente caso, prestan servicios en el ámbito laboral para un empleador privado».

[460]   STSJ Murcia 25 enero 2010 (AS 2010, 165). Señala la sentencia, que «la captación por un sistema electrónico de determinados parámetros biométricos de la huella digital para, mediante tratamiento informático que lo relaciona con otros datos personales existentes en la empresa, identificar a los empleados de la empleadora, con el fin de controlar su acceso a las instalaciones de la misma, no reviste caracteres de intromisión ilegítima en la esfera de la intimidad, tanto por la parte del cuerpo utilizada, como por las condiciones en que se usa, pues no existe constancia de la utilización de tales datos para fines diversos y porque con ocasión de la lectura de la huella digital no se puede ver la imagen de la huella ni puede ser captada por terceros, quedando todos los datos del sistema guardados en los ordenadores de la empresa a efectos de su custodia» (F.J. 3°). Por otro lado, como señala, DESDENTADO BONETE, A., y MUÑOZ RUIZ, A. B.: *Control informático, videovigilancia y protección de datos en el trabajo*, cit., pág. 162, de hecho, en esta sentencia se aclara que el empresario no precisa del acuerdo de los representantes de los trabajadores para la implantación de un sistema de control biométrico a partir de la captación de determinados parámetros de la huella digital, pues el establecimiento de este tipo de control no constituye una modificación del contrato de trabajo, a efectos del artículo 41 del Estatuto de los Trabajadores, sino que se trata de una medida que se encuentra amparada por las facultades que le atribuye el artículo 20.3 del Estatuto de los Trabajadores.

para el derecho a la integridad física y moral», pues «en realidad, la captación de imágenes o registros de distintas partes del cuerpo humano a efectos de identificación no es desconocida. Así, no se considera lesiva la fotografía del rostro o del cuerpo entero, se admite la toma de huellas digitales o del pie, el registro del iris o de la voz y hasta del mismo ADN en determinados supuestos»[461].

En suma, como se ha sintetizado[462], la captación por un sistema electrónico de determinados parámetros biométricos de la huella digital, mediante tratamiento informático, con el fin de controlar su acceso a las instalaciones de la misma, no reviste caracteres de intromisión ilegítima en la esfera de la intimidad, tanto por la parte del cuerpo utilizada, como por las condiciones en que se usa, pues no existe constancia de la utilización de tales datos para fines diversos y porque con ocasión de la lectura de la huella digital no se puede ver la imagen de la huella ni puede ser captada por terceros, quedando todos los datos del sistema guardados en los ordenadores de la empresa a efectos de su custodia[463], a propósito de marcaje biométrico horario a través de huella digital, o las que señalan que el mecanismo de control horario —imagen biométrica de la mano— no vulnera la intimidad e integridad personal protegida constitucionalmente[464], pues se reduce a ser un algoritmo digitalizado de la imagen de la mano. Otra cosa es que la empresa debe informar a los trabajadores de la existencia del registro de datos, derechos de rectificación y cancelación, ya que, si no lo hiciera la AEPD, puede iniciar un procedimiento sancionador. Concretamente, la AN confirmó la sanción impuesta a una empresa[465],

---

[461]   STSJ Islas Canarias 29 mayo 2012, rec. 398/2012 (AS 2012, 1915).

[462]   PURCALLA BONILLA, M. A.: «Control tecnológico de la prestación laboral y derecho a la desconexión de los empleados: Notas a propósito de la Ley 3/2018, de 5 de diciembre». *Nueva Revista Española de Derecho del Trabajo* núm. 218/2019, BIB 2019\2891, págs. 17-18.

[463]   STSJ Cataluña 28 noviembre 2016), rec. 3933/2016 (JUR 2017, 36718);

[464]   SSTSJ Canarias (sala de lo contencioso administrativo 18 abril 2012, rec. 357/2009, (JUR 2013, 247673), 31 octubre 2012, rec. 386/2007 (JUR 2013, 248306), 9 noviembre 2012, rec. 356/2009, (JUR 2013, 247048), y 3 junio 2013, rec. 391/2009 (JUR 2013, 353593).

[465]   Concretamente, señala la SAN 21 junio 2013 (sala de lo contencioso-administrativo), rec. 483/2011 (JUR 2013, 231679), que la resolución sancionadora, el 28 de

con motivo de no haber informado previamente a los trabajadores del sistema implantado para controlar.

Por otro lado, la AEPD recomienda[466] este sistema de control no solo por la inexistencia de margen de error, sino también porque entre los datos que proporciona la información no incluye ninguno que afecte a la personalidad, sin que vayan más allá de los que proporciona un número personal.

Una cuestión de interés es la de saber qué sucede si un trabajador se negara a someterse al control de entradas y salidas del trabajo mediante la huella digital. En este caso, habría que examinar el caso concreto, pero en principio no cabría que tal actitud se subsumiera en la figura del incumplimiento contractual del artículo 54.2.b) del Estatuto de los

---

enero de 2010 EULEN puso en funcionamiento un nuevo sistema de control de presencia en el centro de trabajo de la JIEA, utilizando para ello unos terminales que realizan la validación del marcaje mediante lectura biométrica tridimensional de la geometría de los dedos de los empleados de esta entidad, asociado a un número por cada empleado. Este sistema está basado en la lectura biométrica de los dedos por el terminal señalado, y en la transformación de su imagen tridimensional en un algoritmo plasmado en una secuencia numérica, que, incorporada en una base de datos permite su asociación con la identidad de los empleados. Para ello, se realizó una lectura inicial almacenada en un fichero y que es actualizada cada vez que cada uno de los trabajadores realiza la validación de marcaje a la entrada y salida de su centro de trabajo, por lo que la captación de datos es continuada. Como se expresaba en el relato de hechos probados la lectura de huella de los trabajadores se actualizaba al entrar o salir del centro de trabajo, para lo cual ponían la huella del dedo sobre el lector digital, añadiendo luego cada empleado un número que habían de teclear para completar satisfactoriamente el registro, y el número de cada empleado había sido cumplimentado en una hoja, a petición de EULEN. La información obtenida a través de la lectura de la huella digital, constituye datos biométricos, es decir, aspectos físicos que, mediante un análisis técnico, permite distinguir las singularidades que concurren respecto de dichos aspectos y que, por ser irrepetibles en otros sujetos, una vez procesados, permiten identificar al individuo que los posee. En particular, por lo que ahora nos interesa, pues aun no siendo necesario el consentimiento del interesado, cuando está vinculado por una relación laboral con el responsable de su tratamiento, este se encuentra obligado al recabar dichos datos a informarle de los extremos contenidos en aquel precepto.

[466]   AEPD Informe 0324/2009.

Trabajadores[467]. Y es que como ha señalado la AEPD[468], el tratamiento de la huella digital para el control de acceso por los trabajadores podría considerarse una medida de control amparada en el artículo 20 del Estatuto de los Trabajadores, por lo que no exigiría consentimiento del empleado. De manera que en general, podría afirmarse que, en el ámbito de las relaciones laborales, la regla por defecto en materia de tratamiento de datos —entre los que se obtienen de los datos biométricos—, es la de «información», más que el consentimiento del afectado[469]. En este sentido[470], en el ámbito de la relación laboral se excepciona la necesidad de solicitar el consentimiento expreso en determinadas situaciones, ya que, se interpreta que con la firma del contrato se entiende el consentimiento implícito del trabajador cuando el tratamiento esté amparado en la relación laboral. Sin embargo, el empresario no podrá tratar sin consentimiento expreso del trabajador aquellos datos que se consideran especiales, a no ser que existan obligaciones legales del ámbito del Derecho laboral, Seguridad Social, Agencia Tributaria, que justifique ese tratamiento, por ejemplo, el uso de la huella dactilar para fichar la entrada y salida del puesto de trabajo, este se considera dato biométrico de carácter especial, sin embargo, al existir una obligación contractual en el ámbito laboral, como es el control de la jornada diaria del trabajador, no se necesita consentimiento expreso. De hecho, la AEPD, puntualiza, que el tratamiento de la huella digital para el control de acceso por los trabajadores podría considerarse una medida de control amparada en el artículo 20 del Estatuto de los Trabajadores, por lo que no exigiría consentimiento del empleado, sin embargo, para implantar esta medida debería aplicarse el principio de minimización; es decir, debería limi-

---

467   STSJ País Vasco 17 enero 2012 (JUR 2012, 185234).
468   https://www.aepd.es/agencia/transparencia/jornadas/common/10-sesion/9-preguntas.pdf pág. 7.
469   GONZÁLEZ BIEDMA, E.: «Derecho a la información y consentimiento del trabajador en materia de protección de datos». *Temas Laborales. Monográfico sobre el impacto de las Tecnologías de la Información y las Comunicaciones sobre Relaciones Laborales*, cit., pág. 246.
470   ORTEGA GIMÉNEZ, A.: «Cuestiones prácticas laborales en materia de protección de datos de carácter personal tras el nuevo reglamento general de protección de datos», cit., pág. 10.

tarse a los supuestos en que se considere realmente necesaria para que el control sea eficaz. De hecho, como ha señalado la AEPD en diversos informes, podrían existir buenas prácticas que permitieran el control a través de la huella digital sin que el sistema tuviera que almacenar el dato biométrico[471].

Al contrario del criterio implantado en España, que permite con cautelas el uso de los datos biométricos para controlar la jornada de trabajo, el uso de huellas digitales para el control de asistencia de los trabajadores o para la comprobación del cumplimiento del horario de trabajo, se ha considerado en algunos Estados, como Italia[472] o Grecia, que infringe el principio de proporcionalidad, al considerar que el propósito del tratamiento puede lograrse mediante medidas menos invasivas, como puede ser mediante el acceso con tarjetas y otros dispositivos que no utilizan datos biométricos[473].

Otra vertiente del uso de la huella digital, es la de la prevención de riesgos laborales, es decir, si existe algún riesgo de contagio en relación a alguna posible infección, como sucede con el COVID-19. Si comporta algún peligro este sistema de identificación o si debe adoptarse alguna medida de protección, dado que tocar los sensores podría propagar el virus. Desde luego, no se puede afirmar que el uso de los sensores de huellas dactilares, estén exentos de propagar del virus. Sobre esta cuestión, un investigador ha expresado su opinión[474], señalando que los informes dicen que el virus puede sobrevivir entre horas y días, dependiendo del tipo de superficie sobre la que se pose y como el reconocimiento de las

---

[471]   AEPD. «Preguntas de los asistentes» *10ª Sesión anual abierta de la AEPD*, pág. 3.

[472]   En Italia de conformidad con la Newsletter de 29 de marzo de 2007, emitida por el Garante de la Protección de Datos Personales, se permite la recogida de la huella de la mano de los trabajadores para poder acceder a determinadas áreas de la empresa, en condiciones de seguridad, siempre que no se cree un archivo, los datos se memoricen en una tarjeta específica y, sean borrados automáticamente después de 7 días (ORELLANA CANO, A. M.: *El derecho a la protección de datos personales como garantía de la privacidad de los trabajadores*. cit., pág. 155.

[473]   BAZ RODRÍGUEZ, J.: *Privacidad y protección de datos de los trabajadores en el entorno digital*, cit., pág. 252.

[474]   SONG, B.: Director de Investigación, Suprema Inc., puede consultarse en: https://www.tecnoseguro.com/analisis/control-de-acceso/suprema-reconocimiento-biometrico-huella-dactilar-covid-19.

huellas dactilares requiere que los usuarios toquen el sensor, existe un riesgo tan alto como el de las perillas de las puertas según un estudio de la Universidad de Purdue. Lo que indica que los sensores de reconocimiento de huellas pueden actuar como un medio para transmitir el virus, exactamente en la misma medida que cualquier otra superficie comúnmente tocada. El mismo autor, señala que otro estudio sugiere que desinfectar las superficies de los sensores con alcohol podría reducir significativamente la posibilidad de transmisión del virus, si no eliminarlo por completo. El riesgo de propagación varía según el tamaño de la superficie tocada, la duración y la presión de contacto. Los sensores de reconocimiento de huellas tienen un área de contacto muy pequeña, con necesidad de aplicar poca presión y con una duración táctil de menos de un segundo. Por lo tanto, el riesgo de transmisión del virus es significativamente menor en comparación con otras superficies, como las perillas de las puertas. Además, los usuarios de sensores de huellas dactilares están limitados a personas conocidas y autorizadas, mientras que otras superficies las tocan innumerables personas indiscriminadamente, como en el caso de los pasamanos del transporte público. Asimismo, estos usuarios también comparten áreas y objetos comunes, como máquinas copiadoras y mesas de salas de reuniones. Por lo tanto, se requiere la implementación de una gestión de riesgos diseñada específicamente para este tipo de grupo de usuarios. Instar a las personas a usar desinfectantes para manos después del reconocimiento de huellas dactilares, cuando entran a la oficina, también ayuda con la higiene general y la prevención de infecciones. En definitiva, que se puede combatir el peligro de contagio del COVID-19, mediante algunas sencillas medidas higiénicas. Aunque quizá, lo más seguro es establecer sistemas que no necesiten el contacto, como pueda ser el de la voz. Aunque también este sistema puede inducir al contagio, sobre todo, si no se utiliza mascarilla. Pero si se utiliza, se podría dificultar el reconocimiento de la voz por el correspondiente dispositivo.

2. Iris

Al igual que la huella digital, el patrón biométrico obtenido del iris[475] se mantiene invariable a lo largo de toda la vida y es único para cada individuo, por lo que su utilización se aprecia mucho por los sistemas automáticos de reconocimientos en entornos de alta seguridad[476]. El control mediante el iris es de los sistemas biométricos de mayor fiabilidad porque presenta unos 266 puntos únicos a diferencia de los demás sistemas biométricos que poseen entre 13 a 60 características distintas, cada ojo es único y permanece estable con el paso del tiempo (se dice que el ojo es el único órgano del cuerpo humano que no cambia), y en diferentes ambientes de clima, y se realiza analizando los parámetros de color de los surcos de la parte coloreada de los ojos, mediante una cámara de video o cámara web[477]. Entre las ventajas laborales destaca la alta resistencia al fraude, pues no solo es distinto el iris de una persona a otra, sino respecto de un ojo al otro[478]. Sin embargo, tiene el inconveniente de que la adquisición de la imagen del iris se realza proyectando un haz de luz sobre los ojos, situación que ordinariamente no se acepta por los usuarios[479], por el temor a sufrir alguna lesión, si bien las técnicas han evolucionado desde los primeros sistemas, logrando que mediante rayos láser resulte el proceso menos agresivo.

Quizá el mayor problema, que presenta este sistema en lo que afecta a los derechos de los trabajadores, se encuentra no tanto en el peligro de lesiones físicas, sino en que mediante la lectura del iris pueden obtenerse datos relativos a la salud del trabajador, con lo que se amenaza el riesgo de llevar a cabo actuaciones discriminatorias contra determinados traba-

---

[475]   El iris es la parte del ojo que se ubica entre la pupila (circulo negro central y la esclera (parte blanca externa).

[476]   SIMÓN ZORITA, D.: *Reconocimiento automático mediante patrones biométricos de huella dactilar*, cit., pág. 28.

[477]   CORTÉS OSORIO, J. A., MEDINA AGUIRRE, F. A. y MURIEL ESCOBAR, J. A.: «Sistemas de seguridad basados en Biometría», cit., pág. 100.

[478]   En ese sentido, RUIZ GONZÁLEZ, C.: *La incidencia de las tecnologías de la información y la comunicación en las relaciones laborales*, cit., pág. 278.

[479]   SIMÓN ZORITA, D.: *Reconocimiento automático mediante patrones biométricos de huella dactilar*, cit., pág. 28.

jadores[480]. En este sentido, apunta la doctrina[481], que la primera fase de recogida y tratamiento de los datos biométricos podría hacer peligrar los derechos fundamentales de los trabajadores al suponer riesgos para su vida privada, así por ejemplo, el iris puede revelar el consumo de drogas y de alcohol o el padecimiento de enfermedades como hipertensión o diabetes. Y es que, dependiendo de la técnica biométrica que se utilice, será mayor o menor el número de datos personales que se obtengan, de ahí la importancia de calibrar cuál debe ser la técnica que debe utilizarse en cada caso.

3. El reconocimiento facial o rostro

El reconocimiento facial, es una forma de autenticación biométrica que utiliza medidas corporales para verificar la identidad de las personas. El reconocimiento facial es un subconjunto de datos biométricos que identifica a las personas mediante la medición de la forma y estructura únicas de sus rostros. Los diferentes sistemas existentes utilizan técnicas distintas, pero en lo fundamental, el reconocimiento facial utiliza los mismos principios que otras técnicas de autenticación biométrica, como los escáneres de huellas digitales y el reconocimiento de voz[482]. Concretamente, los sistemas que se basan en reconocimiento facial o de la cara clasifican la apariencia de la persona e intenta medir algunos puntos nodales del rostro como la distancia entre los ojos, el ancho de la nariz, la distancia del ojo a la boca, o la longitud de la línea de la mandíbula, bien es verdad que es menos exacto que el análisis de las huellas dactilares, con la ventaja de no ser un método invasivo[483]. El análisis fue variando

---

[480]   GOÑI SEIN, J. L.: «Controles empresariales: geolocalización, correo electrónico, Internet, videovigilancia y controles biométricos». *Justicia Laboral*, núm. 39, 2009, págs. 53-54.

[481]   RODRÍGUEZ ESCANCIANO, S.: «El derecho a la protección de datos personales en el contrato de trabajo: reflexiones a la luz del Reglamento europeo 2016/679», *Revista de Trabajo y Seguridad Social, CEF*, núm. 423 (junio 2018), pág. 56.

[482]   En: https://www.cnet.com/es/noticias/reconocimiento-facial-apple-amazon-google-ai/.

[483]   CORTÉS OSORIO, J. A., MEDINA AGUIRRE, F. A. y MURIEL ESCOBAR, J. A.: «Sistemas de seguridad basados en Biometría», cit., pág. 99.

en los últimos años, desde la comparación de simples puntos clave en la cara del individuo, hasta métodos matemáticos mucho más complejos que incluyen el uso de redes neuronales[484]. El análisis en tres dimensiones de la cara elimina algunos inconvenientes que se pueden tener en un reconocimiento bidimensional, como son: la iluminación y las sombras, la orientación o pose de la cara, y la variación de expresiones faciales[485].

El Dictamen 2/2012 sobre reconocimiento facial en servicios online y móviles adoptado por el GT29, analiza cómo abordar el uso de técnicas de reconocimiento facial en el marco legal de protección de datos y proporcionar recomendaciones para su uso en los contextos de servicios online y móviles. Este documento analiza una serie de riesgos específicos, entre los que destacan el de la adquisición de imágenes para su tratamiento sin suficiente legitimación y el de las quiebras de seguridad que pueden producirse en los procesos de comunicación entre la captura de la imagen y las sucesivas fases de tratamiento. Frente a estos riesgos, el texto ofrece varias recomendaciones con especial énfasis en la obtención del consentimiento de los interesados o en la existencia de un claro interés legítimo cuando éste pueda ser empleado como base de legitimación para el tratamiento. Igualmente, se recomienda el uso de técnicas que, como el encriptado, garanticen la seguridad en las comunicaciones de estos datos[486].

Según el considerando (51) RGPD, «el tratamiento de fotografías no debe considerarse sistemáticamente tratamiento de categorías especiales de datos personales, pues únicamente se encuentran comprendidas en la definición de datos biométricos cuando el hecho de ser tratadas con medios técnicos específicos permita la identificación o la autenticación unívocas de una persona física».

Este sistema biométrico presenta como ventaja, la posibilidad de captar la imagen incluso mediante cámaras de video, que resultan más frecuentes en el ámbito empresarial, ya sea como medida de seguridad

---

[484]   http://serverpruebas.com.ar/news18/nota09.htm.

[485]   CORTÉS OSORIO, J. A., MEDINA AGUIRRE, F. A. y MURIEL ESCOBAR, J. A.: «Sistemas de seguridad basados en Biometría», cit., pág. 99.

[486]   https://www.prevent.es/Documentacion/memoria-2012-agencia-espa%C3%B1ola-de-proteccion-de-datos.pdf pág. 43.

de las instalaciones o de vigilancia y control de los trabajadores, siendo su inconveniente el de la escasa permanencia en el tiempo y capacidad discriminatoria, porque una persona puede modificar visualmente su cara de forma sencilla, utilizando, por ejemplo, gafas o barba[487].

En lo que concierne al ámbito laboral, el reconocimiento de la cara puede utilizarse sin que el usuario tenga conocimiento, en cuyo caso podrían plantearse problemas de privacidad o de aceptación[488]. Y es que, como señala el GT29[489] con las capacidades que ofrecen los análisis de vídeo, es posible que un empresario observe las expresiones faciales del trabajador por medios automatizados, identifique desviaciones con respecto a los patrones de movimiento predefinidos (por ejemplo, una fábrica). Esto sería desproporcionado a efectos de los derechos y libertades de los trabajadores y, por tanto, ilegal en general. El tratamiento también puede implicar la elaboración de perfiles y, posiblemente, la toma de decisiones automatizada. Por tanto —según el GT29—, los empresarios deben abstenerse de utilizar tecnologías de reconocimiento facial. Puede haber algunas excepciones marginales a esta regla (las del artículo 9.2 RGPD), pero tales escenarios no pueden utilizarse para invocar una legitimación general del uso de esta tecnología. Y es que, pese a que en el ámbito laboral —según la AEPD[490]—, el uso de estas tecnologías podría considerarse una medida de control por el empresario, admitida por el artículo 20 TRLET, esto sería así, siempre y cuando sea proporcional, lo que exigiría tener en cuenta la naturaleza de la actividad y de las instalaciones para cuyo acceso se requiriese el reconocimiento facial. En los restantes supuestos no existiría una habilitación similar, si bien podría ser posible el tratamiento cuando se tratase de preservar la seguridad de determinadas instalaciones, como las estratégicas, así como en determinados supuestos amparados por la Directiva 2016/680. En

---

[487]   RUIZ GONZÁLEZ, C.: *La incidencia de las tecnologías de la información y la comunicación en las relaciones laborales*, cit., pág. 276.

[488]   ORTEGA GARCÍA, J., ALONSO FERNÁNDEZ, F., COOMONTE BELMONTE, R.: *Biometría y Seguridad*, cit., pág. 15.

[489]   GT29 Dictamen 2/2017 sobre tratamiento de datos en el trabajo, pág. 21.

[490]   https://www.aepd.es/agencia/transparencia/jornadas/common/10-sesion/9-preguntas.pdf pág. 2.

ese sentido, y respecto a una consulta realizada a la AEPD[491], sobre la licitud de la incorporación de sistemas de reconocimiento facial en los servicios de videovigilancia al amparo del artículo 42 de la Ley de Seguridad Privada, contesta que no puede admitirse que la legitimación reconocida para los sistemas de videovigilancia, dirigida solo a la captación y grabación de la imagen y el sonido, abarque otras tecnologías mucho más intrusivas para la privacidad como pueda ser el reconocimiento facial u otras medidas biométricas como el reconocimiento de la forma de andar o el reconocimiento de voz. Por el contrario, la regulación actual se considera insuficiente para permitir la utilización de técnicas de reconocimiento facial en sistemas de videovigilancia empleados por la seguridad privada, Y es que los tratamientos de videovigilancia regulados en la LOPD y en la Ley de Seguridad Privada, se refieren exclusivamente a los tratamientos dirigidos a captar y grabar imágenes y sonidos, pero no incluyen los tratamientos de reconocimiento facial, que es un tratamiento radicalmente distinto al incorporar un dato biométrico, «siendo necesario que se aprobara una norma con rango de ley que justificara específicamente en qué medida y en que supuestos, la utilización de dichos sistemas respondería a un interés público esencial, definiendo dicha norma legal, previa ponderación por el legislador de los intereses en pugna atendiendo al principio de proporcionalidad, todos y cada uno de los presupuestos materiales de la medida limitadora mediante reglas precisas, que hagan previsible al interesado la imposición de tal limitación y sus consecuencias, y estableciendo las garantías técnicas, organizativas y procedimentales adecuadas, que prevengan los riesgos de distinta probabilidad y gravedad y mitiguen sus efectos».

No obstante, la Agencia considera que existen supuestos excepcionales en los que podría quedar justificado el empleo de sistemas de reconocimiento facial en el caso de que la legislación lo prevea, como en el caso de las infraestructuras críticas, entendiendo por tales, conforme a la Ley 8/2011, de 28 de abril, por la que se establecen medidas para la protección de las infraestructuras críticas, aquellas cuyo «funcionamiento es indispensable y no permite soluciones alternativas, por lo que su perturbación o destrucción tendría un grave impacto sobre

---

[491]　AEPD. Informe N/REF 010308/2019.

los servicios esenciales». En este caso, la adecuada protección de las mismas tiene por finalidad garantizar la seguridad de los ciudadanos y el correcto funcionamiento de los servicios esenciales, por lo que la autorización por el legislador del empleo de técnicas de reconocimiento facial, estableciendo las garantías adecuadas, podría considerarse proporcional[492]. También, el reconocimiento facial puede ayudar como sistema biométrico, a reducir los riesgos aparejados al COVID-19, al poder identificar en poco tiempo a aquellas personas que se encuentran afectadas. Se basa en un algoritmo que identifica a quienes violan la cuarentena al rastrear las interacciones sociales entre personas potencialmente infectadas y notificar de inmediato a los servicios de supervisión relevantes[493].

4. Voz

El reconocimiento de la voz consiste en el proceso de interpretación de una palabra pronunciada por una persona La voz se considera como uno de los sistemas biométricos más eficaces, debido a su naturalidad. Su estudio se inicia a mediados de la década de los años 60. Se ha podido comprobar que los patrones con que una persona dice una palabra son únicos. El reconocimiento de voz funciona mediante

---

[492]   Un aspecto que puede resultar interesante y reciente es el las cuestiones relativas al uso de técnicas de reconocimiento facial en la realización de pruebas de evaluación *on line*, partiendo de que el estado de alarma declarado por Real Decreto 463/2020, de 14 de marzo, por el que se declara el estado de alarma para la gestión de la situación de crisis sanitaria ocasionada por el COVID-19, ha determinado la migración de todas las actividades docentes a entornos on line (AEPD Informe N/REF 0036/2020). A este respecto, entre otras cuestiones, señala la Agencia que, en estos casos, «las garantías a adoptar serán las que resulten del correspondiente análisis de riesgos y de la evaluación de impacto y que deberá valorar el responsable del tratamiento, en el presente caso, la universidad que pretenda implantarlo. Además, deberá consultar a la autoridad de protección de datos competente antes de proceder al tratamiento cuando la evaluación de impacto muestre que el tratamiento entrañaría un alto riesgo si el responsable no toma medidas para mitigarlo (artículo 36), salvo que el responsable sea capaz de garantizar que el riesgo puede mitigarse por medios razonables en cuanto a tecnología disponible y costes de aplicación (considerando 94 del RGPD)».

[493]   https://findface.pro/es/solution/solucion-biometrica-contra-covid-19/.

la digitalización de diferentes palabras de una persona. Cada palabra se descompone en segmentos, de los cuales se obtienen 3 o 4 tonos dominantes que son capturados en forma digital y almacenados en una tabla o espectro, que se conoce con el nombre de plantilla de la voz (*voice print*)[494]. Y es que, sin recurrir a tales mecanismos, resulta fácil reconocer la voz de las personas que conocemos, pues, con mayor seguridad aún se identifica, si se acude a tales recursos que nos ofrece la técnica más avanzada.

La voz es una combinación de características fisiológicas y de comportamiento. Las características fisiológicas vienen dadas por la forma y tamaño de las cavidades del tracto vocal (boca, fosas nasales, laringe, etc.) y son estables para cada individuo. Las características de comportamiento en cambio pueden ser muy variables con el tiempo y dependen de factores tales como el estado de ánimo, la edad, el contexto social o posibles enfermedades que afecten a la voz, como puede ser un resfriado[495].

Quizá pudiera pensarse en una posible vulnerabilidad de este tipo de sistemas mediante la imitación de la voz de un individuo, o incluso mediante la grabación y posterior reproducción de un determinado mensaje hablado. Para combatirlo, los sistemas modernos son capaces de analizar la entonación, el ritmo del habla e incluso el léxico, la jerga o la repetición de expresiones típicas de cada individuo; asimismo, son capaces de proponer de forma dinámica una determinada locución, evitando así el uso de posibles grabaciones previas[496].

Por otro lado, si como vimos, el uso de la huella dactilar como medio de identificación personal, podía suponer un riesgo de contagio del COVID-19, se están realizando estudios sobre posibles aplicaciones en el caso de la biometría de la voz que permitirán a través de la voz y la tos, detectar si una persona está afectada por COVID-19. Existen varios

---

[494] CORTÉS OSORIO, J. A., MEDINA AGUIRRE, F. A. y MURIEL ESCOBAR, J. A.: «Sistemas de seguridad basados en Biometría», cit., pág. 99.
[495] ORTEGA GARCÍA, J., ALONSO FERNÁNDEZ, F., COOMONTE BELMONTE, R.: *Biometría y Seguridad*, cit., pág. 33.
[496] Ibidem, pág. 34.

proyectos en marcha[497]: La app pionera de detección del coronavirus por voz que prepara Biometric Vox, partner de Kaizen y que, a través de una aplicación guiada por Inteligencia Artificial, será capaz de detectar un índice de contagio del COVID-19. Los algoritmos que prepara la empresa tratan de correlacionar los efectos del virus en el aparato respiratorio y de fonación y funcionan midiendo la voz y la tos (indicador muy relevante de cara a la detección del SARS-CoV-2), y bajo 100 patrones diferentes pueden detectar si una persona está afectada por COVID-19. Han empezado a realizar grabaciones de toses y voces de personas afectadas por COVID, de enfermedades respiratorias, y de personas sanas para encontrar los patrones que diferencian unos casos de otros. Otro proyecto que se encuentra en marcha de forma paralela, es el de los investigadores de la Universidad Carnegie Mellon en Pensilvania, que han lanzado una aplicación experimental que detecta si una persona padece COVID-19 a través de la voz. Aunque su algoritmo se encuentra en fase experimental, es capaz de rastrear la propagación del virus afinando resultados y su capacidad de precisión a través de la recopilación de datos de los usuarios. La aplicación es bastante sencilla. Permite el acceso y la prueba a cualquier persona previo registro gratuito. A través de la petición de una serie de datos fisiológicos, de sonidos con la voz y de la tos, es capaz de generar patrones identificativos de la enfermedad.

La importancia del desarrollo de este tipo de investigaciones, radica en que con ello se amplía y minimiza otro tipo de pruebas como los PCR y otros sistemas de detección.

Pero es que, también la voz puede evitar el contagio del COVID-19, evitando el contacto que se produce por ejemplo, al pasar el dedo en el sensor para identificar a una persona mediante la huella dactilar, ya que la voz, es única y exclusiva de cada individuo, por lo que permite fichar en el trabajo, firmar un contrato, autorizar un pago, abrir un coche o autorizar un acceso evitando el contacto físico con personas y cosas, y reduciendo así los riesgos de contagio por COVID-19[498].

---

[497]   http://kaizennetworks.es/biometria-de-voz-la-tecnologia-que-detecta-el-covid-19/.

[498]   https://interactivadigital.com/empresas-y-negocios-marketing-digital/biometria-de-voz-para-evitar-el-riesgo-de-contagio-por-covid-19/.

5. Geometría de la mano

El reconocimiento mediante geometría de la mano se basa en una serie de medidas tales como la forma de la mano, el tamaño de la palma y la longitud y anchura de los dedos. El problema de la geometría de la mano es que es un rasgo que no proporciona una altísima capacidad de discriminación y es variable durante la etapa de crecimiento, además, existe el impacto de elementos como joyas, anillos, limitaciones de movilidad en caso de artritis e incluso posible falta de algún dedo o de la mano entera.

Por el contrario, hay factores que juegan a favor de la aceptación de la mano como rasgo de identificación. Uno de ellos es la operación en modo «hágalo usted mismo», donde el usuario pone la mano extendida sin que sea necesaria supervisión[499].

6. Escáner de retina

La retina se encuentra en la parte posterior del globo ocular. El patrón de capilares existente en la retina se considera propio e individual de cada persona. Para su captura es necesario enfocar con haces de luz infrarroja a través del cristalino, requiriendo fuerte cooperación por parte del usuario, el cual tiene que situar el ojo a pocos centímetros del sensor. Otro factor en contra es que el patrón vascular de la retina puede revelar algunas enfermedades, como la hipertensión. No obstante, este rasgo biométrico se considera como de alta seguridad, puesto que no es fácil de alterar o de replicar[500].

7. Modo de caminar

El modo de andar es una característica peculiar de cada persona. A pesar de que no es muy distintivo, es muy fácil de capturar (basta una cámara de vídeo) y no es necesaria la cooperación del usuario. Pensemos que en sistemas de control de acceso en los que existan cámaras ya ins-

---

[499] ORTEGA GARCÍA, J., ALONSO FERNÁNDEZ, F., COOMONTE BELMONTE, R.: *Biometría y Seguridad*, cit., pág. 35.
[500] Ibidem, pág. 38.

taladas, será un rasgo adicional fácilmente obtenible. No obstante, al ser una característica de comportamiento, está sujeta a variaciones con el tiempo debido a cambios en el peso, vestimenta, lesiones, enfermedades, estados de embriaguez, etc.[501].

8. Pulsación de teclas

Es posible pensar que cada persona escribe con un teclado de manera diferente, mostrando diferencias en el tiempo transcurrido entre cada pulsación o el tiempo que se tiene pulsada cada tecla. No es un rasgo de muy alta capacidad discriminativa y puede ser variable al tratarse de una característica de comportamiento. Por el contrario, puede obtenerse de un modo no intrusivo (simplemente monitorizando al usuario) y al poder observarse durante un periodo de tiempo más o menos largo, permite verificar la identidad del usuario a lo largo de todo ese tiempo. Por ejemplo, si en un momento dado se observan cambios importantes en la dinámica de tecleo, puede considerarse que el usuario no es el mismo y a continuación, bloquear el sistema[502].

9. Forma de la oreja

Se ha sugerido que la forma de la oreja, así como su estructura de cartílagos es un rasgo que permite distinguir entre personas. No es un rasgo muy distintivo, pero su captura es bastante sencilla y no sufre los problemas de iluminación o del fondo que tiene el reconocimiento de cara, puesto que la propia cabeza alrededor de la oreja actúa como fondo, permitiendo detectarla de un modo fiable[503].

10. Movimiento de los labios

El movimiento de los labios es una característica de comportamiento que analiza los movimientos a medida que el individuo va hablando.

---

[501]   Ibidem, pág. 38.
[502]   Ibidem, pág. 38.
[503]   Ibidem, pág. 38.

Puede combinarse muy fácilmente con la voz y/o con una secuencia de imágenes (vídeo) de la cara. Esta triple combinación da lugar a un sistema muy difícil de vulnerar y que solamente necesita una cámara de vídeo con micrófono que capture al usuario hablando. Al igual que los sistemas de voz, puede trabajar en modo dependiente de texto o en modo independiente de texto. Asimismo, para la captura de los labios, como para la cara, pueden usarse cámaras con luz visible o con luz infrarroja[504].

11. Olor

El olor del individuo es una característica de reconocimiento que se ha usado desde hace mucho tiempo con perros adiestrados. Actualmente existen «narices electrónicas» que permiten identificar la existencia en el aire de diferentes elementos químicos que puedan componer el olor de un individuo. No obstante, aún no proporcionan la precisión de la nariz humana y también se sabe que el olor de una persona puede verse influenciado por estados de salud, higiene, uso de diferentes perfumes, jabones, etc.[505].

12. ADN

El ADN es un rasgo ampliamente utilizado en entornos forenses y policiales. No obstante, presenta una serie de inconvenientes que limitan su uso en otras aplicaciones. Incluso hay autores que por esa razón no lo consideran un rasgo biométrico propiamente dicho. En primer lugar, presenta problemas de privacidad importantes, ya que a partir del ADN puede extraerse información sobre ciertas enfermedades. Por otro lado, el reconocimiento ha de realizarlo un experto en un laboratorio químico, proceso que puede llevar al menos varias horas. Es por ello que en este momento no hay posibilidad de tener un sistema totalmente automático, barato y que permita operar en tiempo real[506].

---

[504]   Ibidem, pág. 39.
[505]   Ibidem, pág. 39.
[506]   Ibidem, pág. 37.

13. Reconocimiento de venas de la palma y el reconocimiento de venas del dedo

Dos de las principales tecnologías utilizadas se basan en el reconocimiento del patrón de venas: el reconocimiento de venas de la palma y el reconocimiento de venas del dedo. Ambas técnicas se utilizan actualmente de forma amplia, especialmente en Japón. Técnicamente, el reconocimiento del patrón de venas se basa en la plantilla de venas captada por una cámara de infrarrojos cuando el dedo o la mano se someten a una luz infrarroja. La imagen obtenida se trata para esbozar las características del patrón de venas, dando lugar a una imagen postprocesada de la red vascular. La principal ventaja de esta tecnología es el hecho de que los individuos no dejan rastro de su rasgo biométrico, dado que no existe la necesidad de «tener contacto» con el lector. Esta técnica también puede utilizarse para detectar si el interesado expuesto al sistema está vivo o no, analizando si fluye la sangre[507].

Como se puede comprobar, existen múltiples sistemas de rasgos biométricos que se encuentran en nuestro cuerpo y que con la tecnología adecuada pueden ser útiles para la identificación de las personas.

IV. FIABILIDAD EN EL ACCESO DE TRABAJADORES A EQUIPOS E INSTALACIONES MEDIANTE SISTEMAS BIOMÉTRICOS

Los sistemas de aplicación biométricos incluyen el acceso a equipos o redes y el acceso físico a instalaciones[508]. Su uso puede hacerse tanto por instituciones públicas como por empresas privadas, y su alcance no va más allá de un departamento, una empresa o una determinada insti-

---

[507]   GT29. *Dictamen 3/2012 sobre la evolución de las tecnologías biométricas*, cit., pág. 19. Sobre las ventajas e inconvenientes de este novedoso sistema biométrico, véanse págs. 19-20.

[508]   En este apartado seguiré las explicaciones de ORTEGA GARCÍA, J., ALONSO FERNÁNDEZ, F., COOMONTE BELMONTE, R.: *Biometría y Seguridad*, cit., págs. 51-52.

tución. Estas aplicaciones pueden o no tener «obligatoriedad» y pueden llevarse a cabo bien a través de un sistema central, o bien proporcionando tarjetas individuales a los usuarios. En ellas, el modo de operación suele ser el de *verificación*, ya que el objetivo no es el de comprobar si una persona está en una lista, sino permitir el acceso a usuarios ya conocidos por el sistema. Su uso puede rebajar considerablemente los costes de una empresa al automatizar considerablemente el proceso de comprobación de identidad.

En el **acceso a equipos o redes**, el reconocimiento biométrico complementa o incluso sustituye los mecanismos tradicionales de claves. Hay un gran número de productos comerciales orientados a proporcionar soluciones de este tipo, dada la enorme difusión en el uso de ordenadores, dispositivos electrónicos portátiles, redes empresariales y acceso a Internet. Por un lado, el reconocimiento biométrico proporciona conveniencia al usuario, que no tiene que recordar claves, y por otro proporciona seguridad en el acceso a datos o recursos sensibles. El rasgo más fuertemente asociado con esta aplicación es la huella, e incluso cada vez más dispositivos electrónicos incorporan pequeños sensores sin que el precio se vea repercutido de manera apreciable. Otros rasgos implicados son la cara y la voz, puesto que también existen sensores pequeños y baratos, pero su precisión de reconocimiento es menor, sobre todo por el hecho de que no siempre puede controlarse el entorno de uso (oficina, cafetería, aeropuerto, etc.). La firma es otro rasgo que está cobrando fuerza en esta aplicación debido a los nuevos dispositivos portátiles capaces de capturar escritura en la pantalla (teléfonos móviles, PDA, etc.). Los mercados más importantes para esta aplicación son el financiero, salud y gubernamental, aunque en principio cualquier sector empresarial es susceptible de hacer uso de ella.

En cuanto al **acceso físico a instalaciones**, el objetivo es controlar la identidad de los individuos que acceden, salen o permanecen en un área, típicamente un edificio o una sala. El reconocimiento biométrico complementa o reemplaza a las llaves y tarjetas de identificación, y suele utilizarse en determinadas salas o instalaciones sensibles (militares, bancarias, etc.). Raramente se usa para controlar el acceso puerta por puerta, lo cual también despertaría rechazo en su uso. A su vez, evita que diferentes empleados compartan llaves o tarjetas, sin saber quién está accediendo en cada momento a la instalación, y también evita que una persona no autorizada pueda entrar robando las llaves o la tarjeta. Las modalidades más utilizadas son la huella y la mano. Esta última existe en multitud de instalaciones, mientras que la huella proporciona mayor precisión. Sin embargo, como señala la AEPD, a diferencia de los procesos basados en contraseñas, que es precisa al 100%, así por ejemplo, una clave puede ser correcta o no serlo, la identificación o autenticación biométrica se basa en probabilidades (p. ej. una huella digitalizada proporcionará una correspondencia al 96% con un individuo), y es que, existe una determinada tasa de falsos positivos (da por buena una suplantación) y falsos negativos (rechaza a un individuo autorizado), siendo mayores la tasas cuanto menos preciso sea el equipo de captura de datos y dependen de las condiciones de recogida (p. ej. La luminosidad o limpieza del sensor). La precisión de algunos datos biométricos, como las huellas dactilares, también depende de la edad del individuo y es afectada por su envejecimiento[509].

Si se requiere muy alta seguridad en el acceso, se utiliza el iris o el escáner de retina. En cuanto a los mercados, el acceso físico a instalaciones puede utilizarse en prácticamente cualquier sector. Sobre esta cuestión del acceso a determinados lugares, el GT29[510], ofrece un ejemplo muy actual que podría equipararse a la prevención respecto al contagio del COVID-19: «El laboratorio de una empresa que investiga sobre virus peligrosos está protegido por puertas que se abren únicamente tras una verificación satisfactoria de las huellas dactilares y reconocimiento del iris. La finalidad de este sistema es garantizar que solo las personas familiarizadas con los riesgos específicos, formadas sobre los procedimientos y consideradas fiables por la empresa experimentan con estos materiales peligrosos. El interés legítimo de la empresa para asegurarse de que solo las personas autorizadas entran en una zona restringida, a fin de garantizar que los riesgos para la seguridad que conlleva el acceso a dicha zona específica se reduzcan significativamente, prevalece sobre el deseo de las personas de que no

---

[509]   AEPD. «14 equívocos con relación a la identificación y autenticación biométrica», cit., pág. 2.
[510]   GT29. *Dictamen 3/2012 sobre la evolución de las tecnologías biométricas*, cit., pág. 14.

se traten sus datos biométricos». Pero es que a continuación, el citado grupo de trabajo nos da la clave con base en el ejemplo, de cuando pueden y cuando no deben emplearse los sistemas biométricos: «Como norma general, el uso de la biometría para las exigencias generales de seguridad de los bienes y las personas no puede considerarse un interés legítimo que prevalezca sobre los intereses o los derechos y libertades fundamentales del interesado. Por el contrario, el tratamiento de datos biométricos solo puede justificarse como un instrumento necesario para asegurar los bienes o las personas cuando se disponga de pruebas, sobre la base de las circunstancias objetivas y documentadas, de la existencia de un riesgo considerable. Para ello, el responsable del tratamiento deberá probar que determinadas circunstancias plantean un riesgo considerable específico, que deberá evaluar con especial cuidado. Con el fin de cumplir con el principio de proporcionalidad, el responsable del tratamiento, ante estas situaciones de alto riesgo, deberá verificar si posibles medidas alternativas podrían ser igualmente eficaces, pero menos intrusivas en relación con los objetivos perseguidos, y optar por tales alternativas. La existencia de las circunstancias en cuestión también deberá revisarse periódicamente. Sobre la base de esta revisión, las operaciones de tratamiento de datos que no se justifiquen deberán concluirse o suspenderse».

V. USO DE SISTEMAS BIOMÉTRICOS EN MATERIA DE CONTROL LABORAL DE LOS TRABAJADORES

Ciertamente, resulta desconsolador que todavía no exista en nuestro ordenamiento jurídico, no digo ya una regulación del uso de la biometría como instrumento de control en el ámbito laboral, sino de la forma del uso general de estos sistemas biométricos. En estos momentos, la única norma que menciona su utilización es el RGPD, un precepto comunitario de aplicación obligatoria para todos los Estados de la Unión. Es evidente que se ha perdido una gran oportunidad de incorporar en la LOPD el uso de los sistemas biométricos en el ámbito laboral, de manera que sigue pendiente uno de los mayores problemas que plantea el asunto de la obtención de datos biométricos es su correcto control y tratamiento por parte de la empresa[511].

De ahí, que parezca oportuno comentar cómo queda su regulación a los efectos de su aplicación en España.

1. Consideración del tratamiento de los datos biométricos como datos personales

En el RGPD no existe una regulación autónoma acerca del tratamiento de los datos biométricos. Tan solo se limita a reconducirlos a los criterios generales que establece el propio RGPD. No obstante, en algunos lugares de esta norma hace su aparición para adecuarla a su especificidad. De entrada, el RGPD, despeja la posible duda de si los datos que tratan los sistemas biométricos son datos personales, pues ya la propia definición del artículo 4.14 RGPD comienza afirmando que los datos biométricos son «datos personales». En consecuencia, los datos biométricos son objeto de aplicación por el RGPD. Sin embargo, no estamos hablando de una utilización cualquiera de los datos obtenidos a través del tratamiento de sistema biométricos, sino que afecta de manera más íntima a las personas porque no solo se extraen a través de estos sistemas información sobre los datos y la vida del interesado, sino que para ello se aprovecha para obtenerlas alguna de las propiedades o rasgos del individuo, lo que parece que va más allá de la mera obtención de datos personales. En este sentido, el propio RGPD, les otorga una consideración especial al enmarcar estos sistemas como una categoría especial, en el artículo 9.1 RGPD, quedando prohibidos, junto con otras categorías especiales como, «el tratamiento de datos personales que revelen el origen étnico o racial, las opiniones políticas, las convicciones religiosas o filosóficas, o la afiliación sindical, y el tratamiento de datos genéticos». Pero no se queda ahí, pues establece las finalidades que hacen que sea prohibido el tratamiento de datos biométricos. Concretamente, se re-

---

[511]   SELMA PENALVA, A.: «El control de accesos por medio de huella digital y sus repercusiones prácticas sobre el derecho a la intimidad de los trabajadores. Comentario a la STSJ de Murcia, de 25 de enero de 2010». *Aranzadi Social*, núm. 3/2010 (BIB 2010\735), pág. 10.

fiere a aquellos datos biométricos que vayan «dirigidos a identificar de manera unívoca a una persona física, datos relativos a la salud o datos relativos a la vida sexual o la orientación sexual de una persona física».

2. El consentimiento del trabajador como excepción a la prohibición del tratamiento a través de datos biométricos

Si nos quedáramos ahí, no habría forma de efectuar un tratamiento de datos biométricos, pero el apartado 2 del artículo 9 RGPD, ofrece hasta diez salidas que excepcionan la prohibición. En primer lugar, cabría invocar el artículo 9.2.a) en relación con el artículo 9.1 RGPD, que prohíbe el tratamiento datos biométricos dirigidos a identificar de manera unívoca a una persona física, porque en estos casos, se produce la obtención de datos sobre la salud, vida sexual… del trabajador, ya que excede de lo que constituye la finalidad del control y vigilancia de la actividad laboral, que solo podría salvarse mediante el consentimiento explícito del trabajador para el tratamiento de dichos datos personales relativos a su salud, con la salvedad de que el Derecho de la Unión o de los Estados miembros —explica el apartado 2.a) del artículo 9 RGPD—, establezca que la prohibición no puede ser levantada por el interesado, ni siquiera con su consentimiento expreso. Y es que, como señala el GT29[512], «el consentimiento en el contexto del empleo debe cuestionarse y justificarse debidamente. En lugar de solicitar el consentimiento, los empleadores podrían investigar si es demostrable la necesidad de utilizar datos biométricos de los empleados para un fin legítimo, y ponderar esa necesidad frente a los derechos y libertades fundamentales de los trabajadores. En los casos en que la necesidad pueda justificarse adecuadamente, la base jurídica de tal tratamiento podría basarse en el interés legítimo del responsable del tratamiento según lo definido en el artículo 7, letra f), de la Directiva 95/46/CE. El empleador debe buscar siempre el medio menos invasivo optando por un tratamiento no biométrico, si es posible». Este criterio se traslada al RGPD, cuyo artículo 6, indica en qué condiciones puede llevarse a cabo el tratamiento para que sea lícito, que sería no tanto lo dispuesto en el artículo 6.1.b), que

---

[512]   GT29. *Dictamen 3/2012 sobre la evolución de las tecnologías biométricas*, cit., pág. 11.

se refiere a cuando el tratamiento es necesario para la ejecución de un contrato en el que el interesado es parte o para la aplicación a petición de este de medidas precontractuales, sino que se refiere al artículo 6.1.f) RGPD, en que el tratamiento debe ser necesario para la satisfacción de intereses legítimos perseguidos por el responsable del tratamiento o por un tercero, siempre que sobre dichos intereses no prevalezcan los intereses o los derechos y libertades fundamentales del interesado que requieran la protección de datos personales.

Medio adecuado para salvar la prohibición del uso del tratamiento a través de datos biométricos en el ámbito laboral

Como parece que no prosperaría el recurso al consentimiento del trabajador para someterle a un control biométrico, para que se pudiera llevar a cabo el tratamiento de datos personales del trabajador, habría que invocar el siguiente apartado b) del artículo 9.2 RGPD, en el que claramente se hace referencia a que el tratamiento sea «necesario para el cumplimiento de obligaciones y el ejercicio de derechos específicos del tratamiento o del interesado en el ámbito del Derecho laboral y de la seguridad y protección social».

Por otro lado[513], resulta que, al encontrarse los datos biométricos entre las categorías especiales de datos personales, está prohibida con carácter general, y el trabajador tendrá derecho a no ser objeto de una decisión basada únicamente en el tratamiento automatizado, incluida la elaboración de perfiles (art. 22 apartado 4 en relación con el apartado 1 RGPD), que se basen en datos biométricos.

3. ¿Es posible el uso de los sistemas biométricos para un fin diferente para el que se recogieron los datos inicialmente?

Se trata de una cuestión que se responde por el artículo 6.4 RGPD, al establecer que «cuando el tratamiento para otro fin distinto de aquel

---

[513] BAZ RODRÍGUEZ, J.: *Privacidad y protección de datos de los trabajadores en el entorno digital.* cit., pág. 247.

para el que se recogieron los datos personales, no esté basado en el consentimiento del interesado o en el Derecho de la Unión o de los Estados miembros que constituya una medida necesaria y proporcional en una sociedad democrática para salvaguardar los objetivos indicados en el artículo 23, apartado 1, el responsable del tratamiento, con objeto de determinar si el tratamiento con otro fin es compatible con el fin para el cual se recogieron inicialmente los datos personales, tendrá en cuenta, entre otras cosas: c) la naturaleza de los datos personales, en concreto cuando se traten *categorías especiales de datos personales*, de conformidad con el artículo 9…».

Por otro lado, el hecho de que el tratamiento de los datos biométricos, se hayan calificado por el artículo 9.1 RGPD como datos de categoría especial, obliga de alguna manera a justificar la legitimidad para su tratamiento

VI. IMPLANTACIÓN DEL REGISTRO DE JORNADA: SU CONTROL POR MEDIOS BIOMÉTRICOS

Una modificación de calado en el Estatuto de los Trabajadores va a dar pie al uso de los sistemas de control biométricos. Me refiero a la implantación en la normativa laboral de la obligación por parte de las empresas de que establezcan un mecanismo que permita computar la jornada efectivamente realizada por los trabajadores.

La nueva obligación de registro de jornada se ha confirmado por la STJUE de 14 de mayo de 2019, al afirmar que, para garantizar los derechos en materia de jornada recogidos en la Directiva 2003/88/CE y en el artículo 31 de la Carta de los Derechos Fundamentales de la Unión Europea, es obligación de los Estados miembros y de las empresas la implantación de un sistema objetivo, fiable y accesible que permita computar la jornada laboral diaria realizada por cada persona trabajadora.

Ciertamente se trata de una aspiración de muchos años, pero que no se ha visto plasmada hasta la llegada del artículo 10 del Real Decreto ley 8/2019, de 12 de marzo, de medidas urgentes de protección social y de lucha contra la precariedad laboral en la jornada de trabajo. Esta norma, además de modificar el apartado 7 del artículo 34 TRLET, incluye un nuevo apartado 9, que es el que implanta el nuevo sistema de registro de jornada, y además, modifica el artículo 7.5 del Real Decreto Legislativo 5/2000, de 4 de agosto (TRLISOS), para incluir la trasgresión de los límites legales o pactados en materia de registro de jornada como nueva infracción.

Debe tenerse en cuenta, que esta nueva obligación, pese a que refleja el número de horas realizada por el trabajador, el inicio y el final de la jornada, pausas, descansos, se considera como datos personales, según el artículo 2.a) de la Directiva 95/46/CE, sin embargo, no requiere consentimiento expreso del trabajador, según el artículo 6.1.c) RGPD.

1. La nueva obligación legal de registro de jornada

Junto con otras disposiciones de carácter social, el RD-ley 8/2019[514], establece el registro de la jornada de trabajo, a los efectos, según señala su preámbulo, de garantizar el cumplimiento de los límites en materia de jornada, de crear un marco de seguridad jurídica tanto para las personas trabajadoras como para las empresas y de posibilitar el control por parte de la Inspección de Trabajo y Seguridad Social. En ese sentido, las reglas sobre limitación de la jornada laboral se encuentran en el origen del Derecho del Trabajo. Estas reglas se configuran en torno al establecimiento legal de una jornada máxima de trabajo y su indisponibilidad para las partes del contrato de trabajo, al ser normas de derecho necesario. De manera que —continúa el preámbulo del RD-ley 8/2019—, la realización de un tiempo de trabajo superior a la jornada laboral legal o convencionalmente establecida incide de manera sustancial en la precarización del empleo, al afectar a dos elementos esenciales de la relación laboral, el tiempo de trabajo, y el salario. Pero también incide en las cotizaciones de Seguridad Social, mermadas al no cotizarse por el salario que correspondería a la jornada realizada.

---

[514] Real Decreto-ley 8/2019, de 8 de marzo, de medidas urgentes de protección social y de lucha contra la precariedad laboral en la jornada de trabajo.

La obligación de registro de jornada, se sitúa en el nuevo apartado 9 del artículo 34 TRLET, al establecerse, que «la empresa garantizará el registro diario de jornada, que deberá incluir el horario concreto de inicio y finalización de la jornada de trabajo de cada persona trabajadora, sin perjuicio de la flexibilidad horaria que se establece en este artículo.

Mediante negociación colectiva o acuerdo de empresa o, en su defecto, decisión del empresario previa consulta con los representantes legales de los trabajadores en la empresa, se organizará y documentará este registro de jornada.

La empresa conservará los registros a que se refiere este precepto durante cuatro años y permanecerán a disposición de las personas trabajadoras, de sus representantes legales y de la Inspección de Trabajo y Seguridad Social».

Esta nueva obligación de registro de la jornada de los trabajadores (de cada uno), indica lo esencial, como, quien debe llevarlo (el empresario), período de tiempo (cada día de trabajo), el momento de registro (al inicio y al término de la jornada de trabajo), como se organiza y como se documenta (con preferencia a través de la negociación colectiva o acuerdo de empresa y en su defecto por decisión del empresario), así como las obligaciones de conservación del registro (4 años) y ante quienes debe estar disponible (trabajadores, sus representantes e Inspección de Trabajo y Seguridad Social).

Sin embargo, hay demasiados aspectos que se dejaron en el aire (modelos o impresos, formularios); si se aplica a todas las actividades o solo a las relaciones ordinarias de trabajo y a algunas relaciones laborales especiales; si deben reflejarse en el registro las interrupciones o pausas que no se consideren como de trabajo efectivo; tampoco se especifica el modo de conservación de los registros durante los cuatro años, o en fin, si debía realizarse mediante un solo sistema de control o se podía realizar con los medios actuales de control cualquiera que fuera, y aquí entra en juego, la posibilidad de control a través de controles biométricos, porque esta nueva obligación empresarial proporciona de hecho un asidero normativo, que, según las circunstancias de cada caso, puede justificar la necesidad de implantar controles de jornada y horario que tengan su base en el tratamiento de datos biométricos[515].

En cualquier caso, como señala el GT29[516], el responsable del tratamiento debe determinar un periodo de conservación, en el caso de que se trate de datos biométricos, que no podrá ser superior al necesario para los fines para los que dichos datos fueron recabados o para los que se traten ulteriormente. El responsable del tratamiento deberá garantizar que los datos, o los perfiles derivados de esos datos, se supriman una vez transcurrido este periodo de tiempo justificado. Además, debe estar clara la diferencia entre los datos personales generales que puedan ser necesarios durante un periodo de tiempo más largo y los datos biométricos que ya no vayan a utilizarse, por ejemplo, cuando ya no se conceda al interesado acceso a una zona determinada.

El, entonces, Ministerio de Trabajo Migraciones y Seguridad Social, ante la incertidumbre que provocaron en los profesionales que asesoran a las empresas todas estas dudas, una vez entró en vigor la nueva obligación de registro de jornada publicó una Guía sobre el Registro de Jornada[517], cuya finalidad es la de facilitar la aplicación práctica de la norma, si bien, se recalca que los criterios que se recogen en la guía sobre el registro de jornada, lo son a mero título informativo, sin perjuicio de la interpretación de la norma que corresponde a juzgados y tribunales del orden social. De manera que la guía del Ministerio viene a ser una mera orientación sobre algunos aspectos que ofrecen mayores dudas, pero que no podrá ser invocado como un precepto legislativo ni tan siquiera reglamentario.

Por su parte, la Dirección General de la Inspección de Trabajo y Seguridad Social, publicó el Criterio Técnico 101/2019, sobre actuación de la Inspección de Trabajo y Seguridad Social en materia de registro de jornada[518]. Este Criterio Técnico tiene por objeto fijar criterios para la

---

[515]   BAZ RODRÍGUEZ, J.: *Privacidad y protección de datos de los trabajadores en el entorno digital,* cit., pág. 249.

[516]   GT29. *Dictamen 3/2012 sobre la evolución de las tecnologías biométricas,* cit., pág. 10.

[517]   Accesible en: http://www.mitramiss.gob.es/ficheros/ministerio/GuiaRegistroJornada.pdf.

[518]   Disponible en: http://www.mitramiss.gob.es/itss/ITSS/ITSS_Descargas/Atencion_ciudadano/Criterios_tecnicos/CT_101_2019.pdf.

realización de las actuaciones inspectoras que se efectúen, a partir de la entrada en vigor del Real Decreto-ley 8/2019, teniendo en cuenta que las actuaciones que se sujetan a la interpretación del CT 101/2019, se refieren a los contratos de trabajo a jornada completa, sin perjuicio de algunas cuestiones referidas a los contratos a tiempo parcial.

Son múltiples las cuestiones que plantea esta nueva obligación de registro de jornada, pero lo que nos interesa ahora, es incidir en los sistemas de registro, porque precisamente una de las formas de control o de llevanza de ese registro de jornada, puede ser mediante control biométrico, ordinariamente a través de la huella dactilar o reconocimiento facial. Y es que, al no especificarse en la norma legal y ante la ausencia de desarrollo reglamentario, puede ser válido cualquier sistema de registro, desde el fichaje tradicional manual en el que el trabajador firma en papel al comenzar y al finalizar la jornada; mediante tarjetas magnéticas; con contraseña de apertura y cierre a través del intranet de la empresa; por llamada telefónica; sistemas de geolocalización o, en fin, a través de algunos de los sistema biométricos al que se aludió anteriormente. Si bien, esos sistemas deberán adecuarse a las circunstancias de cada empresa y a lo decidido por sus representantes en la negociación colectiva o por decisión de los empresarios. Pero, además, tanto unos sistemas como otros, deberán ajustarse a lo indicado expresamente, por la STJUE 14 de mayo 2019 (Gran Sala), asunto Deutsche Bank, C-55/18, al señalar en su apartado 62 que «la implantación de un sistema *objetivo, fiable y accesible* que permita computar la jornada laboral diaria realizada por cada trabajador forma parte de la obligación general que incumbe a los Estados miembros y a los empresarios». Y para ello, incide la citada sentencia (apartado 63), en que son precisamente los Estados a quienes corresponde la aplicación de los criterios concretos de tal sistema, especialmente la forma que deben revestir, teniendo en cuenta las particularidades propias de cada sector de la actividad de que se trate e incluso las especificidades de determinadas empresas, como puede ser su tamaño.

Se trata en definitiva, según la STJUE de que se den las condiciones para que las empresas puedan implantar con un coste razonable, un sistema que permita computar la jornada laboral diaria realizada por cada trabajador (apartado 67), y aunque, la protección de la seguridad y salud de los trabajadores no puede subordinarse a consideraciones de carácter puramente económico (apartado 66), sí parece legítimo que cuando la empresa sea de reducidas dimensiones opte por sistemas más económicos y asequibles, en lugar de otros más costosos que *a priori* puedan ofrecer mayores garantías, todo ello sin olvidar que sea cual fuere el sistema que se adopte, habrá de reunir unas mínimas garantías de fiabilidad que aseguren un cómputo veraz de la jornada del trabajador[519]. En este sentido, se viene constatando por la doctrina[520], que el costo de los sistemas biométricos va reduciéndose progresivamente mientras que su fiabilidad y precisión cada vez va en aumento.

En cualquier caso, no debe perderse la perspectiva que legitima la implantación del registro de jornada, pues este no constituye un fin en sí mismo, sino un instrumento para el control del cumplimiento de la normativa en materia de tiempo de trabajo, con sus consecuencias respecto de la salud laboral, así como de la realización y el abono y cotización de las horas extraordinarias. En suma, el registro es un medio que garantiza y facilita dicho control, pero no el único[521]. Además, es una cuestión que presenta numerosas concomitancias con otro de los derechos, expresamente reconocidos por primera vez en el artículo 88 LOPD (derecho a la desconexión digital), y que será objeto de atención en el capítulo 7.

2. *Control de registro de jornada a través de sistemas biométricos*

Una vez analizada la nueva obligación de registro de la jornada diaria de los trabajadores, en particular sobre los sistemas de registro, resulta oportuno analizar uno de ellos, el que se refiere al control biométrico, es decir, que el fichaje del trabajador se realice a través de alguno de los sistemas biométricos examinados. Si bien, de entre todos ellos, los más utilizados son la huella dactilar, el reconocimiento de firmas y el reconocimiento facial.

---

[519]   LÓPEZ ÁLVAREZ, M. J.: *Jornada Laboral. Control horario, desconexión, flexibilidad y conciliación*. Claves Prácticas. Francis Lefebvre, Madrid, 2019, págs. 34-35.

[520]   ARETIO BERTOLÍN, J. y ARETIO BERTOLÍN, M. T.: «Análisis en torno a la tecnología biométrica para los sistemas electrónicos de identificación y autenticación», cit., pág. 52.

[521]   CT 101/2019, pág. 16.

La gran ventaja que presentan los sistemas biométricos respecto de otros, es que resulta imposible que un trabajador suplante la asistencia de otro, porque no le puede prestar sus huellas digitales, la voz o incluso la geometría de las manos o la cara, de forma que los rasgos biométricos no pueden compartirse, ni las personas pueden equivocarse al introducirlos, ni olvidarse, lo cual significa una mayor contabilidad y seguridad[522].

Y es que[523], las recientes actuaciones de la Inspección de Trabajo en materia de registro de jornada han puesto en valor la necesidad de sistemas que permitan su control y, en el contexto de una sociedad en la que la tecnología ocupa nuevos espacios, los sistemas de control biométrico pueden convertirse en la vía para alcanzar mejores resultados.

En realidad, la adopción por el empresario de este tipo de registro de jornada mediante sistemas biométricos no supone diferencia alguna en lo que a obligaciones y derechos del trabajador se refiere. Se trata de una forma diferente de alcanzar el mismo objetivo de registro en las condiciones exigidas por el artículo 34.9 TRLET, con las matizaciones que sugiere la guía del Ministerio y los criterios que el CT 101/2019 establece para su control por los funcionarios de la Inspección de Trabajo y Seguridad Social con atribuciones inspectoras.

Hay algún organismo, como la Agencia catalana de Protección de Datos[524], al que no le parece claro que el uso del sistema de control horario basado en datos biométricos deba ser admitido como medio preferente para llevar a cabo el control, debido a su especial naturaleza, y

---

[522] GARCÍA COCA, O.: «Nuevas tecnologías y sistemas de control de acceso al centro de trabajo: Confrontación con el Derecho fundamental a la protección de datos de carácter personal». *Los Derechos fundamentales inespecíficos en la relación laboral y en materia de protección social.* Ediciones Cinca, Madrid, 2014, Comunicación presentada en el XXIV Congreso Nacional de Derecho del Trabajo y de la Seguridad Social, figura en CD que acompaña al libro, en comunicaciones a la primera ponencia, núm. 19, pág. 5

[523] GARCÍA-PERROTE ESCARTÍN, I. y MERCADER UGUINA, J. R.: «El control biométrico de los trabajadores», cit., pág. 1.

[524] Dictamen CNS 63/2018 de la Agencia Catalana de Protección de Datos, en relación con la consulta formulada por un colegio profesional sobre utilización de sistemas de control basados en la huella dactilar.

entiende que se deberá optar por otro sistema de control, que sin utilizar categorías de datos especialmente protegidos permita alcanzar la misma finalidad[525].

Se trata de una recomendación, y en modo alguno de una obligación. Además, la propia norma establece que el sistema deberá ser organizado a través de la negociación colectiva o en su defecto por la empresa, que son quienes deben valorar la conveniencia o no de su implantación. Como señala la guía del Ministerio, la norma no establece una modalidad específica o determinada para el registro diario de jornada, limitándose a señalar que se debe llevar a cabo día a día e incluir el momento de inicio y finalización de la jornada. No obstante, como apunta la doctrina[526], viene a ser una tendencia que va extendiéndose cada vez a más sectores que abogan por la instalación de sistemas de control que sean menos intrusivos en los derechos del trabajador, porque consideran, que la lectura biométrica de las huellas de la mano, deja rastros identificativos más difíciles de borrar que los que pueda captar la lectura del contorno de la mano, concluyendo que este sistema es igual de eficiente para alcanzar el objetivo legítimo perseguido. Lo que en realidad se quiere intentar conseguir es, que las aplicaciones biométricas, no requieran el almacenamiento de datos en una base centralizado, cuyo acceso esté disponible para personas distintas del usuario, y se propone para ello que los datos que se obtengan a través de estos medios se conserven en un soporte que esté a disposición exclusiva del afectado frente a la posibilidad de que los mismos sea gestionados por personas distintas al titular de los datos, sobre todo teniendo en cuenta la facilidad de revelación de datos especialmente protegidos a los que se puede acceder, haciendo simplemente una captación del iris del trabajador.

Por otro lado, resulta paradójico, que lo que resulta por la guía del Ministerio una condición para la validez del registro, como es la de proporcionar la información fiable, inmodificable y no manipulable a pos-

---

[525] Dictamen CNS 63/2018 de la Agencia Catalana de Protección de Datos, cit., pág. 6.

[526] GARCÍA COCA, O.: «Nuevas tecnologías y sistemas de control de acceso al centro de trabajo: Confrontación con el Derecho fundamental a la protección de datos de carácter personal», cit., pág. 14.

teriori por el empresario o trabajador, la citada agencia, entiende que el riesgo de estos datos podrían ser utilizados inadecuadamente, mediante una usurpación o suplantación de identidad, incrementándose el riesgo porque precisamente estos datos biométricos no son modificables a diferencia de una contraseña que permite cambiarla. De manera que lo que representa una condición positiva por la guía, como es la inmodificabilidad de los datos del trabajador, podría ser —a juicio de la agencia—, un riesgo de cara a la protección de datos personales. Y ello aún reconociendo que la utilización de sistemas basados en datos biométricos para llevar a cabo el control horario evita el riesgo de la suplantación. Sin embargo, conviene reparar en que el acceso no autorizado a nuestros datos biométricos en un sistema permitiría el acceso al resto de los sistemas que utilicen dichos datos biométricos. Algo así, como utilizar la misma contraseña en sistemas diferentes, y el problema radica en que, a diferencia de otros sistemas basados en contraseñas, una vez que la información biométrica ha sido comprometida ya no se puede cancelar, lo que incrementa la probabilidad de una brecha de seguridad de información biométrica (durante su recogida, transmisión, almacenamiento o proceso), algo que, asegura la AEPD[527], ya está sucediendo.

Pero es que, vale la pena recordarlo una vez más, pese a que nos encontramos ante el tratamiento de una categoría especial de datos personales, como son los datos biométricos dirigidos a identificar de manera unívoca a una persona física, y por ello prohibido por el artículo 9.1 RGPD. Sin embargo, la letra b) del apartado 2 del citado artículo, exceptúa de tal prohibición, cuando el tratamiento es necesario para el cumplimiento de obligaciones y el ejercicio de derechos del interesado, en este caso el registro de jornada diaria de cada trabajador en el ámbito del Derecho laboral y de la seguridad social, sin que se matice ni se recomiende ninguna preferencia entre tratamiento de datos mediante un sistema u otro. De manera que el tratamiento de datos debe resultar necesario, en el sentido de que se pueda alcanzar el objetivo previsto por la norma para satisfacer dicha necesidad, y no meramente por resultar más conveniente para la empresa en términos de análisis coste-

---

[527]   AEPD. «14 equívocos con relación a la identificación y autenticación biométrica», cit., pág. 3.

beneficio[528]. De hecho, el artículo 9.4 RGPD, ofrece la posibilidad a los Estados miembros de «mantener o introducir condiciones adicionales, inclusive limitaciones, con respecto al tratamiento de datos genéticos, datos biométricos o datos relativos a su salud», algo que no se ha producido legalmente, porque ni siquiera existe una normativa sobre uso de sistemas biométricos en el ámbito laboral, si bien, es verdad que el criterio general para todos los dispositivos —lo estamos viendo en los dispositivos digitales, uso de videocámaras, geolocalización, etc.—, es el de utilizar aquellos dispositivos que supongan una menor invasión en la intimidad del trabajador.

Por lo que respecta a la LOPD, el artículo 9.1, prevé, a fin de evitar situaciones discriminatorias, que «el solo consentimiento del afectado no bastará para levantar la prohibición del tratamiento de datos cuya finalidad principal sea identificar su ideología, afiliación sindical, religión, orientación sexual, creencias u origen racial o étnico». Pero a continuación, aclara que ello «no impedirá el tratamiento de dichos datos al amparo de los restantes supuestos contemplados en el artículo 9.2 del Reglamento (UE) 2016/679, cuando así proceda».

En consecuencia, no se necesita el consentimiento del trabajador para el tratamiento del control o tratamiento biométrico en el ámbito laboral, pues la base jurídica es la ejecución del contrato en el Derecho del Trabajo, eso sí, el empresario tiene la obligación de informar al trabajador[529], debiendo entenderse cumplido este deber de información, porque como es obvio la información se le dio al trabajador (aun verbalmente) por el mero hecho de que, al tomársele con infrarrojos la huella digital se le indicó su fin[530].

Por lo demás, los sistemas de control biométrico, entre los que se encuentra el de huella digital son los que actualmente pueden establecer un control más real del cumplimiento del horario de trabajo, por lo que

---

[528]   BAZ RODRÍGUEZ, J.: *Privacidad y protección de datos de los trabajadores en el entorno digital*, cit., pág. 251.

[529]   ORELLANA CANO, A. M.: *El derecho a la protección de datos personales como garantía de la privacidad de los trabajadores*, cit., pág. 154.

[530]   GONZÁLEZ BIEDMA, E.: «Derecho a la información y consentimiento del trabajador en materia de protección de datos», cit., pág. 245.

un uso acorde con la normativa establecida por el RGPD y la LOPD, no tiene por qué suponer una intromisión en la esfera privada del trabajador, sino que se concibe como un mecanismo de protección ante el fraude que se puede dar con las herramientas que controlan el acceso[531].

En el caso de la utilización de la huella dactilar para controlar el acceso a determinadas dependencias que requieran una mayor seguridad, según el Dictamen CNS 63/2018, habrá que ver, en atención a la naturaleza de la información custodiada y las repercusiones que podría tener un acceso indebido a estas dependencias, cuáles son los riesgos que hay que afrontar, así como cuáles son las posibles alternativas más allá de identificar el tipo de dependencias (centros de procesamiento y archivo).

En cualquier caso, y para el supuesto de que, después de realizar la evaluación de impacto, se pueda concluir que la medida resulta proporcionada, de acuerdo con el Dictamen 3/2012 del GT29 sobre la evolución de las tecnologías biométricas y sin perjuicio de lo que resulte del análisis de riesgos que se lleve a cabo, conviene tener en cuenta algunas medidas técnicas para minimizar los riesgos[532]:

a) Conviene evitar el almacenamiento de datos biométricos en bruto, y conservar solo las plantillas obtenidas a partir de estos datos.

b) La plantilla se debe extraer de manera que se pueda prever que no podrá ser utilizada por otros responsables del tratamiento para fines similares.

c) Se debe dar preferencia a los sistemas de almacenamiento descentralizados, evitando la creación de bases de datos centralizadas con estos tipos de datos. De acuerdo con el modelo descentralizado que se propone, las plantillas biométricas se conservarían exclusivamente en poder de las personas interesadas mediante una tarjeta o dispositivo, de manera que la pérdida de las mismas tendría unos efectos limitados.

---

[531] GARCÍA COCA, O.: «Nuevas tecnologías y sistemas de control de acceso al centro de trabajo: Confrontación con el Derecho fundamental a la protección de datos de carácter personal», cit., pág. 15.

[532] Dictamen CNS 63/2018 de la Agencia Catalana de Protección de Datos, cit., págs. 8-9.

d) Los datos se deben conservar cifrados.

Por su parte, la AEPD, alude a la cuestión nuclear, es decir, que el problema se plantea en determinar si el tratamiento de la huella digital (como sistema biométrico más utilizado), puede ser considerado excesivo para el fin que motiva dicho tratamiento. Y argumenta, que «tratándose del tratamiento de la huella digital, la información contenida en dicho dato *no contiene ningún aspecto concreto de la personalidad* y tan sólo cuando dicha información se vincula a la identidad de una persona es posible identificarla con toda certeza, de modo que los datos que se recaban no pueden considerarse de mayor trascendencia que los relativos a un número personal, a una ficha que tan solo pueda utilizar una persona o a la combinación de ambos»[533].

VII. LÍMITE AL CONTROL BIOMÉTRICO

Al igual que ocurre con los datos personales y los datos relativos a la salud, la vida sexual, o la orientación sexual (art. 9.1 RGPD), en principio está prohibido el tratamiento de datos biométricos *que se dirijan a identificar de manera unívoca a una persona física*, salvo consentimiento explícito del interesado [art. 9.2.a) RGPD]; que sea necesario entre otras causas, «para el cumplimento de obligaciones y el ejercicio de derechos específicos del responsable del tratamiento o del interesado en el ámbito del Derecho laboral y de la seguridad y protección social, en la medida en que así lo autorice el Derecho de la Unión, de los Estados miembros o un convenio colectivo con arreglo al Derecho de los Estados miembros que establezca garantías adecuadas del respeto de los derechos fundamentales y de los intereses del interesado» [art. 9.2.b) RGPD]. Si bien, el RGPD, en el artículo 9.4, permite que los Estados miembros mantengan o introduzcan condiciones adicionales, haciendo expresa mención a los «datos biométricos o datos relativos a la salud», como entendiendo que se trata de datos especialmente sensibles, de ahí su mención expresa en la norma, por lo que parece que deja cierta libertad en la legislación interna de los Estados miembros.

---

[533] AEPD. Informe 0324/2009, pág. 2.

Con ello, parece que dos son las excepciones en las que no sería preciso el consentimiento del trabajador[534]: por un lado, la posibilidad de que los Estados miembros veten el tratamiento de datos o que incluyan algún tipo de cautela al respecto, por lo que habrá que estar a la normativa española, si bien, se ha admitido esta práctica como parte del control empresarial; y la otra, es que se entiende que es lícito el tratamiento cuando es necesario para el cumplimiento de las obligaciones del responsable del tratamiento, en este caso sería la empresa.

A este respecto el Consejo de Ministros de la UE, se ha pronunciado, señalando que «la recopilación y el procesamiento posterior de datos biométricos solo deben llevarse a cabo cuando sea necesario para proteger los intereses legítimos de los empleadores, empleados o terceros, solo si no hay otros medios menos intrusivos disponibles y solo si van acompañados de las garantías adecuadas»[535]. Asimismo, continúa la Recomendación en el sentido de que el procesamiento de datos biométricos debe basarse en métodos científicamente reconocidos y debe estar sujeto a los requisitos de estricta seguridad y proporcionalidad[536].

También se levanta la prohibición cuando el tratamiento sea necesario para fines de medicina preventiva o laboral, evaluación de la capacidad laboral del trabajador, diagnóstico médico, prestación de asistencia o tratamiento de tipo sanitario o social, o gestión de sistemas y servicios de asistencia sanitaria o social o en virtud de un contrato con un profesional sanitario [art. 9.2.h) RGPD].

Una manifestación de esa especial sensibilidad, que distingue la biometría de otros medios de identificación como los dispositivos digitales, es que presentan una doble vertiente, porque por un lado, se les puede considerar como *contenido* de la información sobre una determinada persona (Fulano tiene estas huellas dactilares) o como un elemento para *vincular* una información a una determinada persona (este objeto lo ha

---

534   BLÁZQUEZ AGUDO, E. M.: *Aplicación práctica de la protección de datos en las relaciones laborales*, cit., págs. 202-203.
535   Recommendation CM/Rec (2015)5 of the Committee of Ministers to member States on the processing of personal data in the context of employment *(Adopted by the Committee of Ministers on 1 April 2015* (General principle 18.1).
536   Ibidem, general principle 18.2.

tocado alguien que tiene estas huellas dactilares y estas huellas dactilares corresponden a Fulano; por lo tanto Fulano ha tocado este objeto). En consecuencia, los datos biométricos pueden servir de «identificadores», al corresponder a una única persona, por lo que pueden utilizarse para identificar a esa persona. Este carácter dual también se da en el caso de los datos sobre el ADN, que proporcionan información sobre el cuerpo humano y permiten la identificación inequívoca de una, y sólo una, persona[537].

Por el contrario, las muestras de tejido humano (al igual que las muestras de sangre) son fuentes a partir de las cuales se extraen datos biométricos, pero no son en sí mismas datos biométricos (como, por ejemplo, un modelo de huellas dactilares es un dato biométrico, pero no así un dedo). Por lo tanto, la extracción de información de las muestras supone la obtención de datos personales, y la obtención, el almacenamiento y el uso de muestras de tejido pueden estar sujetos a un conjunto de normas diferentes[538].

VIII. NECESIDAD DE ESTABLECER SU REGULACIÓN NORMATIVA

En estos momentos creo que el mayor inconveniente de estos sistemas biométricos es que no se encuentran regulados por la LOPD, pese a que el RGPD, le otorgó un amplio margen de libertad legislativa en el artículo 9.4. Y aunque aparecen de forma tangencial referencias en el RGPD, tampoco contiene una regulación específica, ni siquiera genérica sobre tales sistemas, quizá porque se trata de un tema vidrioso difícil de entrar, habida cuenta de la variedad de rasgos, cada uno con sus propiedades. No se olvide que se trata de tratar datos especialmente sensibles.

Abogo por establecer una normativa específica que regule el uso y tratamiento de los dispositivos biométricos, que podría contenerse a ni-

---

[537]   GT29 4/2007, pág. 9.
[538]   GT29 4/2007, pág. 9.

vel legal en el articulado de la LOPD, al igual que se ha regulado con otras cuestiones referentes al uso de dispositivos digitales en el ámbito laboral. En este caso, podría titularse, *El uso de sistemas biométricos en el ámbito laboral*. No comprendo como se le pudo pasar al legislador, ya que se internó en la problemática, con referencias al ámbito laboral en los artículos 87 a 91 LOPD, respecto al uso de dispositivos digitales, desconexión digital, videovigilancia y grabación de sonidos, geolocalización del trabajador, o en relación de todos ellos con la necesidad de que la negociación colectiva intervenga de modo preferente a la hora de su aplicación, en función del tipo de actividad laboral.

Otra cuestión que necesitará de una mayor elaboración y justificación, va a ser el de determinar cuáles deben ser los límites del uso de los dispositivos de naturaleza biométrica, en concreto respecto de los derechos fundamentales.

Resulta obvio que, después de haber dedicado un tiempo a la lectura del presente capítulo sobre las implicaciones de la biometría sobre la identificación y control del trabajador en su relación laboral, se descubre, un mar inabarcable de cuestiones que requieren respuestas y soluciones, en especial en lo que se refiere no solo a los derechos como trabajador sino también respecto de aquellos derechos inespecíficos que como ciudadano le deben ser garantizados, en especial, los derechos fundamentales.

Capítulo 6
La geolocalización como medio de control empresarial a distancia de la actividad laboral de los trabajadores

I. DESCRIPCIÓN, UTILIDAD Y TENSIONES QUE PROVOCAN LOS SISTEMAS DE GEOLOCALIZACIÓN

Las nuevas tecnologías permiten que se amplíen las formas de control por parte del empresario de la actividad laboral del trabajador a su servicio, mediante el uso de dispositivos digitales (ordenadores, tabletas, móviles, correo electrónico, chats, washapp, etc.), cámaras de videovigilancia, dispositivos de grabación de sonidos, uso de tecnología biométrica, y también para determinadas actividades, es posible la utilización de los denominados sistemas de geolocalización, cuya virtualidad consiste esencialmente en conocer en cada momento el lugar en que se encuentra el trabajador[539]. Con ello, se genera un control sobre la localización y el comportamiento de las personas, eliminan la capacidad de estar solo, con lo que los trabajadores se vuelven transparentes, pudiendo conocer el empresario en todo momento dónde se encuentran, dónde han estado y por cuánto tiempo, así como el nivel de productividad en el puesto de trabajo[540]. Con ello se produce una suerte de cargas ambivalentes en uno y otro sentido, en cuanto que pueden producirse excesos en el uso de estas tecnologías: por el empresario, quien verá en estos medios una «mano alargada» para el «control absoluto» de los operarios, y también

---

[539] «Los datos de localización pueden referirse a la latitud, la longitud y la altitud del equipo terminal del usuario, a la dirección de la marcha, al nivel de precisión de la información de la localización, a la identificación de la célula de red en la que está localizado el equipo terminal en un determinado momento o a la hora en que la información de localización ha sido registrada» (Considerando 14 de la Directiva 2002/58/CE, del Parlamento Europeo y del Consejo de 12 de julio, sobre la privacidad y las comunicaciones electrónicas).

[540] DESDENTADO BONETE, A., y MUÑOZ RUIZ, A. B.: *Control informático, videovigilancia y protección de datos en el trabajo*, cit., pág. 73.

por los propios trabajadores, en tanto en cuanto pueden utilizarlos —en tiempo y lugar de trabajo— para fines particulares capaces de distraerlos de sus obligaciones laborales[541]. En el primero de los casos, se configura como un mecanismo del poder de dirección del empresario que tiene como finalidad tanto prevenir como verificar una conducta irregular del trabajador, de manera que con la incorporación de esta tecnología se interfiere claramente en el derecho a la intimidad del trabajador[542].

No obstante, debe reconocerse desde el punto de vista empresarial, que el uso de los sistemas de geolocalización es particularmente útil en determinadas profesiones como repartidores, comerciales, viajantes, conductores, vigilantes de seguridad… es decir, profesionales cuya labor consiste en trasladarse de un sitio a otro para dar cumplimiento a su misión o la de desempeñar su trabajo en lugares concretos señalados por la empresa. Ciertamente, estos dispositivos basados en geolocalización vía GPS o RFID/Bluetooth, permiten gestionar de una forma más eficaz al personal de una empresa al mostrar en cada momento la posición exacta del trabajador dentro del centro o lugar de trabajo, optimizándose así los recursos existentes en la medida en que permite disponer de información en tiempo real y poder establecer rutas dinámicas, entre otras ventajas, por ejemplo, la que supone para una empresa de vigilancia que opera en un centro comercial el poder conocer dónde está el vigilante más próximo al lugar donde se produzca una incidencia para poder enviarlo rápidamente, o para una empresa de limpieza el localizar de forma inmediata a la operaria más cercana al lugar donde se requieran sus servicios para limpiar un líquido vertido que pudiera ocasionar un accidente a los clientes. En efecto, el servicio que ofrecen estos sistemas para el empresario es de enorme utilidad, pues no solo facilita el control y vigilancia del trabajador y de la flota de vehículos en tiempo real, sino que además, ayudan a optimizar cada trayecto del trabajador así como a

---

[541]   TASCÓN LÓPEZ, R.: «El lento (pero firme) proceso de decantación de los límites del poder de control empresarial en la era de las nuevas tecnologías». *Aranzadi Social*, núm. 17, 2007 (revista electrónica) BIB 2007|3032, pág. 3.

[542]   POQUET CATALÁ, R.: «Últimos perfiles del sistema de geolocalización como instrumento del empresario». *Vigilancia y control en el Derecho del Trabajo Digital* (Directores: Miguel Rodríguez-Piñero Royo y Adrián Todolí Signes). Thomson Reuters Aranzadi, Cizur Menor, 2020, pág. 170.

asignarle misiones de forma más eficaz e incluso posibilitan ahorro de combustible.

En este sentido, se define, con carácter general, los datos de localización como «cualquier dato tratado en una red de comunicaciones electrónicas, que indique la posición geográfica del equipo terminal de un usuario de un servicio de comunicaciones electrónicas disponible para el público»[543].

El uso de los sistemas de geolocalización, conocidos como GPS[544], es de los dispositivos digitales menos regulados en el ámbito jurídico laboral y vienen a sustituir al tacógrafo, ofreciendo una información más exhaustiva y precisa de los datos del trabajador[545]. Estos dispositivos se instalan en los vehículos de la empresa y se acoplan a una red digital de comunicaciones móviles (teléfonos móviles) en cuyo caso se denominan GSM[546]. Con ello se consigue localizar en cualquier momento al vehículo con un mínimo margen de error, resultando de gran utilidad, sobre todo, en empresas de transporte, taxis, VTC, etc. Sin embargo, no debe perderse de vista que estos datos pueden incluir no solo la localización del vehículo (y, por tanto, del trabajador) recogida por los sistemas de seguimiento por GPS básicos, sino también, dependiendo de la tecnología, una gran cantidad de otra información, incluyendo el comportamiento al volante[547].

---

[543]   Artículo 2.c) Directiva 2002/58/CE, del Parlamento Europeo y del Consejo de 12 de julio, sobre la privacidad y las comunicaciones electrónicas y artículo 64.b) Real Decreto 464/2005, de 15 de abril, por el que se aprueba el Reglamento sobre las condiciones para la prestación de servicios de comunicaciones electrónicas, el servicio universal y la protección de los usuarios.

[544]   Global Positioning System: Se trata de un sistema de localización diseñado por el Departamento de Defensa de los Estados Unidos, con fines militares, para proporcionar estimaciones precisas sobre posición, velocidad y tiempo (PÉREZ DEL PRADO, D.: «Instrumentos GPS y poder de control del empresario». *Revista de Contratación Electrónica*, nº 107, 2009, pág. 51).

[545]   ARAGÜEZ VALENZUELA, L.: *Relación laboral «digitalizada»: Colaboración y control en un contexto tecnológico.* Thomson Reuters Aranzadi. Cizur Menor, 2019, pág. 184.

[546]   Global System for Mobile Communications.

[547]   En ese sentido, se están instalando en los vehículos puestos a disposición de los trabajadores, los denominados *event data recorders*, que son dispositivos que gra-

Ciertas tecnologías también pueden permitir la observación continua tanto del vehículo como del conductor (por ejemplo, los registradores de datos de incidencias)[548]. Es decir, que no se limitan al mero hecho de la localización geográfica del trabajador, sino que este puede completarse con otros extremos de información que pueden resultar de interés para el empresario, como puede ser: el tiempo de empleo de una máquina o un vehículo, distancia recorrida, velocidad, etc.[549].

Esencialmente, a nivel jurídico, el principal problema que plantea el uso por la empresa de estos sistemas de geolocalización son de tensión de derechos: por un lado, la de determinar el límite que puede alcanzar el control empresarial de la actividad laboral del trabajador; y por otro, ya desde la perspectiva del trabajador, hasta qué punto ese control podría vulnerar alguno de los derechos fundamentales del trabajador que garantiza nuestra Constitución, habida cuenta de la invasión que ocasiona la instalación de tales dispositivos en su vehículo o en cualquier otro dispositivo puesto por el empresario para realizar su actividad, hasta el punto que podrían vulnerar el derecho a la intimidad o el derecho de protección de datos personales. En este sentido, el ordenamiento jurídico laboral español no contempla una prohibición a la implementación de determinados medios de control, como puede ser la geolocalización laboral, sino que se regula un *muro de contención* con objeto de evitar eventuales avasallamientos a los derechos fundamentales del trabajador[550].

---

ban video y sonido para el caso de detectar que se va a producir un accidente, activándose por un frenado brusco o con cambios bruscos de dirección. Algunos dispositivos también recopilan la posición del vehículo e información relacionada con la conducción (MERCADER UGUINA, J. R.: *Protección de datos y garantía de los derechos digitales en las relaciones laborales*, cit., pág, 151, punto 2426).

[548] Dictamen GT29 2/2017, sobre el tratamiento de datos en el trabajo, pág. 21.

[549] BAZ RODRÍGUEZ, J.: *Privacidad y protección de datos de los trabajadores en el entorno digital*, cit., pág. 215.

[550] ARREDONDO PACHECO, J.: «Ideas a tener en consideración ante la irrupción de un nuevo mecanismo de control empresarial: El GPS». *Revista chilena Derecho de Trabajo y Seguridad Social*, Vol. 2, núm. 4, pág. 81.

II. CONTROL EMPRESARIAL DE LA ACTIVIDAD LABORAL DE LOS TRABAJADORES MEDIANTE DISPOSITIVOS DE GEOLOCALIZACIÓN

Es en estos supuestos, en que el trabajador realiza su trabajo fuera del centro de trabajo, cuando se produce una debilitación del control empresarial, y al mismo tiempo puede existir una cierta relajación, por parte del trabajador, del cumplimiento de sus obligaciones laborales y lo que podría ser peor, podrían producirse comportamientos desleales con el empleador, como el incumplimiento del horario, itinerario o falsedad en cuanto a los servicios prestados, e incluso hacer uso del vehículo proporcionado por la empresa para negocios privados, lo que no significa que tenga plena disponibilidad fuera del horario de trabajo, por familiares del trabajador o incluso durante la suspensión del contrato, pues, esta herramienta es de la empresa, respecto de la que cabría esperar un correcto uso del trabajador[551]. De ahí, el interés del empresario de dotarse de medios técnicos que le permitan ese control y vigilancia cuando el trabajo lo realiza el trabajador con un vehículo de la empresa. En ese sentido, es particularmente útil conocer si el trabajador ha cumplido con su trabajo, siempre que la utilización de los dispositivos de localización, se ciñan a los tiempos de trabajo.

Así en el caso de un comercial[552] que fue objeto de despido disciplinario, disponía de un vehículo de empresa que utilizaba sólo para fines profesionales y no privados. Vehículo que llevaba incorporado un dispositivo de GPS, constando en un documento que pasó la empresa a los trabajadores que los vehículos de la empresa estaban dotados de dispositivos de geolocalización. Gracias a ello la empresa obtenía información sobre el movimiento de los vehículos en horario y jornada laboral, probándose que realizó a través del sistema informático de gestión un total de ocho visitas, de las cuales la primera no la realizó. En suplicación confirmada por el Supremo se declaró la procedencia del despido, por entender que se ha producido un hecho lo suficientemente grave como

---

[551]   RUIZ GONZÁLEZ, C.: *La incidencia de las tecnologías de la información y la comunicación en las relaciones laborales*, cit., págs. 287-288.

[552]   STS 4 febrero 2014, rec. 2096/2013 (JUR 2014, 79295).

para ser incardinado en la vulneración de la buena fe contractual, al acreditarse el falseamiento de un parte de trabajo al consignarse como realizada una visita comercial que no lo fue. De manera que, como primera respuesta a cuál es el límite que debería permitirse al empresario en el uso de esta nueva tecnología, en principio, se acepta el uso del GPS y GSM, cuando la instalación del dispositivo por la empresa se realice en un vehículo propio puesto a disposición del trabajador para llevar a cabo su trabajo, y que la finalidad sea la de comprobar el lugar en que se encuentra el mismo durante la jornada laboral[553].

Pero además es preciso que se justifique la necesidad del tratamiento de los datos de localización. Y en ese sentido, «puede estar justificado si se lleva a cabo formando parte del control del transporte de personas o bienes o de la mejora de la distribución de los recursos para servicios en puntos remotos (por ejemplo, la planificación de operaciones en tiempo real) o cuando se trate de lograr un objetivo de seguridad en relación con el propio empleado o con los bienes o vehículos a su cargo. Por el contrario, el Grupo considera que el tratamiento de datos es excesivo en el caso de que los empleados puedan organizar libremente sus planes de viaje o cuando se lleve a cabo con el único fin de controlar el trabajo de un empleado, siempre que pueda hacerse por otros medios»[554]. Y es que, las soluciones parten del supuesto de que la instauración del GPS como instrumento de control debe tener como objetivo y finalidad indagar si se ha realizado o no la labor encomendada, pero no la de realizar un control sobre la persona del trabajador[555]. De manera, que la vigilancia y control que la empresa efectúa sobre el trabajador debe focalizarse en si con tales dispositivos de geolocalización puede comprobar que ha cumplido con su actividad laboral sin ir más allá, existiendo el peligro de sobrepasar ese límite, si se controla la conducta del trabajador.

---

[553]   RUIZ GONZÁLEZ, C.: *La incidencia de las tecnologías de la información y la comunicación en las relaciones laborales*, cit., pág. 292.

[554]   GT29 Dictamen 5/2005, sobre el uso de datos de localización.

[555]   ARREDONDO PACHECO, J.: «Ideas a tener en consideración ante la irrupción de un nuevo mecanismo de control empresarial: El GPS», cit., pág. 98.

1. Límite al ejercicio del control empresarial: los derechos fundamentales

Desde otra perspectiva, si esa vigilancia y control no tuviera límites y no fuera transparente, existe un alto riesgo de que el interés legítimo de los empresarios en la mejora de la eficiencia y protección de los activos de la empresa se convierta en un control injustificado e intrusivo[556]. Cabría cuestionarse entonces, hasta qué punto es viable el establecimiento de un control permanente de los movimientos y desplazamientos del trabajador; esto es, de lo que se ha dado en llamar la «*monitorización permanente*», planteándose interrogantes tales como si resulta jurídicamente defendible que el empresario pueda tener conocimiento de todos los lugares que visita el trabajador, dónde se encuentra este en un momento determinado, las pausas que realiza y el tiempo que destina a estar en cada uno de ellos, entre otros aspectos, en especial cuando dichas actividades no guardan una relación directa con la prestación de servicios laborales contratada[557]. Esto podría traducirse en el peligro de vulnerar alguno de los derechos fundamentales del trabajador como podría ser, el derecho a la intimidad, protección de datos personales, o el derecho a la propia imagen. De ahí, la necesidad de conocer hasta qué punto puede la empresa controlar la actividad laboral del trabajador, sin vulnerar alguno de sus derechos fundamentales. En el caso del derecho a la protección de datos, el trabajador debe tener la facultad de saber, en todo momento, quien dispone sus datos personales y a qué uso los está sometiendo, pues aunque tenga conocimiento y acepte la existencia de un GPS, este sistema permite el conocimiento de parcelas personales de la vida del trabajador, por lo que este complemento de información resulta imprescindible[558], si se quiere garantizar la protección de los datos personales del trabajador[559].

---

[556]   GT29 Dictamen 2/2017, sobre el tratamiento de datos en el trabajo, pág. 10.

[557]   ARREDONDO PACHECO, J.: «Ideas a tener en consideración ante la irrupción de un nuevo mecanismo de control empresarial: El GPS», cit., pág. 79.

[558]   CUADROS GARRIDO, M. E.: *Trabajadores Tecnológicos y Empresas Digitales*. Thomson Reuters Aranzadi. Cizur Menor (Navarra), 2018, pág. 328.

[559]   En la STSJ Cantabria, 22 enero 2016, rec. 991/2015 (JUR 2016, 33309), el trabajador que era repartidor en una furgoneta, conocía que se le había instalado en la misma por la empresa un GPS, si bien, no se le especificó cuál iba a ser la función del dispositivo. Pues bien, el tribunal basó la procedencia del despido en

Por otro lado, debemos partir de la idea de que los derechos fundamentales de los trabajadores no son absolutos cuando se desenvuelven en el ámbito laboral, en la medida que se ejercitan junto a otros derechos reconocidos constitucionalmente, como el derecho de libertad de empresa (arts. 38 y 33 CE). Sin embargo, no debe obviarse que los derechos fundamentales se encuentran en un lugar del texto constitucional dotado de las más altas garantías de protección jurídica. El Tribunal Constitucional ha señalado en diversas ocasiones que estos derechos propios de los trabajadores se deberán adaptar y modular para el ejercicio de todos ellos, incluidos los reconocidos a la empresa, dentro del propio desarrollo de la relación laboral[560]. No obstante, es una realidad que los datos de localización se refieren siempre a una persona física identificada o identificable, constituyendo datos personales, por lo que les son de aplicación las disposiciones sobre la protección de éstos contenidas en la LOPD y su normativa de desarrollo[561], debiendo el empresario observarla a fin de no incurrir en conductas ilícitas sobre control del trabajador a través de estos medios de localización del mismo, de su vehículo o del dispositivo al que se incorpora un localizador, pudiendo llegar en ocasiones, si no se adoptan las medidas establecidas por la normativa (LOPD y RGPD) y de los organismos encargados de su vigilancia (AEPD) a la vulneración de los datos personales del trabajador.

---

que el actor en 72 ocasiones, en más de 40 días a lo largo de un semestre, efectuó paradas injustificadas de entre 20 minutos a una hora, o más. Y finaliza, afirmando que el «comportamiento del demandante que ha inobservado la buena fe en el cumplimiento del servicio que le ha sido encomendado, quebrantando consciente y voluntariamente, o de forma negligente, pero igualmente inaceptable para la empresa, el principio de buena fe». Al no plantear por la recurrente la omisión por la empresa de la falta de información sobre el uso del GPS con finalidad disciplinaria, el tribunal no se pronunció sobre ello, y confirmó la procedencia del despido. En el mismo sentido, STSJ Castilla-La Mancha 17 septiembre 2015, rec. 673/2015 (JUR 2015, 306632); STSJ Andalucía 15 julio 2015, rec. 1264/2015 (JUR 2015, 220969); STSJ Madrid 22 mayo 2015, rec. 953/2014 (JUR 2015, 161186).

[560]   SSTC 99/1994, de 11 abril, 6/1995, 10 enero, 136/1996, 23 julio.

[561]   AEPD. *Informe Jurídico 0090-2009. Proporcionalidad en los datos de localización*, pág. 1; MERCADER UGUINA, J. R.: *Protección de datos y garantía de los derechos digitales en las relaciones laborales*, cit., pág, 150 (punto 2415); ORELLANA CANO, A. M.: *El derecho a la protección de datos personales como garantía de la privacidad de los trabajadores*, cit., pág. 147.

Así, en el caso de un inspector encargado[562], despedido por motivos disciplinarios, se constató que el vehículo furgoneta inspección que utilizaba para la realización de su trabajo se encontraba fuera de la zona de trabajo, lo que pudo saberse por el GPS de localización que tenía colocado en el vehículo que utilizaba, mediante el que se acreditó los incumplimientos alegados en la carta de despido, sin que por el hecho de que el vehículo del actor fuera controlado con un GPS se vulnere —a juicio del tribunal—, su derecho a la intimidad, porque la empresa había instalado un GPS de localización de los vehículos adscritos al servicio de la contrata con el Puerto de Santa María, autorizados por la Agencia de Protección de Datos, y el actor lo sabía puesto que usaba la plataforma de localización para controlar a los trabajadores adscritos a su turno, por lo que cumplía con plenitud sus deberes constitucionales y legales, aunque el trabajador no pensara, por su condición de inspector, que también le podían controlar. Por lo que se consideró procedente el despido[563]. La sentencia revela que el trabajador, que además tenía la misión de inspeccionar a otros empleados de la empresa mediante tales dispositivos, sin embargo, parece que no cayó en la cuenta que también él era geolocalizado, y pese a no haber existido una información expresa por parte de la empresa, se consideró que no vulneraba su derecho a la intimidad.

2. *Geolocalización a través del teléfono móvil o del vehículo propio del trabajador*

Señala el GT29[564], que el seguimiento de la localización de los trabajadores a través de sus propios dispositivos o de los dispositivos entregados por la empresa debe limitarse a lo estrictamente necesario para un fin legítimo, y que en el caso de que el trabajador utilice su propio dis-

---

[562] STS 19 julio 2018, rec. 3945/2017 (JUR 2018, 204751).
[563] En este supuesto, el TS confirmó la sentencia dictada en suplicación, sobre todo porque las sentencias de contraste alegadas por el trabajador, no se correspondían a supuestos equiparables al caso. Pero que suscita dudas en cuanto que al trabajador despedido no se le comunicó expresamente con carácter previo que también estaba siendo sometido a geolocalización al igual que sus compañeros.
[564] GT29 Dictamen 2/2017, sobre el tratamiento de datos en el trabajo, pág. 24.

positivo es importante que tenga la oportunidad de proteger sus comunicaciones privadas de cualquier observación relacionada con el trabajo.

2.1. *Dispositivo de geolocalización implantado en el móvil del trabajador*

Un supuesto concreto en el que se puede valorar si se respeta el derecho a la intimidad, mediante el uso de sistemas de geolocalización, tiene lugar cuando la empresa implanta un sistema de geolocalización que conlleve que los empleados aporten una terminal de telefonía móvil en la que descargarse una *App* confeccionada al efecto a instancias de la empresa, con la amenaza de dar por extinguida la relación laboral, en caso de negativa reiterada o imposibilidad sobrevenida de aportación de esta herramienta o de la aplicación informática, por parte del trabajador. En este caso, ya no sería la empresa, sino el trabajador el que aporta el soporte para instalar el GPS de localización. Se ha considerado por la Audiencia Nacional[565], que la medida implantada por la empresa es nula, porque «no supera el necesario juicio de proporcionalidad, pues la misma finalidad se podría haber obtenido con medidas que suponen una menor injerencia en los derechos fundamentales de los empleados, como pudieran ser la implantación de sistemas de geolocalización en las motocicletas en las que se transportan los pedidos o las pulseras con tales dispositivos que no implican para el empleado la necesidad de aportar medios propios y lo que es más importante, ni datos de carácter personal como son el número de teléfono o la dirección de correo electrónico en la que han de recibir el código de descarga de la aplicación informática que activa el sistema». Y en lo que afecta al hecho de que la empresa se sirva del teléfono móvil del trabajador para obligarle a que se instale una *App* con conexión de datos con un geolocalizador para realizar su trabajo, la sentencia, considera que vulnera la legalidad ordinaria, porque «supone un manifiesto abuso de derecho empresarial, ya que además de quebrar con la necesaria ajenidad en los medios que caracteriza la nota de ajenidad del contrato de trabajo (art. 1.1 TRLET) y desplazando el deber empresarial de proporcionar ocupación efectiva del trabajador [arts. 4.2 a) y 30 TRLET] es a éste al que se responsabiliza de los me-

---

[565]   SAN, 6 febrero 2019, rec. 318/2018, (AS 2019, 905).

dios, de forma que cualquier impedimento en la activación del sistema de geolocalización implica cuando menos la suspensión del contrato de trabajo y la consiguiente pérdida del salario —ex artículo 45.2 ET—».

Asimismo, la sentencia establece la nulidad de la cláusula resolutoria incluida en los contratos, por la que la empresa, ante la negativa reiterada o imposibilidad sobrevenida de aportación del teléfono móvil por parte del trabajador, o de la aplicación informática de geolocalización, impone medidas disciplinarias prescindiendo del régimen establecido en el convenio colectivo de aplicación y en el TRLET. En ese sentido, cabe señalar que es fundamental que el control que ejerce el empresario sobre la actividad del trabajador se ejerza, empleándose sobre instrumentos de trabajo de la empresa (vehículo o móvil propiedad del empresario) y solo durante la jornada de trabajo[566].

2.2. Instalación por un detective privado, de un dispositivo de geolocalización en el vehículo privado del trabajador

En otro supuesto, en el que se instaló, por un detective privado contratado por el empresario, en el vehículo privado del propio trabajador un GPS sin su conocimiento, para controlar sus desplazamientos y comprobar actividades incompatibles con su situación de incapacidad temporal, el tribunal que conoció del caso[567], declaró la nulidad del despido disciplinario por vulneración del derecho a la intimidad del trabajador[568].

---

[566] BLÁZQUEZ AGUDO, E. M.: *Aplicación práctica de la protección de datos en las relaciones laborales*, cit., pág. 204.

[567] STS 21 junio 2012 rec. 2194/2011, (RJ 2012, 7627), en relación con STSJ País Vasco, 10 mayo 2011, rec. 644/2011 (AS 2011, 2277).

[568] Por el interés de la argumentación de la sentencia se reproducen las dos argumentaciones principales de la misma: «en primer lugar, la implementación de un sistema de monitorización en tiempo real del vehículo particular del demandante durante una semana en que su contrato de trabajo estaba suspendido, afecta a una de las manifestaciones de su derecho a la intimidad: el derecho a que los demás no sepan dónde está en cada momento y cuáles son sus movimientos; o dicho en otros términos, el derecho a no estar localizado de manera continua por medios electrónicos colocados en sus bienes contra su voluntad. A tal efecto hay que destacar

Como puede observarse, la mayor diferencia con el anterior supuesto, es que en este caso resulta más grave, pues el trabajador ni siquiera era consciente de que se le estaba vigilando para comprobar sus itinerarios en su propio vehículo, en períodos en los que no existía cumplimiento efectivo de la jornada laboral, por lo que, si bien el empresario tenía derecho a que un detective comprobara mediante sus pesquisas ordinarias el incumplimiento de la buena fe del trabajador, sin embargo, el uso por este de un localizador, supone un elemento invasivo que podría haber evitado, al existir otros medios de comprobación menos intrusivos, incumpliendo de ese modo el principio de proporcionalidad exigido en el uso de estos instrumentos tecnológicos, cuando afecta a la intimidad o privacidad del trabajador.

2.3. Circunstancias a tener en cuenta para determinar el límite del control empresarial

Es importante considerar[569], que cada medida de control empresarial debe ajustarse al caso concreto, teniendo en cuenta las diversas circunstancias concurrentes, y entre ellas si el dispositivo se ha instalado por la empresa con o sin el conocimiento del trabajador, o se ha instalado en

---

que esa técnica permite al detective, y por extensión al empresario que le contrata, tener un conocimiento permanente, a lo largo del día y de la noche, del lugar dónde se encuentra el trabajador, a través de la posición de su vehículo, así como de otros datos complementarios, como los tiempos de utilización del vehículo, los itinerarios, las pausas, los kilómetros recorridos, o la velocidad de circulación. En segundo lugar, la razón que esgrimió el detective para la colocación del GPS —ser un dispositivo que facilita el control y seguimiento del trabajador y que éste no se sienta vigilado— no es motivo que pueda legitimar su empleo frente a los métodos de vigilancia directos, menos intrusivos. El empleo de ese mecanismo no respeta el principio de proporcionalidad, pues resulta totalmente innecesario atendiendo al objetivo perseguido de comprobar las actividades realizadas por el demandante en los espacios públicos y privados de acceso libre, respondiendo a la mera conveniencia del investigador, lo que no justifica el uso de un medio tan invasor de la vida privada».

569   ROJAS, R.: «La geolocalización como instrumento de control laboral», *Byte*, 5 marzo 2018, disponible en https://revistabyte.es/actualidad-byte/la-geolocalizacion-instrumento-control-laboral.

el teléfono móvil del trabajador, así como las razones que han llevado a la empresa a implementar dicha medida de control; si el dispositivo se utiliza exclusivamente con motivos de seguridad o también puede utilizarse también, y así se ha informado previamente de ello, para el cumplimiento de obligaciones laborales; si el tratamiento de datos ha sido proporcional y no excesivo; o si el control se efectúa durante la jornada de trabajo o también fuera del horario laboral, circunstancias todas ellas que servirán para determinar si el control efectuado ha sido lícito y podría servir, en su caso, como prueba para una eventual sanción disciplinaria. Por ello[570], nada excusa el análisis de las circunstancias concretas que concurran en cada caso para concluir si el uso de tales medios es legítimo y acorde a la legislación laboral. Dependerá del tipo de actividad desarrollada por la empresa, de la finalidad realmente perseguida por la empresa con la medida, de los trabajadores singularmente afectados por la medida tecnológica a introducir para el mejor desarrollo y control de su actividad laboral, de la participación o no de los representantes legales de los trabajadores en la implantación y revisión de sistemas de organización y control del trabajo que incorporen los dispositivos tecnológicos señalados, y del conocimiento o no que dichos representantes y los propios trabajadores afectados tengan de las medidas introducidas, el carácter lícito o ilícito de la implantación y uso de los repetidamente citados dispositivos en el medio laboral.

Con ello se puede concluir que no se puede encasillar a priori en las diversas situaciones que se producen al implantar en la empresa para uso de sus trabajadores, el uso de los sistemas de geolocalización, sino que habrá que analizar cada caso concreto. Sobre estas cuestiones iremos repasando las posibilidades que ofrecen estos dispositivos de cara a su uso por el empresario.

Por tanto, la cuestión central que trataré de resolver, es la búsqueda de un equilibrio, en el que satisfaciendo las facultades de control del empresario sobre la actividad del trabajador (art. 20.3 TRLET) en este caso, mediante el uso de sistemas de geolocalización, respete los dere-

---

[570]   Dirección General de la Inspección de Trabajo y Seguridad Social. Consulta de 6 de noviembre de 2015. *Sobre utilización en los centros de trabajo de dispositivos portátiles basados en la geolocalización por GPS o RFID/Bluetooth*, pág. 2.

chos fundamentales del trabajador, en particular, los reconocidos en el artículo 18 CE. Tarea que no parece sencilla, pero necesaria, pues es preciso encontrar ese punto en el que ambos derechos se puedan aplicar, aunque cediendo irremediablemente, cada uno, en lo que se pueda ceder, con el objetivo de alcanzar esa proporcionalidad deseable de la que vengo hablando.

2.4. ¿Es válida la prueba basada en los datos que proporcionan los sistemas de geolocalización con objeto de controlar la actividad laboral del trabajador?

Hasta la entrada en vigor de la LOPD, no existía una legislación sobre los efectos del uso de los sistemas de geolocalización en el ámbito laboral, y además eran relativamente escasas las resoluciones judiciales por su reciente y aún reducida implantación, limitándose a unas pocas sentencias del Supremo, y a las dictadas por los Tribunales Superiores de Justicia, cuyas interpretaciones no siempre coincidían al principio, pues tampoco valoraban la colisión entre el derecho a la intimidad y la utilización del GPS, con una división de opiniones en lo referente al valor de la prueba de los dispositivos digitales como medio de vigilancia y control de la actividad laboral del trabajador[571]. Una de las primeras

---

[571] Como señala FERNÁNDEZ GARCÍA, A.: «Sistemas de geolocalización como medio de control del trabajador: un análisis jurisprudencial», *Revista Doctrinal Aranzadi Social* núm. 17/2010 parte Estudio (versión digital) BIB 2009\1901, págs. 6-9, en algunas sentencias no se le otorgan valor de prueba a los certificados e informes procedentes de los mecanismos de GPS (STSJ Castilla y León, Valladolid (Sala de lo Social, sec. 1ª) de 24 de septiembre de 2008 (PROV 2008, 352002); la STSJ Comunidad de Madrid (Sala de lo Social, secc. 5ª) de 3 de junio de 2008 (PROV 2008, 284060). Por el contrario, otras sentencias consideraban el uso de GPS en vehículos de empresa para el control del trabajo, si bien en relación con otros medios de control como pueden ser los partes de trabajo o el informe de un detective privado [STSJ Comunidad de Madrid (Sala de lo Social, secc. 2ª) de 18 de mayo de 2004 (PROV 2004, 236695); STSJ Comunidad de Madrid (Sala de lo Social, secc. 2ª) de 28 de diciembre de 2004 (AS 2004, 4027); STSJ Comunidad de Madrid (Sala de lo Social, secc. 5ª) de 25 de noviembre de 2008 (PROV 2009, 90353); STSJ de Cataluña (Sala de lo Social, secc. 1ª), de 15 de enero de 2008 (AS 2008, 1024)].

sentencias que entraron a valorar la dicotomía entre ese derecho a la intimidad personal del trabajador y el derecho al control empresarial mediante instrumentos de localización, era un caso sobre el uso de un GPS instalado en un teléfono móvil de empresa[572]. Quizá esa tardanza se deba a que no se ha tenido en cuenta la necesidad de que se valoren las circunstancias de su utilización, como por ejemplo, si el trabajador tiene permiso o no para utilizar el vehículo para fines privados; si el trabajador está sujeto o no a algún tipo de horario mientras presta servicios fuera del centro de trabajo; si se sospecha que el trabajador no cumple los tiempos de trabajo fuera del centro; o si, en definitiva, no existe un medio más adecuado para controlar las obligaciones laborales[573].

---

[572] Como señala, la STSJ País Vasco 2 julio 2007 (JUR 2007, 365564) el demandante, en el motivo inicial, denuncia que «el despido litigioso ha vulnerado su derecho fundamental a la intimidad que el artículo 18.1 de nuestra Constitución le reconoce, así como los arts. 4.2.e) y 18 del Estatuto de los Trabajadores, dado que la empresa ha obtenido la prueba de que no hizo el servicio el día de autos mediante un sistema de localización GPS del teléfono móvil que tenía asignado, desconociendo los trabajadores de la empresa esta circunstancia del mismo. Acusa, por tanto, la infracción de esos preceptos, en relación con los artículos 55.5 ET, 108.2 y 122.2.c) LPL». Y señala en otro lugar: «siendo uno de los derechos fundamentales del trabajador el de intimidad personal que nuestra Constitución reconoce en su artículo 18.1 y del que no queda privado en el ámbito de la relación laboral (art. 4.2.e ET), que desde luego queda afectado si el empresario utiliza un sistema de control del trabajo de sus empleados que se desarrolla fuera de sus dependencias a través de un sistema de localización permanente del teléfono móvil que se facilita como instrumento de trabajo, sin consentimiento ni conocimiento de aquéllos, máxime si éstos han de tenerlo a su disposición en todo momento por estar sujetos a disponibilidad permanente, ya que si bien resulta un medio idóneo para controlar su labor (de lo que no le priva que pueda hacerse un uso que le impida realizar esa función, como sucede si el teléfono en cuestión no lo lleva consigo el trabajador), en modo alguno resulta necesario si tenemos en cuenta que el propio sistema de telefonía móvil siempre permite conocer ese dato y, por tanto, acceder a ese conocimiento con autorización judicial si concurren circunstancias que justifican una actuación de esa naturaleza, tan invasora del campo propio de la intimidad personal. Esfera, ésta, que ni tan siquiera desaparece durante la jornada laboral, en la que el trabajador mantiene un reducto en el que su empresario no puede penetrar si no resulta preciso por exigencias de la relación laboral, mediante un medio idóneo, necesario y suficientemente proporcionado al sacrificio de ese derecho fundamental».

[573] FERNÁNDEZ GARCÍA, A.: «Sistemas de geolocalización como medio de control del trabajador: un análisis jurisprudencial», cit., pág. 4.

Con anterioridad a la publicación de la LOPD, no existía en el panorama jurídico laboral ninguna norma que regulara el uso de los sistemas de geolocalización en el ámbito laboral, y los tribunales se veían abocados a interpretar si el uso de tales dispositivos se ajustaban al orden jurídico y en especial a la Constitución, en particular, en relación a los derechos fundamentales como el derecho a la intimidad, y por tanto si los medios de prueba que aportaban tales dispositivos eran o no lícitos. No obstante, los tribunales venían resolviendo supuestos en los que consideraban procedente despidos disciplinarios por transgresión de la buena fe contractual, basada en la comprobación por medios tecnológicos de localización. De ahí, que en relación al valor probatorio de estos sistemas de control no existiera una postura unánime en la doctrina judicial, pues por un lado se encuentran aquellas que sin negar la validez de tales sistemas, manifiestan cierta desconfianza sobre la veracidad de la información, basándose en algunas dudas sobre la forma en que se lleva a cabo la lectura, quien es el encargado de su llevanza o cuales son las medidas de seguridad adoptadas en la obtención y tratamiento de los datos, mientras que otra postura, es la de quienes admiten como válido tal medio de prueba, siendo suficiente medio de prueba del incumplimiento contractual del trabajador[574].

Así, en un supuesto[575] en el que se instaló un GPS, en el vehículo de la empresa como consecuencia de haber llegado a oídos de la misma, que el trabajador incumplía su jornada y su horario, el control a través de dicho mecanismo se empezó a activar tras haber sido advertido expresamente el trabajador de que podían adoptarse las medidas más oportunas de vigilancia y control para verificar el cumplimiento de sus obligaciones laborales. El trabajador no estaba sujeto a un control directo en cuanto a su jornada y horario. Tanto la colocación de un GPS, que lo que hace es registrar cuando arranca y se detiene el vehículo y donde se encuentra físicamente, como el seguimiento por medio de un detective privado, se estimaron como medios adecuados y proporcionados de vigilancia y control que no afectan a su intimidad personal, pues el control se rea-

---

[574]   RUIZ GONZÁLEZ, C.: *La incidencia de las tecnologías de la información y la comunicación en las relaciones laborales*, cit., pág. 297.
[575]   STSJ Cataluña, 5 marzo 2012, rec. 5194/2011, (AS 2012, 996).

liza durante la jornada laboral, es decir durante un tiempo en que el trabajador está a disposición del empresario para desempeñar las funciones concretas de su puesto de trabajo. Otros medios de control, como a través de su superior jerárquico que supervisaba los partes de trabajo hubieran sido ineficaces, ya que el superior, por no acompañarle, no estaba en condiciones de saber lo que hacía exactamente el actor durante su trabajo. Por ello se considera un control necesario, para comprobar el cumplimiento de su deber profesional.

La cuestión es que este supuesto, como se verá al analizar cómo debe ser la información previa del trabajador según el artículo 90 LOPD, en el caso de la geolocalización, no responde a los requisitos establecidos a partir de dicha norma, porque aunque se le advirtió al trabajador, se hizo de forma genérica, al señalar que «podían adoptarse las medidas más oportunas de vigilancia y control para verificar el cumplimiento de sus obligaciones laborales», sin embargo, no se le comunicó previamente cuál era el medio concreto que se utilizó para ello.

En cambio, en otro supuesto[576] en el que un chofer que realizaba reparto de alimentación a diversas empresas mayoristas, en una reunión celebrada por la empresa con los trabajadores se les informó de la instalación de localizadores GPS en los vehículos de la empresa, al tiempo que se les advirtió que en el caso de apreciar la existencia de irregularidades en la ejecución de los trabajos en ruta se procedería adoptar medidas disciplinarias. En la reunión estaban los representantes legales de los trabajadores, así como todos los empleados. Los trabajadores tenían conocimiento de que los vehículos tenían instalado el localizador GPS. Pese a tales advertencias, uno de los trabajadores se desvió durante seis días de la ruta marcada por la empresa con el objeto de desplazarse a su domicilio particular. La sentencia en suplicación, confirmada por el Supremo concluyó que la validez de una prueba obtenida a través de los datos que transmite un geo-localizador GPS a la empresa sobre los desplazamientos del vehículo que conduce uno de sus trabajadores, «depende de que exista o no *información previa* al trabajador sobre la existencia de dicho dispositivo y la *finalidad* del

---

[576]   STS 13 septiembre 2016, rec. 2940/2015 (JUR 2016, 212456).

mismo; y en este caso el trabajador había sido advertido, junto a todos sus compañeros y los representantes legales. En definitiva, existiendo conocimiento por parte del demandante de la permanente transmisión de datos sobre su posición en las rutas de trabajo con el vehículo de la empresa, la Sala considera que no se puede negar validez a la prueba obtenida a través del GPS».

De este modo se cierra la polémica inicial sobre si la prueba obtenida a partir del uso de los sistemas de geolocalización por el empresario, para comprobar el deber laboral de cada trabajador es lícito o válido, siempre que se cumpla con las condiciones que salvaguarden la intimidad y la protección de datos del trabajador, entre las que se encuentran la información previa al trabajador, así como la finalidad del uso del dispositivo y, sin olvidar el juicio de proporcionalidad en las decisiones del empresario.

En otro supuesto[577] la empresa de un trabajador que presta servicios como vendedor con jornada partida, le remitió un documento denominado «Cláusula confidencialidad y competencia desleal», en la que se recoge, entre otros extremos, que la empresa adoptará medidas de control y vigilancia para verificar el cumplimiento por parte de los trabajadores de las obligaciones y deberes laborales. Y que para mantener un adecuado control de sus actividades y administrar de manera adecuada las rutas comerciales que deberán gestionarse, así como el control horario, gestión de los dispositivos y desarrollo de objetivos acordados, se hará entrega a los trabajadores de una Tablet con funciones de teléfono móvil incorporadas, para uso exclusivamente laboral, que dispondrán de tres sistemas de gestión OPTIMIZA, MERAKI CISCO y TEAMVIEWER, para control remoto por medio de los cuales se controlará el servicio de venta a distancia y se supervisará el equipo comercial de la empresa. Se hacía constar, igualmente, que al sistema Optimiza se había incorporado además de una plataforma base que servía para la gestión optima de la cartera de clientes, un módulo GPS, que tenía como *finalidad* controlar las visitas de los trabajadores y no permite la geolocalización del dispositivo de manera ininterrumpida, por lo que se crea una marca cartográfica en

---

[577]　STSJ Asturias 3 octubre 2017, rec. 1908/2017, (AS 2017, 1855).

el momento que el trabajador realiza alguna acción. Durante la jornada laboral ese dispositivo debería mantenerse en perfecta operatividad y funcionamiento, siendo responsabilidad del trabajador mantenerlo en tales condiciones, como una función más asignada a su puesto. En el apartado relativo a los incumplimientos se hacía constar: «El incumplimiento de cualquiera de las disposiciones del presente, podrá dar lugar al ejercicio de acciones por parte de la entidad y a la reclamación de la responsabilidad que pudiera corresponder al trabajador. En concreto, podrá dar lugar a acciones de carácter disciplinarias y otras de índole laboral, incluyéndose el despido disciplinario, reclamación de daños y perjuicios o acciones de carácter penal. Se incluyen expresamente aquellas acciones derivadas de actos de competencia desleal».

En el caso del citado vendedor, tras advertir la empresa que su rendimiento mensual comenzaba a descender de manera alarmante, con una disminución del 7% en octubre y noviembre de 2016 respecto de los mismos meses de 2015, del 26% en diciembre de 2016 respecto de diciembre de 2015 y del 24% en enero de 2017 se procedió a efectuar una comprobación de su actividad laboral, resultando: En primer lugar un incumplimiento reiterado y sistemático de su jornada laboral, siendo habitual que a partir de las 13,30 horas ya no realice visita alguna y apenas desempeñe actividad laboral de ningún tipo a pesar de no haber iniciado nunca su jornada antes de las 8,40 horas, y todo ello con un número de visitas y pedidos ínfimo. En segundo lugar un grave fraude, deslealtad y abuso de derecho, al pasar dietas por comidas cuando a la hora de hacerlas se encontraba en su domicilio habitual, por lo que fue despedido disciplinariamente. Por otro lado, una vez acreditadas las faltas de puntualidad, sin que las mismas se puedan considerar como aisladas o esporádicas, mediando un requerimiento de la empresa para que no persistiese en esa actitud y habiendo sido ya objeto de sanciones previas por llevar a cabo la misma conducta —señala el tribunal—, implica la comisión de un incumplimiento de la suficiente gravedad y culpabilidad como para justificar la adopción de la sanción de máxima gravedad en el ámbito laboral.

En lo que nos interesa en este caso, no se puso en cuestión por el trabajador la idoneidad y la proporcionalidad del medio de prueba —un sistema de geolocalización que permite un continuo y permanente seguimiento del trabajador instalado en la Tablet entregada por la empresa para la gestión de pedidos y control de los asalariados durante su uso—, empleado por la empresa para acreditar los incumplimientos imputados al trabajador. En consecuencia, la sentencia confirma el despido disciplinario y concluye, sin cuestionar en absoluto el medio de geolocalización empleado para comprobar los incumplimientos, que el trabajador transgredió la buena fe contractual al no dar exacto cumplimiento a sus obligaciones al liquidar y percibir en tiempo oportuno unas indemnizaciones en compensación de unos gastos que no habían sido realizados como consecuencia de su actividad laboral, al efectuar sus desplazamientos y visitas durante los días expresados en horario matutino, no teniendo necesidad de hacer la comida de mediodía fuera de su domicilio, por lo que dichas liquidaciones de gastos durante esos días no responden a la realidad. Tales incumplimientos resultan ser graves y culpables y de especial trascendencia, habida cuenta que el trabajador realiza su actividad bajo unos criterios de autonomía, flexibilidad y amparados en la confianza, debido a la naturaleza del mismo.

Es evidente que en este supuesto el tribunal ha considerado fiable la prueba del sistema de geolocalización presentado por la empresa porque además de ser informado el trabajador previamente a la instalación de los tres sistemas de gestión, se advirtió de la finalidad de la instalación de tales dispositivos.

2.5. *Una cuestión clave: la exigencia de información sobre la existencia del sistema de geolocalización*

Pero veamos algunas sentencias del TSJ de la Comunidad Valenciana que se han venido haciendo eco de la necesidad de informar previamente al trabajador de la instalación de un dispositivo de localización, en su vehículo o en algún dispositivo facilitado por la empresa con anterioridad a la LOPD.

Ejemplos de cómo se interpretaba el uso de los sistemas de geolocalización en el ámbito laboral poco tiempo antes de la LOPD, especialmente cuando se trataba de posibles vulneraciones del derecho a la intimidad, son los que figuran en dos sentencias de la Sala Social del TSJ Comunidad Valenciana[578].

A) Información previa

En lo que afecta a la información que se debe dar al trabajador, sobre la colocación de un dispositivo de geolocalización, en este caso[579], el trabajador despedido[580] tenía conocimiento del sistema de localización del vehículo que le había puesto a su disposición la empresa. A este respecto, «todos los comerciales conocían la instalación de estos dispositivos, en particular, porque los mismos emitían un sonido cuando se abre el vehículo y se apaga al introducir la llave». Como veremos, una vez entró en vigor la LOPD, este sistema de conocimiento del trabajador de que se le ha instalado en su vehículo un sistema de geolocalización no sería correcto, pues la realidad es que ni siquiera se le informó al trabajador, sino que lo dedujo, lo supo de forma indirecta pero no se le informó de ello. En este punto, el Tribunal parece que inicia un razonamiento acorde con la doctrina constitucional, cuando procede a examinar la licitud de la prueba cuestionada. Según el tribunal: «El artículo 11 de la LOPJ dispone que no surtirán efecto las pruebas obtenidas, directa o indirectamente, violentando los derechos o libertades fundamentales. Siguiendo el criterio de tribunal Constitucional en la STC 186/2000 (RTC 2000, 186), cabe señalar que el empresario no queda apoderado para llevar a cabo so pretexto de las facultades de vigilancia y control que

---

[578] SSTSJ Comunidad Valenciana 2 mayo 2017 (rec. 3689/2016) y 22 octubre 2015 (rec. 2092/2015).

[579] STSJ Comunidad Valenciana 2 mayo 2017 (rec. 3689/2016).

[580] El despido tuvo su origen por una serie de reclamaciones de los clientes de la empresa del trabajador que realizaba funciones de comercial, al no personarse y no acudir cuando estaba citado con ellos. Fue entonces cuando «la empresa procedió a la revisión de la actividad comercial del trabajador, a través de la información obtenida del sistema de localización, contrastándola con la información facilitada por el propio trabajador en el denominado "pipeline", pudiendo la empresa constatar incongruencias entre la información facilitada por el trabajador y la obtenida del sistema de localización, haciendo constar el trabajador la realización de visitas en horas en las que, según la información facilitada por el sistema de localización, el vehículo se encontraba aparcado en las proximidades de su domicilio».

le confiere el artículo 20.3 del ET, intromisiones legítimas en la intimidad en los centros de trabajo». Sin embargo, continúa: «el derecho a la intimidad (art. 18.1 CE) y el derecho de la protección de datos de carácter personal (18.4 CE), (…) no tienen carácter absoluto». Y justifica tal afirmación al recordar que «el Tribunal Constitucional ha señalado que estos derechos fundamentales no implican privar al empresario de utilizar medios que supongan una intromisión en los mismos, puesto que los derechos fundamentales no tienen carácter absoluto, y pueden ser objeto de limitaciones, siempre que éstos tiendan de forma exclusiva y proporcionada a la protección de otros derechos y valores, como la propiedad privada del empresario (art. 33) y la libertad de empresa (art. 38 CE)».

El problema que se plantea, es que, si bien el empresario puede utilizar los medios que estime necesarios para controlar la actividad laboral del trabajador, incluso colisionando con algún derecho fundamental, cabe entender que no todo es lícito, pues es necesario establecer las reglas de juego para conocer las condiciones en que se puede realizar el control a través de los dispositivos digitales. Y esas reglas o criterios no estaban vigentes hasta la llegada de la LOPD. Mientras tanto, fueron los tribunales, los que fueron creando doctrina, buena parte de ella recogida en el artículo 90 LOPD.

Volviendo al caso concreto, el tribunal, al contrastar los datos del sistema de geolocalización con los datos aportados por el trabajador sobre el trabajo desarrollado cada día, entendió que no se vulneró el derecho a la intimidad del trabajador, porque la medida de instalar el dispositivo de localización y control del vehículo se llevó a cabo siguiendo el triple criterio de la proporcionalidad; es decir, de manera idónea, necesaria y proporcional, justificándose del siguiente modo:

- **Idónea.** Era una medida idónea para la finalidad pretendida de verificar que la correspondencia entre los partes emitidos por el trabajador sobre su prestación de servicios y el lugar en el que se encontraba, a la vista de las quejas de los clientes. En ese sentido, como el GPS permanecía inactivo durante los días de vacaciones y fines de semana, la medida era idónea, ya que existía una separación entre la ejecución del contrato y la vida privada del trabajador, de modo, que los poderes empresariales sólo son válidos mientras se relacionan con el trabajo.

- **Necesaria.** Se trata de un medio necesario puesto que no se concibe la existencia de otro igualmente eficaz para conseguir la finalidad pretendida, y menos lesivo para los derechos fundamentales afectados, por lo que la medida no se puede calificar de caprichosa o arbitraria. A ello ha de añadirse que la colocación del dispositivo de GPS se ubicó en un vehículo de trabajo en el que no existía una razonable expectativa de privacidad al tener conocimiento el trabajador del mismo, ya que dicho dispositivo emitía un pitido cada vez que el coche se ponía en marcha. Además, la aportación de datos del GPS se limitó a los días entre semana y con una duración limitada, sin que a diferencia de otros supuestos, la grabación tuviera el propósito de vigilar y controlar genéricamente el cumplimiento por los trabajadores de sus obligaciones, sino que la finalidad era la de confirmar unas sospechas concretas.

- **Proporcional.** Porque su instalación es una medida proporcional para que la empresa pudiese controlar el destino de sus vehículos y el modo de prestación del servicio por los comerciales que pasaban buena parte de su jornada fuera de su centro de trabajo. Además, el uso de medios de geolocalización debe estar relacionado con la actividad de la empresa y el trabajador (en este caso, como comercial), y tener una finalidad específica, en este caso, como elemento de valoración, ante las quejas de clientes de la empresa sobre la falta de atención o retrasos por parte del trabajador como encargado de atenderlos[581].

B) Supuestos de error en los dispositivos o ausencia de buena fe empresarial

También hay que contar con el posible fallo de los dispositivos de geolocalización, o lo que sería peor, que existiera voluntad de la empresa

---

[581] En este sentido, señala el tribunal, que «el trabajador desatendió avisos de clientes, y lo que es más grave, de forma sistemática venía reflejando una actividad comercial y unas horas de trabajo que supuestamente había llevado a cabo en los llamados "*paper list*", información que no se correspondía con la facilitada por el sistema GPS, lo que supone una clara deslealtad y abuso de confianza en perjuicio de la empresa».

de despedir al trabajador amparándose en los datos ofrecidos por tales dispositivos. Así, en otra sentencia del TSJ Comunidad Valenciana 22 octubre 2015 (rec. 2092/2015), la actividad del actor consistía en la venta en pequeños establecimientos, de productos de la empresa. Para ello disponía de una herramienta denominada HIPO, que mantiene contacto con la empresa en tiempo real a través de una línea de conexión inalámbrica. Esta herramienta dispone de un GPS, que permite tener conocimiento de la ubicación de la misma en cada momento. A través de este sistema la empresa programaba las visitas del trabajador, debiendo rellenar los datos oportunos en el momento de realización de las mismas. Con ello la empresa tiene conocimiento puntual de los datos introducidos por el trabajador en relación con las visitas programas, así como, a través del GPS los desplazamientos realizados en cada momento y su ubicación. Como consecuencia de ello teóricamente la línea de visitas realizadas (previamente programadas por la empresa) y la línea de desplazamientos que resultan del GPS habrían de ser coincidentes.

La cuestión es que este sistema no detectó que el trabajador hubiera realizado las visitas establecidas, sin embargo, se comprobó que el trabajador sí que las llevó a cabo, suministrando los «regalos promocionales» según resulta del albarán de entrega, en donde se refleja el nombre del cliente, dirección, y producto entregado, y con la propia declaración de sus titulares en el acto de juicio, quienes reconocieron las respectivas firmas en los albaranes, la visita del trabajador y la entrega de los productos. Además el trabajador aportó documentación acreditativa de las visitas realizadas, firmados por los distintos clientes, que igualmente depusieron en el acto de juicio y que reconocieron que el actor estuvo, los días referidos, en sus locales y que nunca habían tenido problemas con el mismo.

Se echa de menos en las sentencias analizadas, que no se haga referencia a la información previa al trabajador de la instalación del localizador, siendo una premisa necesaria en otros supuestos sobre uso de dispositivos digitales, cámaras de localización… aspecto que fue corregido incluso antes de la aprobación de la LOPD, en alguna de ellas, en la que se incide que no es suficiente que el tratamiento de datos resulte en principio lícito, o que pueda resultar eventualmente proporcionado al fin perseguido; el control empresarial por esa vía, antes bien, aunque podrá producirse, deberá asegurar también la debida información previa. Doctrina la indicada de la que se infiere, como cuestión básica y fundamental, la necesaria y suficiente información a los trabajadores de su instalación, y de la finalidad que con la misma se persigue[582].

III. CRITERIOS SOBRE USO DE SISTEMAS DE GEOLOCALIZACIÓN EN LA LOPD

Resulta de interés que la LOPD haya incluido en su regulación (art. 90), la de los sistemas de geolocalización[583], pues con ello se solventan numerosos problemas prácticos y otorga seguridad jurídica a las empresas que utilizan estos dispositivos[584]. Si acaso puede crear algo de confusión el hecho de que el artículo que lo regula venga enmarcado bajo el título: «Derecho a la intimidad ante la utilización de sistema de geolocalización en el ámbito laboral», pues, este derecho a la intimidad, no se plasma como tal en el texto del artículo, al formularse más bien como el régimen de ejercicio de un poder empresarial, en cuanto que trata en plenitud los datos personales en el artículo 2.1 LOPD[585]. Pese a ello, debería haberse referido al derecho a la protección de datos por ser más amplio en aras de garantizar la privacidad de los trabajadores, porque como se decía al principio, los datos de localización de una persona física se refieren siempre a la persona identificada o identificable, constituyendo datos personales y por eso se trata de un dato protegido por la normativa de protección de datos personales[586].

---

[582] STSJ Castilla La Mancha 23 marzo 2015 (rec. 1775/2014).

[583] Se echa de menos, sin embargo, que no haya incluido otros mecanismos de control empresarial mediante dispositivos tecnológicos, como son los sistemas biométricos, utilizados entre otras funciones para el registro de entrada y salida de la jornada de los trabajadores.

[584] ORELLANA CANO, A. M.: *El derecho a la protección de datos personales como garantía de la privacidad de los trabajadores*, cit., págs. 146-147.

[585] BAZ RODRÍGUEZ, J.: *Privacidad y protección de datos de los trabajadores en el entorno digital*, cit., pág. 215.

[586] ORELLANA CANO, A. M.: *El derecho a la protección de datos personales como garantía de la privacidad de los trabajadores*, cit., pág. 147.

Por otro lado, llama la atención de que, pese a tratarse de dispositivos digitales con la capacidad de captar los datos personales del trabajador y por ello, ser identificado e identificable, sin embargo, el importante RGPD, ni siquiera hace alusión alguna a la existencia de este tipo de dispositivos de geolocalización, ni en su articulado, ni en sus considerandos, siendo el art. 90 LOPD, el que lo regula de forma explícita. Si bien, es obvio que, aunque no se haga mención de estos dispositivos en el RGPD, se deberán respetar los criterios generales que sobre protección de datos personales se contiene en el citado Reglamento.

En cualquier caso, pese a no ser una regulación óptima, al menos existe una norma mínima desde la que se puede aplicar por la Administración y por los tribunales, los diversos supuestos conflictivos que se vayan presentando.

1. Forma de informar a los trabajadores sobre la existencia del sistema de geolocalización según la LOPD

Al igual que en el caso del uso de cámaras o videocámaras de vigilancia, la LOPD considera el uso de los sistemas de geolocalización como un desarrollo del artículo 20.3 TRLET, sobre medidas de vigilancia y control del empresario para verificar el cumplimiento de las obligaciones del trabajador en el ámbito laboral, «siempre que estas funciones se ejerzan dentro de su marco legal y con los "límites inherentes al mismo"» (art. 90 LOPD). Aunque la norma no indica cuáles son los límites del poder de control empresarial, cabe interpretar que se hace referencia a la protección jurídica de los trabajadores que establece la Constitución[587], concretamente, al principio de proporcionalidad y al contenido esencial de los derechos a la protección de datos y a la intimidad[588].

Al igual que en el caso de los artículos 87 (uso de dispositivos digitales), 88 (desconexión digital) y 89 (uso de videocámaras y grabaciones

---

[587] ARAGÜEZ VALENZUELA, L.: *Relación laboral «digitalizada»: Colaboración y control en un contexto tecnológico*, cit., pág. 185.

[588] PRECIADO DOMÉNECH. C. H.: *Los Derechos Digitales de las Personas Trabajadoras. Aspectos laborales de la LO 3/2018, de 5 de diciembre, de Protección de Datos y Garantía de los Derechos Digitales*, cit., pág. 185.

de sonido), también se aplica el uso de los sistemas de geolocalización a los empleados públicos, regulándose en su normativa propia, para lo que se añade una nueva letra j bis) en el artículo 14 del texto refundido de la Ley del Estatuto Básico del Empleado Público, aprobado por Real Decreto Legislativo 5/2015, de 30 de octubre, para incluir el derecho a la intimidad de los empleados públicos frente al uso de dispositivos de geolocalización.

Además, como señala el apartado 2 del artículo 90 LOPD: «con carácter previo[589], los empleadores habrán de informar de forma expresa, clara e inequívoca a los trabajadores o a los empleados públicos y, en su caso, a sus representantes, acerca de la existencia y características de estos dispositivos». Ciertamente, se observa que la información previa, tanto a los trabajadores como a los funcionarios o a sus representantes, de la existencia de los dispositivos digitales, es una constante en las diversas modalidades de uso de tales dispositivos en la LOPD. En este caso, además, se precisa cómo debe realizarse tal información y ésta debe ser expresa, es decir, que deberá comunicarse al trabajador o empleado público, sin que baste con que el trabajador la conozca indirectamente por otros empleados o por cualquier otro medio, como el de suponer que el vehículo que utiliza el trabajador puesto por el empresario para realizar la actividad, tiene instalado un dispositivo geolocalizador, por el mero hecho de que se oiga un pitido al entrar en el vehículo, o incluso porque lo pudiera deducir. Lo que supone la implantación de un criterio contrario del que resolvieron algunas sentencias anteriores a la LOPD[590]. La información debe ser expresa y comunicada de forma directa.

También debe ser *clara*, en el sentido de que el empresario debe informar a los trabajadores que se ha instalado un dispositivo de seguimiento en el vehículo de la empresa que conducen o en el móvil, Tablet

---

[589]   En ese sentido, la STSJ Andalucía (Granada) 19 octubre 2017 (rec. 1149/2017) señala: «no será suficiente que el tratamiento de datos resulte en principio lícito, por estar amparado por la Ley (arts. 6.2 LOPD, anterior, y 20 LET), o que pueda resultar eventualmente, en el caso concreto de que se trate, proporcionado al fin perseguido; el control empresarial por esa vía, antes bien, aunque podrá producirse, deberá asegurar también la debida información previa».

[590]   Como resolvieron, respectivamente la STSJ Comunidad Valenciana 2 mayo 2017 (rec. 3689/2016), y la STS 19 julio 2018, rec. 3945/2017 (JUR 2018, 204751).

o dispositivo digital de la empresa que utilice, y que sus movimientos están siendo registrados mientras lo utilizan (y que, en función de la tecnología utilizada, también puede registrarse su comportamiento). En suma, debe quedar claro cuál es su uso y en qué horario y días se utiliza como instrumento de trabajo, en el supuesto de que se autorice el uso doble (laboral y personal), en este caso, el control solo estará justificado en horario laboral[591], Preferiblemente, esta información debería aparecer en un lugar destacado de cada vehículo, a la vista del conductor[592].

Y por fin, la información debe ser *inequívoca*, que no dé lugar a ningún tipo de confusión sobre el medio a través del que va a ser controlado por su empresario[593], como podría ser el hecho, también examinado antes, de que no se especifique la forma en que el trabajador va a ser geolocalizado[594]. De ahí, que una práctica adecuada[595] es confeccionar un documento, que se ponga a disposición de los trabajadores, en el que se contemplen estas cuestiones y se ponga de manifiesto que la empresa puede utilizar los medios de geolocalización como instrumentos de con-

---

[591] BLÁZQUEZ AGUDO, E. M.: *Aplicación práctica de la protección de datos en las relaciones laborales*, cit., pág. 204.

[592] Dictamen GT29 2/2017, sobre el tratamiento de datos en el trabajo, pág. 21.

[593] En la STSJ Comunidad Valenciana, 19 enero 2017 (rec. 2603/2016), se transcribe parte de la información que la empresa transmite al trabajador, en el caso de un empleado de Elecnor. Dice así la sentencia en hechos probados: «Por carta de fecha 13 de diciembre de 2012 la empresa demandada notificó al actor y al resto de empleados la instalación en "...su vehículo un sistema de geolocalización, con la finalidad de gestionar y custodiar el vehículo, así como de suministrar información tal que permita el cometido de las tareas propias del Departamento de Recursos Humanos de Elecnor. Por lo que le comunicamos que la manipulación sin autorización del sistema instalado conllevará la aplicación de las medidas disciplinarias hacía los empleados que las realicen o que las permitan. Si accidentalmente se produjera dicha manipulación deberán ponerlo en conocimiento de su superior de forma inmediata, el mismo día que se produjera, aclarando las circunstancias en las que se produjo. Como prueba de notificación, y para constancia, se servirá firmar el duplicado de la presente, que se le dirige en Valencia, a trece de diciembre de 2012...".».

[594] La STS 4 febrero 2014, rec. 2096/2013 (JUR 2014, 79295), no especificaba la forma en que se iba a controlar al trabajador mediante el GPS.

[595] BLÁZQUEZ AGUDO, E. M.: *Aplicación práctica de la protección de datos en las relaciones laborales*, cit., pág. 204.

trol de la prestación de servicios durante la jornada laboral, solicitando la conformidad del trabajador a los efectos de poder demostrar que la información del tratamiento de sus datos se ha realizado correctamente.

Esta información que se debe dar al trabajador incluye expresamente, en el caso de los sistemas de geolocalización, la forma en que pueden ejercitarse otros derechos, como el de acceso, rectificación, limitación del tratamiento y supresión[596]. Sin embargo, es sabido que con carácter general tales derechos vienen reconocidos genéricamente, tanto en el RGPD como en la LOPD. Obvio resulta, que tales restricciones del empleador en el uso de los dispositivos de geolocalización vendrán impuestas por efecto de la invasión de la intimidad del trabajador.

Se ha considerado por la mayoría de la doctrina[597], y también se ha comentado anteriormente, que la LOPD debería haber aludido entre las condiciones de la información previa al trabajador, a la finalidad de utilización de este sistema, porque el trabajador debe conocer si los dispositivos de geolocalización podrán ser utilizados por el empresario con fines disciplinarios, ya que aunque puede parecer obvio que sea el control del comportamiento de los trabajadores, en algunos casos podría ampliarse la finalidad en utilizar los datos obtenidos para algún tipo de fichero, especialmente cuando exceden del carácter laboral[598]. De manera, que ha llegado a valorarse[599] el contenido de este artículo 90 LGPD como una pobre y vaga adaptación de los deberes informativos previstos en la norma general de protección de datos (arts. 13-14 RGPD y 11 LGPD). Y es que, conocer la finalidad para la que se utilizan estos sis-

---

[596]   Derechos que se encuentran regulados en los artículos 13, 14, 16 y 15, respectivamente, de la LOPD, que a su vez se completan, con lo dispuesto en los artículos 15, 16, 18 y 17 respectivamente, del RGPD.

[597]   ORELLANA CANO, A. M.: *El derecho a la protección de datos personales como garantía de la privacidad de los trabajadores,* cit., pág. 148; ARAGÜEZ VALENZUELA, L.: *Relación laboral «digitalizada»: Colaboración y control en un contexto tecnológico,* cit., pág. 185.

[598]   La STS 13 septiembre 2016, rec. 2940/2015 (JUR 2016, 212456), además de señalar la importancia de la información previa al trabajador sobre la existencia de dicho dispositivo, la información debe indicar cuál es la finalidad del mismo.

[599]   BAZ RODRÍGUEZ, J.: *Privacidad y protección de datos de los trabajadores en el entorno digital,* cit., pág. 217.

temas es importante, no solo por el interés legítimo de localizar los vehículos de la empresa en cualquier momento, sino por el cumplimiento de otras obligaciones legales, por ejemplo, garantizar la seguridad de los trabajadores que los conducen[600].

El trabajador, en suma, debe conocer, y ha de tener identificado a quien tiene sus datos personales, y debe saber qué finalidad va a someter el control de los mismos, de manera que si por ejemplo, se le dice al trabajador que el GPS instalado en su vehículo de trabajo es para evitar el robo del mismo, y en realidad era para controlarle en su trabajo, no podría utilizar esta información para sancionar al trabajador[601].

Por otro lado, sorprende que el ya clásico juicio de proporcionalidad al que se ha aludido en el comentario de anteriores sentencias, no aparezca en el uso de los sistemas de geolocalización, pese a tratarse de un criterio asentado en la doctrina, de manera, que da la sensación que el objetivo de la norma ha sido positivizar el derecho a la intimidad de los trabajadores por encima del juicio de proporcionalidad, esto parece indicar que no sería posible una medida proporcional cuando no ha existido información previa de la instalación del localizador al trabajador[602]. Pese a ello, su aplicación es manifiesta, por ser de utilidad en el ámbito del derecho a la intimidad digital, propiamente considerada, como en el de protección de datos[603], y habrá de integrarse por el intérprete y el operador jurídicos, pues es condición elemental para que, superado el juicio de transparencia, se supere el de legitimidad[604].

---

[600]   Dictamen GT29 2/2017, sobre el tratamiento de datos en el trabajo, pág. 21.

[601]   CUADROS GARRIDO, M. E.: *Trabajadores Tecnológicos y Empresas Digitales*, cit., pág. 328.

[602]   ARAGÜEZ VALENZUELA, L.: *Relación laboral «digitalizada»: Colaboración y control en un contexto tecnológico*, cit., pág. 190.

[603]   MIÑARRO YANINI, M.: «Artículo 90. Derecho a la intimidad ante la utilización de sistemas de geolocalización en el ámbito laboral». *Protección de Datos. Comentarios a la Ley Orgánica de Protección de Datos y Garantía de Derechos Digitales (en relación con el RGPD)*. Sepín, Las Rozas, 2019, pág. 383.

[604]   MIÑARRO YANINI, M.: «La "Carta de derechos digitales" de los trabajadores ya es ley: menos claros que oscuros en la nueva regulación». *Revista de Trabajo y Seguridad Social CEF*, núm. 430 (enero 2019), pág. 12.

Junto a ello debe aludirse al principio de subsidiariedad en la aplicación de los sistemas de geolocalización, pues el hecho de efectuar tratamientos de datos de localización con el único fin de controlar el trabajo de un empleado, resultaría ilícito, en el caso de que pudiera efectuarse por otros medios[605] menos invasivos. El carácter subsidiario, tiene su fundamento en el artículo 6.1.b) RGPD, al establecer que el tratamiento solo será lícito, entre otras circunstancias, cuando sea «necesario para la ejecución de un contrato en el que el interesado es parte».

1.1. *La importancia de homogeneizar la información previa a los trabajadores*

Se observa que la forma en que el trabajador debe ser informado según las dos primeras características (expresa y clara), coincide con la prevista para el caso de grabaciones de videovigilancia (art. 89.1 LOPD), pero no con la tercera, pues en este caso se exige que la información sea concisa, en lugar de inequívoca, es decir, que sea una información precisa, sin necesidad de dar grandes explicaciones sobre la medida. Esto debería responder a la naturaleza del dispositivo utilizado por el empresario para controlar al trabajador en su actividad laboral, pues en el caso de la geolocalización, el empresario debe informar con carácter previo, de forma inequívoca, en el sentido de que la interpretación de tal información solo admite un sentido, sin que exista duda sobre lo que ha querido decir, mientras que en el caso del uso de grabación de video cámaras, parece que la exigencia de que sea concisa da a entender una mayor precisión en el contenido de la información previa aportada al trabajador. Pero, además, en el caso del artículo 89 LOPD, se establece que la empresa habrá de informar a los trabajadores de que las cámaras o videocámaras podrán controlar su trabajo. Por el contrario, el artículo 90, tras señalar igualmente en el apartado 1 que los empleadores podrán tratar los datos obtenidos a través de sistemas de geolocalización para el ejercicio de funciones de control, en el apartado 2 no dice que los empresarios deberán informar de forma expresa, clara e inequívoca a los trabajadores sobre esta medida (control laboral), sino que habrán de

---

[605]   BAZ RODRÍGUEZ, J.: *Privacidad y protección de datos de los trabajadores en el entorno digital,* cit., pág. 216.

informar «acerca de la existencia y características de estos dispositivos», por lo que no parece, como observa la doctrina[606], que deban informarles sobre la posibilidad de control laboral por los correspondientes sistemas de geolocalización, ya que si el legislador lo hubiera querido así, podría haber utilizado la misma expresión que para los sistemas de videovigilancia, sin embargo no lo ha hecho.

En cambio, en el caso del uso por el trabajador de los dispositivos digitales puestos a disposición por el empresario (art. 87 LOPD), no se especifica cómo ha de ser esa información, sino que se limita a advertir al empresario que los trabajadores deberán ser informados de los criterios de utilización de los dispositivos digitales, sin ni siquiera exigirse que tales criterios se comuniquen al trabajador previamente, ni que cumplan con esas características comentadas.

Creo que, en esta cuestión, sobre cómo deben ser las características de la información previa que el empresario debe proporcionar al trabajador en el uso de los dispositivos tecnológicos empleados para controlar y vigilar su actividad, deberían establecerse criterios homogéneos para todos los supuestos (cualquier dispositivo digital, uso de cámaras de grabación de videovigilancia o de sonidos, sistema de geolocalización, biometría, etc.). Es decir que exista una información previa, expresa, clara, inequívoca y concisa. Con ello se garantizaría el derecho fundamental de los trabajadores a la intimidad y a la protección de datos, con independencia del dispositivo empleado y reportaría una mayor seguridad jurídica, tanto para empresas como para trabajadores, al conocer la forma en que debe procederse cuando en la relación laboral interviene un dispositivo tecnológico, cuya finalidad es el control del trabajador.

1.2. *Información que se debe proporcionar a los representantes de los trabajadores*

El artículo 90.2 LOPD, amplía la información sobre la existencia y características del uso de estos dispositivos a los representantes de los

---

[606]   AGUILERA IZQUIERDO, R.: «El derecho a la protección de datos en el ámbito laboral. Los sistemas de videovigilancia y geolocalización», cit. pág. 131.

trabajadores, y así, se consideró información insuficiente, en una sentencia resuelta por la Audiencia Nacional[607], porque la empresa pretendía implantar un sistema de geolocalización de pedidos que conllevaría que los empleados con la categoría de repartidores aportasen una terminal de telefonía móvil en la que descargarse una *app* confeccionada al efecto a instancias de la empresa, que se efectuaría una compensación y que la negativa reiterada o imposibilidad sobrevenida de aportación de esta herramienta por parte del trabajador, o de la aplicación informática, será causa suficiente para la extinción del contrato de trabajo al amparo de lo previsto en el artículo 49.1.b) TRLET. Considera la sentencia que la información resulta insuficiente, porque se omiten datos esenciales para que la representación legal de los trabajadores pueda emitir un informe[608] con el necesario conocimiento, máxime, cuando la geolocalización es una medida que afecta a datos personales de carácter del trabajador protegidos por el artículo 18.4 CE, por lo que estima la sentencia que para realizar el informe «resultaría necesario que se hubiese explicado el concreto funcionamiento de la aplicación, esto es, cómo se instala en el teléfono móvil, a qué datos del terminal la misma debe acceder, qué concretos datos propios ha de aportar el trabajador para acceder a la aplicación, qué datos, en su caso, ha de archivar la misma y cómo van a ser tratados los mismos, información que no se proporcionó a la representación legal de los trabajadores». Pero, además, sigue señalando la sentencia, en lo que afecta a la necesaria información a los representantes de los trabajadores, para la implantación del sistema de geolocalización por parte del empleador: «Se ha prescindido de proporcionar a los trabajadores de la información a que se refieren los artículos 12 y 13 del Reglamento 679/2016, 5 de la anterior Ley de protección de datos y 11 y 90 de la vigente LO 3/2018»[609].

---

[607]   SAN, 6 febrero 2019, (rec. 318/2018).

[608]   El informe a que se refiere el artículo 64.5 TRLET, dispone en su párrafo 3º: «El comité de empresa tendrá derecho a emitir informe, con carácter previo a la ejecución por parte del empresario de las decisiones adoptadas por este, sobre las siguientes cuestiones:… f) La implantación y revisión de sistemas de organización y control del trabajo, estudios de tiempos…».

[609]   Un interesante comentario sobre la SAN 6 febrero 2019, en MARTÍNEZ MOYA, J.: «El derecho a la protección de datos personales y sistema de geolocalización

2. *Conservación y cancelación de los datos*

Junto al deber de información al trabajador existe el deber de cancelar los datos obtenidos como consecuencia del uso de los sistemas de geolocalización cuando desparezca el fin y el período para el que se trataron, no obstante para determinar cuál debe ser ese período en cada caso, puede, tomarse como referente lo señalado por el GT29, en el Dictamen 5/2005 al indicar que «los datos de localización relativos a un empleado deberán conservarse tanto tiempo como se considere oportuno en función de la finalidad que se haya dado como justificación para el tratamiento de tales datos. Habida cuenta de las posibles justificaciones para el tratamiento de los datos de localización, éste se llevará a cabo fundamentalmente en tiempo real. En cualquier caso, el Grupo recomienda que el período de retención de los datos de localización sea razonable, es decir, que no supere los dos meses».

En el caso de que el empresario desee llevar a cabo el tratamiento de tratos de localización por un período superior a los dos meses (por ejemplo, para elaborar un registro histórico de los viajes con el fin de optimizar los recursos), el Grupo recomienda que previamente se hagan anónimos los datos[610].

IV. RELEVANCIA DEL CONSENTIMIENTO DEL TRABAJADOR

Con respecto al problema del consentimiento del trabajador, el artículo 90 LOPD, permite tratar los datos obtenidos a través de la geolocalización para el ejercicio de sus funciones de control de los trabajadores, siempre, según el artículo 20.3 TRLET, «guardando la consideración debida a su dignidad» por lo que no hace explícita referencia al consentimiento del trabajador pues la LOPD se remite a la normativa laboral.

---

impuesto por la empresa a los trabajadores-repartidores». *Revista de Jurisprudencia Laboral*, núm. 1/2019. Disponible en: https://www.boe.es/publicaciones/anuarios_derecho/articulo.php?id=ANU-L-2019-00000000333.

[610]   AEPD Informe 613/2019.

Una cuestión que podría plantearse es la posibilidad de que el trabajador no consienta llevar un GPS en el coche. En este sentido en Italia, el artículo 4 del *Statuto dei lavoratori* exige un acuerdo entre empresario y representantes de los trabajadores para poder utilizar mecanismos de control a distancia (en caso de no acuerdo se dirimirá la controversia por parte de un Inspector de Trabajo). Y además se exige que por necesidades organizativas, productivas o por seguridad laboral sea procedente dicho mecanismo[611]. En este sentido, la Recomendación de 16 de marzo de la Comisión Nacional de Libertades e Informática (CNIL) de Francia, aparte de otras medidas en el uso de este dispositivo, señala que la utilización de un sistema de geolocalización no se justifica cuando un empleado dispone de libertad de desplazamiento en la organización ni se deben recoger datos relativos a la localización de un empleado fuera del horario de trabajo, debiendo permitirse que el trabajador lo desconecte fuera de la jornada laboral.

Pese a todo, en el ámbito de las relaciones laborales, la regla por defecto en materia de tratamiento de datos, como sería el uso de los sistemas de geolocalización, es la de «información», más que el consentimiento del afectado[612], de manera, que se excepciona la necesidad de solicitar el consentimiento expreso en determinadas situaciones, ya que, se interpreta que con la firma del contrato se entiende el consentimiento implícito del trabajador cuando el tratamiento esté amparado en la relación laboral[613]. La excepción se fundamenta en la existencia de un consentimiento previo, otorgado en el momento de constitución de la relación, laboral, al tratamiento de los datos personales necesarios para el mantenimiento o cumplimiento de dicha relación[614]. Además, el empresario no podrá tratar sin consentimiento expreso del trabajador aquellos datos que se consideran especiales, que no tengan relación con

---

[611]   FERNÁNDEZ GARCÍA, A.: «Sistemas de geolocalización como medio de control del trabajador: un análisis jurisprudencial», cit., pág. 13.

[612]   GONZÁLEZ BIEDMA, E.: «Derecho a la información y consentimiento del trabajador en materia de protección de datos», cit., pág. 246.

[613]   ORTEGA GIMÉNEZ, A.: «Cuestiones prácticas laborales en materia de protección de datos de carácter personal tras el nuevo reglamento general de protección de datos», cit., pág. 10.

[614]   AEPS Informe 0090/2009, pág. 3.

el trabajo que desempeña el trabajador, a no ser que existan obligaciones legales del ámbito del Derecho laboral, Seguridad Social, Agencia Tributaria, que justifique ese tratamiento. También en los casos en que el trabajador disponga del vehículo de empresa, se requiere además de la comunicación que el trabajador exprese su consentimiento de forma clara y expresa. En caso contrario, si no se cumplen dichos requisitos, se producirá una clara vulneración del derecho a la intimidad y de la protección de datos de carácter personal[615].

V. GEOLOCALIZACIÓN FUERA DE LA JORNADA LABORAL

En principio, no es posible el control por el empresario mediante sistemas de geolocalización, como puede ser un GPS, del uso de los vehículos proporcionados a los trabajadores, una vez finaliza la jornada de trabajo, por mucho que se adopten medidas que se ajusten al juicio o principio de proporcionalidad.

1. Desconexión del dispositivo de geolocalización al terminar la jornada de trabajo

En un supuesto[616], en el que se declaró la inexistencia de lesión del derecho a la intimidad por parte del empresario, al adoptar medidas de vigilancia y control, colocación de dispositivos de localización GPS en los vehículos puestos a disposición de los trabajadores para su uso profesional, circunstancia conocida por los operarios y autorizada por la Agencia Estatal de Protección de Datos, se remitió al comité de empresa, un escrito en el que se informaba de que iba a proceder a instalar

---

[615]   POQUET CATALÁ, R.: «Últimos perfiles del sistema de geolocalización como instrumento del empresario», cit., pág. 191.

[616]   STSJ Asturias, 27 diciembre 2017, rec. 2241, (AS 2018, 296). Véase comentario en: PAGÁN MARTÍN-PORTUGUÉS, F.: «Las relaciones laborales en la Industria 4.0». *Era digital, sociedad y derecho*. Tirant lo blanch, Valencia, 2020, pág. 205-210.

dispositivos de geolocalización en los vehículos de su propiedad, puestos a disposición de los empleados para el desarrollo de sus cometidos, señalando la fecha en que iban a ser instalados, si bien advirtiendo que no comenzarían a ser operativos hasta que no se comunicara por parte de la Agencia de Protección de Datos la inscripción de los ficheros correspondientes, hecho del que se informaría debidamente a los trabajadores afectados. Y después de indicar los vehículos que iban a ser afectados por tales medidas de control, enumeraba en el citado escrito, las funciones principales del dispositivo, siendo las siguientes: localización en tiempo real, visualización de trayectos con posición segundo —a segundo—, visualización de tramos conducidos con exceso de velocidad, detección de vehículo más cercano a un punto / calle, cuentakilómetros basado en GPS y creación de alertas, datos que a su vez permitirán elaborar informes de distancia por día o por periodos, ralentí, recorridos, (reconstrucción de recorridos duración, kilometraje, recorridos efectuados fuera de horario), exceso de velocidad, localización, detalle de actividad (número de paradas, duración de la parada, retrasos), configurar alertas, entre otras, de hora de arranque y aparcamiento del vehículo, hora de aparcamiento, paradas no autorizadas, duración excesiva de las paradas, puntos de paso y paradas, entre otras.

Pese a todas esas medidas de precaución en el uso de los dispositivos, la sentencia aclara que «cuando finaliza la jornada laboral o acaba el tiempo de trabajo, dichas facultades empresariales desaparecen y el contrato de trabajo deja de constituir el vínculo entre las partes que ampara el poder de la demandada para imponer las medidas implantadas de captación y tratamiento de datos». A partir de ese momento, es imprescindible el consentimiento de los trabajadores para mantener en funcionamiento los dispositivos GPS y para el análisis automatizado de los datos personales conseguidos por ese medio. Y dado que los trabajadores no prestaron el consentimiento, la empresa estuvo obligada a contar con un procedimiento que le permitiera desactivar el sistema de posicionamiento global instalado de forma que no capte datos. Debiendo adoptar las medidas indispensables que garantizaran, que el sistema no estuviera operativo a partir del momento en que finalice la jornada laboral. En consecuencia, se vulneró el derecho a la intimidad del trabajador por estar activado el GPS también a partir de la finalización de la jornada laboral, sin el imprescindible consentimiento de los trabajadores en este supuesto.

En consecuencia, en principio, al finalizar la jornada laboral el empresario, debe desconectar el dispositivo de geolocalización instalado en el vehículo u otro dispositivo destinado al control de la actividad laboral del trabajador. Obligación que se alinea con nuevo derecho a la desconexión digital en el ámbito laboral, acogido por la LOPD.

2. Uso privado por el trabajador de vehículos de la empresa fuera de la jornada laboral

Se ha considerado[617] que debería haberse contemplado en la norma el principio de proporcionalidad habida cuenta de la intromisión en la privacidad de los trabajadores que supone el uso por la empresa de los sistemas de geolocalización. Así por ejemplo, es posible, que se permita a los trabajadores utilizar los vehículos de la empresa fuera del horario de trabajo para su uso personal. Sin embargo, siendo los datos de localización elementos sensibles, no parece factible que exista una base jurídica para controlar la ubicación de los vehículos de los trabajadores fuera de las horas de trabajo acordadas. En ese sentido, el GT29[618], señala que «el requisito relativo a la finalidad implica que un empresario no debería recoger datos de localización en relación con un empleado fuera de su tiempo de trabajo[619] —recomendando—, que se dote a los equipos

---

[617] ORELLANA CANO, A. M.: *El derecho a la protección de datos personales como garantía de la privacidad de los trabajadores,* cit., pág. 148.

[618] Dictamen GT29 5/2005 *sobre el uso de los datos de localización con vistas a prestar servicios con valor añadido.*

[619] En efecto, en la STSJ Comunidad de Andalucía (Granada) 19 octubre 2017 (rec. 1149/2017) se declaró la nulidad del despido de una trabajadora, porque el dispositivo de localización por GPS, podía utilizarse por la empresa para la comprobación del cumplimiento de los deberes laborales, pero que al implantarse de manera permanente, se obtuvieron datos de tramos horarios ajenos a la jornada laboral y a la prestación de servicios, y que se utilizaron dichos datos, no con la finalidad de control durante su jornada laboral, sino en relación a tramos horarios ajenos a la jornada laboral, como eran los periodos de baja por incapacidad temporal, para lo que no se encontraba autorizado, al quedar constancia de que la trabajadora no era

puestos a disposición de los empleados y especialmente a los vehículos que también puedan ser utilizados con fines privados, de un sistema que les permita desactivar la función de localización», por lo que debería existir algún mecanismo para que el trabajador pueda desactivar el GPS una vez finaliza su tiempo de trabajo, como han venido señalando algunas de las SSTSJ[620]. Esta posibilidad de *desconectarse* evita, en cierto modo, acceder a información de lo que realiza el trabajador en sus actividades extralaborales, pudiendo este reservarse la información de que en sus pausas concurre, por ejemplo, a una iglesia, santuario, mezquita u otros recintos que no desea divulgar[621].

No obstante, si existiera la necesidad de control fuera de las horas de trabajo, debe considerarse una utilización que sea proporcional al riesgo. Lo que podría significar por ejemplo que, para prevenir el robo de automóviles, la localización del automóvil no se registre fuera de las horas de trabajo, a menos que el vehículo salga de una zona ampliamente definida (región o incluso país). Además, la localización únicamente se mostraría como último recurso: el empresario solo podría activar la «visibilidad» de la localización, accediendo a los datos ya almacenados por el sistema cuando el vehículo salga de una región predefinida[622] o, cuando tuviera un interés legítimo en poder localizar los vehículos en cualquier momento, con objeto de cumplir con alguna obligación sobre la seguridad del trabajador. Para ello, lo que parece esencial en estos casos, es evaluar si el tratamiento es necesario para dichos fines y si la aplicación efectiva cumple los principios de proporcionalidad y subsidiariedad[623], porque como señala el GT29, los dispositivos de seguimiento de vehículos no

---

conocedora, de la instalación del GPS, en el vehículo que conducía, para supuesto ajeno al control de su jornada de trabajo.

[620]   FERNÁNDEZ GARCÍA, A.: «Sistemas de geolocalización como medio de control del trabajador: un análisis jurisprudencial», cit. pág. 10. En igual sentido, FERNÁNDEZ VILLAZÓN, L. A.: *Las facultades empresariales de control de la actividad laboral*, Thomson Aranzadi, Cizur Menor, 2003, pág. 105 y GOÑI SEIN, J. L.: «Controles empresariales: geolocalización, correo electrónico, Internet, videovigilancia y controles biométricos», cit., pág. 26.

[621]   ARREDONDO PACHECO, J.: «Ideas a tener en consideración ante la irrupción de un nuevo mecanismo de control empresarial: El GPS», cit., pág. 94.

[622]   GT29 *Dictamen 2/2017, sobre el tratamiento de datos en el trabajo*, pág. 22.

[623]   Ibidem, pág. 21.

son dispositivos para la localización de trabajadores, ya que su función es hacer un seguimiento o vigilar la ubicación de los vehículos en que estén instalados. Los empresarios no deben considerarlos como dispositivos para seguir o el comportamiento o el paradero de los conductores o de otro tipo de personal, por ejemplo, mediante el envío de alertas relacionadas con la velocidad del vehículo[624].

Otra cosa es que, el control por la empresa, fuera de la jornada se limite a que solo se vigilen los movimientos del vehículo y no aspectos personales del trabajador. En ese sentido, la STS 15 septiembre 2020 (RJ 2020, 4005), resuelve sobre un supuesto, en que se le facilita a una trabajadora (supervisora de puesto de venta) un vehículo para el desempeño de la actividad, «en jornada laboral», que disponía de GPS. Tanto las condiciones del uso del vehículo como la finalidad del GPS («garantizar la seguridad y coordinación de los trabajos») se documentaron por escrito por las partes. La trabajadora inició una baja por incapacidad temporal y posteriormente la empresa le comunica el despido por haber utilizado el vehículo, tanto durante el fin de semana previa a la baja, como durante la misma. En este caso, y pese al control por la empresa del GPS, fuera de la jornada de trabajo, el TS resolvió a favor de la empresa, porque la utilización de los datos de localización del vehículo en los términos indicados en la carta de despido no refleja ninguna circunstancia personal de la trabajadora. Lo que pone de relieve es que ésta lo utilizó —o pudo permitir que otros lo hicieran— con incumplimiento manifiesto de las instrucciones al respecto, dado que, en los periodos de descanso laboral de la trabajadora, así como durante su situación de baja el GPS debería haber reflejado la inmovilización del vehículo. En este caso, lo que determina la decisión empresarial es la de constatación de las señales de movimiento en tiempos no justificados, por lo que el TS sentencia que «no se aprecia invasión de la esfera privada de la trabajadora, al afectar exclusivamente a la ubicación y movimiento del vehículo del que, eso sí, ella era responsable y debía utilizar con arreglo a lo pactado».

---

[624]   GT29, *Dictamen 13/2011 sobre los servicios de geolocalización en los dispositivos móviles inteligentes*, WP 185, 16 de mayo de 2011.

3. Geolocalización de terceros que acompañan al trabajador

En el caso de una empresa de seguridad que obtiene datos de localización de los escoltas a través de teléfonos con GPS, la geolocalización se entiende proporcionada a la finalidad de garantizar la seguridad de la persona escoltada, sin olvidar que también el tratamiento de datos de la persona escoltada está sometida al principio de proporcionalidad, de manera que sus datos, ya sean de localización o de otro tipo facilitados por su escolta deben limitarse a aquellos que sean necesarios para garantizar su seguridad, y deberán ser cancelados, cuando dejen de ser necesarios para la finalidad por la que fueron recabados[625].

VI. SISTEMAS DE GEOLOCALIZACIÓN COMO MEDIDA DE CONTROL EMPRESARIAL EN LOS ESTADOS DE LA UE

Siempre resulta ilustrativo conocer cómo se regula en los Estados de nuestro entorno el uso de los dispositivos digitales, porque de ese modo es posible realizar un estudio comparativo con la forma de legislar en España sobre esta cuestión. De esa forma se pueden adoptar aquellas medidas que pueden considerarse de positivas e ignorar aquellas otras que resulten desfavorables en el conjunto de empresas y trabajadores, pero siempre teniendo en cuenta la idiosincrasia de cada Estado.

En ese sentido, en lo que afecta a los sistemas de geolocalización, cabe distinguir entre aquellos Estados que regulan la geolocalización laboral con restricciones, aquellos que la regulan pero no la permiten con la finalidad de controlar a los trabajadores, de aquellos otros que no la regulan en ningún sentido, y naturalmente tienen que regirse por disposiciones generales sobre salvaguarda a la intimidad y dignidad de las personas así como del RGPD[626].

---

[625] AEPD. *Informe Jurídico 0090-2009. Proporcionalidad en los datos de localización.*
[626] En este apartado, sigo la exposición, así como los criterios de distinción en la regulación o no, de los sistemas de geolocalización de los diferentes Estados de la

1. Estados que regulan la geolocalización laboral con restricciones

- **Austria.** Según la Ley de Protección de datos (31/07/2017), considera excesiva la geolocalización permanente del lugar en que se encuentra el vehículo en servicio, constituyendo un excesivo control, que atenta contra la privacidad del trabajador. Solo podría justificarse en la medida que exista un interés importante de la empresa, que no existe en el caso de que el trabajador anote la duración de los desplazamientos externos, así como el trayecto que ha realizado. De manera que el uso de la geolocalización, se contempla como último recurso.

- **Irlanda.** Sintéticamente se establecen una serie de reglas en orden a la utilización de la geolocalización en el ámbito laboral:

  – El controlador de los datos debe informar a los conductores acerca de la finalidad del tratamiento de la información personal extraída del dispositivo, sin que pueda usarse esta información para otro propósito.

  – Los controladores de datos deben diseñar y poner a disposición de los conductores, una política sobre el uso de los GPS en un documento, en el que también se debe establecer la política del controlador de datos respecto al uso privado de los vehículos de la empresa.

  – En caso de que se permita el uso privado de los vehículos de la empresa, fuera de la jornada de trabajo, deberá instalarse un conmutador para la privacidad. Se trata ésta de una idea interesante que, a juicio de la doctrina, podría haberse incluido en el artículo 90 LOPD[627].

Unión de ORELLANA CANO, A. M.: *El derecho a la protección de datos personales como garantía de la privacidad de los trabajadores,* cit., págs. 148-153.

[627] ORELLANA CANO, A. M.: *El derecho a la protección de datos personales como garantía de la privacidad de los trabajadores,* cit., pág. 150.

2. Estados que regulan la geolocalización laboral pero no la permiten con la finalidad de controlar a los trabajadores

- **Grecia.** En este Estado cualquier dispositivo digital de geolocalización, GPS, ya sea en el vehículo del trabajador, en el teléfono móvil, Tableta, etc., vulnera la privacidad del trabajador cuando la utilización de estos dispositivos tenga como finalidad la evaluación y control de su eficacia profesional. Se considera un tratamiento excesivo de los datos personales que no supera el juicio de proporcionalidad. Sin embargo, sí se permite su instalación para obtener una mejora de la actividad o la seguridad del trabajador. También puede colocarse con la finalidad de ayudar a los trabajadores a encontrar el destino rápidamente, en cuyo caso se permite al trabajador que lo desactive cuando lo considere oportuno.

- **Reino Unido.** Según la Ley de Protección de Datos de 2018, *Data Protection Act de 2018*, mantiene como organismo regulador independiente de la protección de datos a la Oficina del Comisionado de la Información, *Information Commissioner's Office*, en la que se hace referencia en su Código de buenas Prácticas de Trabajo, *Employents Practice Code*, a los sistemas de geolocalización, a través de disposiciones GPS, instalados en los vehículos de las empresas. Se establece que cuando el seguimiento de un vehículo esté asociado a un conductor específico, estará permitido si la información obtenida se use para fines empresariales y prohibido, en caso de que la vigilancia se lleve a cabo única y exclusivamente, para controlar al trabajador.

3. Estados que no regulan la geolocalización laboral

- **Bélgica.** Este país no regula específicamente los sistemas de geolocalización en el ámbito laboral. La materia se rige por la Ley de 8 de diciembre de 1992, sobre la protección de la vida privada en lo que respecta al tratamiento de datos de carácter personal (MB 18/03/1993) y, más específicamente, aunque no respecto a la geolocalización en las relaciones laborales, por el Convenio Colectivo de Trabajo núm. 81, de 26 de abril de 2002, relativo a la protección de la vida privada de los trabajadores en relación con el control de los datos de las comunicaciones electrónicas en red y, la Ley de 13 de junio de 2005 sobre las comunicaciones electrónicas. Con base en esta normativa, está permitida la vigilancia de los trabajadores mediante la utilización de un sistema de monitorización asociado al sistema de navegación GPS en los vehículos de empresa, siempre que se respeten los principios de finalidad, proporcionalidad, transparencia y admisibilidad, establecido en la Ley de Protección de la Vida Privada, pero no existe ninguna ley o convenio colectivo que regule la geolocalización en el derecho laboral.

- **Dinamarca.** Aunque no se regula la geolocalización laboral, se firmó un Protocolo al Acuerdo Marco por las dos principales organizaciones del mercado laboral, la Patronal Danesa y la central sindical y se establecen una serie de medidas relacionadas con la videovigilancia y con el uso del GPS en las relaciones laborales. La Jurisprudencia con base en este Protocolo, se ha pronunciado favorablemente hacia la utilización de estos dispositivos. Y así, la Sentencia del Juzgado Superior de 2 de febrero de 2014, establece que es justo controlar el cumplimiento de la jornada laboral por GPS en los medios de transporte corporativos, que no puedan utilizarse para transporte privado. En el supuesto concreto, los trabajadores habían sido informados correctamente de la instalación del GPS en las furgonetas de la empresa, con el objetivo de controlar el cumplimiento de la jornada laboral. La sentencia declaró que el empleador podía utilizar este dispositivo de control y cumplimiento de la jornada, siempre que los trabajadores hubieran sido informados, con carácter previo y no existieran otros medios para controlar el cumplimiento de la jornada.

- **Francia.** Sin regular la geolocalización laboral, sí que debe ser objeto de una declaración previa ante la Comisión Nacional de Informática y de Libertades, como sucede con cualquier tratamiento informatizado que contenga información nominativa. La citada Comisión considera que cabe la utilización de la geolocalización con alguna de las siguientes finalidades: la seguridad del trabajador, de las mercancías o del vehículo; el seguimiento de la localización de las mercancías en el caso de naturaleza peligrosa o perecedera; la mejor gestión de los medios cuando las prestaciones se realizan en lugares dispersos; y, el seguimiento del tiempo de trabajo de los trabajadores cuando éste no pueda realizarse de otra manera. La Sentencia de la Sala de lo Social del Tribunal Supremo francés de 3 de noviembre de 2011, fallo, núm. 10-18.036, declaró al respecto, que no está justificado el uso de un sistema de geolocalización cuando el trabajador tiene libertad para organizar sus desplazamientos o su tiempo de trabajo.

• **Italia.** Aunque no se ha regulado la geolocalización, se han dictado una serie de criterios por el Garante de la Protección de Datos Personales, en la Newsletter núm. 395, de 3 de noviembre de 2014, que admitió la utilización de los datos de localización geográfica, recabados a través de una aplicación activa en el teléfono móvil facilitado a los trabajadores, para optimizar el empleo de los recursos presentes en el territorio, declarando que era necesario que el empleador, a través de un acuerdo con las organizaciones sindicales, adoptara medidas específicas destinadas, en primer lugar, a garantizar que las informaciones visibles o utilizables por la aplicación, fueran solo las de geolocalización, impidiendo el acceso a otros datos como mensajes, correo electrónico o tráfico telefónico. Y en segundo lugar, se debía configurar el dispositivo, de manera que en la pantalla móvil apareciera siempre, bien visible, la indicación de que la aplicación estaba activa. En relación con la instalación del GPS en el vehículo de la empresa, se establece que no exige acuerdo con las organizaciones sindicales, según la Circular del Ispettorato Nazionale del Lavoro núm. 2/2016, cuando los sistemas de geolocalización estén instalados porque sean necesarios para el desarrollo de la actividad laboral o la instalación se establezca por ley.

• **Polonia.** Los artículos 22 y 23 del Código Laboral (modificados por Ley de 10 de mayo de 2018, sobre Protección de Datos Personales), regulan la videovigilancia así como la vigilancia del correo electrónico del trabajador por la empresa, si bien, se permite al empresario que utilice *otras formas de vigilancia* del trabajador que tengan como objetivo asegurar su buen rendimiento, con lo que podrían entenderse incluidos los sistemas de geolocalización, aunque no se regulan en el ámbito laboral.

- **Portugal.** Aunque el artículo 20 del Código de Trabajo regula los medios de vigilancia a distancia del trabajador, sin embargo las sentencias del Tribunal Supremo portugués de 13 de noviembre de 2013 y de 22 de mayo de 2007, consideran que el GPS no puede ser calificado como medio de vigilancia a distancia del trabajador porque no permite captar el desarrollo de la actividad del trabajador, sino solo la localización del vehículo, que al estar destinado solo a las necesidades del servicio, su utilización no implica una intromisión en la vida privada del trabajador.

VII. PROPUESTAS PARA MEJORAR EL USO DE SISTEMAS DE GEOLOCALIZACIÓN EN EL ÁMBITO LABORAL

Una vez efectuado el análisis sobre la incidencia que tiene el uso de los sistemas de geolocalización por la empresa como medio de control de la actividad del trabajador, así como su límite de uso ante los derechos fundamentales de este, en particular el derecho a su intimidad y al derecho a la protección de datos personales, cabe señalar los siguientes resultados:

1. El objetivo primordial del presente análisis se ha centrado en la búsqueda de aquellos criterios de aplicación de los citados dispositivos que den respuesta satisfactoria al poder empresarial sobre la vigilancia y control de la actividad laboral del trabajador (art. 2.3 TRLET), sin que ello suponga un menoscabo sobre la protección de los derechos a la intimidad y a la protección de datos personales del trabajador (artículo 18 apartados 1 y 4 CE).

2. Hasta la llegada de LOPD, no existía un precepto legal que regulara el uso de los sistemas de geolocalización, siendo principalmente los tribunales del orden social los que fueron abriendo camino, mediante la aplicación de la normativa más básica (art.

18 CE y art. 20.3 TRLET) así como la doctrina que ha ido sentando el Tribunal Constitucional.

3. Mientras tanto, era necesario que se adoptaran algunos criterios que salvaguardaran la dignidad e intimidad del trabajador, siendo fundamental, la aplicación del denominado juicio o principio de proporcionalidad creado por el TC para comprobar cuándo las medidas son restrictivas de derechos fundamentales. El citado principio consiste en la constatación de si las medidas adoptadas por la empresa cumplen los tres requisitos o condiciones siguientes:

   a. Juicio de idoneidad: Si la medida es susceptible de conseguir el objetivo propuesto

   b. Juicio de necesidad: además, es necesaria, en el sentido de que no exista otra medida más moderada para la consecución de tal propósito con igual eficacia.

   c. Juicio de proporcionalidad: si la medida es ponderada o equilibrada, por derivarse de ella más beneficios o ventajas para el interés general que perjuicios sobre otros bienes o valores en conflicto.

4. Asimismo, otros organismos, entidades (AEPD, GT29), así como la doctrina científica, realizaron aportaciones encaminadas a potenciar el respeto de los derechos fundamentales, cuando se utilizaran los dispositivos de geolocalización.

5. Finalmente, por fin, han sido, tanto el RGPD, como especialmente la LOPD, por referirse directamente al uso de los sistemas de geolocalización, las normativas de aplicación, reiteradamente reclamadas por la doctrina científica, las que deberán observarse prioritariamente.

6. Sin perjuicio de lo anterior, creo que además de cumplir con la normativa vigente, no debería omitirse el camino recorrido hasta ahora, pues responde al estudio minucioso, a la doctrina aplicada por los tribunales fruto de la reflexión a la hora de aplicar equitativamente la norma laboral respecto a los derechos fundamentales desde la perspectiva constitucional.

En el capítulo de propuestas, y con base en el contenido de este estudio científico, cabría realizar las siguientes aportaciones:

1. **Aspecto esencial es la información previa al trabajador**. Aunque pudiera parecer obvio, creo que con independencia del dispositivo tecnológico utilizado, en este caso un sistema de geolocalización, lo esencial, de cara a responder a la pregunta de si se pueden utilizar tales dispositivos para el control de la actividad laboral de los trabajadores, no reside tanto en las características del propio dispositivo: su funcionalidad, incluso me atrevería a incluir su capacidad invasora en la intimidad del trabajador, etc. Creo que lo fundamental es que se le traslade al trabajador previamente la información completa sobre el control que el empresario va a realizar mediante el sistema de geolocalización sobre la actividad laboral de aquél.

2. **Características de la información**. La información que el empresario debe proporcionar al trabajador sobre el uso del sistema de geolocalización debe reunir las siguientes características: Debe ser previa a la instalación del correspondiente dispositivo de control. Además, debe ser expresa, clara, precisa e inequívoca tal como exigen los artículos 90 (sistemas de geolocalización) y 89 (dispositivos de videovigilancia y grabación de sonidos) LOPD. Pero además, debe reunir el triple juicio de proporcionalidad, y sobre todo, me parece fundamental, que se informe al trabajador de la finalidad del uso de tales dispositivos, es decir, sobre su funcionalidad (prevención de riesgos, disciplinario, cumplimiento de las órdenes cursadas al trabajador, del horario, del itinerario, seguridad del vehículo o del dispositivo puesto a disposición del trabajador, etc.). Pues en caso de que utilice el dispositivo en cuestión para alguna finalidad distinta que no le haya comunicado al trabajador, podría considerarse una invasión a su intimidad, y por tanto la medida empleada sería objeto de nulidad, como podría ser por ejemplo, un despido disciplinario basado en un incumplimiento del trabajador en su actividad laboral, comprobada a través de un sistema de geolocalización, en el que pese haber sido informado el trabajador de sus existencia, sin embargo, no se

le advirtió que podría ser utilizado con la finalidad de comprobar incumplimientos de naturaleza laboral.

3. **Límite temporal en el uso de los sistemas de geolocalización**. Ciertamente, es obvio que el control y vigilancia de la actividad del trabajador debe circunscribirse a la jornada laboral, sin que exista cobertura para el empresario para seguir utilizando los sistemas de geolocalización una vez finalizada. En este sentido, podría permitirse en opinión del GT29, en algunos casos excepcionales mediante el consentimiento expreso del trabajador (en lugar de la información previa), como pueda ser, por motivos de robo del vehículo de la empresa, etc., o, cuando se compruebe el uso del vehículo sin ningún tipo de identificación o de otros datos, mas que su movimiento, en los casos en que se haya pactado no utilizarlo fuera de la jornada de trabajo.

4. **Aspectos prácticos.** Con objeto de visualizar las conclusiones, se proponen algunas iniciativas que podrían calificarse como de buenas prácticas, que pueden ayudar a que, sin menoscabo de la dignidad y garantía de los derechos fundamentales de los trabajadores, permitan la función de control y vigilancia que compete a las empresas. Así, creo de enorme utilidad que cada vez que se utilice un dispositivo ya sea de geolocalización, como digital o videocámara, etc., se confeccione un documento anexo al contrato de trabajo, en el que se plasme en los términos que vengo comentando, no solo la existencia, sino la forma, la finalidad, las funciones, etc., que se le va a dar uso al correspondiente dispositivo. Documento que deberá ser firmado por el trabajador, la empresa así como por la representación de los trabajadores de la empresa. Tampoco estaría de más, que la empresa diera publicidad mediante circulares, instrucciones, etc., sobre la forma de uso de los dispositivos. Y también, cabría incluir en los propios dispositivos, vehículos, móviles, pantallas de ordenador, etc., un recordatorio sobre tales usos.

5. **Homogeneización de las exigencias en el uso de los dispositivos digitales.** Creo que la regulación de los artículos 87, 88, 89 y 90 LOPD, trata de adecuar las exigencias, en función del tipo de dispositivo o de situación. Algo que no comparto porque las me-

didas que se proponen en cada uno de ellos, podrían aplicarse en los otros dispositivos o situaciones, lo mismo que en el papel que se asigna a los representantes de los trabajadores, que quizá podría haberse reconducido todos ellos al artículo 91 LOPD, sobre los derechos digitales en la negociación colectiva. En todo caso, podría haberse establecido un artículo único para las condiciones comunes, lo que favorecería la correcta interpretación en su aplicación y eso sí, un artículo más específico para las cuestiones particulares de cada uno de ellos.

6. **El papel de los representantes de los trabajadores en la negociación colectiva.** De enorme interés resulta el papel de los representantes de los trabajadores, en lo que afecta no solo a que sean informados por la empresa acerca de los medios de control de la actividad laboral, a través de los dispositivos digitales, en este caso de geolocalización. Creo que deben asumir la misión de garantizar los derechos fundamentales (intimidad, propia imagen, protección de datos) de los trabajadores, mediante los acuerdos a que lleguen, plasmados en los convenios colectivos sobre el uso empresarial de tales dispositivos. Teniendo en cuenta, que cada sector de actividad requiere medidas diferenciadas.

7. **Tratamiento de los sistemas de geolocalización en la LOPD.** A la vista del análisis realizado, la LOPD, no resulta suficiente, a la hora disponer del uso de dispositivos de geolocalización, para preservar la intimidad del trabajador. Por ello, sería de interés que concretara a través de alguna disposición incluso en la propia norma laboral.

8. **Posibilidad de establecer un complemento salarial por vía de negociación colectiva.** Dada la intensificación en la presión que supone para el trabajador el hecho de conocer que va a ser geolocalizado durante su jornada laboral, sería razonable, en el caso de que se modificara el contenido del contrato mediante la incorporación de un sistema de geolocalización, el establecer por la empresa de un complemento salarial para compensar de alguna forma el estrés que supone esa nueva condición contractual.

Capítulo 7

Reconocimiento formal del derecho a la desconexión digital en el ámbito laboral

I. EL DERECHO A LA DESCONEXIÓN DIGITAL COMO DEFENSA DE LA PRIVACIDAD DEL TRABAJADOR

A estas alturas del libro, a nadie se le escapa, que la progresiva implantación y uso de las TIC está creando gran atención en el entorno laboral, tanto desde la óptica empresarial que se vale de tales medios para hacer efectivo sus atribuciones de control y vigilancia de la actividad de sus trabajadores, como desde la preservación de los derechos fundamentales de los trabajadores durante la prestación de servicios. En este sentido, el empresario, no puede en ningún caso realizar acciones de control, vigilancia o de dirección que lleven consigo una intromisión en la intimidad del trabajador. En cambio, si tales acciones afectan a su privacidad, en la medida, que tengan trascendencia laboral puede el empresario ejercer su poder de dirección, control, y vigilancia en tanto en cuanto afecten a la marcha ordinaria de la organización empresarial. En el caso de la modalidad de jornada laboral presencial[628] el trabajador podría sentirse obligado a continuar en contacto con la empresa a través de los diferentes dispositivos tecnológicos, de forma que ese tiempo de disponibilidad, durante el que sigue vinculado a la empresa, podría plantear la duda de si debe ser considerado tiempo de trabajo; y la realidad es que no lo es, siendo un tiempo extraordinario no retribuido ni compensado, con la particularidad de que si en lugar de ser presencial, el trabajo se desarrolla a distancia, se añade la dificultad de deslindar el tiempo de trabajo y el de descanso, lo que puede añadir riesgos en la salud de los trabajadores. Y es que, el derecho a la desconexión digital pone en cuestión los límites espaciales y temporales del trabajo asalaria-

---

[628] VALENZUELA ARAGÜEZ, L.: *Relación laboral digitalizada: colaboración y control en un contexto tecnológico.* Thomson Reuters Aranzadi. Cizur Menor, 2019, pág. 103.

do, dependiente y por cuenta ajena, lo que provoca una tensión entre la gestión del trabajo, la sobrecarga de trabajo, así como con el equilibrio trabajo-vida personal[629].

En el caso objeto del presente análisis, la posible intromisión del empresario en la privacidad del trabajador, puede resultar de mayor gravedad al no vincularse a la jornada laboral del trabajador, sino al tiempo no sujeto a la prestación de servicios laborales. La reciente Ley Orgánica 3/2018, de 5 de diciembre, de Protección de Datos y Garantía de los Derechos Digitales, ha incluido por primera vez en la legislación española el derecho a la desconexión digital en el ámbito laboral. Es una materia que requiere la debida atención, pues de forma indirecta se venía teniendo presente por los tribunales desde el punto de vista de otras instituciones, como el tiempo de trabajo o la conciliación de la vida familiar y laboral, pero hacía falta que se regulara como figura específica merecedora de regulación independiente mediante una norma que sirviera de base. Además, ya se regula, aunque implícitamente en el Derecho de la UE. Concretamente en el artículo 31.2 de la CDFUE, al establecer: «Todo trabajador tiene derecho a la limitación de la duración máxima del trabajo y a períodos de descanso diarios y semanales, así como a un período de vacaciones anuales retribuidas». Se trata de un derecho fundamental que debe tenerse en cuenta como base para el desarrollo de la normativa comunitaria. Resulta visible[630] que con frecuencia el ambiente personal y profesional se entrecrucen haciendo muy débil la línea de separación entre uno y otro. Y es que, como apunta la doctrina[631], los avances en el mundo de las TIC, nos facilita el desarrollo del trabajo y, de nuestra vida familiar, pero cabe preguntarse ¿Es esto realmente así? Puede llegar a percibirse que no existe una «desconexión»

---

[629]   LEROUGE, L.: «Desconexión digital del trabajo: reflexiones sobre los retos jurídicos en derecho laboral». *Revista de Trabajo y Seguridad Social.* CEF, núm. 436, pág. 71.

[630]   RIBES MORENO, M. I.: «Derecho del Trabajo y nuevas tecnologías: ¿Hay que buscar nuevas reglas?». *El futuro del trabajo. Análisis jurídico y socioeconómico* (Coordinadora: Martha Elisa Monsalve Cuéllar). Aldebarán. Cuenca. 2016, pág. 75.

[631]   QUILEZ MORENO, J. M.: «La garantía de derechos digitales en el ámbito laboral: el nuevo artículo 20 bis del Estatuto de los Trabajadores». *Revista española de Derecho del Trabajo*, núm. 217/2019 (BIB 2019\1558), pág. 18.

con el trabajo, que se convierte en una ocupación de 24 horas al día, 7 días a la semana. Se pasa a vivir «en y por» el trabajo, estando de visita en el hogar.

Al igual que en Francia, el nuevo derecho a la desconexión se presenta en España como una variable de apreciación explicita del derecho al descanso y del derecho a la salud, que contienen un régimen protector propio[632], siendo el tiempo de desconexión digital tiempo de descanso[633].

En consecuencia, tratándose de una figura tan novedosa en España, daré cuenta de su significado y su repercusión en el Derecho del Trabajo, trataré de anticipar los problemas que pueden suscitarse como consecuencia de la vulneración de la vida privada de los trabajadores fuera del tiempo de trabajo. Si bien, creo que lo esencial va a ser la elaboración de propuestas que superen los inconvenientes que puede llevar consigo su plena implantación. Se trata, por tanto, de una nueva vertiente del derecho a la privacidad de los trabajadores, esta vez, en relación a su tiempo extralaboral, que deberá ser escrupulosamente respetado por el empleador. Será entonces, cuando se podrá afirmar que el derecho a la desconexión digital en el ámbito laboral, es un derecho emergente de los trabajadores.

II. DERECHO A LA DESCONEXIÓN DIGITAL: APROXIMACIÓN A SU SIGNIFICADO

El derecho a la desconexión digital, aunque relacionado con la privacidad del trabajador, se diferencia de los anteriores capítulos de este libro que trataban aspectos también sobre derecho a la intimidad o de protección de datos personales en el ámbito laboral (dispositivos di-

---

[632]   CIALTI, P. H.: «El derecho a la desconexión en Francia: ¿Más de lo que parece?» *Temas Laborales*, núm. 137, 2017, pág. 181.

[633]   TERRADILLOS ORMAETXEA, M. E.: «El derecho a la desconexión digital en la ley y en la incipiente negociación colectiva española: la importancia de su regulación jurídica». *Lan Harremanak, Revista de Relaciones Laborales*, 2019, núm. 42, pág. 27.

gitales, cámaras de videovigilancia, geolocalización, sistemas biométricos…), en que no se ejercita durante la jornada asignada al trabajador, sino en aquellos períodos de tiempo extramuros del contrato de trabajo. El derecho a la desconexión digital se basa fundamentalmente en una medida del tiempo, y lleva consigo la posibilidad de establecer una frontera efectiva entre el tiempo de trabajo y el tiempo de vida personal que se ha perdido con la evolución del mundo del trabajo[634]. Y es que, la intromisión del empresario en la vida del trabajador fuera del horario de trabajo (llamadas, mensajes extemporáneos, etc.), aunque en algunos sectores de la actividad empresarial, todavía se vea como algo normal e incluso «razonable» (cumplimiento de objetivos, finalización de tareas, preparación de trabajos, reuniones *on line*, etc.), pueden suponer una vulneración del derecho a su privacidad.

En efecto, hasta hace relativamente pocos años no se sentía la necesidad de una regulación legal que velara por el respeto a la vida privada del trabajador en el tiempo entre una y otra jornada laboral, fines de semana o vacaciones. De hecho, se ha planteado si sería necesario regular de forma autónoma y diferenciada un derecho que, en realidad, forma parte del descanso que ya se encuentra reconocido a los trabajadores por el TRLET y el convenio colectivo[635]. Parece, que han sido las nuevas tecnologías que permiten tantas facilidades para comunicarse y de forma tan rápida, casi instantánea, las que han facilitado aún más el acceso a la privacidad de los trabajadores, casi de forma automática. Esta circunstancia ha obligado al establecimiento de una medida legal, que tratará de limitar la intromisión empresarial en la vida privada de los trabajadores, esto es, el denominado derecho a la desconexión digital en el ámbito laboral. Por ello, convengo con la doctrina[636] en estimar que la regulación del derecho a la desconexión resulta necesaria en la medida

---

[634]   LEROUGE, L.: «Desconexión digital del trabajo: reflexiones sobre los retos jurídicos en derecho laboral», cit., pág. 81.

[635]   LÓPEZ ÁLVAREZ, M. J.: *Jornada Laboral. Control horario, desconexión, flexibilidad y conciliación,* cit., pág. 61.

[636]   TERRADILLOS ORMAETXEA, M. E.: «El derecho a la desconexión digital en la ley y en la incipiente negociación colectiva española: la importancia de su regulación jurídica», cit., pág. 27.

que muchas veces es el trabajador quien no puede reprimirse a contestar correos o a contestar mensajes de su empresa.

Como ha señalado la OIT, en un informe titulado, *Trabajar para un futuro más prometedor*[637] «las tecnologías de la información y de la comunicación que permiten que se trabaje en cualquier lugar, en cualquier momento, difuminan la línea entre las horas de trabajo y la vida personal, y pueden contribuir a ampliar las horas de trabajo. En la era digital, los gobiernos y las organizaciones de empleadores y de trabajadores tendrán que encontrar nuevos medios para aplicar de forma eficaz a nivel nacional determinados límites máximos de las horas de trabajo, por ejemplo, estableciendo el derecho a la desconexión digital». Algunos años antes, y preparando el centenario de la OIT un informe de la Conferencia Internacional del Trabajo (2015), ya vislumbró el problema que podría causar esa indefinición entre los límites entre el trabajo y el descanso, cuando se trabaja en casa. Señala el informe: «La desaparición de las fronteras espaciales y temporales entre las esferas laboral y privada suscita inquietudes en diferentes ámbitos y evoca formas de organización del trabajo del período preindustrial. Los procesos de cambio que permiten que el individuo pase más tiempo en su casa que en el trabajo, pero que también pase más tiempo trabajando en casa, podrían ser un arma de doble filo».

El derecho a la desconexión digital ha sido un derecho inédito hasta hace poco en nuestra normativa[638], con algunos antecedentes recientes en

---

[637] Informe OIT: *Trabajar para un futuro más prometedor.* Comisión mundial sobre el futuro del trabajo. Oficina Internacional del Trabajo. Ginebra OIT, 2019, pág. 41.

[638] Pese a la ausencia de normativa de desarrollo, sobre el derecho a la desconexión digital, existe una amplia bibliografía, entre ella merece destacar: UHAKOVA, T.: «De la conciliación a la desconexión tecnológica: apuntes para el debate», *Revista Española de Derecho del Trabajo*, núm. 192, 2016; MELLA MÉNDEZ, L.: «Nuevas tecnologías y nuevos retos para la conciliación y la salud de los trabajadores», *Trabajo y Derecho*, núm. 16, 2016; ALEMÁN PÁEZ, F.: «El derecho de desconexión digital. Una aproximación conceptual, crítica y contextualizadora al hilo de la Loi Travail Nº 2016-1088», *Trabajo y Derecho*, núm. 30, 2017; FERNÁNDEZ AVILÉS, J. A.: «Cronorreflexión al hilo de cuestiones actuales sobre tiempo de trabajo», *Revista de Trabajo y Seguridad Social*. CEF, núm. 421, 2018, pág. 15; TALÉNS VISCONTI, E. E.: «La desconexión digital en el ámbito laboral: Un deber empresarial y una nueva oportunidad de cambio para la negociación colectiva», *Información Laboral*, núm. 4, 2018; BARRIOS BAUDOR, G. L.: «El derecho

el derecho comparado, en particular, en el derecho francés[639], como también en Italia[640], lo que ha supuesto un reconocimiento formal de ese derecho a nivel legal y pendiente de un necesario desarrollo reglamentario.

1. *Antecedentes recientes en derecho comparado*

Como señala la doctrina[641], los principales ordenamientos jurídicos que han consagrado un derecho a la desconexión como categoría autónoma, no coinciden en dotarlo de un contenido univoco, en tanto que, o bien no lo definen expresamente y dejan librada su delimitación a la negociación colectiva, como en Francia; o bien tampoco aportan un contenido al derecho, y al mismo tiempo, este derecho se inscribe dentro de categorías o formas de prestación de trabajo sumamente especiales, como el caso italiano. La excepción a esta regla es el caso español, donde se consagra a la desconexión digital como un derecho que garantiza el tiempo de descanso, los permisos y las vacaciones del trabajador, fuera del tiempo de trabajo legal o convencionalmente establecido; aunque, de todos modos, se remite a la negociación colectiva a los efectos

---

a la desconexión digital en el ámbito laboral español: primeras aproximaciones». *Revista Aranzadi Doctrinal*, núm. 1/2019, BIB 2018\14719; LÓPEZ ÁLVAREZ, M. J.: *Jornada Laboral. Control horario, desconexión, flexibilidad y conciliación*, cit., págs. 61-78; ORELLANA CANO, A. M.: *El derecho a la protección de datos personales como garantía de la privacidad de los trabajadores*, cit., 2019.

[639] Concretamente en la Ley 2016-1088 *(Loi Travail), du 8 août 2016, relative au travail, à la modernisation du dialogue social et à la sécurisation des parcours professionnels*, que ha modificado el art. L.2242-8 del Código de Trabajo francés, del que, el artículo 90 LOPD, ha recogido parte de su contenido de forma literal. Sobre el particular, véase el análisis de CIALTI, PIERRE-HENRI. «El derecho a la desconexión en Francia: ¿más de lo que parece?», cit., págs. 163-181.

[640] Ley 81/2017, 22 mayo, de medidas para la protección del trabajo autónomo no emprendedor y para favorecer la articulación flexible en el tiempo y en los lugares de trabajo subordinado (en vigor desde 14-6-2017). Estableciéndose, a continuación, la obligación de adoptar medidas para garantizar la desconexión del trabajador en algunas clases de contratos flexibles que alternan la presencia física en la empresa con el trabajo a distancia.

[641] ROSENBAUM CARLI, F.: «El derecho a la desconexión con especial énfasis en el sistema jurídico uruguayo». *Revista Derecho & Sociedad*, núm. 53, pág. 114.

de regular las modalidades de su ejercicio[642]. Se puede considerar este derecho, como un derecho separado del resto de derechos, si bien con concomitancias con materias limítrofes como el tiempo de trabajo, salud y seguridad en el trabajo, conciliación personal, familiar y laboral, etc. En este sentido, el derecho a la desconexión digital permite resaltar la importancia que tiene la delimitación entre el tiempo y el trabajo y su función protectora, lo que probablemente nos debería obligar a hacer un esfuerzo imaginativo de futuro para crear un nuevo derecho al tiempo de trabajo[643]. En ese sentido, según el documento mencionado de la OIT, una de las propuestas de la Comisión para la economía digital, es la de establecer un derecho a la desconexión digital para garantizar un límite de horas de trabajo[644].

En otros Estados, como en Alemania se emprendió una iniciativa legislativa sobre estrés laboral en la que uno de los factores determinantes fue la constante conectividad digital de los trabajadores fuera del horario estrictamente laboral, siendo su finalidad la de prohibir a las empresas continuar dando instrucciones a los trabajadores fuera de su jornada laboral, salvo circunstancias excepcionales, sin embargo este proyecto no llegó a materializarse por las desavenencias políticas del momento y la rigidez de las prohibiciones[645].

1.1. Francia

El antecedente temporal e incluso geográfico más próximo sobre el derecho a la desconexión digital se localiza en la ley francesa n° 2016-1088 de 8 de agosto de 2016 relativa al trabajo, a la modernización del diálogo social y a la protección de las trayectorias profesionales, cuyo artículo 55.I.2° introduce con efectos de 1 de enero de 2017, un nuevo

---

[642]   Ibidem.
[643]   LEROUGE, L.: «Desconexión digital del trabajo: reflexiones sobre los retos jurídicos en derecho laboral», cit., pág. 75.
[644]   OIT. *Trabajar para un futuro más prometedor*. Comisión Mundial sobre el Futuro del Trabajo. OIT, 2019, pág. 41.
[645]   VALENZUELA ARAGÜEZ, L.: *Relación laboral digitalizada: colaboración y control en un contexto tecnológico*, cit., pág. 104.

apartado 7 en el artículo L. 2242-8 del Código de Trabajo francés, para establecer que la negociación anual sobre igualdad profesional entre las mujeres y los hombres y la calidad de vida en el trabajo incluirá:

«7º Las modalidades del pleno ejercicio por el trabajador de su derecho a la desconexión y la puesta en marcha por la empresa de dispositivos de regulación de la utilización de los dispositivos digitales, a fin de asegurar el respeto del tiempo de descanso y de vacaciones, así como de su vida personal y familiar. A falta de acuerdo, el empleador, previa audiencia del comité de empresa o en su defecto, de los delegados de personal, elaborará una carta. Esta carta definirá las modalidades de ejercicio del derecho a la desconexión y preverá, además, la puesta en marcha de acciones de formación y de sensibilización sobre un uso razonable de los dispositivos digitales, dirigida a los trabajadores, mandos intermedios y dirección».

Vemos pues, que en ese apartado se incluyen aspectos importantes laborales vinculados al derecho a la desconexión digital, como el respeto a los tiempos de descanso y vacaciones, a la vida personal y familiar del trabajador[646]. Y ello en el marco de la igualdad profesional de hombres y mujeres y la calidad de vida en el trabajo. En concreto, se trata de que el empleador ponga en marcha una regulación sobre la utilización de los dispositivos digitales Y que para caso de que no se alcanzara un acuerdo, el empleador debe elaborar una política en materia de desconexión digital, especificando aspectos concretos, previa audiencia de los representantes de los trabajadores.

Sobre los mecanismos que podrían establecerse en la negociación para garantizar el derecho a la desconexión, a la vista de experiencias convencionales anteriores, se podría establecer una desconexión total y automática, bloquear el acceso a las herramientas digitales, dejar las TIC en el lugar de trabajo, recurrir a herramientas tecnológicas de gestión de flujo de los correos electrónicos (envío diferido, redireccionamiento hacia otras personas disponibles y borrar los correos, invitar a volver a escribir, distinguir la urgencia del correo, etc.), tomar en cuenta el significativo tiempo de respuesta a los correos electrónicos como carga de

---

[646] Con ello queda salvada la posibilidad de que el trabajador pudiera ser sancionado por no contestar a correos electrónicos o llamadas, del empresario en el tiempo previsto de desconexión digital.

trabajo, determinar las relaciones entre ruptura del derecho a la desconexión y el reconocimiento de horas extraordinarias[647]. Se trata de diversas posibilidades nacidas de la experiencia, pero lo importante es incluir en la empresa, aquellas que encajen con la realidad de su actividad y de las funciones de los trabajadores.

El caso francés colige el acierto del legislador al positivizar este nuevo derecho, cuya materialización evidencia un gran sentido de responsabilidad y anticipación, y ofrece carta de naturaleza a categorías básicas y emergentes[648].

En la ley francesa no aparece un concepto de desconexión digital, lo que parece dar a entender que el peso fundamental de su contenido vendrá fijado por la negociación sobre la calidad de vida en el trabajo.

Al igual, como veremos, que en la normativa española, no existe un deber de desconexión del empresario, correlativo al derecho del trabajador, y es que, como apunta la doctrina[649], el carácter voluntario del trabajador de desconectarse resulta ser un engañoso señuelo en el marco de una relación de subordinación, por ello, la actuación de los trabajadores hacia los demás, la formación y la sensibilización para un uso razonable de las TIC supondría una respuesta satisfactoria si se inscribe, de nuevo, en el marco de la política de la empresa. Se trata justamente de un elemento clave del dispositivo legal.

1.2. Informe Mettling

El informe Mettling sobre transformación digital y vida en el trabajo, elaborado a petición del Ministerio de Trabajo en marzo de

---

[647]   CIALTI, P. H.: «El derecho a la desconexión en Francia: ¿Más de lo que parece?», cit., págs. 178-179.

[648]   ALEMÁN PÁEZ, F.: «El derecho de desconexión digital en la "Loi Travail nº 2016-1088". Régimen Regulador y puntos críticos». *El futuro del trabajo. Análisis jurídico y socioeconómico* (Coordinadora: Martha Elisa Monsalve Cuéllar) Aldebarán. Cuenca. 2017, pág. 34.

[649]   CIALTI, P. H.: «El derecho a la desconexión en Francia: ¿Más de lo que parece?», cit., pág. 178.

2015[650], supuso el arranque que sirvió de base en la elaboración de la ley francesa, tenía como objetivo examinar el efecto de la transformación digital en el ámbito laboral. En él se mencionan algunos ejemplos[651] de acuerdos sectoriales o de empresa que han favorecido, antes de la entrada en vigor de la ley francesa, la desconexión de los trabajadores. Así el acuerdo de sector firmado en abril de 2014 entre Syntec y Cinov39 (patronales de empresas de tecnología francesas) y las centrales CFDT y CFE-CGC sobre duración del tiempo de trabajo, que establece la «obligación de desconexión de los sistemas de comunicación a distancia» de la empresa para determinados cuadros, a fin de asegurar su derecho a un período mínimo de descanso. Este acuerdo hace expresa referencia a la obligación de implantar un sistema de seguimiento del derecho a la desconexión por el trabajador. Asimismo, la empresa Volkswagen implantó parcialmente en 2011 un sistema que desconecta sus servidores de comunicación de los teléfonos móviles profesionales de sus empleados entre las 18.15 horas y las 7 de la mañana del día siguiente. También, Mercedes-Benz ofrece a sus empleados acogerse al sistema *Mail on holiday*, por medio del cual los correos enviados a trabajadores que se encuentran de vacaciones son automáticamente redirigidos a otros contactos disponibles dentro de la empresa, evitando así el que lleguen a sus destinatarios durante las fechas en que esos se encuentran de vacaciones, así como la sobrecarga de mensajes que suele seguir a los períodos de vacaciones. Si bien, esto podría generar otros problemas planteados en otro lugar de este libro, sobre el derecho a la protección de datos y el derecho a la intimidad en el uso de dispositivos digitales en la empresa. Se trata de un interesante informe, porque junto al reconocimiento del derecho de los trabajadores a la desconexión digital en el ámbito laboral, indicaba la necesidad de reconocer el deber correlativo de las empresas de respetar ese derecho, sin embargo, este último aspecto no fue incorporado en la Ley francesa.

---

[650] Elaborado por Bruno Mettling, que era en aquella época Director de Recursos Humanos de Orange.

[651] Noticias Jurídicas. Noticias de actualidad 19/09/2016, en: http://noticias.juridicas.com/actualidad/noticias/11315-la-nueva-regulacion-del-derecho-a-la-desconexion-digital-del-trabajador-con-la-empresa/.

1.3. Italia

En Italia, el derecho a la desconexión digital se regula en la Ley 81/2017, de 22 de mayo, de medidas para la protección del trabajador autónomo no emprendedor y medidas destinadas a favorecer la articulación flexible en tiempo y lugares de trabajo.

El artículo 18, se incardina con el denominado «trabajo ágil», que significa la incorporación de una serie de aspectos tales como una forma de trabajar subordinada, establecida por acuerdo de las partes, también con forma de organización por fases, ciclos y objetivos y sin restricciones precisas de tiempo o lugar de trabajo con el posible uso de herramientas tecnológicas para el desempeño del trabajo. Prevé que el trabajo se pueda realizar en parte dentro de las instalaciones de la empresa y en parte fuera, dentro de los límites de duración máxima solamente de horas de trabajo diarias y semanales derivadas de derecho y negociación colectiva. Y atribuye al empleador la responsabilidad en la seguridad de las herramientas tecnológicas asignadas al trabajador para realizar su actividad laboral.

El artículo 19.1 de la Ley 81/2017, es el que hace referencia explícita al derecho a la desconexión, estableciendo que el acuerdo relativo a los arreglos de trabajo ágil se celebra por escrito, y entre otras cuestiones, «identifica los tiempos de descanso de los trabajadores y las medidas técnicas y organizativas necesarias para asegurar la desconexión del trabajador de los equipos tecnológicos de trabajo»[652]. Este derecho a la desconexión se caracteriza esencialmente porque, mientras el legislador italiano ha entregado la disciplina del derecho a la desconexión al acuerdo individual, excluyendo la negociación colectiva, la ley francesa establece que este tenga que ser objeto de negociación colectiva y, solo a falta de esta, de acuerdos individuales (*Charte*), pero de todos modos con la obligación de reglamentar las condiciones de uso en los acuerdos empresariales[653].

---

[652]   «L'accordo individua altresì i tempi di riposo del lavoratore nonche' le misure tecniche e organizzative necessarie per assicurare la disconnessione del lavoratore dalle strumentazioni tecnologiche di lavoro».

[653]   MARTONE, M.: «El smart working o Trabajo ágil en el ordenamiento italiano». *Derecho de las Relaciones Laborales*, Francis Lefbvre. núm. 1 enero 2018, pág. 91, nota 23.

1.4. Otros Estados

Aunque son pocos los Estados europeos que han regulado el derecho a la desconexión digital, tampoco son muchos los que en el plano internacional reconocen este derecho. Así, Corea del Sur llevó a cabo en 2016 una normativa que garantiza al trabajador el derecho a desconectarse del trabajo. Los objetivos son, proteger la salud psicosocial de las personas y facilitar la vida personal de la intrusión deliberada del empresario fuera de la jornada de trabajo, garantizando la privacidad y la conciliación de la vida personal y familiar. También en Filipinas se han establecido unas reformas normativas que tienen como objetivo el de fomentar políticas empresariales que controlen las horas de trabajo efectivo durante la jornada y la posible desconexión del trabajador fuera del horario laboral, puesto que no se considera como un derecho irrenunciable del trabajador, sino que es una opción voluntaria de este, el ejercicio del derecho a la desconexión[654], lo que deja muchas dudas acerca de la voluntariedad, cuando no se ejerce, existiendo la sospecha acerca de la posibilidad de cierta presión empresarial.

2. Precedentes jurisprudenciales y judiciales

Si bien conviene precisar que el problema que afronta el derecho a la desconexión no es un problema novedoso, si acaso, la novedad radica en que el derecho, se califica como digital, y se opone al empleo de las TIC para el control de la actividad del trabajador en su tiempo libre[655]. Pero también supone la necesidad de crear un nuevo derecho considerado en sí mismo como derecho autónomo, aunque se acerque e incluso se identifique con otros derechos existentes en el repertorio normativo laboral desde hace años. Este derecho ya venía invocándose, si se quiere de forma implícita, por los tribunales. Veamos algunos ejemplos:

---

[654]   VALENZUELA ARAGÜEZ, L.: *Relación laboral digitalizada: colaboración y control en un contexto tecnológico*, cit., pág. 104.

[655]   PRECIADO DOMÉNECH, C. H.: *Los Derechos Digitales de las Personas Trabajadoras. Aspectos laborales de la LO 3/2018, de 5 de diciembre, de Protección de Datos y Garantía de los Derechos Digitales*, cit., pág. 144.

Despido por realizar trabajos en otra empresa durante las vacaciones. El antecedente remoto del derecho a la desconexión, es la STC 192/2003, 27 octubre (RTC 2003, 192), que ofrece un criterio esclarecedor de lo que significa el respeto al tiempo libre del trabajador, de tiempo de descanso para recuperar fuerzas para volver al trabajo en la empresa[656].

Obligación de estar pendiente de instrucciones empresariales recibidas en teléfonos móviles incluso una vez terminada la jornada de trabajo. En la SAN 17 julio 1997, se ventilaba un conflicto por el que una empresa impuso a los empleados «comerciales» la obligación de mantenerse a la escucha de los teléfonos móviles en horas no coincidentes con la jornada de trabajo de cada uno de ellos. Los trabajadores basaron su reclamación en el atentado que ese comportamiento supone al derecho de intimidad personal al secreto de las comunicaciones, y en la extralimitación del poder de dirección del empresario al obligar a los trabajadores a mantener conectado en todo momento el teléfono móvil. La sentencia declaró la nulidad de las instrucciones que obliguen a los trabajadores a mantener la escucha de los teléfonos móviles en horas no coincidentes con la jornada de trabajo[657].

---

[656]   Lo explica magistralmente la sentencia, al señalar que «la concepción del período anual de vacaciones como tiempo cuyo sentido único o principal es la reposición de energías para la reanudación de la prestación laboral supone reducir la persona del trabajador a un mero factor de producción y negar, en la misma medida, su libertad, durante aquel período, para desplegar la propia personalidad del modo que estime más conveniente. Una tal concepción, según la cual el tiempo libre se considera tiempo vinculado y la persona se devalúa a mera fuerza de trabajo, resulta incompatible con los principios constitucionales que enuncia el artículo 10.1 CE (dignidad de la persona y libre desarrollo de su personalidad), a cuya luz ha de interpretarse, inexcusablemente, cualquier norma de Derecho».

[657]   Concretamente la sentencia concluye que «sí podrían resultar perjudicados los trabajadores en sus legítimos derechos e intereses, si se les obligara, tal como se indica en la nota circular de 25 de julio de 1996, a mantener una conexión ininterrumpida y en todo momento de sus teléfonos móviles con los de la empresa y los de todos sus clientes. Se sobrepasan las facultades normales y regulares de la empresa, en los términos previstos por el artículo 20 del Estatuto de los Trabajadores, si se obliga a los empleados a desarrollar su actividad profesional o a estar pendientes de recibir instrucciones en todo momento, incluso en las horas no coincidentes con la jornada de trabajo asignada a cada uno de ellos, pues a ese resultado se llegaría si se

Cláusulas contractuales que obligan a incluir móvil y correo electrónico del trabajador. La STS 21 septiembre 2015, considera abusiva, y por tanto nula la cláusula del contrato/tipo de trabajo que indica que el trabajador proporciona voluntariamente a la empresa su teléfono móvil y/o su cuenta de correo electrónico y su compromiso para comunicar la inmediata variación de tales datos, para que esta le efectúe cualquier comunicación relativa a su relación laboral. Estos datos de carácter personal voluntariamente se pueden poner a disposición de la empresa, pero no constar como específica cláusula/tipo: el derecho fundamental protege su utilización indebida, su obtención y el acceso a los datos personales, su posterior almacenamiento y tratamiento, así como su uso o usos posibles y tiene que quedar bajo el control de su titular[658]. La aplicación de esta sentencia en el ámbito del derecho a la desconexión es limitada, pero es indicativa de la tendencia a evitar la conexión permanente impuesta por el empresario, no así la que pueda partir de la propia iniciativa de los trabajadores[659].

---

vieran forzados a mantener una atención constante a sus teléfonos móviles en todo momento, y por eso se estima la demanda en este particular extremo, declarando la nulidad de las instrucciones de la compañía que obliguen a sus trabajadores a mantener fija la atención a los teléfonos móviles una vez concluida la jornada de trabajo de cada uno de ellos» [SAN 17 julio 1997, procedimiento 120/1997 (AS 1997, 3370)].

[658] Como precisa la sentencia: «A lo que exclusivamente nos oponemos es que en el contrato de trabajo se haga constar —como específica cláusula/tipo— que el trabajador presta su "voluntario" consentimiento a aportar los referidos datos personales y a que la empresa los utilice en los términos que el contrato relata, siendo así que el trabajador es la parte más débil del contrato y ha de excluirse la posibilidad de que esa debilidad contractual pueda viciar su consentimiento a una previsión negocial referida a un derecho fundamental, y que dadas las circunstancias —se trata del momento de acceso a un bien escaso como es el empleo— bien puede entenderse que el consentimiento sobre tal extremo no es por completo libre y voluntario».

[659] CERVILLA GARZÓN, M. J.: «Reflexiones sobre el derecho a la Desconexión tecnológica de los trabajadores y el surgimiento de nuevas formas de trabajo en Italia». *Orbitados*. 27 marzo 2017. Universidad de Cádiz. Disponible en: https://orbitados.uca.es/noticia/reflexiones-sobre-el-derecho-a-la-desconexion-tecnologica-de-los-trabajadores-y-el-surgimiento-de-nuevas-formas-de-trabajo-en-italia-por-maria-jose-cervilla-garzon/.

Control sobre el trabajo a domicilio. En relación al control del trabajo a domicilio a efectos del pago del salario, la doctrina judicial señala que, solamente si la empresa ha establecido pautas claras sobre tiempo de trabajo respetuosas con la regulación legal y convencional sobre jornada y descansos y si además establece, de acuerdo con el trabajador, instrumentos de declaración y control del tiempo de trabajo a distancia o en el domicilio, sería posible admitir que una conducta del trabajador en el interior de su domicilio en vulneración de dichas pautas y omitiendo los instrumentos de control empresarial pudiera dar lugar a exceptuar el pago de las correspondientes horas y su cómputo como tiempo de trabajo. Pero en ausencia de esas pautas y criterios y de unos mínimos instrumentos de control no puede admitirse tal exceptuación, que sería equivalente a crear un espacio de total impunidad y alegalidad en el trabajo a distancia y en el domicilio[660].

El caso del acelerómetro activado aún finalizada la jornada de trabajo[661]. En el caso de la empresa Schindler S.A., que procedió a la instalación de un acelerómetro en los teléfonos móviles de los trabajadores de la sección de mantenimiento (dicho aparato, el acelerómetro, es un elemento electromecánico que permite convertir fenómenos físicos en señales, es decir, es un aparato que se encarga de captar el movimiento o la ausencia del mismo). El acelerómetro se encuentra instalado dentro de un teléfono móvil cotidiano, que la empresa entregó a los trabajadores del área de mantenimiento. Este dispositivo se complementa con un GPS que está integrado en el teléfono. El problema surge porque la empresa, da un tiempo máximo para realizar las tareas de mantenimiento. Y que los trabajadores están obligados a llevar ellos el acelerómetro, no en la caja de herramientas, y que dicho dispositivo lo tienen que llevar siempre, incluso fuera de la jornada laboral, porque los trabajadores lo tienen que poner a cargar en sus casas. Esto supone intromisión en lo que es la esfera de la vida privada y familiar de los trabajadores que se produce cuando finalizan la jornada laboral y continúan con esa obligación de tener ambos dispositivos con la batería cargada para que puedan cumplir su finalidad en la jornada laboral, que no es sino un control y

---

[660]   STSJ Castilla-León, Valladolid 3 febrero 2016, rec. 2229/2015, (AS 2016, 99).
[661]   STSJ Cataluña, 23 marzo 2013, rec. 6212/2012, (AS 2013, 2445).

fiscalización del trabajo a través de los citados dispositivos. Pero además esa responsabilidad que se traslada al trabajador fuera de la jornada laboral, es lo que lleva consigo un perjuicio en su salud por la preocupación que tiene de tener que estar pendiente del citado dispositivo, y la incidencia que ello tiene no solo para él sino también en lo que es esa esfera privada personal familiar que la empresa demandada no puede tener interferencia alguna, ni siquiera por motivos tecnológicos, pues está fuera de la jornada laboral, que es el ámbito donde la empresa y trabajador tienen que cumplir sus respectivos derechos y obligaciones, ya que ello comporta una responsabilidad fuera de la jornada laboral, que no es ajustado a derecho con el perjuicio que comporta en cuanto a la salud del trabajador, en cuanto a la tensión, preocupación que llevará en su caso consigo, estrés es decir un riesgo psicosocial que la empresa tenía que haber previsto, como consecuencia de la obligación de llevar el citado dispositivo.

Las sentencias examinadas, aunque no son el resultado de aplicar directamente el derecho a la desconexión digital de los trabajadores porque todavía no se había establecido en la normativa, enfocan de manera activa los presupuestos en los que se basa este nuevo derecho, ahora explícito, ya anteriormente basado en otros derechos tales como el derecho a la intimidad o la privacidad, la dignidad de las personas, así como en el otras instituciones laborales, tales como el tiempo de trabajo o la prevención de riesgos laborales. Pero también inciden en mayor o menor medida en la escisión entre el tiempo de trabajo y de descanso, y veladamente en el derecho a la desconexión digital[662]. Como se ha apuntado[663], el derecho a la desconexión digital abre muchas vertientes, tales como la dicotomía derecho/deber del instituto conectivo, las graduaciones vinculativas de la disponibilidad digital, el engarce de esta con los protocolos de teletrabajo, las correlaciones estructurales con los estatutos de subordinación y parasubordinación, los aspectos preventivos, la operacionalización de los códigos relativos a la «carga mental de

---

[662]   TALÉNS VISCONTI, E. E.: *Incidencia de las Redes Sociales en el ámbito laboral y en la práctica procesal*, cit., pág. 122, núm. 5250.

[663]   ALEMÁN PÁEZ, F.: «El derecho de desconexión digital en la "Loi Travail nº 2016-1088". Régimen Regulador y puntos críticos», cit., pág. 34.

trabajo», la consideración de los accidentes de trabajo y enfermedades profesionales, los mecanismos de tutela del derecho de intimidad informática, el régimen de responsabilidades, etc.

III. NUEVO DERECHO A LA DESCONEXIÓN DIGITAL EN EL ÁMBITO LABORAL

No aparece en la LOPD un concepto claramente delimitado de lo que es desconexión digital, sino que dándolo por supuesto se dedica a establecer la forma de su ejercicio. Quizá la razón estriba en que el legislador haya entendido que su concepto resulta obvio, al traducirse en no estar conectado a ningún dispositivo digital que pueda ocasionar al trabajador una interrupción del tiempo extralaboral, una vez finalizada su jornada laboral, como puede ser el previsto para el descanso o la realización de cualquier otra actividad diferente. No obstante, la doctrina ha ofrecido alguna definición, como la que la entiende como «el derecho para el trabajador de no tener ningún contacto con herramientas digitales relacionadas con su trabajo durante su tiempo de descanso y sus vacaciones»[664]. Una de las consecuencias de ello será la posibilidad de no responder a las comunicaciones procedentes de la empresa, precisamente porque ese es su derecho, salvo situaciones excepcionales de emergencia justificadas, en las que el empleador podrá requerir al trabajador que realice alguna actividad puntual fuera del horario de trabajo, siendo necesario el consentimiento del propio trabajador, sin que pueda ser sancionado por negarse a ello, y considerándose necesario que se estipule también la remuneración que deberá percibir el trabajador[665]. Y es que, entiendo, que una cosa es la transgresión del derecho de forma habitual, y otra, bien diferente es requerir al trabajador cuando de repente surja una situación de urgencia para las personas o para el patrimonio de la empresa, que en casos extremos podría llegar a poner en riesgo la

---

[664] CIALTI, P. H.: «El derecho a la desconexión en Francia: ¿Más de lo que parece?», cit., pág. 165.

[665] ORELLANA CANO, A. M.: *El derecho a la protección de datos personales como garantía de la privacidad de los trabajadores*, cit., pág. 159.

viabilidad de la propia empresa y con ello los puestos de trabajo. Esto nos remite a las horas extraordinarias de fuerza mayor, que realiza el trabajador, cuando sean necesarias para asegurar la continuidad de la actividad de la empresa.

Ese nuevo derecho se ve plasmado por primera vez en el artículo 88 LOPD, al que se le ha atribuido carácter de ley ordinaria por la disposición final primera LOPD, pese a estar contenido en el articulado de una ley orgánica, lo que no acaba de entenderse, pues si hay un derecho que afecte directamente al derecho fundamental a la intimidad de los trabajadores del artículo 18.1 CE, es precisamente este nuevo derecho. Derecho que no se circunscribe solo a los trabajadores acogidos al ámbito laboral común del TRLET o de las relaciones laborales especiales, sino que se amplía a los empleados públicos.

Aunque, como decía, no figura en la norma un concepto tasado sobre su significado, este se puede inducir partiendo de la finalidad, que no es otra que la de «garantizar, fuera del tiempo de trabajo legal o convencionalmente establecido, el respeto de su tiempo de descanso, permisos y vacaciones, así como de su intimidad personal y familiar» (art. 88.1 LOPD).

El derecho a la desconexión digital, tiene como finalidad, evitar que el trabajador o empleado público se vea sometido a la presión que puede entrañar, el hecho de que la empresa le siga dando instrucciones o incluso nuevas órdenes fuera de su jornada laboral. De manera, que el trabajador se siente compelido a satisfacer los requerimientos empresariales por temor a algún tipo de represalia, como pudiera ser el despido, siendo las nuevas tecnologías las que facilitan múltiples cauces para hacer llegar al trabajador, indicaciones, imprevistos que debe atender, etc. Por eso, el objetivo que se pretende con este nuevo derecho, es doble[666], por un lado, que se garantice el disfrute de los períodos de descanso, permiso y vacaciones y, por otro, la conciliación de la vida personal, familiar y laboral, entendiéndose incluido dentro del respeto al tiempo de descanso el derecho a la salud laboral, como

---

[666] ORELLANA CANO, A. M.: *El derecho a la protección de datos personales como garantía de la privacidad de los trabajadores*, cit., pág. 158.

apunta el apartado 3 del artículo 88 LOPD, al referirse al riesgo de la fatiga informática, especialmente en algunas modalidades de trabajo. Y es que, parte de la doctrina[667], matiza que más que ante un nuevo derecho, lo entiende como una «expresión concreta de los derechos a la intimidad y a la integridad física y psíquica en el trabajo (en su dimensión de seguridad y salud en el trabajo)», o quienes vienen sosteniendo[668], que el pretendido nuevo (o estatus naciente) derecho de desconexión laboral no existe como tal, autónomo y diferenciado, sino que se trata de una concreción del contenido del viejo —o clásico— derecho, actualizado bajo el impuso adaptativo de las nuevas necesidades creadas por la tecnología digital al descanso, hoy derecho social fundamental comunitario.

Y aunque la ley le otorga este nuevo derecho a la desconexión, es importante que el trabajador colabore en este sentido para cambiar la mentalidad si fuera preciso, en el sentido de hacer respetar su derecho a la desconexión, lo que puede no ser fácil en algunos casos. Y no ayudaría a ese propósito, la cláusula de un contrato de trabajo que obligue a facilitar el número de teléfono móvil y el correo electrónico personal con la finalidad de recibir comunicaciones laborales de la empresa, inclusive, comunicando los cambios posteriores[669]. O tampoco, que el empleador pretenda dar uso laboral a los dispositivos digitales de los trabajadores, pues en estos casos se considera un abuso del poder empresarial[670].

---

[667] SERRANO OLIVARES, R.: «Los derechos digitales en el ámbito laboral: comentario de urgencia a la Ley Orgánica 3/2018, de 5 de diciembre, de Protección de Datos Personales y Garantía de los Derechos Digitales», cit., pág. 226.

[668] MOLINA NAVARRETE, C.: «Jornada laboral y tecnologías de la info-comunicación: "Desconexión digital", garantía del derecho al descanso». *Temas Laborales*, núm. 138/2017, pág. 279.

[669] En ese caso, nos «encontramos ante unos datos de carácter personal, cuyo conocimiento, uso y destino tiene que quedar bajo el control de su titular»; y la incorporación al contrato de una cláusula como la cuestionada «supone una conducta abusiva y no puede entenderse que el trabajador haya prestado su consentimiento de una manera libre y voluntaria» (STS 21 septiembre 2015 [RJ 2015, 4353]).

[670] SAN 6 febrero 2019 (AS 2019, 905).

1. Contenido del derecho

Junto a la consideración del derecho a la desconexión digital como un derecho de contenido propio, puede ser considerado como un derecho auxiliar o indirecto, en el sentido de que el bien jurídico protegido de este derecho, garantiza, asimismo, determinados derechos y valores y además los potencia, como «el derecho a la conciliación de la actividad laboral y la vida personal y familiar» (apartado 2 del art. 88 LOPD), que no dejan de ser manifestaciones del derecho a la intimidad personal. Si bien, como ha puesto de manifiesto la doctrina[671], se trata de una redacción confusa y ambigua, porque no existe un derecho en nuestro ordenamiento jurídico que concilie los intereses empresariales con los de los trabajadores, sino el derecho a que los trabajadores puedan conciliar, de manera efectiva y sin sufrir discriminación por ello, su vida personal y familiar con la laboral. Por lo que resulta obvio que el precepto alude a este último sentido.

El derecho a la desconexión digital en el ámbito laboral, tiene una relación directa con la jornada laboral, en el sentido de que una vez finalizada, se desconecta el tiempo de trabajo, y se activa el derecho a la desconexión digital, de manera que en ningún caso sería posible compatibilizar o simultanear ambas situaciones, por definición antagónicas. Diría que son derechos complementarios que pretenden garantizar el respeto a los tiempos de trabajo y a su vez a los tiempos fuera del trabajo de libre disposición por el trabajador.

Se trata en definitiva de proteger al trabajador de intrusiones del empresario, que pretende que el trabajador le siga teniendo a su servicio incluso fuera de horas de trabajo. Debe entenderse que la relación laboral tiene unos límites, un horario concreto y que, si el empresario pretende seguir ejerciendo el poder de dirección al terminar la jornada laboral, tal pretensión, excede de sus competencias y del tiempo de trabajo esta-

---

[671] RECHE TELLO, N.: «Derecho a la desconexión digital en el ámbito laboral». *Protección de Datos. Comentarios a la Ley Orgánica de Protección de Datos y Garantía de Derechos Digitales (en relación con el RGPD)*. Directores: Mónica Arenas Ramiro y Alfonso Ortega Giménez. Sepín, 2019, pág. 375.

blecido en el contrato. Pero es verdad, como se ha apuntado[672] que para que efectivamente pueda ser cumplido el derecho a desconectarse del trabajo luego de finalizada la jornada laboral o en tiempos de descanso, resulta necesario que cada sistema jurídico aporte una adecuada protección a la estabilidad en el empleo. En España, además de regularse el derecho a la desconexión digital en el artículo 88 LOPD, también aparece de forma complementaria en el artículo 20 bis TRLET[673], que lo titula como derechos de los trabajadores a la intimidad en relación con el entorno digital y a la desconexión. De hecho, viene a ser una disposición recopilatoria del derecho a la intimidad en relación a las nuevas tecnologías, incluyendo el derecho a la desconexión. Dice así el artículo 20 bis TRLET:

«Los trabajadores tienen derecho a la intimidad en el uso de los dispositivos digitales puestos a su disposición por el empleador, a la desconexión digital y a la intimidad frente al uso de dispositivos de videovigilancia y geolocalización en los términos establecidos en la legislación vigente en materia de protección de datos personales y garantía de los derechos digitales». Sobre la ubicación del derecho a la desconexión digital, no se ha considerado acertada por la doctrina[674] su incorporación en un precepto dedicado a la dirección y control de la actividad laboral, siendo más pertinente su ubicación en la sección 2ª, sobre los derechos y deberes laborales básicos de los trabajadores, por ejemplo en el artículo 4 TRLET, pudiendo desarrollarse posteriormente algunos elementos en la sección 5ª sobre tiempo de trabajo, incluyendo quizá, un apartado noveno en el artículo 34 TRLET, o directamente[675] podría haberse incluido su regulación en el artículo 34 TRLET, sobre jornada y tiempo de trabajo, con los que existe una evidente proximidad, o incluso, en el artículo 19 TRLET, incorporado a la materia sobre seguridad y salud en

---

[672] ROSENBAUM CARLI, F.: «El derecho a la desconexión con especial énfasis en el sistema jurídico uruguayo», cit., pág. 121.

[673] Incorporado por la disposición final decimotercera LOPD

[674] RECHE TELLO, N.: «Derecho a la desconexión digital en el ámbito laboral». *Protección de Datos. Comentarios a la Ley Orgánica de Protección de Datos y Garantía de Derechos Digitales (en relación con el RGPD)*, cit., pág. 375.

[675] Por todos, LÓPEZ ÁLVAREZ, M. J.: *Jornada Laboral. Control horario, desconexión, flexibilidad y conciliación*, cit., pág. 63.

el trabajo. De hecho, el apartado 5 del artículo 34 señala: «El tiempo de trabajo se computará de modo que tanto al comienzo como al final de la jornada diaria el trabajador se encuentre en su puesto de trabajo». Incluso parecería más acertado, situar el derecho a la desconexión tras el apdo. 3 del artículo 34 TRLET que, a modo de norma de derecho necesario absoluto (con las excepciones de las ampliaciones de jornada), exige que entre el final de una jornada y el comienzo de la siguiente mediarán, como mínimo, doce horas[676].

También en el ámbito de la función pública, el Estatuto Básico del Empleado Público[677], establece una redacción similar[678], sin embargo, en las disposiciones de desarrollo no se ha establecido ninguna alusión al derecho a la desconexión[679].

Además, el artículo 18 del RD-ley 28/2020, de 22 de septiembre, de trabajo a distancia, que lleva por título: Derecho a la desconexión digital, no es muy original, pues después de remitirse al artículo 88 LOPD, en el primer párrafo del apartado 1, reproduce íntegramente en el primer párrafo del apartado 2, el contenido del apartado 3 del artículo 88 LOPD, que se refiere a los supuestos en que exista convenio colectivo, y a que el empresario debe elaborar una política interna dirigida a los trabajadores en esta materia.

---

[676] TERRADILLOS ORMAETXEA, M. E.: «El derecho a la desconexión digital en la ley y en la incipiente negociación colectiva española: la importancia de su regulación jurídica», cit., págs. 12-13.

[677] Aprobado por Real Decreto Legislativo 5/2015, de 30 de octubre, por el que se aprueba el texto refundido de la Ley del Estatuto Básico del Empleado Público

[678] «Los empleados públicos tienen los siguientes derechos de carácter individual en correspondencia con la naturaleza jurídica de su relación de servicio: (…) A la intimidad en el uso de dispositivos digitales puestos a su disposición y frente al uso de dispositivos de videovigilancia y geolocalización, así como a la desconexión digital en los términos establecidos en la legislación vigente en materia de protección de datos personales y garantía de los derechos digitales» (artículo 14.1.j bis Real Decreto Legislativo 5/2015, de 30 de octubre).

[679] Como sucede con la Resolución de 28 de febrero de 2019, de la Secretaría de Estado de Función Pública, por la que se dictan instrucciones sobre jornada y horarios de trabajo del personal al servicio de la Administración General del Estado y sus organismos públicos.

Se ha calificado este derecho a la desconexión del artículo 88 LO-PD, vacío de contenido[680], porque no se indican las medidas concretas y necesarias que los empresarios y representantes de los trabajadores, en su caso, deberían adoptar para garantizar la efectividad de este derecho. Y es que, por otro lado, no queda claro, cómo se puede llevar a cabo el control horario para cumplir con el registro de jornada en el trabajo a distancia, por lo que salvo que el convenio colectivo lo señale, deberá ser el empresario, quien dicte instrucciones expresas al personal sobre la forma de realizar el control durante esta modalidad aportando los necesarios recursos, ya que aunque existe la obligación de registro, tampoco se ha concretado su articulación porque hay muchas empresas que no cuentan con sistemas digitales para realizarlo[681]. Sin embargo, parece obvio que el registro diario de la jornada puede favorecer el derecho a la desconexión digital, porque es una forma de conocer el momento en el cual el empleado está trabajando o bien deja de hacerlo, teniendo derecho a no ser molestado fuera de su jornada laboral, de ahí que, un adecuado registro de la jornada de trabajo puede contribuir a la consecución del objetivo del derecho a la desconexión, porque se podrá comprobar el cumplimiento de la jornada laboral, la realización de exceso de jornada ordinaria, y comprobar si se está respetando o no el derecho al descanso de los trabajadores[682].

2. Ámbito de aplicación

Se puede afirmar que el derecho a la desconexión digital es amplio, pues no aparecen en principio restricciones respecto a personal laboral o funcionarial, ni en relación al número de trabajadores de las plantillas

---

[680]   VALENZUELA ARAGÜEZ, L.: *Relación laboral digitalizada: colaboración y control en un contexto tecnológico*, cit., pág. 107.

[681]   RECHE TELLO, N.: «El derecho al trabajo en tiempos de excepcionalidad constitucional: la regulación laboral en torno al COVID-19 en España» *e-Revista Internacional de la Protección Social* (e.RIPS) Vol. V, núm. 1, 2020, pág. 89.

[682]   MARCOS HERRERO, J. A.: «La protección de datos personales de los empleados en el registro de la jornada y los denominados "derechos digitales"». *Revista Derecho Social y Empresa*, núm. 11, julio 2019, pág. 19.

o del sector de actividad de las empresas[683]. Además, las dificultades que puedan presentarse podrían encontrar solución en la amplia capacidad de autorregulación que el ejercicio de este derecho otorga a las partes, e incluso podría encontrar una regulación más específica en aquellas empresas que así lo requieran, como podría suceder en empresas tecnológicas, en que los problemas de conexión pueden ser más frecuentes y con más impacto en la salud de los trabajadores[684]. Asimismo, el derecho alcanza a trabajadores presenciales como a quienes prestan servicios a distancia (teletrabajo) y las diversas modalidades de trabajo flexible o el llamado en Italia como trabajo ágil. Se trata de colectivos, que necesitarían una mayor concreción, estableciéndose fórmulas más precisas, implicando a los propios dispositivos que no permitan la conexión en determinados horarios o, que alcanzado un tiempo de conexión aparezcan avisos en la pantalla advirtiendo la necesidad de desconectar para descansar.

2.1. Colectivos específicos: Autónomos y ETT

Aunque el ámbito de aplicación del derecho a la desconexión digital es amplio, conviene hacer algunas matizaciones, porque solo se reconoce este derecho a los trabajadores asalariados y a los empleados públicos, sin haber tenido en cuenta la existencia de cooperativas digitales y, por tanto, con socios cooperativistas que trabajan digitalmente y a distancia[685].

Así en el caso de los trabajadores autónomos no les es aplicable, pues realizan su actividad por cuenta propia, son ellos mismos lo que se excluyen de este derecho solo entendible para el caso de trabajadores sujetos a dependencia empresarial. De hecho, no se ha modificado ninguna norma reguladora del trabajo autónomo que incorpore el derecho a la

---

[683] En este apartado he seguido el esquema de LÓPEZ ÁLVAREZ, M. J.: *Jornada Laboral. Control horario, desconexión, flexibilidad y conciliación*, cit., págs. 64-65.

[684] LÓPEZ ÁLVAREZ, M. J.: *Jornada Laboral. Control horario, desconexión, flexibilidad y conciliación*, cit., pág. 63.

[685] ARRIETA IDIAKEZ, F.J.: «La desconexión digital y el registro de la jornada diaria en España como mecanismos para garantizar el descanso, la salud y el bienestar de los trabajadores a distancia». *Lan Harremanak, Revista de Relaciones Laborales*, 2019, núm. 42, pág. 27.

desconexión digital, porque resulta inviable. En el caso de los TRA-DE, quizá es diferente pues, el autónomo está sujeto a dependencia, si bien es una dependencia económica, creo que debería considerarse, pues hubiera sido posible establecer por ley la obligación de reconocer el derecho a la desconexión digital de los TRADE en los contratos que les vinculen con sus clientes principales[686]. En cualquier caso, a través de los acuerdos de interés profesional podrían incluirse, en función de la actividad del cliente principal o de otro criterio pactado, el derecho a la desconexión digital para esta peculiar forma de trabajo autónomo.

En el caso de las Empresas de Trabajo Temporal, los trabajadores de la ETT puestos a disposición de la empresa usuaria, tendrán los mismos derechos que los trabajadores de plantilla de esta última, por lo que su derecho a la desconexión será el mismo.

2.2. Peculiaridades en las relaciones laborales especiales

En algunas relaciones laborales de carácter especial, parece más necesaria la concreción del derecho a la desconexión digital. Especialmente, en aquellas actividades que no fijan una jornada laboral concreta.

Representantes de comercio. En el caso de la relación laboral de carácter especial de las personas que intervengan en operaciones mercantiles por cuenta de uno o más empresarios, sin asumir el riesgo y ventura de aquéllas (RD 1438/1985), el artículo 4, establece que la relación laboral del trabajador no implicará sujeción a jornada u horario de trabajo concreto, sin perjuicio de las previsiones contenidas en los pactos colectivos o individuales. Se observa una falta de concreción en el tiempo de trabajo en estas actividades, lo que permitiría la regulación del derecho a la desconexión digital en esta relación laboral especial por la vía del acuerdo individual o de la negociación colectiva.

Abogados que prestan servicios en despachos de abogados. En el caso de los abogados que prestan servicios en despachos de abogados, el

---

[686]   ARRIETA IDIAKEZ, F. J.: «La desconexión digital y el registro de la jornada diaria en España como mecanismos para garantizar el descanso, la salud y el bienestar de los trabajadores a distancia», cit., pág. 14.

artículo 14.1 RD 1331/2006, de 17 de noviembre, por el que se regula
la relación laboral de carácter especial de los abogados que prestan servicios en despachos de abogados, individuales o colectivos, la duración
de la jornada será la que se pacte en convenio colectivo o en el contrato
de trabajo, si bien, señala expresamente que no se podrán superar los
límites de duración de la jornada que establece el Estatuto de los Trabajadores en cómputo anual. Otro ejemplo de la posible incorporación
del derecho a la desconexión digital, pues de acuerdo con la disposición
adicional cuarta del citado precepto, el Estatuto de los Trabajadores será
de aplicación en lo no regulado en el RD 1331/2006.

Personal de alta dirección. Ciertamente, el trabajo que desarrollan
quienes tienen asignadas mayores responsabilidades en la empresa, sería
a quienes más útil sería este derecho a la desconexión digital, porque
ordinariamente necesitan de más tiempo que los demás para resolver las
dificultades que se les vienen presentando. Sin embargo, si examinamos
su precepto regulador, plantea dudas su aplicación, pues según el artículo 7 del Real Decreto 1382/1985, de 1 de agosto, por el que se regula
la relación laboral de carácter especial del personal de alta dirección, el
tiempo de trabajo en cuanto a jornada, horarios, fiestas y permisos, así
como para vacaciones, será el fijado en las cláusulas del contrato individual. En esta relación laboral especial, a diferencia de las demás, el Estatuto de los Trabajadores no opera de forma subsidiaria, salvo que así se
disponga expresamente, siendo subsidiaria la normativa civil o mercantil
(art. 3). Esto nos aboca a la inaplicación del derecho a la desconexión
digital, por lo que no podrá ser garantizado a este tipo de trabajador. No
obstante, el personal que sin ser alto cargo (con contrato de esta naturaleza), asume funciones directivas, si puede acceder al derecho, con la
conveniencia de que se concrete el derecho a la desconexión.

3. *Ejercicio del derecho a la desconexión*

El derecho a la desconexión tiene sus particularidades, de manera
que su ejercicio dependerá de la actividad que desarrolle el trabajador.
No es igual un empleado de oficina que un conductor de trailer que debe
trasladar mercancía a otro país, y que precisa recibir instrucciones sobre
cómo actuar, por ejemplo, en el caso de que se encuentre una barricada

en la carretera interpuesta por huelguistas, o el de empresas con actividades tecnológicas, en las que los problemas en relación a la desconexión digital puedan ser más frecuentes, con el peligro de afectar a la salud y bienestar de los trabajadores[687]. En ese sentido, el apartado 2 del artículo 88 LOPD, señala, que «las modalidades de ejercicio de este derecho atenderán a la naturaleza y objeto de la relación laboral», sin embargo, parte de la doctrina lo interpreta[688], como un ejercicio difuso del derecho a la desconexión digital porque podría abrir la puerta a posibles restricciones del derecho cuando las funciones del trabajador o su posición jerárquica en la empresa puedan justificar una mayor laxitud horaria.

De ahí, la importancia de que en cada relación laboral se especifique cuáles son los límites de desconexión digital. Precisamente, el apartado 2 del artículo 88 LOPD, viene a decir cómo hacerlo, a través de la negociación colectiva, que es el cauce más adecuado, como tantas otras veces en el ámbito laboral. Concretamente, la norma se refiere a que «las modalidades de ejercicio de este derecho (…) se sujetarán a lo establecido en la *negociación colectiva* o, en su defecto a lo *acordado* entre la empresa y los representantes de los trabajadores». Por tanto, ese será el orden que marcarán las reglas en lo que afecta al desarrollo del derecho a la desconexión digital en el marco de las relaciones laborales. Y será en ese marco, en el que se acuerden esos límites a los que antes me refería, pues cada actividad tiene peculiaridades que las diferencian de otras, y por ello, no sería equitativo aplicar unos mismos criterios para toda actividad y para todos los puestos de trabajo. En efecto, resulta razonable que las modalidades del «pleno ejercicio» del derecho a la desconexión se establezcan a nivel empresarial para tomar en consideración las múltiples realidades de la actividad laboral, sin embargo, al igual que en la normativa francesa, resulta lamentable que se excluya al ámbito sectorial, que hubiera podido aportar pautas y elementos comunes para garantizar un marco común aplicable a todos los trabajadores del sector

---

[687]   LÓPEZ ÁLVAREZ, M. J.: *Jornada Laboral. Control horario, desconexión, flexibilidad y conciliación*, cit., pág. 63.

[688]   SERRANO OLIVARES, R.: «Los derechos digitales en el ámbito laboral: comentario de urgencia a la Ley Orgánica 3/2018, de 5 de diciembre, de Protección de Datos Personales y Garantía de los Derechos Digitales», cit., pág. 228.

considerado[689]. Por otro lado[690], la referencia a la negociación colectiva, en tanto que entraña el acuerdo entre los antagonistas sociales, se contrapone a la facultad unilateral de la empresa de elaborar una política interna sobre el derecho a la desconexión digital, máxime cuando en este último escenario solo se exige la previa audiencia de los representantes de los trabajadores, y no así un deber de consulta o negociación con la representación del personal.

En consecuencia, desde el principio de cada relación laboral debe quedar meridianamente claro cómo se aplicará este nuevo derecho reconocido al trabajador, y no solo es cuestión o competencia del empresario, la norma dice expresamente que este derecho se sujetará a lo establecido en la negociación colectiva y si no existiera convenio, a través del acuerdo entre el empresario y los representantes de los trabajadores. En materia de desconexión digital, también, «los convenios colectivos podrán establecer garantías adicionales de los derechos y libertades relacionados con el tratamiento de los datos personales de los trabajadores y la salvaguarda de derechos digitales en el ámbito laboral» (art. 91 LOPD), en el sentido de que no solo se va a reconocer el derecho a la desconexión digital, sino que pueden establecer garantías que permitan su ejercicio.

Por otro lado, los términos de este apartado 2 del artículo 88 LOPD, en cuanto a la ausencia de obligatoriedad de incluir esta materia en la negociación colectiva, lo que hubiera obligado a modificar el artículo 85.1 TRLET, da como resultado, una declaración de buenas intenciones, por lo que carece de eficacia respecto a la obligación de desarrollo convencional[691]. Y es que, a diferencia de la legislación francesa, en la que se otorga un mayor protagonismo a la negociación colectiva como instrumento para desarrollar el derecho a la desconexión digital, en la normativa española aun siguiéndola muy de cerca, no le otorga tal primacía, pues en aquella normativa, la lógica de la ley, remite la determi-

---

689   CIALTI, P. H.: «El derecho a la desconexión en Francia: ¿Más de lo que parece?», cit., pág. 181.
690   SERRANO OLIVARES, R.: «Los derechos digitales en el ámbito laboral: comentario de urgencia a la Ley Orgánica 3/2018, de 5 de diciembre, de Protección de Datos Personales y Garantía de los Derechos Digitales», cit., pág. 227.
691   RECHE TELLO, N.: «La desconexión digital como límite frente a la invasión de la privacidad». *IUSLabor* 3/2019, pág. 49.

nación de las modalidades del derecho a la desconexión a la negociación colectiva de empresa en el marco de la obligación anual de negociar, y en caso de no alcanzar un acuerdo, el empresario elabora de forma unilateral una carta o protocolo, que sería el equivalente a la elaboración de una política interna[692]. De manera que comparto la opinión[693] de que la normativa española contempla una regulación descafeinada del derecho a la desconexión desde la perspectiva de la defensa colectiva de los intereses de los trabajadores, en la medida en que no se impone un deber de negociar sobre dicho derecho digital, recayendo en el empresario la obligación de elaborar una política interna, que podrá tener carácter unilateral desde el principio, en la medida en que la ley solamente exige la previa audiencia de la representación del personal, ahora bien, en el caso de que exista convenio o acuerdo de empresa que regule las modalidades de ejercicio del derecho, la política interna empresarial deberá respetar sus directrices. El problema fundamental, radica en que las partes negociadoras son libres para incluir el derecho a la desconexión digital entre los aspectos de la negociación, sin que tampoco se haya previsto un régimen jurídico supletorio que garantice una regulación mínima en defecto de pacto colectivo[694].

Para determinar la amplitud del derecho a la desconexión en el ámbito laboral, debe tenerse en cuenta entre otras cuestiones la jornada de trabajo, porque no es igual un trabajador que tiene más ocupada la jornada cuando se concierta a tiempo completo, que cuando es de media jornada, porque la existencia de un mayor espacio de «no trabajo» implica también mayores facilidades de invasión por parte del empresario, por tratarse de un trabajador con mayor disponibilidad[695], al menos en su empresa. Y es que, la excesiva ambigüedad de la norma, podría faci-

---

[692] CIALTI, P. H.: «El derecho a la desconexión en Francia: ¿Más de lo que parece?», cit., 2017, pág. 174.

[693] SERRANO OLIVARES, R.: «Los derechos digitales en el ámbito laboral: comentario de urgencia a la Ley Orgánica 3/2018, de 5 de diciembre, de Protección de Datos Personales y Garantía de los Derechos Digitales», cit., pág. 228.

[694] ALTÉS TÁRREGA, J. A. y YAGÜE BLANCO, S.: «El derecho a la desconexión digital en el trabajo». *El futuro del Trabajo: Cien años de la OIT,* cit., pág. 57.

[695] IGÁRTUA MIRÓ, M. T.: «El derecho a la desconexión en la Ley orgánica 3/2018, de 5 de diciembre, de protección de datos personales y garantía de los

litar regulaciones demasiado generales y simplistas, vacías de contenido, de ahí que hubiera sido más adecuado que la propia norma incluyera algunas medidas orientadoras, para que de forma supletoria sirvieran de guía a los convenios colectivos y protocolos empresariales[696]. Por eso[697], la regulación sobre el ejercicio material del derecho a la desconexión digital en el ámbito laboral debe calificarse como insuficiente, porque, se suele dejar en manos de los propios trabajadores la puesta en práctica de las modalidades de ejercicio del derecho que se mencionan, en la medida en que las medidas adoptadas tienden hacia el reconocimiento de derechos cuyo cumplimiento depende de la mera voluntariedad del trabajador y, porque, es frecuente que se realice una remisión a las políticas y directivas que provengan del Grupo o Compañía y, además, se establece una importante serie de supuestos en los que se puede excepcionar el ejercicio del derecho, cuando ya antes de la LOPD, se decía[698] que «frente a las corrientes dominantes, que centran el enfoque en la desconexión digital como un *derecho* del empleado a no atender a las obligaciones derivadas de su trabajo a través de cualquier dispositivo electrónico (…), sería preferible plantearlo a la inversa, es decir, como el *deber* de todo empresario a no enviar notificaciones y mensajes de contenido laboral fuera de la jornada de trabajo y, en general, durante el tiempo de descanso de los empleados». Esta es una de las críticas más frecuentes acerca del ejercicio del derecho a la desconexión digital, en el sentido que más que un derecho del trabajador, debería establecerse como una obligación empresarial. En cualquier caso, no importa tanto su configuración, pues el establecimiento de un derecho lleva consigo el

---

derechos digitales». *Revista de Trabajo y Seguridad Social*. CEF, 432 (marzo 2019), pág. 9.

[696] LÓPEZ ÁLVAREZ, M. J.: *Jornada Laboral. Control horario, desconexión, flexibilidad y conciliación*, cit., pág. 67.

[697] ARRIETA IDIAKEZ, F. J.: «La desconexión digital y el registro de la jornada diaria en España como mecanismos para garantizar el descanso, la salud y el bienestar de los trabajadores a distancia», cit., pág. 27.

[698] TALÉNS VISCONTI, E. E.: «La desconexión digital en el ámbito laboral: Un deber empresarial y una nueva oportunidad de cambio para la negociación colectiva», *Información Laboral*, núm. 4, 2018, pág. 13.

deber de respetarlo, so pena de dejarlo vacío de contenido[699]. Por otro lado, hubiera sido deseable que la norma estableciera un plazo razonable de tiempo que obligase a las empresas a la puesta en marcha de manuales o protocolos para el ejercicio del citado derecho, pues este derecho conecta directamente con la normativa reguladora del descanso (arts. 34 a 38 TRLET) y la salud laboral de los trabajadores (arts. 14,15 y 22 LPRL), por lo que su incumplimiento podría conllevar sanciones con encaje en la LISOS[700].

3.1. *Elaboración empresarial de una política interna*

La norma hace referencia a los supuestos en que exista convenio colectivo, y a que el empresario debe elaborar una política interna dirigida a los trabajadores en esta materia. Se podría plantear qué ocurre si no hay convenio ni se ha previsto esa política interna en la que se definirán las modalidades de ejercicio del derecho a la desconexión y las acciones de formación y de sensibilización sobre un uso razonable de las herramientas tecnológicas. En tal caso, pese a las carencias de desarrollo de este derecho, y su falta de concreción de lo que significa «uso razonable» de las herramientas tecnológicas, el trabajador podría hacerlo valer porque se reconoce de forma expresa en la ley, siendo un derecho irrenunciable[701] y existen suficientes medios para acreditar que ese derecho, en su caso se ha conculcado, ya sea por el empresario como por otras personas que tengan vinculación con la empresa, como pueden ser, clientes, proveedores, técnicos, etc., con los que el trabajador deba relacionarse por motivo de su trabajo.

En consecuencia, lo deseable sería que la política interna empresarial en esta materia acogiera el convenio colectivo, y que además existiera,

---

[699]   ALTÉS TÁRREGA, J. A. y YAGÜE BLANCO, S.: «El derecho a la desconexión digital en el trabajo». *El futuro del Trabajo: Cien años de la OIT*, cit., pág. 51.

[700]   MARCOS HERRERO, J. A.: «La protección de datos personales de los empleados en el registro de la jornada y los denominados "derechos digitales"», cit., pág. 25.

[701]   En efecto, según el artículo 3.5 TRLET, «los trabajadores no podrán disponer válidamente, antes o después de su adquisición, de los derechos que tengan reconocidos por disposiciones legales de derecho necesario».

como existe por imperativo legal la política interna, que podría entenderse como un protocolo de actuación respecto al uso de las nuevas tecnologías que compete al empresario, mediante la consignación de reglas y pautas para el ejercicio del derecho, que podría incluir previsiones diferenciadas para los centros de trabajo atendiendo a sus particularidades o, realizar diferentes protocolos por centros o unidades productivas en la medida que se pueda justificar, con lo que se puede tener en su confección un mayor margen de libertad[702]. Por otro lado, aunque no exista regulación convencional, la intimidad personal y familiar no deja de ser un derecho fundamental de eficacia directa; de manera que el descanso, vacaciones y permisos son derechos legales que impiden la obligación de atender a comunicaciones del empresario para que ello no pueda causar perjuicio al trabajador[703]. En consecuencia, y sin restar la importancia a la negociación colectiva, como instrumento fundamental para el ejercicio del derecho a la desconexión digital en el ámbito laboral, no hay duda de que existe por parte de la norma el reconocimiento de un auténtico derecho subjetivo perfecto a la desconexión digital, por lo que el trabajador podrá exigir el respeto a su derecho al descanso, inclusive sin acuerdo colectivo[704]. En este sentido, el derecho a la desconexión digital es una gran oportunidad para que la función del jurista en la sociedad se reconecte con aquello a lo que nunca debería haber renunciado: su capacidad para crear, de manera que aceptar la desconexión digital es ciertamente la verdadera revolución de hoy[705].

En cualquier caso, es preciso que la empresa concrete la política interna, que puede materializarse en la confección de un protocolo, con base en la actividad, tipos de trabajo y circunstancias que puedan incidir

---

[702] LÓPEZ ÁLVAREZ, M. J.: *Jornada Laboral. Control horario, desconexión, flexibilidad y conciliación*, cit., pág. 74.

[703] PRECIADO DOMÉNECH, C. H.: *Los Derechos Digitales de las Personas Trabajadoras. Aspectos laborales de la LO 3/2018, de 5 de diciembre, de Protección de Datos y Garantía de los Derechos Digitales*, cit., pág. 150.

[704] IGÁRTUA MIRÓ, M. T.: «El derecho a la desconexión en la Ley orgánica 3/2018, de 5 de diciembre, de protección de datos personales y garantía de los derechos digitales», cit., pág. 16.

[705] LEROUGE, L.: «Desconexión digital del trabajo: reflexiones sobre los retos jurídicos en derecho laboral», cit., pág. 75.

en el ejercicio del derecho a la desconexión digital. Para ello, resulta conveniente seguir tres pasos[706]: realizar un diagnóstico para conocer el grado de conexión, según las diferentes áreas, departamentos y trabajadores de la empresa; a continuación, procedería el diseño de las medidas concretas que se van a implantar, y finalmente establecer mecanismos de seguimiento y evaluación de las medidas, proponiendo en su caso, mejoras, así como afrontar las nuevas y cambiantes situaciones en esta materia. Teniendo presente, que una consecuencia de la falta de elaboración de esa política interna, puede suponer la comisión de una infracción grave (art. 7.5 TRLISOS), «por transgresión de las normas y los límites legales o pactados en materia de jornada, trabajo nocturno, horas extraordinarias, horas complementarias, descansos, vacaciones, permisos, registro de jornada y, en general, el tiempo de trabajo a que se refieren los artículos 12, 23 y 34 a 38 del Estatuto de los Trabajadores».

3.2. Supuestos de aplicación flexible del derecho

En algunos casos sería posible aplicar la flexibilidad en la aplicación del derecho a la desconexión digital. Pero eso solo puede ocurrir en aquellos casos que se justifiquen debidamente, ordinariamente por necesidades reales de la empresa y de forma puntual u ocasional. Además, debe compensarse ese tiempo que debía emplearse para el descanso, mediante un complemento que retribuya tal actividad en principio no prevista. Así, se puede distinguir, siguiendo la doctrina comunitaria[707], entre el tiempo dedicado a la *atención continuada,* prestado por médicos de Equipos de Atención Primaria *en régimen de presencia física* en el centro sanitario, que debe considerarse tiempo de trabajo en su totalidad y en su caso, como horas extraordinarias. Mientras que, respecto a la prestación de servicios de atención continuada por dichos médicos *en régimen de localización*, sólo debe considerarse tiempo de trabajo el co-

---

[706]   LÓPEZ ÁLVAREZ, M. J.: *Jornada Laboral. Control horario, desconexión, flexibilidad y conciliación*, cit., pág. 75.

[707]   STJUE 3 octubre 2000 asunto C-303/98. Sindicatos de médicos de asistencia pública (SIMAP) contra Consellería de Sanidad y Consumo de la Generalitat Valenciana.

rrespondiente a la prestación efectiva de servicios de atención primaria. Asimismo, de la jurisprudencia de Tribunal de Justicia[708] se desprende que el factor determinante para la calificación de «tiempo de trabajo», en el sentido de la Directiva 2003/88, es el hecho de que el trabajador está obligado a hallarse físicamente presente en el lugar determinado por el empresario y a permanecer a disposición de éste para poder prestar sus servicios inmediatamente en caso de necesidad. En efecto, estas obligaciones, que impiden que los trabajadores afectados elijan su lugar de estancia durante los períodos de guardia, deben considerarse comprendidas en el ejercicio de sus funciones, al contrario, de la situación en la que el trabajador efectúa una guardia según el sistema de guardia localizada, que implica que esté accesible permanentemente sin no obstante deber estar presente en el lugar de trabajo. En efecto, aunque esté a disposición de su empresario en la medida en que debe estar localizable, en esta situación el trabajador puede administrar su tiempo con menos limitaciones y dedicarse a sus intereses personales. En estas circunstancias, sólo debe considerarse «tiempo de trabajo» en el sentido de la Directiva 2003/88 el tiempo dedicado a la prestación efectiva de servicios.

Pero tampoco pueden ser abusivas las excepciones al derecho a la desconexión digital, en el sentido de que debido a su frecuencia y reiteración puedan alterar gravemente el descanso del trabajador que el derecho a la desconexión debe garantizar. Más bien las excepciones deben encaminarse a la adaptación de forma flexible de la desconexión en la forma que resulte más adecuada al trabajo, y eso desde luego quien mejor lo puede valorar son empresarios y trabajadores.

IV. PARTICULARIDADES DEL DERECHO A LA DESCONEXIÓN DIGITAL EN MATERIA DE PREVENCIÓN DE RIESGOS LABORALES

Una de las vertientes que afronta el derecho a la desconexión digital en el ámbito laboral es el que hace referencia a la salud laboral de los

---

[708]   STJUE 21 febrero 2018, asunto C-518/15.

trabajadores. Porque en efecto, en ocasiones la salud de los trabajadores podría verse afectada por la presión que ocasionan los requerimientos empresariales fuera de las horas de trabajo efectivo, y el temor a las represalias en caso de negativa. Sin embargo, el artículo 88.3 LOPD, se refiere más a la fatiga informática sin definirla, pudiendo entenderse como el cansancio en el trabajo producido por el uso continuado de dispositivos digitales. El concepto de fatiga informática o tecnoestrés se relaciona con los efectos psicosociales negativos del uso de las TIC, y fue acuñado por primera vez por el psiquiatra norteamericano Craig Brod en 1984 en su libro «Technostress: The Human Cost of the Computer Revolution». Lo define como: «una enfermedad de adaptación causada por la falta de habilidad para tratar con las nuevas tecnologías del ordenador de manera saludable (como señala la NTP 730: *Tecnoestrés: concepto, medida e intervención psicosocial*)»[709].

Esta vertiente del derecho a la desconexión digital relativa a los efectos que puede producir en la salud del trabajador el no ejercicio de este derecho, justifica el establecimiento de una serie de directrices internas en la empresa para evitar que esa fatiga alcance al trabajador. De ahí, que el legislador aproveche esta mini regulación del derecho a la desconexión para establecer las pautas que permitan el ejercicio de este derecho en caso de fatiga informática, incluyendo acciones de formación y de sensibilización. Concretamente señala que «el empleador, previa audiencia de los representantes de los trabajadores, elaborará una política interna dirigida a trabajadores, incluidos los que ocupen puestos directivos[710], en la que definirán las modalidades de ejercicio del derecho a la desconexión y las acciones de formación y de sensibilización del personal sobre un uso razonable de las herramientas tecnológicas que evite

---

[709]   En, MERCADER UGUINA, J.: «El mercado de trabajo y el empleo en un mundo digital», cit., pág. 6.

[710]   La expresa referencia a los trabajadores que ocupen puestos directivos, parece dar a entender que ese derecho a la desconexión también se les debe aplicar, quizá con la idea de que se trata de puestos en los que resulta más complicado cumplir con el derecho a la desconexión digital, habida cuenta de que suelen tener mayores responsabilidades que les obligan en muchos casos a estar más pendientes del desarrollo de la actividad de la empresa, hasta el punto de invadir gran parte de su tiempo privado.

el riesgo de fatiga informática». Todo ello, va a exigir que el empresario efectúe la evaluación del riesgo de fatiga informática, en función de los niveles de exposición del mismo, y si no fuera posible su eliminación, la adopción de medidas preventivas que menciona el precepto (acciones de formación y de sensibilización del personal sobre un uso razonable de las herramientas tecnológicas)[711]. Esa previa audiencia de los representantes se articulará a través de los instrumentos que prevé el Estatuto de los Trabajadores, concretamente en el artículo 64, en el que se concreta la forma de la información que se debe proporcionar a los trabajadores, que permita a los representantes de los trabajadores proceder a su examen adecuado y preparar, en su caso, la consulta y el informe, con objeto de que al menos se tenga en cuenta su perspectiva, si bien, dada la redacción del precepto, las opiniones de los representantes que figuren en el informe no tienen carácter vinculante, pero al menos el empleador tiene una visión desde otro punto de vista de cara a la confección del protocolo o política interna. Pero, no debe olvidarse, que esa audiencia previa es obligatoria y su omisión puede ser sancionada, pues según el artículo 7.7 TRLISOS[712], es infracción grave, «la transgresión de los derechos de información, audiencia y consulta de los representantes de los trabajadores y de los delegados sindicales, en los términos en que legal o convencionalmente estuvieren establecidos».

La norma hace referencia especial en el artículo 88.3 LOPD a los «supuestos de realización total o parcial del trabajo a distancia, así como en el domicilio del empleado vinculado al uso con fines laborales de herramientas tecnológicas», pues en estos casos de «trabajo a distancia», regulado en el artículo 13 TRLET[713], el legislador hace hincapié para que se preserve el derecho a la desconexión digital. Como apunta la doc-

---

[711] PRECIADO DOMÉNECH, C. H.: *Los Derechos Digitales de las Personas Trabajadoras. Aspectos laborales de la LO 3/2018, de 5 de diciembre, de Protección de Datos y Garantía de los Derechos Digitales*, cit., pág. 153.

[712] Real Decreto Legislativo 5/2000, de 4 de agosto, por el que se aprueba el texto refundido de la Ley sobre Infracciones y Sanciones en el Orden Social.

[713] Debe tenerse en cuenta, que el contenido del artículo 13 TRLET, establece: «Las personas trabajadoras podrán prestar trabajo a distancia en los términos previstos en el Real Decreto-ley 28/2020, de 22 de septiembre, de trabajo a distancia» (disposición final tercera.Uno del Real Decreto-ley 28/2020, de 22 de septiembre).

trina[714], en realidad hasta este último párrafo, la regulación del derecho a la desconexión digital viene a ser una repetición de la normativa francesa, diferenciándose al aludir la norma española al teletrabajo, al mostrar especial atención a los empleados que se encuentran permanentemente conectados en el desarrollo de su actividad laboral mediante el uso de estas herramientas digitales. En este punto, conviene distinguir entre el concepto de trabajo a distancia del artículo 2.a) del RD-ley 28/2020, y el teletrabajo, pues este último es una forma de trabajo a distancia. La diferencia estriba en que, en el trabajo a distancia, no se exige la utilización intensiva de las TIC, mientras que estas tecnologías resultan imprescindibles para poder identificar la organización mediante el teletrabajo respecto de una prestación laboral que se desarrolla fundamentalmente fuera del centro de trabajo de la empresa[715].

Es comprensible que una persona que se encuentra alejada del contorno físico de la empresa, y realiza su trabajo en su domicilio o en cualquier otro lugar, contraiga la fatiga informática, precisamente porque no se imponga ningún límite en su afán de finalizar su trabajo o en el peor de los casos por indicación del empresario. De hecho, cuando la jornada laboral es a distancia resulta difícil establecer una diferencia clara entre tiempo de trabajo y tiempo de descanso[716]. Y es que, la creciente flexibilización en la ordenación del tiempo de trabajo, la desaparición en ocasiones del horario y la contratación en función a objetivos o resultados, la dilución de fronteras entre la vida laboral y la privada

---

[714]   VALENZUELA ARAGÜEZ, L.: *Relación laboral digitalizada: colaboración y control en un contexto tecnológico*, cit., pág. 107.

[715]   QUINTANILLA NAVARRO, R. Y.: «El teletrabajo: de la dispersión normativa presente a la necesaria regulación normativa europea y estatal futura». *El futuro del trabajo que queremos*. Conferencia Nacional Tripartita. OIT. Ministerio de Empleo y Seguridad Social. Madrid. 2017, pág. 112. «No obstante —apunta la autora—, aun siendo dos figuras distintas, tanto los trabajadores a distancia como los teletrabajadores suelen soportar problemas similares, como consecuencia de sus afinidades».

[716]   AGUILERA IZQUIERDO, R. y CRISTOBAL RONCERO, R.: «Nuevas tecnologías y tiempo de trabajo: El derecho a la desconexión tecnológica». *El futuro del trabajo que queremos* (Vol. II). Conferencia Nacional Tripartita celebrada el 28 de marzo de 2017. Ministerio de Empleo y Seguridad Social. Madrid, 2017, pág. 334.

es más apreciable, y dificulta aún más la identificación y el reconocimiento del derecho[717]. Esta situación supone importantes riesgos para la salud de los trabajadores, no sólo riesgos físicos por el uso continuado de un dispositivo tecnológico, sino, especialmente, riesgos psicosociales como el tecnoestrés[718], de manera que el problema no afecta solo a la cuestión de la jornada laboral y de horarios de trabajo, sino que ese tiempo que se confunde entre lo laboral y no laboral, afecta a la salud de los trabajadores. Y es que[719], las consecuencias que produce la falta de desconexión del trabajo, como el cansancio, el agotamiento mental y cognitivo, la compulsión adictiva para comprobar si, por ejemplo se ha pasado algún mensaje por alto, la imposibilidad de seguir el ritmo de la información recibida y canalizarla (bandeja de correo entrante saturada y sin leer), etcétera, una sobrecarga de tareas en definitiva que cuando no genere un caso de «*burn out*», podría provocar daños psíquicos o enfermedades mentales y depresivas. Debe tenerse en cuenta, que los factores de riesgo no son compartimentos estancos, pero la mayor interacción se produce probablemente con los factores psicosociales, de manera que el aumento de los factores psicosociales de riesgo, el estrés y la tensión, suelen generar conductas precipitadas, alteradas y no adaptativas que propician los errores, todo tipo de accidentes y una mayor vulnerabilidad de la persona[720]. También, la esfera familiar del trabajador se verá afectada, al trasladar su estado anímico y su trabajo al hogar, originando en algún momento conflictos familiares[721].

---

[717] IGÁRTUA MIRÓ, M. T.: «El derecho a la desconexión en la Ley orgánica 3/2018, de 5 de diciembre, de protección de datos personales y garantía de los derechos digitales», cit., pág. 8.

[718] AGUILERA IZQUIERDO, R. y CRISTOBAL RONCERO, R.: «Nuevas tecnologías y tiempo de trabajo: El derecho a la desconexión tecnológica», cit., pág. 334.

[719] QUILEZ MORENO, J. M.: «La garantía de derechos digitales en el ámbito laboral: el nuevo artículo 20 bis del Estatuto de los Trabajadores», cit., pág. 18.

[720] MORENO JIMÉNEZ, B. y BÁEZ LEÓN, C.: *Factores y riesgos psicosociales, formas, consecuencias, medidas y buenas prácticas*, Ed. Instituto Nacional de Seguridad e Higiene en el Trabajo, Madrid, nov. 2010, pág. 14.

[721] QUILEZ MORENO, J. M.: «La garantía de derechos digitales en el ámbito laboral: el nuevo artículo 20 bis del Estatuto de los Trabajadores», cit., pág. 18.

Razón por la que se haya sugerido[722], dada la vinculación del derecho a la desconexión con la vertiente de la prevención de riesgos laborales, que se extienda la audiencia previa no solo a los representantes de los trabajadores sino también a los delegados de prevención, pese a que la ley no lo exija expresamente, si no es a través de los artículos 33 y 34 LPRL, como específico deber de consulta del empleador y correlativo derecho de participación y representación de los trabajadores en materia de prevención de la empresa[723]. Y, en cualquier caso, estando incluido el derecho a la desconexión digital como una de las obligaciones de la prevención de riesgos laborales de la empresa, conviene ser consciente de que su transgresión podría verse tipificada en alguna de las infracciones en materia de prevención de riesgos[724]. En cualquier caso, en materia de prevención de riesgos es importante describir las herramientas y situaciones de desconexión que servirán como medidas preventivas ante los posibles riesgos psicosociales, sin que se trate de algo indefinido y genérico, debiendo valorarse adecuadamente cada puesto de trabajo en atención al riesgo y establecer la compensación económica adecuada, que deberá estar directamente incluida en la retribución global como un complemento del puesto, o como una prima por disponibilidad, o incluso como una retribución variable o extraordinaria que dependerá del control del exceso de jornada por uso de las TIC fuera de la jornada laboral, que pueda ser llevado a cabo mediante la oportuna herramienta/aplicación informática[725].

---

[722]   LÓPEZ ÁLVAREZ, M. J.: *Jornada Laboral. Control horario, desconexión, flexibilidad y conciliación*, cit. pág. 74.

[723]   Concretamente, el empresario debe consultar a los trabajadores con la debida antelación la adopción de las decisiones relativas a «la planificación y la organización del trabajo en la empresa y la introducción de nuevas tecnologías, en todo lo relacionado con las consecuencias que éstas pudieran tener para la seguridad y la salud de los trabajadores, derivadas de la elección de los equipos, la determinación y la adecuación de las condiciones de trabajo y el impacto de los factores ambientales en el trabajo» [art. 32.1.a) LPRL].

[724]   Concretamente en la sección 2ª del capítulo 2 del TRLISOS, sobre infracciones en materia de prevención de riesgos laborales (arts. 11, 12, y 13).

[725]   QUILEZ MORENO, J. M.: «La garantía de derechos digitales en el ámbito laboral: el nuevo artículo 20 bis del Estatuto de los Trabajadores», cit., pág. 26.

V. LA NEGOCIACIÓN COLECTIVA: PIEZA CLAVE EN LA APLICACIÓN DEL DERECHO A LA DESCONEXIÓN DIGITAL

La configuración del derecho a la desconexión digital, tiene por misión esencial la de acotar los términos de esa desconexión, de esa restricción del poder de dirección empresarial en la persona del trabajador. Y el mejor modo es el de que figure entre las cláusulas del contrato de trabajo o, mejor aún que se contenga en el convenio colectivo o en la negociación colectiva, concretándose su aplicación según la actividad de la empresa, en función del puesto de trabajo y de las funciones que realice el trabajador, de manera que se dilucide de la forma más clara posible la espinosa cuestión de la delimitación entre la vida privada y la laboral[726]. Y ello, sin perjuicio de la conveniencia de hacer alguna mención en el Estatuto de los Trabajadores en los preceptos sobre jornada de trabajo en que se haga expresa advertencia acerca del respeto de los tiempos extralaborales del trabajador, pues el artículo 88 LOPD, no impele a que se incluya en la negociación colectiva, ni tampoco que se acuerde entre la empresa y representantes de los trabajadores, sino tan solo que las modalidades del ejercicio a la desconexión digital se sujeten a lo establecido en la negociación colectiva, o en su defecto a lo acordado entre empresa y representantes de los trabajadores ¿Qué sucede entonces si no se incluye en la negociación o en los acuerdos este derecho a la desconexión digital? O más sibilinamente, en caso de su reconocimiento ¿Cómo se aplica este derecho a la desconexión digital, si en efecto se reconoce por el convenio colectivo, pero no se concretan sus modalidades de ejercicio?

Al consultar los escasos convenios colectivos que hacen mención al derecho a la desconexión digital, lo más a lo que llegan es al derecho a que el trabajador no conteste a llamadas o a mensajes, pero nada se dice del correlativo deber de abstención que corresponde a las empresas, ni de

---

[726] IGÁRTUA MIRÓ, M. T.: «El derecho a la desconexión en la Ley orgánica 3/2018, de 5 de diciembre, de protección de datos personales y garantía de los derechos digitales», cit., pág. 17.

las excepciones al derecho, así como las vías para su puesta en práctica[727]. En ese sentido, sería deseable que se contemplaran en el propio artículo 88 LOPD, el correlativo deber del empleador de respetar el derecho a la desconexión digital, así como las sanciones por incumplimiento de este deber[728]. Y tampoco se hace referencia explícita a los contactos que el trabajador mantiene en su ámbito laboral, aunque no procedan de forma directa de su empresa, como son los proveedores, clientes, etc[729]. Conviene recordar, a este respecto, que el empresario, es el responsable de la seguridad y salud de sus trabajadores, por lo que debe ejercer un auténtico poder de control de su jornada de trabajo, tratando de evitar que los trabajadores hagan uso de los medios tecnológicos que les permiten estar conectados con la empresa fuera de sus horas de trabajo, salvo circunstancias excepcionales[730].

Es, por tanto, el convenio colectivo, pieza clave o piedra angular en la configuración del derecho a la desconexión digital en el ámbito laboral porque va a permitir una mayor concreción de ese derecho.

Distinto es la obligación que impone al empresario el artículo 88.3 LOPD de elaborar una política interna dirigida a los trabajadores en la que previa audiencia de los representantes de los trabajadores definirán[731]:

---

[727] Véase un detenido examen de los convenios colectivos que abordan el derecho a la desconexión digital, previos a la LOPD, en IGÁRTUA MIRÓ, M. T.: «El derecho a la desconexión en la Ley orgánica 3/2018, de 5 de diciembre, de protección de datos personales y garantía de los derechos digitales», cit., págs. 20 y 23; LÓPEZ ÁLVAREZ, M. J.: *Jornada Laboral. Control horario, desconexión, flexibilidad y conciliación*, cit., págs. 69-74.

[728] ORELLANA CANO, A. M.: *El derecho a la protección de datos personales como garantía de la privacidad de los trabajadores*, cit., pág. 159.

[729] LÓPEZ ÁLVAREZ, M. J.: *Jornada Laboral. Control horario, desconexión, flexibilidad y conciliación*, cit., pág. 72.

[730] AGUILERA IZQUIERDO, R. y CRISTOBAL RONCERO, R.: «Nuevas tecnologías y tiempo de trabajo: El derecho a la desconexión tecnológica», cit., pág. 340. Un ejemplo que proponen las autoras es la implantación de alertas en los medios tecnológicos puestos a disposición por la empresa cuando el trabajador excede el tiempo de trabajo o utiliza esos instrumentos en tiempo de descanso.

[731] Más bien parece como un mecanismo de concreción del deber de negociación o de acuerdo entre empresa y representantes de los trabajadores.

1. Las modalidades del ejercicio del derecho a la desconexión.

2. Las acciones de formación y sensibilización del personal sobre el uso de las herramientas tecnológicas, que evite el riesgo de la fatiga informática.

3. En particular, se preservará el derecho a la desconexión digital en los supuestos de realización total o parcial del trabajo a distancia, así como en el domicilio del empleado vinculado al uso con fines laborales de herramientas tecnológicas.

Sin embargo, la poca concreción normativa, así como la ausencia de obligatoriedad en la negociación colectiva para el desarrollo de medidas hace que parte de la doctrina entienda[732] la necesidad de reinterpretar el alcance de este derecho/deber a la luz de las resoluciones judiciales existentes, así como del derecho internacional y de la Unión, y la jurisprudencia de los altos tribunales que ya se han pronunciado sobre algunos de sus aspectos.

Respecto a las relaciones con terceros (administraciones, clientes, proveedores, etc.), el derecho a la desconexión ampliamente entendido debe permitir a la empresa encontrar una política general, una organización colectiva que permita la satisfacción de las exigencias de estos terceros con el derecho al descanso de los trabajadores[733]. Pero no solo el derecho a la desconexión es cosa de la negociación colectiva, pues, desde otra perspectiva[734], solo a través de una negociación individual específica, los tiempos de desconexión se podrán medir según cada posición laboral, con la consecuencia de que dentro de la misma empresa se podrán prever distintos tiempos de «desconexión», pero en todo caso todos funcionales para una mejor organización empresarial, en una perspectiva de aumento de la productividad y, al mismo tiempo, de salvaguardia del tiempo *offline* del trabajador ágil.

---

[732]   RECHE TELLO, N.: «La desconexión digital como límite frente a la invasión de la privacidad», cit., pág. 52.

[733]   CIALTI, P. H.: «El derecho a la desconexión en Francia: ¿Más de lo que parece?», cit., pág. 181.

[734]   MARTONE, M.: «El smart working o Trabajo ágil en el ordenamiento italiano». *Derecho de las Relaciones Laborales*, cit., pág. 92.

1. Convenios colectivos reguladores del derecho a la desconexión digital

Como estamos en ciernes de una regulación específica convencional que se basa en el derecho a la desconexión digital en el ámbito laboral, creo que puede ser de interés, conocer cómo han regulado algunos convenios colectivos este nuevo derecho, distinguiendo aquellos que se limitan a una mera declaración programática de aquellos que establecen medidas concretas.

1.1. Declaraciones genéricas o programáticas

Entre los convenios colectivos o acuerdos que adolecen de incluir medidas concretas, para que pueda hacerse efectivo el derecho a la desconexión digital, limitándose a realizar declaraciones genéricas, se encuentran los siguientes:

Convenio colectivo de la ONCE. Así en el marco de la conciliación de la vida laboral con la personal y familiar, señala el convenio[735], que «las Partes valoran, como medida que promueve la efectiva conciliación de la vida personal, laboral y familiar, la denominada "desconexión digital" aplicada a herramientas de índole tecnológica e informática, como teléfonos y tablets con conexión de datos y ordenadores portátiles, compartiendo que su utilización no ha de ser motivo ni argumento para la extensión de la jornada laboral, ni para la interrupción de los tiempos de descanso o licencias de los trabajadores y trabajadoras».

Acuerdo Marco Grupo Repsol. En el apartado 9 del artículo 16, sobre medidas de conciliación de la vida personal, familiar y laboral[736], se incluye un apartado sobre «Principios del derecho a la desconexión fuera del tiempo de trabajo. En el marco de una adecuada gestión del principio de conciliación de vida privada y vida profesional, la Mesa de

---

[735]   Resolución de 8 de enero de 2018, de la Dirección General de Empleo, por la que se registra y publica el XVI Convenio colectivo de la ONCE y su personal (BOE 18 enero 2018), Anexo III, sobre Planes de Igualdad.

[736]   Resolución de 19 de diciembre de 2017, de la Dirección General de Empleo, por la que se registra y publica el IX Acuerdo Marco del Grupo Repsol (BOE 4 enero 2018).

Igualdad del Acuerdo Marco analizará en el seno de la empresa esta materia e identificará, en su caso, posibles buenas prácticas y recomendaciones acerca del uso de herramientas digitales de comunicación».

Grupo Marítima Dávila[737]. En el mismo sentido que el anterior, también este grupo no establece ninguna medida en concreto, sino que tan solo ofrece un discurso de buenas intenciones. Concretamente, establece en el artículo 15, sobre prestación de servicio en la modalidad de teletrabajo, señala: «Es interés de las partes firmantes del presente convenio colectivo fomentar el desarrollo de la modalidad de prestación de servicio en modalidad de teletrabajo en la empresa, que ya se vienen desarrollando en alguna de las empresas y/o Departamentos. Sin perjuicio del respeto de los derechos de los trabajadores y su derecho a la desconexión, se pretende con esta regulación fomentar la productividad, la atención al cliente de la empresa y los derechos de conciliación de la vida personal, laboral y familiar de los trabajadores».

Convenio Colectivo de la empresa EUI Limited Sucursal en España. Este convenio colectivo, con vigencia del 1 de enero de 2018 al 31 de diciembre de 2021[738], cuyo artículo 16, sobre jornada laboral, incluye un apartado 10 que se refiere a la desconexión digital, cuyo contenido es el siguiente: «La empresa, consciente de la necesidad de poner límites entre el trabajo y la vida privada, y sin limitar las ventajas del trabajo flexible (*FlexiTime*) establecido para las áreas de soporte a negocio actuales y cualesquiera que puedan ponerse en marcha en el futuro, reconoce el derecho de todos/as sus trabajadores/as a la desconexión digital y/o a cualquier tecnología de comunicación (teléfono, canales de mensajería, correos electrónicos, video-llamadas, y cualquier otro medio implantado en la empresa o al que estén acostumbrados los/as trabajadores/as) para garantizar el respeto al tiempo de descanso y/o vacaciones de todos/as sus trabajadores/as después del final de su jornada de trabajo. Al término de su jornada laboral, Admiral reconoce, alienta y espera la desconexión

---

[737] Resolución de 27 de septiembre de 2018, de la Dirección General de Trabajo, por la que se registra y publica el Convenio colectivo del grupo Marítima Dávila, SA. (BOE de 11de octubre).

[738] Resolución de 15 junio 2018 Consejería de Economía, Innovación, Ciencia y Empleo (Boletín Oficial de la Provincia de Sevilla de 21 agosto 2018).

electrónica de sus trabajadores con la empresa fuera de sus horas de trabajo. La desconexión digital efectiva, pretende la dedicación necesaria del tiempo personal a nuestro entorno familiar, amistades, y al desarrollo de nuestros intereses personales, que indudablemente protegen la vida privada de nuestros/as trabajadores/as y favorecen la conciliación de la vida personal y familiar».

1.2. Reproducción de la normativa

Una buena parte de los convenios que se están acordando, se limitan a reproducir la normativa que contiene el artículo 88 LOPD, a continuación, se incluyen algunos de ellos:

Convenio colectivo de la industria del calzado[739]. El artículo 73, lo dedica al derecho a la desconexión, según el cual: «Las personas trabajadoras tendrán derecho a la desconexión digital a fin de garantizar, fuera del tiempo de trabajo legal o convencionalmente establecido, el respeto de su tiempo de descanso, permisos y vacaciones, así como de su intimidad personal y familiar. La empresa, oída previamente la RLT, elaborará una política interna en la que se especificarán las modalidades de ejercicio del derecho a la desconexión, especialmente en el supuesto de trabajo a distancia o en su domicilio, así como las acciones de formación y de sensibilización sobre un uso razonable de las herramientas tecnológicas que evite el riesgo de fatiga informática».

Convenio colectivo estatal de perfumería y afines[740]. El convenio colectivo, después de hacer una regulación sobre el teletrabajo en el artículo 15, aborda en el artículo 16, la desconexión digital del siguiente modo: «Las personas trabajadoras tendrán derecho a la desconexión digital a fin de garantizar, fuera del tiempo de trabajo legal o convencio-

---

[739]   Resolución de 9 de julio de 2019, de la Dirección General de Trabajo, por la que se registra y publica el Convenio colectivo de la industria del calzado (BOE 22 julio 2019).

[740]   Resolución de 8 de agosto de 2019, de la Dirección General de Trabajo, por la que se registra y publica el Convenio colectivo estatal de perfumería y afines (BOE 20 agosto 2019).

nalmente establecido, el respeto de su tiempo de descanso, permisos y vacaciones, así como de su intimidad personal y familiar.

Las modalidades de ejercicio de este derecho atenderán a la naturaleza y objeto de la relación laboral, potenciarán el derecho a la conciliación de la actividad laboral y la vida personal y familiar y se sujetarán a lo previsto en este artículo.

Las empresas elaborarán una política interna dirigida a las personas trabajadoras, incluidas las que ocupen puestos directivos a los efectos anteriores, en los términos previstos legalmente».

1.3. *Medidas concretas de aplicación del derecho a la desconexión digital*

Son más bien pocos, los convenios colectivos o acuerdos que incorporan medidas específicas que garantizan el derecho a la desconexión digital, entre ellas pueden mencionarse los siguientes:

Grupo AXA[741]. Entre los derechos sobre organización del trabajo y las nuevas tecnologías incluye, en el artículo 14, el derecho a la desconexión digital, cuyo contenido es el siguiente: «Los cambios tecnológicos producidos en las últimas décadas han provocado modificaciones estructurales en el ámbito de las relaciones laborales. Es innegable que hoy en día el fenómeno de la "interconectividad digital" está incidiendo en las formas de ejecución del trabajo mudando los escenarios de desenvolvimiento de las ocupaciones laborales hacia entornos externos a las clásicas unidades productivas: empresas, centros y puestos de trabajo.

En este contexto, el lugar de la prestación laboral y el tiempo de trabajo, como típicos elementos configuradores del marco en el que se desempeña la actividad laboral, están diluyéndose en favor de una realidad más compleja en la que impera la conectividad permanente afectando, sin duda, al ámbito personal y familiar de los trabajadores y trabajadoras.

Es por ello que las partes firmantes de este Convenio coinciden en la necesidad de impulsar el derecho a la desconexión digital una vez

---

[741] Resolución de 21 de septiembre de 2017, de la Dirección General de Empleo, por la que se registra y publica el Convenio colectivo del Grupo Axa (BOE de 10 octubre).

finalizada la jornada laboral. Consecuentemente, salvo causa de fuerza mayor o circunstancias excepcionales, AXA reconoce el derecho de los trabajadores a no responder a los mails o mensajes profesionales fuera de su horario de trabajo».

Se trata de un convenio especialmente interesante, pues antes incluso de aprobarse la LOPD, incluye medidas concretas que permiten hacer realidad este derecho, como la posibilidad de no contestar mensajes de la empresa fuera de la jornada laboral. Si acaso, deja un lugar para la incertidumbre la excepción al derecho por la falta de concreción de «circunstancias excepcionales»[742].

Sector de Industria, Servicios e Instalaciones del Metal de la Comunidad de Madrid[743]. En el marco de las políticas de conciliación e igualdad, el artículo 51 Ter. Incluye la desconexión digital, con el siguiente tenor: «Se fomentará la desconexión digital una vez finalizada la jornada laboral: no responder al teléfono, a los correos electrónicos o mensajes profesionales de cualquier otro tipo, etc., fuera de su horario de trabajo». Viene a ser una medida concreta, concisa, en la línea que se requiere, en este caso, una vez ha entrado en vigor la LOPD.

Convenio de la empresa Barcelona Cicle de l'aigua S. A. (BCASA)[744]. El artículo 65 establece que «la empresa asegurará el respeto al tiempo de descanso y en la vida personal de todos los trabajadores y trabajadoras. Por ello procurará que no sea necesaria la respuesta a mensajes y llamadas o bien realizar conexiones telemáticas fuera del horario laboral del trabajador. Son excepciones a esta política los casos

---

[742] PRECIADO DOMÉNECH, C. H.: *Los Derechos Digitales de las Personas Trabajadoras. Aspectos laborales de la LO 3/2018, de 5 de diciembre, de Protección de Datos y Garantía de los Derechos Digitales*, cit., pág. 147.

[743] Resolución de 14 de enero de 2019, de la Dirección General de Trabajo de la Consejería de Economía, Empleo y Hacienda, sobre registro, depósito y publicación del Convenio Colectivo del Sector de Industria, Servicios e Instalaciones del Metal de la Comunidad de Madrid (Boletín Oficial de la Comunidad de Madrid 14 febrero 2019).

[744] Resolución de 19 de marzo de 2018, por la que se dispone la inscripción y la publicación del Convenio colectivo de trabajo de la empresa Barcelona Ciclo del Agua, SA (BCASA) para el periodo 13.11.2017-31.12.2020.

de fuerza mayor, la coordinación de actuaciones de urgencias y las actuaciones de los trabajadores en trabajos de retén o guardia».

Acuerdo Interprofesional de Cataluña para los años 2018-2020[745] **(AIC).** En el capítulo XV, dedica un apartado específico sobre el derecho a la desconexión digital que establece:

«Las organizaciones signatarias del AIC, conscientes del desarrollo tecnológico de las comunicaciones y de la necesidad de encontrar permanentemente nuevos equilibrios con el derecho a la conciliación de la vida laboral y personal, conscientes además, de las posibles distorsiones que el desarrollo de las comunicaciones provoca en el tiempo de trabajo y los usos sociales del tiempo, y de los riesgos para la salud de las personas y la obligación de prevenirlos, orientamos al hecho que la negociación colectiva valore esta nueva realidad.

Proponemos que los convenios colectivos puedan adoptar la cláusula siguiente:

Las personas trabajadoras tienen el derecho, a una vez concluida su jornada laboral, que se respete el tiempo de descanso y vacaciones, así como su vida familiar y personal, hecho que comporta no atender comunicaciones telefónicas, mensajes o correos electrónicos, valorando las diferentes casuísticas y tratamientos diferenciados que puedan existir. En el ámbito de la empresa, y de forma negociada con la representación legal de las personas trabajadoras, se podrá elaborar un protocolo que formalice este nuevo aspecto.

Asimismo, se pondrá en marcha actuaciones de comunicación y sensibilización, dirigidas a las plantillas y los mandos intermedios, y a la misma dirección de la empresa, sobre las pautas de trabajo derivadas del protocolo, y sobre el uso razonable de las comunicaciones y medios digitales».

Se trata de unas directrices propuestas por el AIC para que se adopte la cláusula que establece no solo la no atención de las diversas formas de comunicación profesionales, sino la posibilidad de elaborar un protocolo

---

[745]   Resolución TSF/2053/2018, de 4 de septiembre, por la que se dispone la inscripción y la publicación del Acuerdo Interprofesional de Cataluña para los años 2018-2020 (Diario Oficial de la Generalitat de Cataluña 7 septiembre 2018).

que tendrá un contenido acorde con las funcionalidades del puesto de trabajo.

Muy a tener en cuenta como posible modelo a seguir por otros convenios colectivos en cuanto a la concreción del derecho a la desconexión digital se refiere es, el **II Convenio colectivo de empresas vinculadas para Telefónica de España, SAU, Telefónica Móviles España, SAU y Telefónica Soluciones de Informática y Comunicaciones de España, SAU**[746], cuyo Anexo XIII, recoge el acuerdo específico en materia de desconexión digital, que contempla diversos apartados[747]:

En materia de Política interna reguladora del derecho a la desconexión digital de las personas trabajadoras de Telefónica, cabe destacar que Telefónica se compromete así a impulsar medidas para potenciar el tiempo de descanso una vez finalizada la jornada laboral, reconociendo el derecho a la desconexión digital como elemento fundamental para lograr una mejor ordenación del tiempo de trabajo en aras del respeto de la vida privada y familiar, mejorar la conciliación de la vida personal, familiar y laboral y contribuir a la optimización de la salud laboral del conjunto de las personas trabajadoras. Asimismo, se anuncia que las presentes disposiciones tendrán por objeto el establecimiento de las medidas que tiendan a asegurar el respeto del tiempo de descanso y vacaciones de las personas trabajadoras, así como el respeto a su intimidad familiar y personal, fuere cual fuere la jornada ordinaria de trabajo, resultando de obligatorio cumplimiento por parte de la Empresa empleadora.

Como medidas concretas, pese a su amplitud merece la pena señalar por su interés, las siguientes.

---

[746] Resolución de 23 de octubre de 2019, de la Dirección General de Trabajo, por la que se registra y publica el II Convenio colectivo de empresas vinculadas para Telefónica de España, SAU, Telefónica Móviles España, SAU y Telefónica Soluciones de Informática y Comunicaciones de España, SAU (BOE 13 noviembre 2019).

[747] Un interesante comentario crítico sobre el tratamiento de la desconexión digital en el convenio de Telefónica, en ARRIETA IDIAKEZ, F. J.: «La desconexión digital y el registro de la jornada diaria en España como mecanismos para garantizar el descanso, la salud y el bienestar de los trabajadores a distancia», cit., págs. 17-19.

- Telefónica garantizará a sus personas trabajadoras el derecho a la desconexión digital una vez finalizada la jornada laboral y tendrán derecho a no responder a ninguna comunicación, fuere cual fuere el medio utilizado (correo electrónico, whatsapp, teléfono, etc.), una vez finalizada su jornada laboral, salvo que concurran las circunstancias señaladas en la medida quinta de este documento.

- Las personas trabajadoras se comprometen al uso adecuado de los medios informáticos y tecnológicos puestos a disposición por la Empresa, evitando en la medida de lo posible su empleo fuera de la jornada estipulada.

- Quienes tengan la responsabilidad sobre un equipo de personas deben cumplir especialmente las políticas de desconexión digital, al ser una posición referente respecto a los equipos que coordinan. Por lo tanto, los superiores jerárquicos se abstendrán de requerir respuesta en las comunicaciones enviadas a las personas trabajadoras fuera de horario de trabajo o próximo a su finalización, siempre que pudieran suponer para los destinatarios de las mismas la realización de un trabajo efectivo que previsiblemente pueda prolongarse e invadir su tiempo de descanso. Por ello, las personas destinatarias de la comunicación tendrán derecho a no responder a la misiva hasta el inicio de la siguiente jornada laboral. En este sentido, en caso de enviar una comunicación que pueda suponer respuesta fuera del horario establecido al efecto, el remitente asumirá expresamente que la respuesta podrá esperar a la jornada laboral siguiente.

- A efectos de garantizar el derecho a la desconexión digital en relación con la efectiva conciliación de la vida personal, familiar y laboral, la convocatoria de reuniones de trabajo, tanto a nivel interno como las que se lleven a cabo con clientes, así como la formación obligatoria, se realizarán teniendo en cuenta el tiempo aproximado de duración y, preferiblemente, no se extenderán hasta más tarde de la finalización de la jornada ordinaria de trabajo, a fin de que no se vea afectado el tiempo de descanso de las personas trabajadoras.

- Telefónica garantizará a las personas trabajadoras el derecho a la desconexión digital durante el periodo que duren sus vacaciones, días de asuntos propios, libranzas, descanso diario y semanal, permisos, incapacidades o excedencias, en los mismos términos, incluido para el personal fuera de Convenio. Las personas trabajadoras tendrán la obligación de dejar un mensaje de aviso en el correo electrónico con la mención de «ausente», indicando los datos de contacto de la persona trabajadora que hubiera sido designada por la Empresa para su reemplazo, así como las fechas de duración de los periodos antes referidos.

- No serán de aplicación las medidas que garantizan el derecho a la desconexión digital en los casos en que concurran circunstancias de causa de fuerza mayor o que supongan un grave, inminente o evidente perjuicio empresarial o del negocio, cuya urgencia temporal necesita indubitadamente de una respuesta inmediata. En dichos supuestos, la Compañía que requiera una respuesta de la persona trabajadora, una vez finalizada su jornada laboral, contactará con aquella preferiblemente por teléfono para comunicarle la situación de urgencia que motiva dicha situación. De esta forma, el tiempo de trabajo así requerido podría calificarse como hora extraordinaria, de conformidad con lo establecido en cuanto a jornada y/o política de horas extraordinarias en el marco laboral de la Empresa propia de la persona trabajadora. Se excluye la aplicación del derecho a desconexión digital a aquellas personas trabajadoras que permanezcan a disposición de la Compañía y perciban, por ello, un complemento de «disponibilidad» u otro de similar naturaleza, en el entendimiento de que, durante el tiempo de atención continuada en régimen de localización, la persona trabajadora tendrá la obligación de atender las comunicaciones de Telefónica, de conformidad a las normas que regulen el correspondiente régimen de disponibilidad en cada una de las Empresas.

- Telefónica garantizará el derecho a la desconexión digital tanto a las personas trabajadoras que realicen su jornada de forma presencial como a los supuestos de realización total o parcial del trabajo a distancia, así como en el domicilio de la persona trabajadora vinculado al uso con fines laborales de herramientas tecnológicas.

- Telefónica implementará las medidas de sensibilización sobre las que se ampara el derecho a la desconexión digital. Para lo cual se informará y/o formará a las personas trabajadoras sobre la necesaria protección de este derecho, teniendo en cuenta las circunstancias, tanto laborales como personales de todas las personas trabajadoras, y para ello se pondrá a disposición de las mismas, toda la información y/o formación que precisen para la comprensión y posterior aplicación de las mencionadas medidas protectoras del derecho a la desconexión digital. Corresponde a quienes tengan la responsabilidad sobre un equipo y/o superiores jerárquicos de las personas trabajadoras, fomentar y educar mediante la práctica responsable de las tecnologías y con el propósito de dar cumplimiento al derecho a la desconexión digital.

- Telefónica no podrá sancionar disciplinariamente a las personas trabajadoras con ocasión del ejercicio por parte de estas últimas de su derecho a desconexión digital en los términos establecidos en esta política. El ejercicio del derecho a desconexión digital no repercutirá negativamente en el desarrollo profesional de las personas trabajadoras.

- Telefónica reconoce y formaliza el derecho a la desconexión digital como un derecho, aunque no como una obligación, aplicable a todas las personas trabajadoras. Esto implica expresamente que, aquellas personas trabajadoras que realicen comunicaciones fuera del horario establecido en esta política podrán hacerlo con total libertad; sin embargo, deben asumir que no tendrán respuesta alguna hasta el día hábil posterior.

- Ámbito de aplicación. Esta política será de aplicación a la totalidad de las personas trabajadoras en todas las compañías pertenecientes al Grupo mercantil Telefónica en España.

- A efectos del seguimiento y supervisión de lo dispuesto en el presente acuerdo, se constituirá un grupo de trabajo de carácter paritario entre las partes firmantes del mismo.

Ciertamente creo que las disposiciones que se contienen en este convenio colectivo, en relación al derecho a la desconexión digital, parece en principio que mejoran sustancialmente el resto de convenios colectivos, superando las carencias que se vienen produciendo en el desarrollo convencional de esta materia.

2. Lo que sugiere el contenido convencional en materia de desconexión digital y el teletrabajo

Hubiera sido deseable que los convenios incluyeran, además de ese derecho a la desconexión digital en el ámbito laboral con las concreciones apuntadas, el compromiso correlativo de las empresas que podría denominarse[748] como deber abstención empresarial de no alterar el descanso de los trabajadores fuera de la jornada laboral, lo mismo que tampoco se hace referencia a los contactos que pueda tener el trabajador con el entorno laboral, como clientes o proveedores de la empresa. Y también cabría incluir en el convenio colectivo garantías al trabajador, con objeto de evitar represalias, como consecuencia de no hacer caso a llamadas o conexiones empresariales fuera de la jornada laboral. Y es que, el despido del trabajador como respuesta por no conectarse y responder a requerimientos de la empresa fuera del horario laboral, como consecuencia del ejercicio de su derecho a la desconexión digital habría de considerarse un despido nulo a causa de la vulneración del derecho a la intimidad, pudiendo articularse por la vía del procedimiento preferente y sumario de los artículos 177-184 LRJS[749].

Con respecto a la posibilidad inversa, de que el derecho a la desconexión sea vulnerado, no ya por iniciativa del empleador, sino por el propio trabajador que realiza llamadas intempestivas al empresario de forma frecuente, ciertamente, es una posibilidad, pero también en este caso, se produce una vulneración del derecho a la desconexión digital, y salvo que en el convenio colectivo esté previsto que se sancione disciplinariamente al trabajador, en principio no tendría consecuencias. En cualquier caso, el empresario sigue asumiendo, responsabilidad porque

---

[748]   LÓPEZ ÁLVAREZ, M. J.: *Jornada Laboral. Control horario, desconexión, flexibilidad y conciliación*, cit., pág. 72.

[749]   PRECIADO DOMÉNECH, C. H.: *Los Derechos Digitales de las Personas Trabajadoras. Aspectos laborales de la LO 3/2018, de 5 de diciembre, de Protección de Datos y Garantía de los Derechos Digitales*, cit., págs. 152-153.

se trata de una materia sobre prevención de riesgos laborales, pudiendo considerarse como una imprudencia del trabajador que no exime de responsabilidad al empresario[750].

2.1. *Peculiaridades de la desconexión digital en el teletrabajo*

Se ha dicho, que sería bueno, dada la peculiaridad del derecho a la desconexión digital, que fuera el convenio colectivo y la política interna de la empresa los que establecieran los protocolos adecuados en función de circunstancias tales como, la actividad de la empresa, la función del puesto de trabajo, si es presencial o a través de teletrabajo, en fin, que es muy rica la diversidad que necesita concreción. Y es que, en el caso de la jornada laboral presencial el trabajador, durante el tiempo que no es de trabajo, puede sentirse obligado, directa o indirectamente, a continuar en contacto con la empresa a través de los distintos dispositivos tecnológicos que existen, de manera que ese tiempo de disponibilidad, durante el cual sigue vinculado a la empresa, podría plantear la duda de si no debería ser considerado como tiempo de trabajo, si bien, generalmente, no se considera como tal y, por tanto, es tiempo no retribuido y sin compensación alguna; en cambio, cuando la jornada laboral es a distancia es más complicado establecer una diferencia clara entre tiempo de trabajo y tiempo de descanso[751].

Se apunta por la doctrina[752], que las reglas relativas a la desconexión digital deben ser más estrictas en el caso del teletrabajo, que en las del trabajo presencial, porque los posibles abusos son superiores en aquellos casos. Debe tenerse en cuenta que el teletrabajo presenta dos

---

[750] En este sentido, STS Cataluña, 23 septiembre 2014, rec. 3713/2014 (AS 2014, 3108).

[751] AGUILERA IZQUIERDO, R. y CRISTOBAL RONCERO, R.: «Nuevas tecnologías y tiempo de trabajo: el derecho a la desconexión tecnológica». *El futuro del trabajo que queremos*. Conferencia Nacional Tripartita. OIT. Ministerio de Empleo y Seguridad Social. Madrid. 2017, pág. 334.

[752] CRUZ VILLALÓN, J.: «Del coronavirus al contagio del teletrabajo». *Nuevatribuna.es*. 21/03/2020. En: https://www.nuevatribuna.es/articulo/actualidad/coronavirus-confinamiento-teletrabajo-covid19-oms-salud/20200320232306172385.html.

efectos negativos, como son, la dificultad de conciliar la vida familiar y laboral, y la aparición de nuevos riesgos sociales asociados al uso continuado de las TIC, cuya prevención debería estar asociada al control y limitación de tales riesgos[753]. Pero también, debe tenerse en cuenta que, en ocasiones, cuando la jornada es flexible o a tiempo parcial, el trabajador puede adecuar con mayor facilidad su horario de trabajo a su derecho a la conciliación. Y esto debe tenerse en cuenta, pues una estricta y rígida fijación del horario de la empresa podría conducir a la dificultad para que el trabajador desarrolle su actividad, podría provocar el efecto contrario del que se quiere evitar con el derecho a la desconexión digital. En este sentido[754], una cuestión fundamental para favorecer la conciliación consiste en posibilitar la compatibilidad efectiva del trabajo con las necesidades personales y/o familiares, mediante fórmulas adaptación horaria, y ello sin tener que renunciar a todo o parte del salario, lo que a su vez tiene efectos beneficiosos para la igualdad de mujeres y hombres, de manera que el control de la jornada, o ciertas medidas de desconexión rígidas, podrían repercutir negativamente en la conciliación profesional y personal. Y una herramienta a considerar para lograr la conciliación de la vida laboral y familiar en materia de desconexión digital, es la responsabilidad social empresarial, pues, si se exige desconexión laboral fuera de la jornada es posible que la contrapartida sea la desconexión personal durante la misma, sin embargo, en esto la virtud estará en el equilibrio, en el uso razonable y moderado de todo aquello que nos ayuda a comunicarnos más eficazmente en todos los ámbitos, también en el laboral[755].

---

[753]   CERVILLA GARZÓN, M. J.: «Reflexiones sobre la incidencia de las nuevas tecnologías de la comunicación en el futuro del trabajo y en el surgimiento de nuevas formas de trabajo en Italia». *Análisis jurídico y socioeconómico* (Coordinadora: Martha Elisa Monsalve Cuéllar) Aldebarán. Cuenca. 2017, pág. 162.

[754]   RECHE TELLO, N.: «La desconexión digital como límite frente a la invasión de la privacidad», cit., págs. 52-53.

[755]   SAN MARTÍN MAZZUCCONI, C.: «Generalización tecnológica: efectos sobre las condiciones de trabajo y empleo». *El futuro del trabajo que queremos*. Conferencia Nacional Tripartita. OIT. Ministerio de Empleo y Seguridad Social. Madrid. 2017, pág. 307.

2.2. El teletrabajo durante el COVID-19

Como se ha visto, el uso del teletrabajo como forma específica del desempeño de la actividad suele ir acompañado en los convenios colectivos del derecho a la desconexión digital. Se ha podido experimentar el auge de esta forma de trabajo, especialmente durante el Estado de Alarma decretado por la aparición del COVID-19, en el que quien podía hacerlo por las características de su actividad se acogió a él. Muchos trabajos se salvaron gracias a ello y fueron numerosas las disposiciones normativas que animaban al uso del trabajo a distancia o teletrabajo[756], incluso durante el Estado de Alarma[757]. Desde luego la situación ha impulsado esta forma de trabajo, de ahí, que la aplicación efectiva del derecho a la desconexión digital sea más urgente si cabe. Como consecuencia de ello, se ha regulado de forma mucho más pormenorizada el trabajo a distancia del artículo 13 TRLET, a través del RD-ley 28/2020, de 22 de septiembre, de trabajo a distancia, teniendo muy en cuenta que en esta forma de trabajo, el problema de la desconexión digital resulta más grave, pues se corre el riesgo de que se difumine el tiempo de trabajo y el tiempo de descanso, y con ello vayan a pique todas las medidas en materia de conciliación de la vida laboral y familiar, pues no es igual trabajar en la sede de la empresa que en el domicilio familiar en su caso. Pero, además, el teletrabajo o trabajo a distancia presenta diversos problemas entre unas y otras actividades laborales, de ahí que sea importante, incorporar en

---

[756]   Ya en una de las primeras disposiciones del Estado de Alarma durante el CO-VID-19, se anunció el carácter preferentemente del trabajo a distancia en los siguientes términos: «en particular se establecerán sistemas de organización que permitan mantener la actividad por mecanismos alternativos, particularmente por medio del trabajo a distancia, debiendo la empresa adoptar las medidas oportunas si ello es técnica y razonablemente posible y si el esfuerzo de adaptación necesario resulta proporcionado. Estas medidas alternativas, particularmente el trabajo a distancia, deberán ser prioritarias frente a la cesación temporal o reducción de la actividad» (art. 5 Real Decreto-ley 8/2020, de 17 de marzo, de medidas urgentes extraordinarias para hacer frente al impacto económico y social del COVID-19).

[757]   Así, entre otras muchas, el artículo 3 de la Orden SND/399/2020, de 9 de mayo, sobre fomento de los medios no presenciales de trabajo, establece: Siempre que sea posible, se fomentará la continuidad del teletrabajo para aquellos trabajadores que puedan realizar su actividad laboral a distancia.

los convenios colectivos, como estamos viendo, esas peculiaridades en la forma de trabajar dependiendo del tipo de actividad o de puesto de trabajo en la empresa. Por otro lado, esta forma de trabajar puede dificultar las diferencias entre trabajadores asalariados y autónomos, planteando problemas específicos, por ejemplo, también en el caso de los teletrabajadores: el empresario es responsable de su salud y su seguridad, independientemente del lugar donde se realiza el trabajo. Se hace necesario, pues, adoptar medidas para prevenir los riesgos y realizar controles en el caso de trabajadores móviles o que trabajan en sus domicilios[758]. Sin embargo, durante la pandemia no se tomó ninguna medida sobre desconexión digital, pudiendo haberse aprovechado la ocasión para recordar, junto con la autoevaluación de riesgos, la obligación de las empresas de elaborar una política interna en ese sentido, incluso concretar aquellos aspectos a los que alude el propio artículo 88.3 LOPD, y es que, debe tenerse en cuenta que el actual régimen de prevención de riesgos laborales se concibió de manera casi exclusiva para las situaciones de presencialidad[759], por eso se traslada con dificultad a los sistemas de trabajo a distancia, porque la regla del RDL 8/2020, por la que se sustituye el plan de prevención elaborado por la empresa por la autoevaluación voluntaria del trabajador, en igual medida, debe considerarse excepcional e imposible pensar en su mantenimiento una vez superada la crisis sanitaria, pero incluso resulta insuficiente la normativa general vigente sobre el traslado automático del plan de prevención al ámbito del teletrabajo, especialmente en el caso más delicado de la evaluación «in situ» de los riesgos del puesto de trabajo y el respeto al derecho a la intimidad del trabajador en su domicilio particular[760]. Además, debido a la específica forma de realizar el trabajo se dificulta la delimitación con la contingencia profesional[761] debida al uso continuado del teletrabajo y las posibles

---

[758] MERCADER UGUINA, J.: «El mercado de trabajo y el empleo en un mundo digital», cit., pág. 6.

[759] RECHE TELLO, N.: «El derecho al trabajo en tiempos de excepcionalidad constitucional: la regulación laboral en torno al COVID-19 en España», cit., pág. 89.

[760] CRUZ VILLALÓN, J.: «Del coronavirus al contagio del teletrabajo», cit.

[761] CERVILLA GARZÓN, M. J.: «Reflexiones sobre la incidencia de las nuevas tecnologías de la comunicación en el futuro del trabajo y en el surgimiento de nuevas

afecciones que pudiera sufrir el trabajador por el uso del ordenador para otros fines.

Creo que el principal problema del trabajo a distancia ha sido la ausencia de una normativa a nivel estatal. Por ello, ha sido conveniente su regulación para ofrecer una mayor seguridad jurídica mediante el Real Decreto-ley 28/2020, de 22 de septiembre de trabajo a distancia, ya que son los trabajadores a distancia quienes (lo que se ha evidenciado especialmente en la crisis del COVID-19) han sufrido las consecuencias del uso de esta forma de trabajo, en especial, cuando han tenido que adaptarse desde una actividad de tipo presencial. Hemos visto que algunos convenios regulan las condiciones laborales del teletrabajo, sin embargo[762], la negociación colectiva, como vía para regular el teletrabajo, siendo un instrumento válido, sin embargo resulta más débil que la norma legal, gozando esta última de eficacia general y superioridad jerárquica sobre aquélla, por lo que la nueva regulación sobre el trabajo a distancia, que abarcaría al teletrabajo, resulta positiva, en principio (en actividades privadas así como en la Administración[763]) a nivel estatal y no solo autonómica, ocupándose la negociación colectiva de adaptar el contenido legal a las circunstancias de cada empresa.

2.3. ¿Quién aporta los instrumentos de trabajo en el teletrabajo?

Una de las cuestiones que se han puesto sobre la mesa, con ocasión del incremento de las diversas formas de trabajo a distancia, ha sido el de quién debe suministrar el material y los instrumentos que el trabajador

---

formas de trabajo en Italia», cit., pág. 167.

[762] QUINTANILLA NAVARRO, R. Y.: «El teletrabajo: de la dispersión normativa presente a la necesaria regulación normativa europea y estatal futura», cit., pág. 121.

[763] Conviene tener en cuenta que de las diecisiete Comunidades Autónomas, diez han abordado el tratamiento del teletrabajo, y lo han hecho solo para el ámbito del teletrabajo desarrollado por los empleados públicos de la Administración Pública de cada Comunidad Autónoma. A este respecto, véase el meritorio análisis comparativo de las normas autonómicas sobre teletrabajo, en QUINTANILLA NAVARRO, R. Y.: «El teletrabajo: de la dispersión normativa presente a la necesaria regulación normativa europea y estatal futura», cit., págs. 114-117.

utiliza para desarrollar su actividad laboral. Sobre ello, cabría distinguir dos supuestos: El de aquellos trabajadores, cuya actividad haya consistido desde un principio, en el uso del teletrabajo como medio natural de la actividad, y el de quienes, como los que con motivo del confinamiento obligado por el Estado de Alarma, han debido y podido adaptar su actividad presencial a la modalidad de trabajo a distancia, mediante el uso de dispositivos digitales desde su casa. En el primer caso, no deberían aparecer demasiados problemas acerca de si debe ser la empresa, la que proporcione los instrumentos digitales de trabajo, asumir gastos de suministros de internet, electricidad, etc., o debe ser, el trabajador, pues desde un principio deberían haberse puesto de acuerdo en este punto, puesto que la propia actividad les obliga, en cierta forma a ello. Pero es verdad que el debate en el siguiente caso, abrió, en su momento, la polémica, también en este primer supuesto. Esta cuestión se ha abordado en el capítulo II, sobre el acuerdo del trabajo a distancia del RD-ley 28/2020.

El problema, se plantea, sobre todo, en aquellos casos, en los que debido a las circunstancias, el trabajador ha tenido que reorganizarse para que aquello que realizaba en el centro de trabajo, lo lleve a cabo en su casa. Esto ha supuesto, en muchos casos, por la urgencia de la situación, que de un día para otro haya tenido que verse obligado a utilizar medios propios, en este caso ordenadores, portátiles, tabletas, móviles, la habilitación de un espacio para desarrollar el trabajo, etc., para darles un uso que excede del uso privado que estaba previsto. Pero, además, ello comporta un gasto, que en buena lógica debería asumir la empresa. Por otro lado, si el trabajo a desarrollar, es, en principio, presencial, puede considerarse que el trabajador se ahorra una serie de molestias, como son el tiempo invertido en ir y volver del trabajo, los gastos que ese desplazamiento llevan consigo. Por eso, sería bueno, que, a falta de disposiciones convencionales, se dictaran normas mínimas sobre esta cuestión para compensar al trabajador sobre el uso de sus propios dispositivos digitales, por desarrollar su actividad laboral al servicio de la empresa. Parece, pues, razonable que los beneficios económicos que supone para el empresario la reducción en las dimensiones de sus centros de trabajo, como consecuencia de que los trabajadores pasen a la modalidad de teletrabajo, se destinen a los sobrecostes indirectos que soportan los trabajadores[764].

Sobre esta cuestión, aunque parece que debería ser la empresa la que aporte los instrumentos de trabajo necesarios para realizar la actividad laboral del trabajador, bien, hay quien piensa que deberían ser los poderes públicos quienes les faciliten las herramientas tecnológicas adecuadas[765]. Si acaso, habría que distinguir, según el tipo de actividad y de las circunstancias del trabajador, como pudiera ser el del teletrabajador con discapacidad. En cualquier caso, todo ello, se regula en el art. 8 del RD-ley 28/2020, que regula las modificaciones que se produzcan en el trabajo a distancia.

2.4. *Un apunte en la relación existente entre la vulneración del derecho a la desconexión digital en su mayor intensidad y el ciberacoso laboral*

Con carácter general, «el ciberacoso o acoso digital en sus múltiples formas (laboral, moral, sexual, sexista, discriminatorio…) es un fenómeno que genera cada vez más alarma social y ha ampliado en mayor medida las formas de ejercer la violencia digital en las relaciones personales y profesionales»[766].

Desde luego, no es lo mismo el derecho a la desconexión digital que el ciberacoso laboral. Por otro lado, podríamos decir que el acoso laboral por medios digitales, tales como correo electrónico, chats, mensajes o conversaciones telefónicas, no siempre implica la no observancia del derecho a la desconexión digital del trabajador, pues aquél puede realizarse durante la jornada ordinaria de trabajo y, por eso, podría existir acoso, sin vulnerar el derecho a la desconexión. Sin embargo, el incremento del teletrabajo como forma de desarrollar la actividad, en especial en los días del confinamiento a causa del COVID-19, ha propiciado que debido a

---

[764]   CRUZ VILLALÓN, J.: «Del coronavirus al contagio del teletrabajo», cit.

[765]   RECHE TELLO, N.: «El derecho al trabajo en tiempos de excepcionalidad constitucional: la regulación laboral en torno al COVID-19 en España», cit., pág. 90.

[766]   DE VICENTE PACHÉS, F.: «El Convenio 190 OIT y su trascendencia en la gestión preventiva de la violencia digital y ciberacoso en el trabajo». *Revista de Trabajo y Seguridad Social*. CEF, núm. 448 (julio 2020), pág. 72.

las circunstancias se haya difuminado las fronteras entre el tiempo de trabajo y el de descanso. Y si a ello le añadimos debido a las circunstancias excepcionales un incremento de los supuestos de acoso laboral a través de estos dispositivos se llega a la conclusión de que el ciberacoso laboral es un elemento que actúa independientemente del derecho a la desconexión digital.

Creo que sería un error, vincular el ciberacoso laboral al derecho a la desconexión digital en el ámbito laboral. Es decir, no creo que se pueda considerar como agravante el ciberacoso durante el período de descanso. Se trata de una conducta independiente del incumplimiento del derecho a la desconexión digital. Además, cualitativamente, el ciberacoso sería un delito, mientras que el incumplimiento a la desconexión digital no pasa de ser, en principio, una infracción administrativa.

En suma, no puede considerarse como ciberacoso laboral la vulneración en su máxima intensidad del derecho a la desconexión digital del trabajador, porque se trata de dos realidades diferentes con contenidos distintos: por un lado, el derecho a la desconexión digital supone la interrupción del tiempo de descanso del trabajador con todas las connotaciones que se han analizado, mientras que el acoso laboral se produce cuando, independientemente del momento en que se produce (durante la jornada laboral o fuera de ella), y en expresión del Convenio 190 OIT, que lo denomina como «*violencia y acoso*»[767] *en el mundo del trabajo*[768], «designa un conjunto de comportamientos y prácticas inaceptables, o de amenazas de tales comportamientos y prácticas, ya sea que se manifiesten una sola vez o de manera repetida, que tengan por objeto, que causen o sean susceptibles de causar, un daño físico, psicológico, sexual o económico, e incluye la violencia y el acoso por razón de género». Este sería el contenido del que conocemos en España, como acoso laboral. Y cuando para ello, se vale el acosador de instrumentos que ofrecen las TIC, lo conocemos comúnmente, como ciberacoso laboral. De hecho, el propio

---

[767]   Y ello, sin perjuicio de que, la violencia y el acoso puedan definirse en la legislación nacional como un concepto único o como conceptos separados (art. 1.2 Convenio 190 OIT, sobre la eliminación de la violencia y el acoso en el mundo del trabajo).

[768]   Artículo 1.1 Convenio 190 OIT, sobre la eliminación de la violencia y el acoso en el mundo del trabajo.

Convenio 190 OIT, en su artículo 3.d), establece que el Convenio se aplica a la violencia y el acoso en el mundo del trabajo que ocurren durante el trabajo, en relación con el trabajo o como resultado del mismo: «d) en el marco de las comunicaciones que estén relacionadas con el trabajo, incluidas las realizadas por medio de tecnologías de la información y de la comunicación». De manera que[769], la protección del convenio comprende el ciberacoso en el trabajo, que puede ocurrir dentro o fuera del lugar de trabajo y que pudiera realizarse indistintamente con medios de titularidad o propiedad de la empresa o con medios individuales o de titularidad propia de la persona trabajadora.

En consecuencia, si bien puede existir cierta simultaneidad en las conductas, no es el ciberacoso laboral una expresión que suponga un estado al que puede llegar la vulneración al derecho a la desconexión digital en su grado más elevado de gravedad.

VI. ¿PUEDE CONSIDERARSE LA DESCONEXIÓN DIGITAL UN DERECHO AUTÓNOMO?

A la vista de todo lo anterior se desprende que el derecho a la desconexión digital, es un derecho emergente en el caso de los trabajadores contra los desajustes que podrían producirse, y que afectan[770]: a) al tiempo de trabajo, porque permite que se respeten los tiempos de descanso diario, semanal y anual (arts. 34, 37 y 38 TRLET); b) a la seguridad y salud en el trabajo (art. 19 TRLET[771] y art. 14 LPRL), porque la hiperconectividad que sufren algunos trabajadores, se traduce en la práctica

---

[769]   DE VICENTE PACHÉS, F.: «El Convenio 190 OIT y su trascendencia en la gestión preventiva de la violencia digital y ciberacoso en el trabajo», cit., pág. 72.

[770]   LÓPEZ ÁLVAREZ, M. J.: *Jornada Laboral. Control horario, desconexión, flexibilidad y conciliación*, cit. pág. 62.

[771]   De interés resulta el artículo 19.3 TRLET, al establecer que «el empresario está obligado a garantizar que cada trabajador reciba una formación teórica y práctica, suficiente y adecuada, en materia preventiva tanto en el momento de su contratación, cualquiera que sea la modalidad o duración de esta, como cuando se produzcan cambios en las funciones que desempeñe o se introduzcan nuevas tecnologías o cambios en los equipos de trabajo».

en una excesiva prolongación de sus jornadas laborales, elevando significativamente los riesgos psicosociales, generando estrés, ansiedad y otras patologías que podrían poner en peligro su salud c) a la intimidad personal y familiar (art. 18 CE), y finalmente d) a la conciliación de la vida personal, familiar y laboral, que sin duda perturba sus responsabilidades familiares. Son precisamente estas cuatro vertientes a las que alude el artículo 88 LOPD, y que trata de poner remedio fundamentalmente mediante la exigencia en el cumplimiento de la normativa, y especialmente a través de la negociación colectiva. Pero qué duda cabe, que el contenido mínimo del derecho a la desconexión encuentra un espacio ya ocupado por los institutos clásicos que conforman el tiempo de trabajo, así como también se inserta en la finalidad protectora del derecho, por lo que parte de la doctrina[772], considera que no resultaría necesario que el legislador intervenga mediante la creación de una figura autónoma como la del derecho a la desconexión, ya que sus contenidos mínimos ya se encuentran consagrados en los derechos fundamentales e institutos clásicos de la limitación de la jornada, los descansos en sentido amplio y la seguridad y salud en el trabajo. De hecho, se preguntan[773], si se trata realmente de un nuevo derecho, una garantía de efectividad genuina de un nuevo tiempo socio-económico, que precisa un nuevo tiempo jurídico, o realmente no es sino la concreción, muy ambigua, de un derecho nuclear del «viejo» Derecho Laboral: el derecho al descanso. Otra parte de la doctrina[774] entiende que el derecho a la desconexión digital se erige como nueva generación de derechos digitales y permite deducir dos niveles de protección: por un lado, como un derecho instrumental de otros derechos laborales clásicos: jornada de trabajo, prevención de riesgos laborales y derechos de conciliación, siendo la novedad de este

---

[772]   ROSENBAUM CARLI, F.: «El derecho a la desconexión con especial énfasis en el sistema jurídico uruguayo», cit., pág. 119.

[773]   MOLINA NAVARRETE, C.: «Derecho y Trabajo en la era digital: ¿Revolución industrial 4.0 o economía sumergida»? *El futuro del trabajo que queremos*. Conferencia Nacional Tripartita. OIT. Ministerio de Empleo y Seguridad Social. Madrid. 2017, pág. 417.

[774]   GONZÁLEZ LABRADA, M.: «El derecho a la desconexión digital en el ámbito laboral: naturaleza y alcance». *Revista de Derecho Social*, núm. 87 (julio 2019), pág. 112

derecho el reconocimiento por primera vez del riesgo psicosocial que supone un avance en la protección de trabajadores y empleados públicos, por otro lado, se sostiene un perfil específico del derecho a la desconexión vinculado al derecho a la intimidad personal y familiar.

Sobre esta discusión acerca de si es necesaria la entrada en escena de este nuevo derecho a la desconexión digital, entiendo que a priori no debería tener cabida pues existen instituciones que se encargan de regular cada una de las vertientes que abarca (tiempo de trabajo, salud laboral, conciliación e intimidad de los trabajadores), de manera que tales aspectos quedan cubiertos. Sin embargo, las enormes posibilidades de comunicación que ofrecen las nuevas tecnologías facilitan la invasión de la privacidad del trabajador. Y parece llegado el momento de complementar tales derechos, por así decir, puramente laborales y constitucionales, con un nuevo derecho que establezca una garantía complementaria. Vendría a ser en mi opinión como una red supletoria de seguridad, que contendría la privacidad del trabajador, en los casos en que los derechos ordinarios sobre jornada, prevención de riesgos, conciliación personal y laboral, no sean respetados por el empleador. Por lo tanto, su reconocimiento expreso es positivo, al poner de manifiesto la existencia de una conducta reiterada que la nueva dimensión tecnológica ha favorecido y está en línea con la necesaria adaptación del Derecho del Trabajo; otra cuestión, es que la regulación que establece la LOPD sea suficiente y cumpla con esta expectativa[775], pero, en cualquier caso, como apunta la doctrina[776], ése es el gran valor del artículo. 88 LOPD: el establecimiento de un derecho subjetivo de invocación y efecto directo.

Un apunte más sobre mi postura acerca de que estamos ante un derecho autónomo, se puede desprender de la redacción de la normativa reciente acerca de este nuevo derecho. Porque a la vista del nuevo artículo 20 bis TRLET, sorprende que al referirse al derecho a la intimidad de los trabajadores no incluya la desconexión digital, cuando es obvio que la intimidad es un derecho que también debe garantizar el derecho

---

[775]   ALTÉS TÁRREGA, J. A. y YAGÜE BLANCO, S.: «El derecho a la desconexión digital en el trabajo». *El futuro del Trabajo: Cien años de la OIT*, cit., pág. 52.

[776]   CARDONA RUBERT, M. B.: «Los perfiles del derecho a la desconexión». *Revista de Derecho Social*, núm. 90 (abril 2020), pág. 126.

a la desconexión digital. Pero es que el artículo 88 LOPD, tampoco hace alusión a la intimidad, a la protección de datos, ni siquiera a la privacidad del trabajador. De manera que esta falta de vinculación con derechos tan esenciales como el derecho a la intimidad, el de privacidad o la protección de datos personales, me hace pensar que se intenta encajar al derecho a la desconexión digital como un derecho propio, si bien con una función complementaria. Pero es que si se analiza el enunciado de artículo 20 bis TRLET: «Derechos de los trabajadores a la intimidad en relación con el entorno digital y a la desconexión», se observa una clara delimitación entre el derecho a la intimidad de los trabajadores que podría ser vulnerado por los diversos dispositivos digitales (ordenadores, tabletas, cámaras de videovigilancia, sistemas de geolocalización, biometría, etc.) y a la desconexión digital, que aunque en este artículo no se dice expresamente que es un derecho, sí que aparece como tal en el título o enunciado del artículo 88 LOPD. Un último apunte sobre esta cuestión es que la disposición final primera LOPD, excluye de la naturaleza de ley orgánica a la desconexión digital, lo que cuestiona su vinculación con el derecho a la intimidad[777]. En cualquier caso, el artículo 20 bis TRLET, no implica un plus de protección para el trabajador, sino que representa un valor más declarativo que constitutivo porque, en lugar de incluir una regulación detallada de estos derechos, remite de forma circular al régimen jurídico establecido en la propia disposición normativa que lo ha creado, lo que lo vacía de contenido[778].

VII. PROPUESTAS DE MEJORA DEL NUEVO DERECHO

El resultado que se puede obtener del balance sobre este nuevo derecho a la desconexión digital en el ámbito laboral puede valorarse de positivo, porque, por fin, se haya reconocido como derecho propio. Dicho esto, y reconociendo la importancia de este hito en España, cabría

---

[777]   LÓPEZ ÁLVAREZ, M. J.: *Jornada Laboral. Control horario, desconexión, flexibilidad y conciliación*, cit., pág. 63.

[778]   ALTÉS TÁRREGA, J. A. y YAGÜE BLANCO, S.: «El derecho a la desconexión digital en el trabajo». *El futuro del Trabajo: Cien años de la OIT*, cit., pág. 53.

sintetizar, por un lado, lo que a la vista del artículo 88 LOPD se debe aplicar. Por otro lado, aquellas cuestiones que necesitan de una pronta concreción; y finalmente, la necesidad de exponer una serie de propuestas que pretenden mejorar la efectividad del nuevo derecho reconocido, al menos de forma explícita.

Con respecto a las *consecuencias* que resultan de la aplicación de la LOPD, cabe destacar, la propia existencia del derecho a la desconexión digital en el ámbito laboral, que supone un evidente salto de calidad en la delimitación del tiempo de trabajo; en salud laboral; en el derecho a la privacidad, y en conciliación de la vida personal, familiar y laboral. Además, cabe subrayar la importancia de la obligación del empresario de establecer una política interna sobre las modalidades del ejercicio de este derecho, así como el establecimiento de las modalidades del ejercicio del derecho a la desconexión que se sujetarán a la negociación colectiva o a lo acordado entre empresa y representantes de los trabajadores.

Con respecto a aquellos aspectos que necesitarían una *mayor concreción* es importante que se determinen los tiempos de descanso del trabajador, en los que no se le sancione si no contesta o se niega a realizar una actividad laboral, así como la forma en que el trabajador debe colaborar en que el derecho se haga efectivo. Además, aunque la negociación colectiva es la que concreta las modalidades de ejercicio del derecho, sin embargo, haría falta alguna norma de desarrollo de la LOPD, que se aplicara de forma supletoria, cuando no exista negociación colectiva ni acuerdo entre empresa y representantes de los trabajadores.

Finalmente, entre las *propuestas* que caben hacer para mejorar este nuevo derecho, cabe, que junto con la colaboración del trabajador en exigir que se respeten por el empresario los tiempos de desconexión, se exija la obligación correlativa del empresario (y del entorno del mismo: proveedores, clientes, etc.) de abstenerse de realizar acciones que vulneren el derecho al descanso del trabajador. Con la imposición de sanciones en caso de incumplimiento. No obstante, podrían establecerse con carácter extraordinario algunas excepciones en determinadas actividades, acordando el salario en tales ocasiones, y con el consentimiento expreso del trabajador, y sin que pueda ser sancionado por negarse a ello. También, en relación al establecimiento de mecanismos prácticos para evitar la conexión durante el tiempo de descanso, cabría la posibilidad de establecer un sistema informático (correo electrónico, mensajes, etc.), que en los tiempos de descanso del trabajador, se desvíe mediante un redireccionamiento a los dispositivos de otros trabajadores, siempre que sea factible tal posibilidad o establecer un sistema por el que apareciera en las pantallas un recordatorio sobre el cumplimiento del tiempo de descanso, o, simplemente la desconexión automática durante ese tiempo, de manera que no se pudiera teletrabajar en la correspondiente aplicación informática. En el aspecto legislativo, por tratarse de un derecho tan novedoso y reciente, sería bueno la confección de una norma reglamentaria de desarrollo de la desconexión digital en el ámbito digital, que estableciera unos mínimos, que pudieran ser aplicables en todas las situaciones y circunstancias.

La conclusión, es que, si bien existe un reconocimiento legal del derecho a la desconexión en el ámbito laboral —LOPD—, sin embargo, la realidad es que la amenaza de perder un empleo, por no «colaborar» en horas intempestivas con el empleador sigue pesando mucho. Por ello, creo que todavía falta una cultura que se inicia en la educación en la familia y en la escuela, que promueva el respeto a los derechos de las personas, en particular el de su privacidad, lo que lo convierte, en efecto, en un derecho que necesita todavía de garantías para su consolidación.

Capítulo 8
El porvenir en los fundamentos del derecho del trabajo: robótica y tratamiento masivo de datos o *big data*

I. ¿PELIGRAN LOS PUESTOS DE TRABAJO CON LA LLEGADA DE LA ROBÓTICA?

Recuerda mucho el planteamiento que se hacen hoy los expertos en recursos humanos sobre la llegada de las nuevas tecnologías en el ámbito laboral, con el miedo que suscitó hace años la llegada de las primeras máquinas, a finales del siglo XIX y principios del XX cuando sustituían el trabajo de varias personas.

Todos conocemos la película del año 1936, «Tiempos modernos», dirigida y protagonizada por Charles Chaplin, en la que se hace una parodia de lo que supuso la especialización en los comienzos del siglo XX. Se nos quedó en la retina esa imagen en la que *charlotte*, se dedica a girar con una llave inglesa una enorme tuerca, pero no un giro completo, sino parte del mismo porque, a continuación, lo completaba otro trabajador. En una época de depresión caracterizada por la falta de empleo de la población, y en la que despuntaba el trabajo en cadena, el film ironiza sobre este aspecto en la forma de trabajar, cuyo máximo representante fue Henry Ford fundador de la compañía Ford Motor Company y padre de las cadenas de producción modernas utilizadas para la producción en masa. En ese sentido, el Ford T supuso una auténtica revolución del transporte en el mercado automovilístico. La especialización, consistía entonces y es ahora, el medio más común empleado por las empresas para ahorrar tiempo. Es una manifestación del maquinismo de principios del siglo XX

El problema que introdujo el maquinismo era que se pensaba podía poner en peligro el trabajo de mucha gente. Ciertamente ese peligro pudo materializarse y de hecho al principio parecía que eso iba suceder, si no fuera por la capacidad de las personas de adaptarse a las nuevas situaciones. En efecto, se llegó a controlar el uso de las máquinas, dándole la vuelta a la concepción en la forma de trabajar y provocando un cambio en los tipos de trabajos, más centrados en el aprendizaje del uso de las nuevas máquinas, que permitieron una mayor productividad en la actividad empresarial, que en el trabajo manual, con excepción de aquellas actividades artísticas en las que predomina el genio del artista y en el que lo esencial es ese espíritu creador que hasta hace poco se pensaba que solo las personas podían llevarlo a cabo. En ese sentido, parece indiscutible que en las últimas décadas el desarrollo tecnológico ha producido y seguirá produciendo cambios en el ámbito laboral, las condiciones de trabajo, las estructuras de representación y en las formas clásicas de diálogo social[779].

Quienes piensan en una sociedad sin trabajo a causa de la robotización del empleo se instalan en el imaginario de muchos —el 52,1% de españoles cree que serán sustituidos por robots— y su repercusión mediática es cada vez mayor. Sin embargo, como todo análisis de prospectiva —es decir, de futurología—, corre muchos riesgos: el futuro es por definición incognoscible y cualquier instrumento de predicción es también por definición simplificador de una realidad compleja e inconmensurable[780]. Y es que[781], el impacto de los veloces procesos de robotización en unos debilitados mercados de trabajo marcados por la precariedad laboral y los altos índices de desempleo será cada vez mayor, a medida que se multipliquen las interacciones entre los robots y las personas, si bien, no existe un consenso sobre los efectos que ello tendrá sobre el empleo y nuestros futuros mercados de trabajo, lo que sí es

---

[779] MORENO GENÉ, J.: «El impacto de las nuevas tecnologías en la delimitación de los sujetos de la relación laboral: ¿El fin del trabajo subordinado "típico"?». *Finding solutions to societal problems.* Edited by Teresa Torres-Coronas, Ángel Belzumegui Eraso & Josep Moreno-Gené. Universitat Rovira i Virgili. Tarragona, 2018, pág. 135.

[780] TORRENS, L. y GONZÁLEZ DE MOLINA SOLER, E.: «La garantía del tiempo libre: desempleo, robotización y reducción de la jornada laboral» (parte 1), *Sin permiso. República y socialismo también para el siglo XXI,* en: https://www.sinpermiso.info/printpdf/textos/la-garantia-del-tiempo-libre-desempleo-robotizacion-y-reduccion-de-la-jornada-laboral-parte-1.

[781] MERCADER UGUINA, J.: «El mercado de trabajo y el empleo en un mundo digital», cit., pág. 8.

indiscutible es que su impacto será muy importante. De hecho, la informática, la robótica, la ofimática, la cibernética, la telemática, la digitalización, el *big data*, la inteligencia artificial, etcétera, han comportado la destrucción de no pocos empleos (desempleo tecnológico), por lo que la incorporación de sistemas de robotización en una planta de producción comporta, sin duda, en la ocupación[782]. A nivel global, se necesitarán menos trabajadores para los puestos rutinarios o en los que se ejecutan tareas claramente definidas, dado que estos trabajos podrán ser asumidos por los robots industriales o de servicio, en cambio, con este cambio tecnológico se producirá un incremento en la demanda de trabajadores altamente cualificados, y una menor demanda de los trabajadores menos formados que realizan tareas rutinarias en el aspecto cognitivo, o de tipo manual. Y es que, a lo largo de las próximas décadas, lo que se conoce como «vaciamiento» de los trabajadores de mediana cualificación podría conducir a la desaparición de alrededor de una tercera parte del empleo actual[783]. Por otro lado, es constatable que «la tecnología puede liberar a los trabajadores del trabajo arduo, de la suciedad, la monotonía, el peligro y la penuria». Los robots colaborativos, o «*cobots*», pueden reducir el estrés relacionado con el trabajo y los potenciales accidentes laborales. Sin embargo, los procesos impulsados por la tecnología también pueden hacer superflua la mano de obra y, en última instancia, alienar a los trabajadores y frenar su desarrollo[784]. En ese sentido, se ha demostrado durante años, que la entrada de nuevos avances en la forma de trabajar, a través del empleo de las nuevas tecnologías que facilitan el trabajo no provoca necesariamente la reducción de puestos de trabajo, sino que cambian su composición, en el sentido de que no parece que haya una tendencia de caída del empleo o de aumento del paro, porque el progreso técnico deja obsoletos algunos sectores y ocupaciones, pero hace

---

[782]   MORENO GENÉ, J.: «El impacto de las nuevas tecnologías en la delimitación de los sujetos de la relación laboral: ¿El fin del trabajo subordinado "típico"?», cit., pág. 136.

[783]   EUROPEAN AGENCY AND HEALTH AT WORK: *Una revisión sobre el futuro del trabajo: La robótica*, pág. 3. En: https://osha.europa.eu/es/publications/future-work-robotics.

[784]   OIT. *Trabajar para un futuro más prometedor*. Comisión Mundial sobre el Futuro del Trabajo. OIT, 2019, pág. 45.

surgir otros y, por otro lado, permite reducir los costes de producción de los bienes y por tanto sus precios, con lo que se eleva el poder adquisitivo de la población y la demanda de otros bienes[785]. Y es que, la experiencia viene a demostrar que cada innovación tecnológica genera nuevas oportunidades laborales por la innovación de los productos[786]. Vemos pues, que la innovación tecnológica, puede provocar efectos diferentes en el ámbito laboral, lo que se ha dado en llamar la polarización de la ocupación o del empleo, pues parece como si no existiera término medio, al surgir empleos en condiciones por debajo de las mínimas exigidas por derecho necesario, y, por otro lado, el resurgimiento de oportunidades para ocupar puestos de relevancia, merced, ordinariamente a la formación en las nuevas tecnologías. Como apunta la doctrina[787], si, en los estratos superiores, el nuevo panorama tecnológico parece alumbrar la aparición de un trabajo creativo y bien valorado, en los inferiores se tiende a todo lo contrario, afectando sobre todo a las cualificaciones intermedias, lo que hace que aumente la distancia entre estratos.

Pese a ello, son múltiples los desafíos que se presentan: la revolución digital, la transición energética, los desequilibrios demográficos, la irrupción migratoria… todo ello, está reconfigurando el escenario laboral en el mundo y genera incertidumbre[788]. En el ámbito de la robótica de servicio, aunque los recientes avances en la asistencia médica y personal ya han sido notables, no falta demasiado para que los sistemas alcancen un grado de autonomía y de complejidad todavía mayor, y se

---

[785]   BENTOLILLA, S. y JIMENO, J. F.: ¿Nos van a quitar las máquinas de trabajar? *Nada es gratis*, en https://nadaesgratis.es/bentolila/ nos-van-a-quitar-las-maquinas-de-trabajar.

[786]   MORENO GENÉ, J.: «El impacto de las nuevas tecnologías en la delimitación de los sujetos de la relación laboral: ¿El fin del trabajo subordinado "típico"?», cit., pág. 136.

[787]   GOERLICH PESET, J. M.: «Innovación, digitalización, y relaciones colectivas de trabajo». *Revista de Treball, Economía i Societat*, núm. 92, enero 2019, pág. 3.

[788]   NIETO SANZ, J.: «Innovación social y transición justa para una revolución tecnológica disruptiva». *El futuro del trabajo: Cien años de la OIT. XXIX Congreso Anual de la Asociación Española de Derecho del Trabajo y de la Seguridad Social*. Ministerio de Trabajo Migraciones y Seguridad Social. Informes y Estudios. Serie General, núm. 23, Madrid, pág. 103.

multipliquen las aplicaciones centradas en los humanos[789]. De hecho, la Estrategia 2020 de la UE para la robótica define la evolución actual, afirmando que, «la tecnología robótica llegará a ser dominante durante la próxima década. Influirá sobre todos los aspectos del trabajo y del hogar. La robótica tiene el potencial necesario para transformar las vidas y las prácticas laborales, para elevar los niveles de eficiencia y de seguridad, para ofrecer mejores servicios y para crear empleo. Su impacto será cada vez mayor, a medida que se multipliquen las interacciones entre los robots y las personas». Y el documento mencionado de la OIT[790], señala que «los avances tecnológicos —la inteligencia artificial, la automatización y la robótica— generarán nuevos puestos de trabajo, pero aquellos que pierdan los suyos en esta transición podrían ser quienes peor preparados estén para aprovechar las nuevas oportunidades de empleo. Las competencias de hoy no coincidirán con los trabajos de mañana, y las competencias recién adquiridas podrían volverse rápidamente obsoletas. Si dejamos que la economía digital siga como hasta ahora, probablemente se ensancharán la brecha regional y la brecha de género».

A mi entender, si se dedica tiempo por parte de las Administraciones Públicas y de las empresas privadas a una planificación sobre el trabajo que se desarrolla en las empresas será posible esa necesaria adaptación del trabajo a los avances técnicos. Por supuesto, esa planificación debe comenzar por proporcionar a nuestros jóvenes la mejor orientación profesional que según sus aptitudes y preferencias les guíe hacia la adquisición de una buena preparación en su futura labor profesional. No me cansaré en insistir que la mejor inversión de las empresas es tener en sus plantillas trabajadores bien preparados para realizar el trabajo que tienen encomendado. Mucho más que el ofrecimiento de ventajas fiscales o de Seguridad Social para contratar trabajadores, que no es otra cosa que la expresión gráfica: «pan para hoy y hambre para mañana». Eso no significa que se destierre toda opción en el uso de este tipo de incentivos,

---

[789]   EUROPEAN AGENCY AND HEALTH AT WORK: *Una revisión sobre el futuro del trabajo: La robótica*, cit., pág. 2. Según la Agencia, «los robots de servicio están diseñados para apoyar, acompañar y cuidar a las personas, compartiendo el entorno humano y adoptando, en la realización de las tareas asignadas, comportamientos que denotan una inteligencia básica» (pág. 1).

[790]   OIT. *Trabajar para un futuro más prometedor*, cit., pág. 18.

pues existen colectivos que suelen ser postergados en su contratación, más por prejuicios sociales que por su preparación. De ahí, la importancia en exigir a las empresas que pretendan acogerse de los beneficios, caso de incentivar la contratación de estos colectivos más sensibles, que proporcionen a estos trabajadores una formación adaptada a sus circunstancias lo más completa posible para que puedan realizar su trabajo como cualquier otro trabajador.

II. LA IRRUPCIÓN DE UNA DIFERENTE REALIDAD MÁS CERCANA A LA FICCIÓN

Lo anterior tiene que ver con el susto que parece que está creando la llegada, no tanto de nuevas tecnologías como hasta ahora, sino de que los nuevos avances puedan sustituir al trabajador, pero no como antes en el mero desempeño de labores manuales cuya finalidad era el ahorro de tiempo y de costes en detrimento del trabajador por el riesgo de pérdida de puestos de trabajo o de embrutecimiento que ocasiona la rutina de su función repetitiva durante la jornada. Ahora lo que se plantea va más allá, y es la posibilidad de que el nuevo maquinismo o mejor, la robotización comúnmente llamada, sustituya la capacidad en la toma de decisiones de la empresa y del propio trabajador. En otras palabras, la diferente realidad va consistir en que estos nuevos artefactos inventados por personas, puedan decidir sin necesidad de recibir instrucciones concretas sobre cuál es la medida más satisfactoria de cara a la obtención de mejores resultados en la producción de la empresa. Ya no estamos hablando de ahorro de tiempo, que en efecto podría producir reducción de plantilla, sino de algo más serio, de algo que caracteriza al ser humano y que hasta ahora parecía difícil que fuera sustituido. Y es que, en los últimos años, los avances en los productos tecnológicos han sido extraordinarios, hasta el punto de que las personas se están internando en una espiral en la que sus decisiones cada vez intervienen menos, siendo un robot quien decide por ellas. Ejemplos los tenemos en el caso de los automóviles que circulan sin necesidad de que intervenga un conductor. Y los conductores sabemos bien la cantidad de factores que deben tenerse en cuenta para decidir cambios de marcha, frenado, imprevistos en la calzada, etc. Pues todo eso, lo va a decidir el ordenador de abordo. La cuestión es si sería posible programarlo para que decidiera sobre como actuar ante situaciones que no se han previsto en su, llamémosle «disco duro» o cerebro cibernético, incluso si podrían enmendar la plana a la persona que lo ha programado. Pero no solo eso, también los robots se comunicarán entre sí (máquina a máquina)[791]. Y no quiero pensar, si llegara un momento en esta vorágine futurible que ya está aquí, en que los robots nos pidieran que les demos de alta en la Seguridad Social…

Como apunta la doctrina[792], atendiendo a la relación laboral, el Derecho del Trabajo y su ciencia han de reflexionar sobre la posibilidad de que un robot («inteligente») pueda ser considerado trabajador. Podrá tener reconocido un cierto estatus laboral pero no podrá ser considerado jurídicamente trabajador asalariado o por cuenta propia; el Derecho del Trabajo se fundamenta en el trabajo humano y el robot, aunque con altas dosis de inteligencia artificial, no puede ser considerado como tal.

En el documento de la OIT: Trabajar para un futuro más prometedor[793], se está por la labor de defender la dignidad del trabajador al adherirse «a un enfoque de la inteligencia artificial "bajo control humano" que garantice que las decisiones finales que afectan al trabajo sean tomadas por seres humanos y no por algoritmos. El ejercicio de la gestión, vigilancia y control a través de algoritmos, mediante sensores, dispositivos corporales y otras formas de control, debe ser regulado para proteger la dignidad de los trabajadores. El trabajo no es una mercancía; así como tampoco el trabajador es un robot». Esto no es una ficción, es posible y se está dando en la realidad, y la forma de llevarlo a cabo consiste básicamente en automatizar el proceso, ya se trate de ascensos,

---

[791]   Se prevé que el número de dispositivos que intervienen en las comunicaciones máquina-máquina crecerá exponencialmente, hasta el punto de que en 2020 el número de «objetos inteligentes» capaces de hablar entre sí y de interactuar con los humanos rondará los 50 000 millones (EUROPEAN AGENCY AND HEALTH AT WORK: *Una revisión sobre el futuro del trabajo: La robótica*, pág. 2).

[792]   SÁNCHEZ-URÁN AZAÑA, Y. y GRAU RUIZ, M. A.: «El impacto de la robótica, en especial la robótica inclusiva, en el trabajo: aspectos jurídico-laborales y fiscales». *Revista Aranzadi de Derecho y Nuevas Tecnologías* núm. 50/2019 (BIB 2019\7000), pág. 39.

[793]   OIT. *Trabajar para un futuro más prometedor*, cit., pág. 45.

percepción de *bonus* o despidos, etc., a través de una orden en un proceso informático (si pasa X reacciona con Y), de modo, que se podría automatizar que si la actividad del trabajador (medida en pulsaciones) disminuyera más de tres horas, automáticamente se le envíe un email con una carta de despido[794].

Pues bien, creo que este es el reto con el que nos enfrentamos en los próximos años y que trasciende con mucho una mera cuestión laboral, pues alcanza a la propia cimentación del mismísimo ordenamiento jurídico al poner en cuestión los principios filosóficos en que se asienta la civilización occidental.

Como es lógico, todo ello debería tener como consecuencia una disminución de horas de trabajo porque la mayoría lo realizarán las máquinas, pero no es este factor el que pensaba Keynes que hasta hace poco tiempo no parecía que se fuera a cumplir. Me refiero a aquella famosa predicción (1930) de que en 2030, a causa del desarrollo tecnológico, trabajaríamos 15 horas a la semana, Y es que, con los datos de la contabilidad nacional si dividimos el total de horas trabajadas en el Reino de España el 2015 por la población entre 16 y 64 años, el promedio es de 19,96 horas semanales cuando fueron 22,51 el 2008, lo que significa, que a este ritmo podríamos llegar a las 15 en 2030[795]... pero como se ha

---

[794]   TODOLÍ SIGNES, A.: «La gobernanza colectiva de la protección de datos: Algoritmos, decisiones automatizadas y discriminación». *El futuro del trabajo: Cien años de la OIT. XXIX Congreso Anual de la Asociación Española de Derecho del Trabajo y de la Seguridad Social.* Ministerio de Trabajo Migraciones y Seguridad Social. Informes y Estudios. Serie General, núm. 23, Madrid, pág. 1642. El autor, refleja ejemplos reales, a través de un acta de infracción de la Inspección de Trabajo, según la cual se detecta mediante GPS que un repartidor se encuentra parado y recibe un mensaje de advertencia en el que se dice textualmente: «sabemos que has recogido el pedido, pero vemos que no te mueves, ¡Ponte en movimiento!». O en el caso de los centros de logística de Amazon, en los que se controla mediante un *wearable* los tiempos que tarda un mozo de almacén en trasportar paquetes de un sitio a otro y en caso de que tarde más de los estipulado se le envía una notificación advirtiéndole.

[795]   TORRENS, L. y GONZÁLEZ DE MOLINA SOLER, E.: «La garantía del tiempo libre: desempleo, robotización y reducción de la jornada laboral» (parte 1), *Sin permiso. República y socialismo también para el siglo XXI* en: https://www.sinpermiso.info/printpdf/textos/la-garantia-del-tiempo-libre-desempleo-robotizacion-y-reduccion-de-la-jornada-laboral-parte-1.

apuntado[796], no parece que en aquel entonces se tuviera en cuenta el impacto de la robotización ni tampoco los efectos de un mundo sin trabajo. En el futuro, según el Documento de Debate de la Agencia Europea de Seguridad y Salud en el Trabajo[797], los avances de la robótica llevarán al desarrollo de robots que actuarán como compañeros, asistentes, ayudantes domésticos, prestadores de servicios sanitarios, constructores, mascotas, televigilantes y juguetes, aplicaciones que imitarán la conducta de los humanos y de los animales, y con ayuda del Internet de las cosas, que describe un sistema basado en la comunicación autónoma entre objetos físicos, y de las aplicaciones de ubicuidad serán capaces de comunicarse entre sí.

1. Un caso significativo: La historia de Ibrahim Diallo

Y es que, si las decisiones no las llegaran a tomar los empresarios, delegando esa capacidad a la robotización, las posibilidades que caben son tremendas, hasta llegar al absurdo de un despido masivo de trabajadores para ser sustituidos por robots. Si esto se produjera, se podría plantear algo que sería estremecedor, y es, si sería posible que las nuevas tecnologías incorporadas en la robotización alcanzaran tal grado de perfección que le dieran un vuelco a la situación, convirtiendo a las personas en colaboradoras de aquellas, si no, en meros sirvientes de un mundo al revés. En este sentido resulta sobrecogedora, la historia de Ibrahim Diallo, conocido por ser el primer humano despedido por una máquina, cuyo caso fue el siguiente[798]: Se trataba de un programador guineano que un buen día los sistemas de la empresa le impedían el paso a la empresa. Pese a ello, sus jefes le decían que todavía le quedaba un año de contrato, y que no entendían los obstáculos que le impedían el acceso al edificio. Creyendo que se trataba de un fallo general, no se preocupó. Sin embargo, cuando habló con sus compañeros descubrió que él era el único que estaba sufriendo contratiempos. Fue entonces cuando decidió

---

[796]   MERCADER UGUINA, J.: «El mercado de trabajo y el empleo en un mundo digital», cit., pág. 8.

[797]   EUROPEAN AGENCY AND HEALTH AT WORK: *Una revisión sobre el futuro del trabajo: La robótica*, cit., pág. 2.

[798]   https://www.revistagq.com/noticias/tecnologia/articulos/ibrahim-diallo-despedido-maquina/29759.

acudir al departamento de recursos humanos. Pero antes de llegar, se encontró con que estaba atascado en las escaleras, ya que su tarjeta no podía abrir ninguna puerta. Tras esperar varios minutos, alguien le pudo abrir. En recursos humanos le explicaron sorprendidos que «El Sistema» le había dado de baja del software con el que trabajaba a diario, y que les parecía sorprendente. Le prometieron que en unos minutos lo iban a solucionar todo. Como no podía trabajar, volvió a casa. Al día siguiente, el sistema de acceso del edificio le había catalogado como un «sujeto rojo»: solo podía acceder a él si un jefe de departamento bajaba a buscarlo y le acompañaba en todo momento. De esta forma Ibrahim conoció a una de las jefas más importantes de su compañía, que le prometió que iba a solucionarlo todo. Sin embargo, esa misma jefa recibió un correo electrónico de «El Sistema» en el que le comunicaban que Ibrahim Diallo había sido «desactivado de forma exitosa». La superjefa le dijo que volviera al día siguiente, que no se preocupara, que tenía un año más de contrato. 24 horas más tarde, Ibrahim no solo no pudo acceder al edificio: todos los guardias de seguridad recibieron un correo de «El Sistema» en el que se les ordenaba que impidieran el paso a este trabajador. Ibrahim se puso en contacto con su superjefa que le transmitió su perplejidad. No sabía quién estaba enviando esos correos electrónicos, ya que todo el proceso estaba automatizado. Se disculpó con él y le prometió que todo iba a arreglarse pero que sintiéndolo mucho, estaba despedido. Las siguientes tres semanas, Ibrahim se quedó en casa, sin trabajo y sin sueldo. Un día recibió la llamada de recursos humanos. Querían tener una reunión con él y volver a ofrecerle un contrato. Fue entonces cuando Ibrahim se enteró de que ninguna persona humana le había echado de su empresa. Pero sí el software que automatiza todos los procesos de recursos humanos. Al parecer, su anterior jefe —que había sido despedido «de verdad» meses antes— no había completado correctamente la renovación de su contrato. Y una vez cometido ese error, «El Sistema» se puso en marcha de manera inexorable. Los reclutadores de recursos humanos le explicaron que ese proceso de despido no era reversible. Una vez que se inicia, nadie puede pararlo. Y nadie puede decirle a la máquina que todo se trata de un error, de manera que cada vez que un empleado es catalogado como «despedido» no hay marcha atrás. Parece a primera vista que este sistema implica dejar «libertad» a una inteligencia artificial para tomar este tipo de decisiones, sin embargo, tal «libertad» viene condicionada por la programación decidida por la propia empresa, por lo que una verdadera inteligencia artificial debería considerar más factores a la hora de tomar la decisión de ascender, despedir, etc. a un trabajador de la empresa[799].

Desde luego, la moraleja es que, si bien la automatización puede ser un activo para una empresa, es necesario que haya una forma de que los humanos se hagan cargo si la máquina comete un error como señaló Ibrahim en su blog.

En cualquier caso, no cabe duda de que estamos asistiendo a grandes transformaciones en el ámbito de la producción y la organización del trabajo en el mundo, las cadenas mundiales de suministro ocupan a más de 600 millones de personas, facilitando la aparición de trabajo sin derechos laborales a través de plataformas digitales[800], y según el Banco Mundial (2016), dos tercios de los puestos de trabajo de los países en desarrollo podrían ser automatizados[801]. La consecuencia que parece desprenderse de todo ello[802], es que la expansión de las nuevas tecnologías no puede producirse sin control alguno; al contrario, parece necesario intervenir activamente con la finalidad de eliminar o limitar sus efectos colaterales, para ello, serían necesarias, no solo que la innovación tecnológica sea afrontada por las empresas, sino también, políticas públicas que anticipen y canalicen los cambios, así como las organizaciones sindicales.

2. *Las plataformas informáticas dan el toque de alarma*

Otro ejemplo más cercano, lo tenemos hoy mismo, en las plataformas informáticas o digitales que basan su actuación en algoritmos me-

---

[799] TODOLÍ SIGNES, A.: «La gobernanza colectiva de la protección de datos: Algoritmos, decisiones automatizadas y discriminación», cit., pág. 1643.

[800] NIETO SANZ, J.: «Innovación social y transición justa para una revolución tecnológica disruptiva», cit., pág. 104.

[801] OIT. *Trabajar para un futuro más prometedor*, cit., pág. 19.

[802] GOERLICH PESET, J. M.: «Innovación, digitalización, y relaciones colectivas de trabajo», cit., pág. 4.

diante los que efectúan asignaciones de actividades a los profesionales incluidos dentro de la plataforma. El programa se encarga de elaborar una planificación perfecta asignando el servicio al profesional que en cada momento concreto reúna los requerimientos profesionales y geográficos mejor adaptados a las necesidades del cliente, con lo que parece que el jefe acaba siendo un algoritmo[803]. Las plataformas informáticas se caracterizan porque la concreción del servicio es protagonizada directamente por cada cliente, de forma autónoma de los demás, a la vez de forma puntual y en tiempo real, mientras que, por otro lado, la aplicación informática se presenta como ajena al intercambio, al limitarse a poner en contacto a los clientes con los que prestan el servicio, es lo que se ha dado en llamar el trabajo a demanda[804].

No quisiera creer que nos abocamos a un mundo en el que se volvería a la esclavitud, en el que lo humillante sería que los esclavizantes fueran unas máquinas creadas por personas. En el fondo lo que se plantea es si el avance tecnológico fuera tan extraordinario, en lo que afecta al ámbito laboral, que pudiera prescindirse de las personas, lo que supondría la desaparición de la actual concepción que tenemos de las relaciones laborales. Pero en el fondo de todo ello quedan muchas preguntas que la incertidumbre de lo que nos depara el futuro nos impide contestar con seguridad, tales como: ¿Hasta dónde llegará la sustitución de los empleos tradicionales por los robots y por la inteligencia artificial? ¿Cómo serán los nuevos empleos? ¿El trabajo de plataformas será un trabajo precario sin derechos ni protección social? ¿Podremos controlar nuestro tiempo y nuestra intimidad o estaremos enteramente a disposición de la empresa? ¿Viviremos épocas mejores o estaremos asistiendo a un retroceso?[805]. Y

---

[803] MERCADER UGUINA, J.: «El mercado de trabajo y el empleo en un mundo digital», cit., pág. 2.

[804] GOERLICH PESET, J. M. y GARCÍA RUBIO, M. A.: «Indicios de autonomía y de laboralidad en los servicios de los trabajadores en plataforma». *El trabajo en plataformas digitales. Análisis sobre su situación jurídica y regulación futura* (director: Francisco Pérez de los Cobos). CISS. Wolters Kluwer, 2018, pág. 39.

[805] NIETO SANZ, J.: «Innovación social y transición justa para una revolución tecnológica disruptiva», cit., pág. 103.

es que[806], algunas de las formas de empleo no convencionales implican una inseguridad económica prolongada y malas condiciones de trabajo, y, en particular, ingresos inferiores y menos estables, falta de posibilidades de defender los derechos propios, carencia de seguridad social y cobertura sanitaria, falta de identidad profesional, ausencia de perspectivas profesionales, y dificultades para conciliar el trabajo a la carta con la vida privada y familiar. En esta era, denominada, de la «revolución de la ubicuidad» (tecnología ubicua), probablemente dará lugar a una era en que las máquinas y equipos podrán instalarse en cualquier lugar, incluso en el cuerpo humano, y los robots se convertirán en asistentes de los humanos y, a largo plazo, en sus colaboradores[807]. En ese sentido resulta oportuna la reflexión[808], sobre esta cuestión, de manera, «que desde la perspectiva de la garantía de la empleabilidad de las personas, más que desde los puestos de trabajo (lo que influirá en la deriva legislativa en torno al efecto sustitución (reemplazo de humanos por robots) como desde la garantía de los derechos de los trabajadores en la interactuación de trabajador-robot en el lugar del trabajo (cooperación entre ellos)».

III. EFECTOS DE LA INCORPORACIÓN DE LAS NUEVAS TECNOLOGÍAS EN EL ÁMBITO LABORAL

Creo sinceramente que en ningún caso se debe llegar a la situación que antes describía, más propia de ciencia ficción que de la razonable realidad futura. Pero debemos tener muy en cuenta que estamos atravesando el umbral de una nueva sociedad, con otros valores y con diferentes elementos, entre los que sobresalen en el ámbito laboral las nuevas tecnologías, cuyo uso por el empresario o por el trabajador, en

---

[806]   MORENO GENÉ, J.: «El impacto de las nuevas tecnologías en la delimitación de los sujetos de la relación laboral: ¿El fin del trabajo subordinado "típico"?», cit., pág. 143.

[807]   EUROPEAN AGENCY AND HEALTH AT WORK: *Una revisión sobre el futuro del trabajo: La robótica*, cit., pág. 1.

[808]   SÁNCHEZ-URÁN AZAÑA, Y. y GRAU RUIZ, M. A.: «El impacto de la robótica, en especial la robótica inclusiva, en el trabajo: aspectos jurídico-laborales y fiscales», cit., pág. 40.

principio debe considerarse positivo, pero que si se emplea de forma incorrecta lesionando derechos o garantías de la otra parte puede resultar contraproducente.

En cualquier caso, las últimas innovaciones tecnológicas asociadas a los microprocesadores han dejado obsoletos determinados empleos o determinados contenidos funcionales de los mismos, pero han hecho surgir nuevas necesidades de empleo que requerirán, en todo caso, una adaptación por parte de las empresas y de los trabajadores[809]. Y es que, como se ha escrito[810]: «Las innovaciones tecnológicas no pueden comportar la obsolescencia del ordenamiento jurídico laboral, sin perjuicio de que el mismo debe adaptarse a los cambios que las mismas suponen». También en las revoluciones industriales existía incertidumbre sobre el futuro, pero el resultado siempre fue la creación de más empleo: hoy hay 3.300 millones de trabajadores en el mundo, y aunque la digitalización podría alterar esa tendencia, es probable que el resultado final llegue a ser positivo, porque la creación de nuevas necesidades sociales, crearán nuevos empleos que sustituirán a los que se pierden incrementando la empleabilidad de forma global[811]. Sin embargo, a nadie se le escapa el empleo precario que puede provocar, pues las modalidades más utilizadas para la contratación de trabajadores en aquellos sectores con un amplio componente tecnológico son el contrato a tiempo parcial (art. 12 TRLET) el contrato de duración determinada (art. 15 TRLET) así como la modalidad del teletrabajo, que ha producido el resurgimiento

---

[809]   GIL PLANA, J.: «Uso particular por los trabajadores de las nuevas tecnologías empresariales en los códigos de conducta». *Revista española de Derecho del Trabajo*, núm. 155, 2012, BIB 2012\2800, pág. 5.

[810]   MORENO GENÉ, J.: «El impacto de las nuevas tecnologías en la delimitación de los sujetos de la relación laboral: ¿El fin del trabajo subordinado "típico"?», cit., pág. 150.

[811]   NIETO SANZ, J.: «Innovación social y transición justa para una revolución tecnológica disruptiva», cit., pág. 105. Señala el autor, que «la digitalización de la economía y de la sociedad requieren hoy y requerirán mucho más en el futuro, nuevos conocimientos y nuevas profesiones que demandarán cientos de miles o millones de nuevos empleos en todas las ramas de la digitalización y de las nuevas tecnologías, así como en la transformación digital de las tecnologías tradicionales».

del contrato de trabajo a distancia (art. 13 TRLET)[812]. Si con ello, se condujera a la fragmentación del trabajo en mini-tareas dispersándose en diversas jurisdicciones internacionales aumentará la situación de precariedad en unos trabajos que de por sí ya son precarios, mal remunerados, sin derechos y sin garantías[813].

De ahí la importancia de conocer la normativa que regula estas cuestiones, y aquellos criterios que los tribunales han venido conociendo con ocasión de los conflictos que se han producido como consecuencia del uso de las nuevas tecnologías por empresas y trabajadores.

1. *Normativa sobre dispositivos tecnológicos y normativa laboral*

Se puede afirmar, que, hasta la llegada de la LOPD, las normas que regulaban el uso de los dispositivos tecnológicos y la aplicación de las relaciones laborales en las empresas caminaban por vías diferentes, y los conflictos que se venían ventilando en el seno de las empresas eran resueltos invocando principios que iban más allá de lo prescrito en el ámbito laboral, como los derechos inespecíficos que afectan a todos los ciudadanos. El problema radicaba en que se veían doblemente afectados, ya que, desde un punto de vista pasivo, estas transformaciones incidieron en la esencia misma del Derecho del Trabajo, y desde un punto de vista activo, el ordenamiento jurídico laboral tenía que ofrecer una respuesta a los cada vez más numerosos conflictos que se plantean en el seno de las relaciones laborales a consecuencia de la introducción y utilización de nuevas tecnologías[814]. Por tanto, era una necesidad que se abordara de manera decidida una normativa que incluyera en su seno esa dicotomía existente en las relaciones laborales entre el poder de control empresarial y los derechos de los trabajadores, sin tener que

---

[812]   MORENO GENÉ, J.: «El impacto de las nuevas tecnologías en la delimitación de los sujetos de la relación laboral: ¿El fin del trabajo subordinado "típico"?», cit., pág. 148.

[813]   NIETO SANZ, J.: «Innovación social y transición justa para una revolución tecnológica disruptiva», cit., pág. 107.

[814]   GIL PLANA, J.: «Uso particular por los trabajadores de las nuevas tecnologías empresariales en los códigos de conducta», cit., pág. 10.

acudir a los grandes principios constitucionales, aunque evidentemente basados en ellos.

Por fin, los artículos 87 a 91 LOPD han abordado la necesaria interconexión entre ambos campos, aunque no todos, pues a pesar del avance que ha supuesto la incorporación de los nuevos derechos, como el de desconexión digital al que le hemos dedicado un amplio capítulo, sin embargo, se podía haber aprovechado para incluir por ejemplo, el uso de los sistema biométricos que siguen ayunos de regulación legal, pese al uso extendido, especialmente en algunos aspectos de las relaciones laborales, como el del control de entrada y salida de los centros de trabajo o el acceso a las aplicaciones informáticas de las empresas. Y no hubiera sido complicado, pues es el RGPD, el que ofrece indicaciones sobre cómo hacerlo por los Estados de UE. En este sentido, la AEPD, hace una interpretación acertada a mi entender de cómo debería articularse, al señalar que «el tratamiento de datos biométricos al amparo del artículo 9.2.g) RGPD requiere que esté previsto en una norma de derecho europeo o nacional, debiendo tener en este último caso dicha norma, según la doctrina constitucional citada y lo previsto en el artículo 9.2 de la LOPD, rango de ley. Dicha ley deberá, además especificar el interés público esencial que justifica la restricción del derecho a la protección de datos personales y en qué circunstancias puede limitarse, estableciendo las reglas precisas que hagan previsible al interesado la imposición de tal limitación y sus consecuencias, sin que sea suficiente, a estos efectos, la invocación genérica de un interés público. Y dicha ley deberá establecer, además, las garantías adecuadas de tipo técnico, organizativo y procedimental, que prevengan los riesgos de distinta probabilidad y gravedad y mitiguen sus efectos». De manera que nos encontramos en esta materia, sin regulación legal, con lo fácil que hubiera sido como se hizo con la videovigilancia o la geolocalización, dedicarle uno de los artículos de la LOPD, por lo que no se acaba de entender la razón por la que no se ha acometido su regulación.

2. ¿Se mantienen vigentes las notas de laboralidad, como consecuencia de la irrupción de las nuevas tecnologías? El fenómeno de las plataformas digitales

Esta es una cuestión que se ha venido planteando por la doctrina, es decir, si como consecuencia de la incorporación de las nuevas tecnologías se ha alterado la forma de trabajar sometida tradicionalmente al derecho del trabajo y nos deslizamos hacia otra forma de trabajo más semejante al autónomo o a una especie de trabajo híbrido que permita el respeto a los derechos de los trabajadores. Planteado desde una perspectiva estrictamente jurídica el problema técnico de si las nociones de dependencia y ajenidad[815], son categorías susceptibles de acoger las nuevas formas de trabajo, de tal modo que se nos plantea la duda de si se produce una mutación en la morfología del concepto clásico de trabajador, pues, autonomía, coordinación, participación son los rasgos diferenciadores de este momento frente a las clásicas de dependencia, subordinación y conflicto, porque, en el trasfondo de todo ello, se encuentra en muchos casos, la marcada proximidad sociológica e, incluso, jurídica entre el trabajo por cuenta ajena y otras prestaciones susceptibles de ser encuadradas dentro del Derecho Civil o del Mercantil. Lo cierto es que, los cambios que se vaticinan con la llegada de la economía digital, apuntan a su ampliación en un futuro ya cercano, siendo así, que el replanteamiento de los límites de la laboralidad parece un lugar común, cuando aparece un nuevo avance tecnológico que afecta a la organización del trabajo[816].

Ciertamente, podría ponerse en cuestión la vigencia de las notas características del Derecho del Trabajo, especialmente la dependencia, como rasgo definitivo indicador del poder de dirección empresarial, de manera que la incorporación de las nuevas tecnologías al ámbito laboral contribuye a la conversión del trabajo por cuenta ajena en trabajo autónomo, como consecuencia del incremento cuantitativo y cualitativo de

---

[815] MERCADER UGUINA, J.: «El mercado de trabajo y el empleo en un mundo digital», cit., pág. 3.

[816] GOERLICH PESET, J. M, y GARCÍA RUBIO, M. A.: «Indicios de autonomía y de laboralidad en los servicios de los trabajadores en plataforma», cit., pág. 40.

formas de trabajo no subordinadas o parasubordinadas[817]. Sin embargo, para que pudiera reemplazarse, debería buscarse otra característica similar que permitiera la adecuada protección de los trabajadores. Quizá podría encontrarse en la figura de TRADE, con las oportunas adaptaciones legislativas. Lo cierto es que la celeridad con que se producen los avances tecnológicos está provocando que no estemos aun preparados para diseñar un nuevo escenario jurídico que permita la aplicación de las nuevas formas de trabajo. En otras palabras, el avance de las tecnologías está sobrepasando la capacidad reguladora de las normas, en particular de las que afectan a los derechos de los trabajadores en el ámbito de las relaciones laborales. Nos enfrentamos, por tanto, a un reto importante porque se nos plantea, por un lado, la posibilidad de tener que redefinir los conceptos clásicos del Derecho del Trabajo, ante los problemas de calificación jurídica que se plantean cuando se analizan las nuevas formas de prestación de servicios, y por otro, la identificación y regulación de los riesgos laborales que en las nuevas formas de trabajar se detectan, y que, ante la falta de una regulación normativa concreta puede provocar un importante vacío legal[818]. Y[819] entre los criterios delimitadores de la relación laboral, el más afectado por las nuevas tecnologías es el de la dependencia, porque aparecen situaciones en que se dan de diversa forma manifestaciones o indicios de dependencia o subordinación, lo que puede llevar a cuestionar incluso el valor de la dependencia como concepto unitario unificador del ámbito de la tutela del Derecho del Trabajo. Circunstancia, que ha reabierto el debate sobre si la dependencia o subordinación continúan siendo criterios válidos y suficientes para delimitar cuándo nos encontramos en presencia de una relación laboral

---

[817]   MORENO GENÉ, J.: «El impacto de las nuevas tecnologías en la delimitación de los sujetos de la relación laboral: ¿El fin del trabajo subordinado "típico"?», cit., pág. 143.
[818]   Confederación Empresarial de la Comunidad Valenciana (CEV) en Colaboración con Navarro & Asociados. Abogados, S. L. P. *Futuro del Trabajo y Digitalización: Desafíos para la prevención de riesgos laborales en la Comunitat Valenciana.* Institut Valencià de Seguretat i Salut en el Treball (INVASSAT) Generalitat Valenciana, pág. 54.
[819]   MORENO GENÉ, J.: «El impacto de las nuevas tecnologías en la delimitación de los sujetos de la relación laboral: ¿El fin del trabajo subordinado "típico"?», cit., pág. 145.

o, si bien, nos encontramos ante la obsolescencia de los indicios utilizados hasta el momento para identificarla.

2.1. *Criterio favorable al mantenimiento de las notas de laboralidad*

El caso más elocuente acerca de las dudas que están surgiendo sobre la consistencia de las notas de laboralidad, nos lo ofrece el de las plataformas digitales o «crowdsourcing»[820]. Se trata de una nueva forma de prestación de un determinado servicio descentralizado hacia numerosas personas a través de una plataforma. Este fenómeno supone, una evolución del tradicional control empresarial de la empresa al prestador del servicio, ya que, como consecuencia del manejo de la plataforma digital, se desdibujan las conocidas cadenas jerárquicas, que marcaban de forma tradicional la estructura de cualquier empresa del mercado de trabajo español, hasta hace unos años.

Y es que, en el manejo de estas plataformas será el destinatario final, el cliente, quien pueda evaluar el resultado del trabajo del prestador del servicio, y será esa valoración la que vinculará a la empresa a la hora de adoptar aquellas decisiones que entren dentro de su esfera de poder. Se trata de una auténtica monitorización del trabajo. La menor inmersión de la empresa en el devenir diario de la actividad del prestador del servicio, supone un mayor régimen de libertad para éste y de menor control para la empresa. Si bien, precisamente esta reflexión, es tenida en cuenta por parte de la doctrina para entender, precisamente, que lo importante no va a ser el ejercicio de ese control, sino la reserva que la empresa se hace del mismo, y ello determinará el grado de subordinación existente en la plataforma digital.

La calificación jurídica de la relación entre la plataforma digital con los proveedores del servicio *on demand* viene determinada, según

---

[820]   Sobre esta cuestión seguiré el discurso de la Confederación Empresarial de la Comunidad Valenciana (CEV) en Colaboración con Navarro & Asociados. Abogados, S. L. P. *Futuro del Trabajo y Digitalización: Desafíos para la prevención de riesgos laborales en la Comunitat Valenciana*, cit., págs. 54-56.

la doctrina[821], en buena medida por la caracterización que merezca la actividad que desarrolla la plataforma digital desde el punto de vista económico/mercantil.

En un primer momento, los tribunales optaron por considerar como laboral la relación que mantenían los trabajadores que prestaban servicios para plataformas digitales, concretamente, en la ciudad de Valencia se dictó la primera Sentencia, por el Juzgado de lo Social nº 6, de fecha 1 de junio de 2018, declarando la laboralidad de un repartidor de la plataforma Deliveroo, observándose una consecuencia inmediata y es que tras la aparición de este tipo de negocio se desdibujan los conceptos clásicos de laboralidad, y que son ampliamente conocidos: la ajenidad y la dependencia, por lo que, a ellos, debemos añadir los denominados «nuevos indicios de laboralidad», como así vienen haciendo los tribunales.

Concretamente, los aspectos que se consideran clave para poder definir el tipo de relación jurídica en la que nos encontramos son, entre otros:

- Ajenidad en la marca. El trabajador no asume un riesgo propio en el desarrollo del trabajo para la plataforma, pues externamente representa a la misma. Y es esa marca la que genera el valor del negocio.

- Plataforma como medio productivo. En este sentido, ya no es tan importante el medio físico puesto por el propio trabajador, como puede ser la motocicleta o la bicicleta en la que se desplaza, sino la propia organización de la plataforma que sirve para poner en contacto al usuario y al trabajador.

- Fijación de estándares de calidad mínimos, exigidos por la plataforma a sus trabajadores.

- Reputación digital como medio de control. La puntuación de los usuarios a cada uno de los trabajadores y el uso que la empresa le da como medida correctiva o disciplinaria.

---

[821]   CAVAS MARTÍNEZ, F.: «Las prestaciones de servicios a través de las plataformas informáticas de consumo colaborativo: un nuevo desafío para el Derecho del Trabajo». *Revista de Trabajo y Seguridad Social.* CEF, núm. 406 (enero 2017), pág. 45.

Por el contrario, se han pronunciado los tribunales sobre la naturaleza jurídica de prestador de servicios de las plataformas de economía colaborativa en el sentido contrario, manifestando que la relación que mantienen los mismos tiene el carácter de autónoma. En este sentido, la STSJ Madrid 7 octubre 2019, establece que la relación entre el repartidor y la empresa no es de carácter laboral, sino que se trata de un TRADE, trabajador autónomo económicamente dependiente. Concretamente, los aspectos que se consideran clave para poder definir el tipo de relación jurídica en la que nos encontramos son, entre otros:

- Elección por el repartidor de su horario de trabajo: no le viene impuesto un horario de forma concreta, sino que es él quien decide cuándo se encuentra operativo.

- Elección de los pedidos: en este sentido es el propio repartidor el que acepta o desestima el reparto de los pedidos que son solicitados por los usuarios de la plataforma.

- Elección de la ruta a seguir: en relación con lo anterior puesto que puede escoger pedidos y horarios del mismo modo puede elegir la ruta que va a realizar.

- No justificación de ausencias: no existe la obligación por parte del trabajador de justificar su ausencia a su trabajo, no mediando un control por parte del empresario.

- Cobro por pedidos: su salario se le abona en función de los pedidos que realiza y no por las horas totales realizadas.

Se evidencia, con todo ello, un debate sobre el modelo laboral de las plataformas digitales de reparto, que en ningún caso está unificado. Tal es así que, a nivel europeo, la doctrina viene definiendo un nuevo concepto de trabajador, una categoría intermedia entre los conceptos tradicionales entre el trabajador por cuenta ajena y el trabajador por cuenta propia.

Pese a esta última resolución, debe reconocerse que en líneas generales viene reconociéndose este tipo de trabajo como una relación laboral. Así en la STSJ Madrid 27 noviembre 2019 (rec. núm. 588/2019), sobre despido, se reconoce la existencia de relación laboral y no autónomo, ya que se aprecia ajenidad en los riesgos, pues la presencia del trabajador resulta inobjetivable, y sin la plataforma digital sería ilusoria la prestación de servicios del trabajador, que carece de control sobre la información facilitada cuya programación mediante algoritmos le es ajena por completo. En cuanto a la nota de dependencia, también se da en este caso porque el trabajador prestó servicios dentro del ámbito de organización y dirección, no siendo posible hablar de auto-organización, sino de prestación de servicios hetero-organizados y dirigidos por la empresa que los recibe y se beneficia de ellos, finaliza la sentencia, calificando la relación contractual como laboral y no TRADE, por lo que se reconoce el despido del trabajador.

En otra sentencia, del mismo tribunal[822], se trataba de una prestación de servicios de repartidores de comida —*riders*— para Deliveroo, en la que se acreditó que existía habitualidad, retribución periódica, que era fija sino variable, en función de los servicios realizados por el repartidor, lo que viene a ser un «salario por unidad de obra», admisible en el marco de la relación laboral. En cuanto a la inclusión de los repartidores en el ámbito organizativo y de dirección de la empresa se aprecia similitud con la apreciada en la STS 16 noviembre 2017 (rec. núm. 2806/2015) constatándose que existe sujeción a las órdenes o instrucciones empresariales, pues si el repartidor se aparta de las instrucciones de la empresa comporta una penalización. Por ello, existe ajenidad de frutos y riesgos, ya que los restaurantes y los consumidores a quienes se realiza el servicio no son clientes del repartidor sino de la empresa. Por otro lado, el hecho de que los *riders* no perciban cantidad alguna por el servicio cuando este no se realiza, no es asunción del riesgo, sino que constituye una característica ordinaria del denominado «salario por obra», y quien hace suyos los importes abonados por los restaurantes para la prestación del servicio de distribución de sus productos, es la empresa, no el repartidor (ajenidad en los frutos).

Más recientemente, también en un caso de despido de la empresa GLOVOAPP23[823], también se declaró la existencia de relación laboral, y recuerda una doctrina clásica por la que, en expresión coloquial pero acertada por el tribunal, «los contratos son lo que son y no lo que las

---

[822]   STSJ Madrid 17 enero 2020 (rec. núm. 1323/2019); en el mismo sentido, SJS núm. 3 Zaragoza 27 abril 2020 (rec. núm. 521/2018).

[823]   STSJ Madrid 3 febrero 2020 (rec. núm. 68/2020).

partes quieren que sean ni lo que quepa deducir de la denominación que las mismas les otorguen». Y así, notas como el alta en el RETA, el cobro de retribuciones mediante factura o la obligación de suscribir una póliza de seguros carecen de trascendencia pues nada aportan a la calificación del carácter laboral. En relación a la ajenidad de los medios, sin la plataforma digital sería ilusoria la prestación de servicios del trabajador, al carecer de cualquier control sobre la información facilitada, y además esta misma nota concurre por el hecho de no cobrar por el servicio si este no llega a materializarse a satisfacción del cliente. Por último, en relación a la dependencia, no es posible hablar de auto-organización, sino de prestación de servicios hetero-organizados y dirigidos por la empresa que los recibe y se beneficia de ellos, por lo que no es posible encuadrar la prestación de servicios en la figura del TRADE al no acreditarse las condiciones. Ciertamente, aparece con frecuencia una nueva zona gris de difícil catalogación, porque las circunstancias que concurren combinan indicadores de laboralidad con otros propios del trabajo autónomo[824].

No obstante, pese a todos los matices, la STS 25 septiembre 2020 (JUR, 2020, 278945) en unificación de doctrina, estima la existencia de relación laboral, ya que la empresa es la que coordina y organiza el servicio productivo, fija el precio y condiciones de pago, es titular de los activos esenciales para la realización de la actividad; los repartidores no disponen de una organización empresarial propia y autónoma sino que prestan servicio insertados en la organización del empleador que controla la actividad y no solo el resultado mediante la gestión algorítmica del servicio con las valoraciones de los repartidores y la geolocalización constante, programa informático que asigna los servicios en función de estas valoraciones, lo que condiciona decisivamente la teórica libertad de elección de horarios y de rechazar pedidos, existiendo además un poder para sancionarles por una pluralidad de conductas, lo que manifiesta el poder directivo del empleador.

---

[824]   GOERLICH PESET, J. M, y GARCÍA RUBIO, M. A.: «Indicios de autonomía y de laboralidad en los servicios de los trabajadores en plataforma», cit., pág. 50.

2.2. ¿Se perfila por el TJUE una desvirtuación de los rasgos de laboralidad del Derecho del Trabajo?

Con motivo de un Auto del TJUE 22 abril 2020, sobre una cuestión prejudicial planteada por el tribunal laboral de la ciudad británica de Watford, solicitando que el TJUE se manifieste sobre si la relación que une a un prestador de servicios con la empresa Yodel Delivery, dedicada a la mensajería dirigida al destinatario final, presenta las notas propias de la relación laboral, a los efectos de la Directiva 2003/88, de ordenación del tiempo de trabajo. Como apunta la doctrina[825], el objeto de la cuestión tiene como fin, en principio, la determinación de la exigibilidad de las condiciones en materia de tiempo de trabajo, si bien el fin último es que el TJUE se manifieste a propósito de si la normativa británica es compatible con el concepto de trabajador acuñado por la jurisprudencia comunitaria y a la que sigue la Directiva 2019/1152, sobre condiciones de trabajo transparentes y previsibles.

El TJUE señala que como la Directiva 2003/88, no configura una definición de lo que es un trabajador, devuelve al tribunal remitente que determine, a la vista de las circunstancias del caso, si se trata de un trabajador por cuenta ajena, teniendo en cuenta el concepto del derecho de la unión europea. Pero deja caer una serie de aspectos que descartan una relación laboral subordinada, como son los siguientes:

- Posibilidad de nombrar sustitutos por quien presta el servicio.
- Capacidad para rechazar encargos y de establecer un límite para las tareas que se le asignen.
- No exclusividad de la prestación de servicios para el empresario, pudiendo incluso realizarlos para otros empresarios competidores.
- Posibilidad de fijar el trabajador sus propios horarios, dentro de ciertos límites, en atención a sus necesidades, y no únicamente a las del empleador.

---

[825]   CAMINO FRÍAS, J. J.: «La consideración como asalariadas de las personas repartidoras a domicilio a través de plataformas digitales». Comentario al Auto del Tribunal de Justicia de la Unión Europea de 22 de abril de 2020, asunto C-692/19. *Revista de Trabajo y Seguridad Social* CEF, 448 (julio 2020), pág. 201.

Esa es la causa de que algún periódico de implantación nacional, incluyera como titular sensacionalista: «Europa niega la relación laboral a los repartidores de plataformas digitales»[826].

Pese a ello, el TJUE señala que corresponde al órgano jurisdiccional, teniendo en cuenta todos los elementos pertinentes relativos a dicha persona y a la actividad económica que desarrolla, clasificar su condición profesional con arreglo a la Directiva 2003/88 y si se cumplen o no los requisitos para poder determinar que se trata realmente de un autónomo.

Esto, convendría aclararlo, especialmente en orden a la protección social de estos trabajadores tan especiales, porque como se ha señalado por un estudioso funcionario de la Inspección de Trabajo y Seguridad Social[827]: «Si ante estos fenómenos no reaccionan los poderes públicos, y la sociedad en su conjunto, corremos el riesgo de, en lugar de trabajadores, encontrarnos en un futuro muy cercano con un ejército de "falsos autónomos", una suerte de nuevo lumpemproletariado, a la mayor ganancia de algunos fondos de inversión, en perjuicio de los propios trabajadores, de los fondos públicos y de los auténticos empresarios».

Sobre esta espinosa cuestión, creo que las vigentes notas de laboralidad deberían mantenerse hasta que se encuentre otra fórmula que permita mantener los derechos de los trabajadores, en relación a su protección social. Sin embargo, debe reconocerse, que de forma lenta y dubitativa, el ordenamiento jurídico y, en particular, la jurisprudencia, empiezan a asumir y a incorporar los cambios producidos por las nuevas tecnologías en la prestación de servicios, para que los mismos no permitan excluir del ámbito de aplicación y, por tanto, de protección del Derecho del Trabajo, a los colectivos de trabajadores afectados. La ineludible necesidad de adaptación del Derecho del Trabajo a las nuevas realidades no debe suponer necesariamente que se encuentre en crisis, pues, de llevarse cabo la adaptación del Derecho del Trabajo a las nuevas

---

[826]   elEconomista.es de 23/05/2020. https://www.eleconomista.es/empresas-finanzas/noticias/10560497/05/20/Europa-niega-la-relacion-laboral-a-los-repartidores-de-plataformas-digitales.html.

[827]   CAMINO FRÍAS, J. J.: «La consideración como asalariadas de las personas repartidoras a domicilio a través de plataformas digitales», cit., pág. 206.

formas de trabajo atípico, sin duda esta disciplina jurídica se verá reforzada, dotando de cobertura y protección a un gran número de prestaciones de servicios que en la actualidad carecen de la misma[828], pues este debería ser el objetivo primigenio: El de mantener la protección laboral, preventiva de riesgos, y de previsión social del trabajador. Y es que, el debate sobre la prestación de servicios en las plataformas digitales, no puede limitarse a decidir si la actividad que se desarrolla se encuentra en el ámbito de la normativa laboral, se precisaría abrir una reflexión sobre la adaptación del régimen jurídico que corresponde aplicar, ya sea en el ámbito laboral o en del trabajo autónomo[829].

2.3. Propuestas para mejorar la regulación normativa del fenómeno de las plataformas digitales

Hay una característica de este tipo de trabajo que resulta extraña al Derecho del Trabajo. Me refiero a la plena voluntariedad en el tiempo y lugar de la prestación de servicios, hasta el punto de poder negarse el prestador del servicio a realizarlo, de manera, que la plataforma expone el servicio de reparto ofertado y los repartidores compiten para aceptar dicho servicio, hasta el punto de que la decisión de prestar el servicio depende en exclusiva del prestador de servicios[830] y no del empleador. Con ello, parece que queda en cuestión el poder de dirección del empresario (plataforma digital), lo que potencia también la aparición de formas disruptivas de organizar las relaciones laborales que se caracterizan por lo que se ha dado en llamar «fuga del Derecho del Trabajo», con el efecto de que el nivel de protección laboral de los trabajadores de plataformas viene a recordar la imagen de los jornaleros del pasado siglo, convertidos ahora en jornaleros digitales, que esperan frente a una pantalla de ordenador, a que sean llamados, para un trabajo de muchas horas y escaso

---

[828]   MORENO GENÉ, J.: «El impacto de las nuevas tecnologías en la delimitación de los sujetos de la relación laboral: ¿El fin del trabajo subordinado "típico"?», cit., págs. 147 y 152, respectivamente.

[829]   GOERLICH PESET, J. M, y GARCÍA RUBIO, M. A.: «Indicios de autonomía y de laboralidad en los servicios de los trabajadores en plataforma», cit., pág. 60.

[830]   MERCADER UGUINA, J.: «El mercado de trabajo y el empleo en un mundo digital». cit., pág. 3.

salario[831]. De manera que paradójicamente se produce un fenómeno que consiste en que, atenuando el poder de dirección empresarial, se gana en libertad de elegir el trabajo en un momento dado, pero obviamente, se pierde en seguridad, y no solo seguridad económica, sino también seguridad jurídica. Sin embargo, como se ha apuntado[832], la facultad de los trabajadores de negarse a realizar prestaciones puntuales no debe excluir la existencia de una supervisión reforzada o de una coordinación externa, ni justifica la exclusión de los trabajadores *non-standard* de la categoría de protección laboral. Aunque habría que ver cómo conseguirlo si lo separamos del mecanismo clásico del trabajo dependiente y por cuenta ajena. Sin embargo, no parece de momento que sea necesario revisar la definición de trabajo subordinado del artículo 1.1. TRLET, para colocar bajo el ámbito protector de la legislación laboral a las nuevas prestaciones de servicios que se desarrollan en condiciones de ajenidad y dependencia en el marco de las plataformas digitales[833].

En el mencionado documento de la OIT Trabajar para un futuro más prometedor[834], se recomienda para atajar esta situación, «el desarrollo de un sistema de gobernanza internacional de las plataformas digitales de trabajo que establezca y exija que las plataformas (y sus clientes) respeten ciertos derechos y protecciones mínimos. El Convenio sobre el trabajo marítimo, 2006 (CTM, 2006), que es en la práctica un código mundial del trabajo para la gente de mar, es una fuente de inspiración para abordar los retos de los trabajadores, los empleadores, las plataformas y los clientes que operan en diferentes jurisdicciones».

---

[831]   NIETO SANZ, J.: «Innovación social y transición justa para una revolución tecnológica disruptiva», cit., pág. 107.

[832]   ALOISI, A. y DE STEFANO, V.: «Máquinas, algoritmos, plataformas digitales: Facultades ampliadas y libertades virtuales. Notas sobre el futuro (del Derecho del Trabajo)». *Cambiando la forma de trabajar y de vivir. De las plataformas a la economía colaborativa real* (directores: Macarena Hernández Bejarano, Miguel Rodríguez-Piñero Royo, Adrián Todolí Signes). Tirant lo blanch, Valencia, 2020, pág. 29.

[833]   CAVAS MARTÍNEZ, F.: «Las prestaciones de servicios a través de las plataformas informáticas de consumo colaborativo: un nuevo desafío para el Derecho del Trabajo», cit., pág. 53.

[834]   OIT. *Trabajar para un futuro más prometedor*, cit., pág. 46.

El hecho de que el status laboral de la mayor parte de las personas que desarrollan su actividad profesional a través de las nuevas plataformas digitales no encaje ni con la figura del trabajo autónomo, ni con la de trabajo asalariado, ocasiona una mayor vulnerabilidad de este colectivo, en la medida en que no cuenta con la protección legal no como asalariado ni con las mismas condiciones de los autónomos[835]. En el caso de que se conceptúe como relación laboral se constata[836] la inadecuación de la legislación laboral estándar para atender las peculiaridades del trabajo que se realiza en el entorno digital, porque aunque se considere como relación laboral, no se considera oportuna la aplicación en bloque de toda la normativa laboral este tipo de trabajador, porque la amplia libertad de decisión que se otorga a los proveedores sobre cuándo y cuánto trabajar, la fluctuabilidad de los ingresos, el seguimiento tecnológico permanente de su actividad son, entre otras, circunstancias que no encajan bien en el contrato de trabajo común.

De ahí, la necesidad de estudiar nuevas propuestas que ofrezcan alguna salida a estas situaciones de indefinición jurídica, como la que se ha defendido[837], que tiene por objeto el de ofrecer encaje normativo a estos servicios y que se basan en la consideración y clara delimitación de dos elementos, el primero, el trabajador, distinguiendo entre aquellos ciudadanos que trabajen desde plataformas, dedicando 5 o 10 horas se-

---

[835] ROCHA SÁNCHEZ, F.: «La digitalización y el empleo decente en España. Retos y propuestas de actuación». *El futuro del trabajo que queremos*. Conferencia Nacional Tripartita. OIT. Ministerio de Empleo y Seguridad Social. Madrid. 2017, pág. 267.

[836] CAVAS MARTÍNEZ, F.: «Las prestaciones de servicios a través de las plataformas informáticas de consumo colaborativo: un nuevo desafío para el Derecho del Trabajo», cit., pág. 54.

[837] FERRER, M.: «Plataformas digitales y trabajo, de un escenario judicial a un marco regulatorio avanzado». *Cambiando la forma de trabajar y de vivir. De las plataformas a la economía colaborativa real* (directores: Macarena Hernández Bejarano, Miguel Rodríguez-Piñero Royo, Adrián Todolí Signes). Tirant lo blanch, Valencia, 2020, pág. 39. El autor, propone concretamente la posibilidad de que la regulación del trabajador autónomo económicamente dependiente pueda dar una posible solución al reto jurídico mediante la incorporación al TRADE, de coberturas como: Formación especializada al perfil profesional; beneficios económicos por permanencia y la posibilidad de que la plataforma pueda dar beneficios y descuentos al profesional que contribuyan a mejorar su actividad.

manales, de aquel con mayor dependencia y dedicación que convierte la plataforma como su actividad principal. Y, por otro lado, la definición de un concepto marco de plataforma, entendiendo por esta una empresa digital que opere como prestador de servicios de la sociedad de la información que dé al trabajador autonomía y no exclusividad en la prestación del servicio, pudiendo este escoger libremente la forma, su horario y los días en los que quiere trabajar, sin penalizaciones, sería, en este caso, una posición diferente a aquellas empresas que determinen y dirijan al detalle la actividad. Y eso es posible, porque a diferencia del empleo tradicional en el que se marcan los horarios de los trabajadores de forma restrictiva, esta forma de organizar el trabajo a través de plataformas digitales permite que sea el trabajador el que escoja su propio horario sin alterar la eficacia productiva de la empresa. Sin embargo, debería dejarse constancia de que no siempre la innovación tecnológica implica una atenuación de la subordinación, ya que debe distinguirse entre los procesos de descualificación y fragmentación del empleo existente antes de la incorporación de las nuevas tecnologías, en los que, por el contrario, se produce un aumento cuantitativo y cualitativo del control externo sobre el mismo (algo que hemos tenido ocasión de comprobar en los capítulos anteriores), y los trabajos directamente creados por la innovación tecnológica, que ven los vínculos propios de la subordinación bastante atenuados[838].

No faltan propuestas integradoras, como la que sostiene[839] que el legislador —en sentido amplio— reconozca la naturaleza laboral de los trabajadores de plataforma, modernizando su régimen jurídico, sin perjuicio del instrumento que lo concrete, proponiendo varias posibilidades, como la introducción de preceptos en el propio Estatuto de los Trabajadores, con una normativa distinta —de nivel europeo o Estatal—,

---

[838]   MORENO GENÉ, J.: «El impacto de las nuevas tecnologías en la delimitación de los sujetos de la relación laboral: ¿El fin del trabajo subordinado "típico"?», cit., pág. 145.

[839]   TODOLÍ SIGNES, A.: «Trabajo en plataformas: Una oportunidad de llevar el Derecho del Trabajo al S. XXI». *Cambiando la forma de trabajar y de vivir. De las plataformas a la economía colaborativa real* (directores: Macarena Hernández Bejarano, Miguel Rodríguez-Piñero Royo, Adrián Todolí Signes). Tirant lo blanch, Valencia, 2020, pág. 45.

la creación de una relación laboral especial o a través de la negociación colectiva. En ese sentido, la creación de una relación laboral especial para este colectivo podría ser una salida, que permitiera adaptar la normativa laboral a las especificidades de su forma de trabajar antes aludidas, especialmente en materia de tiempo de trabajo, aspectos salariales, la titularidad y uso de los medios de producción o las condiciones de seguridad. En la vertiente de Seguridad Social, también sería interesante que se establecieran reglas específicas para estos trabajadores en materia de encuadramiento, afiliación y alta y bajas, en el Régimen que corresponda de Seguridad Social, que en principio debería ser el régimen General, quizá a través de un sistema especial[840].

Con ello, trabajadores que prestaban servicios como autónomos, podrían pasar a depender del titular de una plataforma. En este sentido, una alternativa para dar solución definitiva a este problema, que resulta interesante[841], consistiría en implementar una modificación legislativa para aclarar la laboralidad de los trabajadores en plataformas, ya sea, mediante un cambio del ámbito de aplicación actual del contrato de trabajo que los incluya de forma explícita, o llevando a cabo una ampliación del ámbito de aplicación específica para los trabajadores de plataforma, pues, con ello se daría seguridad jurídica a las empresas a los trabajadores, y reduciría la conflictividad en los tribunales, siempre que las empresas se avinieran a un cumplimiento voluntario tras la «aclaración» legislativa[842].

---

[840] CAVAS MARTÍNEZ, F.: «Las prestaciones de servicios a través de las plataformas informáticas de consumo colaborativo: un nuevo desafío para el Derecho del Trabajo», cit., pág. 54.

[841] TODOLÍ SIGNES, A.: «Trabajo en plataformas: Una oportunidad de llevar el Derecho del Trabajo al S. XXI», cit., pág. 54.

[842] Un aspecto interesante que propone el autor para implementar la legislación laboral, en el caso de las plataformas digitales (aunque supondría un estado más avanzado), es el que se refiere a la libertad de elección de horarios de los trabajadores, porque viene siendo una realidad en la mayoría de estas plataformas, y dado que la tecnología permite obtener el resultado deseado en el proceso productivo y de oferta de servicios sin necesidad de delimitar un estricto horario de los trabajadores, fijarlo en la normativa tendría varias repercusiones: por una parte, que dejara de ser una concesión de las empresas, para convertirse en un verdadero derecho

Otra propuesta que me parece particularmente interesante, esta vez desde la perspectiva del trabajo por cuenta propia, es la que apuesta por una revitalización de la figura del TRADE, que hasta el momento resulta infrautilizada, pese a las perspectivas optimistas que auguraban un éxito de participación. Pues bien, esta institución es una solución calificada de «equilibrada»[843], porque podría garantizar, por un lado, los intereses de los trabajadores, al construir una relación jurídica asentada sobre un marco jurídico fiable y bien definido del que es custodio la jurisdicción del orden social; por otro, la defensa de los intereses colectivos a través de asociaciones o sindicatos que representan a los TRADE, y que puede facilitar el desarrollo de esta nueva economía que surge del interés de los consumidores y usuarios. Sin embargo, otra parte de la doctrina, entiende que los TRADE, no encajan fácilmente en el caso de las plataformas digitales porque si la plataforma fuera una simple intermediaria, el trabajador no tendría un cliente mayoritario, sino que prestaría servicio a cientos de clientes, sin que exista dependencia económica con ninguno, y porque si la plataforma interviene en la prestación de servicios ejerciendo el control de esta y dando instrucciones a los proveedores, estaríamos ante un trabajador común que mantiene una relación laboral con la empresa y no ante un trabajador autónomo titular de su propia organización empresarial[844]. En cualquier caso, sea cual sea la decisión que el legislador adopte no sería deseable[845], que opte, como hizo en 1994, con los transportistas de mercancías con vehículo propio

---

exigible por los trabajadores y, por otra, dejaría claro que la libertad de horarios es compatible con la relación laboral.

[843]   MERCADER UGUINA, J.: «Los TRADES en las plataformas digitales». *El trabajo en plataformas digitales. Análisis sobre su situación jurídica y regulación futura* (director: Francisco Pérez de los Cobos). CISS. Wolters Kluwer. Las Rozas (Madrid). 2018, pág. 117.

[844]   TODOLÍ SIGNES, A.: «El impacto de la "Uber economy" en las relaciones laborales: Los efectos de las plataformas virtuales en el contrato de trabajo». *IUSLabor, núm. 3/2015*, págs. 19-20; CAVAS MARTÍNEZ, F.: «Las prestaciones de servicios a través de las plataformas informáticas de consumo colaborativo: un nuevo desafío para el Derecho del Trabajo», cit., pág. 55.

[845]   CAVAS MARTÍNEZ, F.: «Las prestaciones de servicios a través de las plataformas informáticas de consumo colaborativo: un nuevo desafío para el Derecho del Trabajo», cit., pág. 55.

y tarjeta de transporte a su nombre, cuando los excluyó de la relación laboral, y se decida finalmente por asimilarlos al colectivo de los TRADE.

Y es que, como se ha escrito[846]: «Magna tarea es, pues, la que hay que acometer: diseñar un nuevo derecho que, aun muy cambiado en su fisonomía, no se deje arrastrar por los nuevos imperativos "técnicos" del objeto regulado y se mantenga fiel a sus principios tradicionales».

2.4. El papel de la negociación colectiva

Existen posturas que entienden[847], que no es un buen momento para proponer reformas que mejoren la protección de los trabajadores que prestan servicios en plataformas digitales. De ahí, que desde un primer momento se hayan buscado alternativas reguladoras a las estatales; y entre éstas la más obvia si hablamos de Derecho del Trabajo es la negociación colectiva. Sin embargo, ocurre que en este tipo de trabajo en plataformas digitales, como apunta la doctrina[848], se pierde nitidez entre trabajo autónomo y subordinado, de ahí que desde la perspectiva sindical, implique por supuesto la necesidad de abrir la organización a las nuevas formas de trabajo, a medio camino entre uno y otro pero además de la mayor individualidad que puede presentar el trabajo autónomo, existen dificultades estructurales para la acción sindical en este terreno, derivadas de la aplicación de la normativa en materia de competencia puesto que los prestadores de servicios autónomos vienen considerados empresarios desde la perspectiva del derecho de competencia lo que dificulta frontalmente el ejercicio de los derechos sindicales, y además parece que pierde fuerza la actuación sindical, de ahí surge la necesidad de que, para cumplir su misión tradicional, las organizaciones sindicales

---

[846]   GOERLICH PESET, J. M.: «¿Repensar el Derecho del Trabajo? Cambios tecnológicos y empleo». *Gaceta Sindical. Reflexión y debate*, núm. 27, dic. 2016, pág. 188.

[847]   RODRÍGUEZ-PIÑERO ROYO, M.: «Trabajo en plataformas DIGITALES Y REGULACIÓN: ¿Una respuesta colectiva?», *Cambiando la forma de trabajar y de vivir. De las plataformas a la economía colaborativa real* (directores: Macarena Hernández Bejarano, Miguel Rodríguez-Piñero Royo, Adrián Todolí Signes). Tirant lo blanch, Valencia, 2020, pág. 151.

[848]   GOERLICH PESET, J. M.: «Innovación, digitalización, y relaciones colectivas de trabajo», cit., págs. 20 y 25.

tendrán que modernizarse a la vista de los cambios que provocan los TIC, para no ser rebasadas por ellos. Las diferencias entre el contexto tradicional y el que aparece como consecuencia de aquellos obligan a una renovación que integre los distintos intereses de los destinatarios, establezca nuevos modos de acceso e incorpore los nuevos temas a la acción sindical.

IV. EL TRATAMIENTO MASIVO DE DATOS O *BIG DATA*

Conviene comenzar este apartado haciendo una breve reflexión sobre la importancia cuantitativa que tiene la información residenciada hoy día en datos digitales. Así, en el año 2000, solamente un cuarto de toda la información mundial estaba almacenada en formato digital; el resto se almacenaba en medios analógicos como el papel, en cambio, en la actualidad más del 98% de toda nuestra información es digital[849].

El tratamiento masivo de datos más conocido como *big data* es un mecanismo por el que se cruza diversa información que puede obtenerse a través de distintas fuentes y que permite, en definitiva, lograr una identificación de las personas a las que la información, en principio disociada, se refiere[850]. El *big data*, como fuente de datos para la toma de decisiones en diversos procedimientos automatizados, se basa en información, que viene siendo permanentemente reutilizada, empleándose métodos de análisis y soluciones técnicas que posibilitan inferir de los datos existentes conocimientos e informaciones predictivas, que son usadas para informar los procesos de toma de decisiones[851].

El tratamiento masivo de datos o macrodato, «se refiere a la recopilación, análisis y acumulación constante de grandes cantidades de datos,

---

[849]   NEIL CUKIER, K. y MAYER-SCHÖENBERGER, V.: «The Rise of Big data. How It's Changing the Way We Think About the World». *Foreign Affairs*. Vol. 92, nº 3 (2013).

[850]   AEPD. Informe 0057/2015, pág. 9.

[851]   ARMADA VILLAVERDE, M. E. y LÓPEZ BUSTABAD, I. J.: «El reglamento general de protección de datos ante el fenómeno del "big data"». *Revista Aranzadi de Derecho y Nuevas Tecnologías* núm. 51/2019, BIB 2019\9385, pág. 1. BIB 2019\9385

incluidos datos personales, procedentes de diferentes fuentes y objeto de un tratamiento automatizado mediante algoritmos informáticos y avanzadas técnicas de tratamiento de datos, utilizando tanto datos almacenados como datos transmitidos en flujo continuo, con el fin de generar correlaciones, tendencias y patrones (analítica de macrodatos)»[852]. De manera que el *big data* es considerado no tanto como una tecnología o una metodología sino como un paradigma del conocimiento y una infraestructura de apoyo para adoptar decisiones, racionalizar las acciones y guiar la práctica[853]. En efecto[854], el *big data* permite transformar en información muchos aspectos de la vida que antes no se podían cuantificar o estudiar, como los datos no estructurados (por ejemplo, datos no-texto como fotografías, imágenes y ficheros de audio); fenómeno bautizado como *datafícación (*o «*datafication*» en inglés) por la comunidad científica, de modo que nuestra localización ha sido dataficada, primero con la invención de la longitud y la latitud, y en la actualidad con los sistemas de GPS controlados por satélite, y de igual modo, nuestras palabras ahora son datos analizados por ordenadores mediante minería de datos, e incluso nuestras amistades y gustos son transformados en datos, a través de los gráficos de relaciones de redes sociales o los «*likes*» de facebook. Eso puede provocar que en materia de tratamiento masivo de datos, los principales riesgos para la protección de datos de los usuarios finales sean la falta de transparencia y conocimiento de los tipos de tratamiento que las aplicaciones pueden realizar, que combinada con la falta de consentimiento significativo del usuario final antes de que se produzca el tratamiento de datos, y las insuficientes medidas de seguridad, la clara tendencia hacia la maximización de los datos y la elasticidad de los fines para los que se recogen datos personales también contribuyen a los

---

[852]   Considerando A) de la Resolución del Parlamento Europeo, de 14 de marzo de 2017, sobre las implicaciones de los macrodatos en los derechos fundamentales: privacidad, protección de datos, no discriminación, seguridad y aplicación de la ley (2016/2225(INI)).

[853]   TURÉGANO MANSILLA, I.: «La dimensión social de la privacidad en un entorno virtual». *Era digital, Sociedad y Derecho*. Tirant lo Blanch. Valencia. 2020, pág. 46.

[854]   GIL GONZÁLEZ, E.: *Big Data, privacidad y protección de datos*. AEPD y BOE, Madrid, 2016, pág. 18.

riesgos relacionados con la protección de datos que se dan en el actual entorno de las aplicaciones[855].

Con todo ello, lo que se consigue es configurar el perfil de una persona a partir de toda esa información recabada de distintas fuentes, como pueden ser archivos informáticos en sus diversos formatos, fotografías, sistemas de geolocalización o biométricos, etc.

Se debe reconocer que la tecnología *big data* conduce a considerar el dato como materia prima capital de la sociedad de la información y del conocimiento, permitiendo reelaborar gran cantidad de datos, de forma que, combinados entre sí, pueden contribuir a definir el perfil íntimo de una persona, no sólo a través de la recogida directa de datos, sino mediante la recopilación de noticias fragmentarias y aparentemente inocuas que, una vez unidas, pueden aportar una gran información sobre las personas[856]. Y es que, se trata de un fenómeno que parte del hecho de que actualmente hay más información a nuestro alrededor de lo que ha habido nunca en la historia, y está siendo utilizada para nuevos usos, así, Dave Turek, responsable de desarrollo de superordenadores de IBM, calculó. que desde el inicio de la historia hasta 2003 los humanos habíamos creado 5 exabytes (es decir, 5 mil millones de gigabytes) de información, pues bien, en 2011 ya creábamos esa misma cantidad de información cada dos días[857].

1. Riesgos derivados del tratamiento masivo de datos en el ámbito laboral: los procesos de automatización de decisiones mediante el uso de algoritmos

Esta técnica del tratamiento masivo de datos, puede tener importantes consecuencias en las relaciones laborales, empezando por la selección de candidatos para un puesto de trabajo en lo que afecta a la

---

[855]   GT29. *Dictamen 02/2013 sobre las aplicaciones de los dispositivos inteligentes.* 00461/13/ES
WP 202, pág. 2.

[856]   MERCADER UGUINA, J.: «El mercado de trabajo y el empleo en un mundo digital». cit., págs. 4-5.

[857]   GIL GONZÁLEZ, E.: *Big Data, privacidad y protección de datos,* cit., pág. 18.

obtención de sus datos no solo del propio interesado o afectado, sino de otras fuentes de información. Y qué decir del siguiente paso, como es la conservación de tales datos para una eventual utilización de toda esa información para otros fines distintos a la mera selección. Pues bien, gracias a los algoritmos, el *big data* y la inteligencia artificial no solamente se abarata el coste de acceso a la información —lo que había hasta ahora gracias a Facebook y Linkedin— sino que también se está produciendo un abaratamiento sin precedente en el coste del procesamiento de dicha información para que sea útil e incluso facilitando la toma de decisiones basadas en esta información (decisiones automatizadas)[858].

En este sentido, el documento de la OIT, *Trabajar para un futuro más prometedor*, señala[859]: «Las nuevas tecnologías generan grandes cantidades de datos relativos a los trabajadores. Esto plantea riesgos para su intimidad. Puede haber otras consecuencias, dependiendo de cómo se usen los datos. Por ejemplo, los algoritmos utilizados para la asignación de puestos de trabajo pueden reproducir sesgos y prejuicios históricos. Es necesario elaborar una reglamentación que regule el uso de los datos y la responsabilidad exigible en cuanto a la utilización de algoritmos en el mundo del trabajo. Las empresas deben asegurarse de que cuentan con políticas de transparencia y de protección de datos para que los trabajadores sepan qué información se está rastreando. Se debería informar a los trabajadores de cualquier control que se realice en el lugar de trabajo e imponer límites a la recopilación de datos que puedan dar lugar a discriminación como, por ejemplo, los relativos a la sindicación. Los trabajadores deben tener acceso a sus propios datos, así como el derecho a comunicar esa información a su representante o autoridad reguladora».

Se pueden encontrar algoritmos, cuando se adoptan decisiones relacionadas con las diversas vertientes del poder de dirección empresarial[860]:

---

[858]   TODOLÍ SIGNES, A.: «La gobernanza colectiva de la protección de datos: Algoritmos, decisiones automatizadas y discriminación», cit., pág. 1640.
[859]   OIT. *Trabajar para un futuro más prometedor*, cit., págs. 46-47.
[860]   FERNÁNDEZ GARCÍA, A.: «Trabajo, algoritmos y discriminación». *Vigilancia y control en el Derecho del Trabajo Digital* (Directores: Miguel Rodríguez-Monta-

En primer lugar, se utilizan algoritmos en procesos de intermediación laboral y de selección de personal: recogida y procesado de datos de candidatos, evaluación del currículum vitae, entrevistas realizadas por sistemas de inteligencia artificial, pruebas de selección informatizadas, etc. De hecho, existen portales de empleo que indican al empresario el candidato más adecuado para su vacante publicada. Los procesos de selección «ciegos» o mediante currículum vitae anónimo deben ayudarse de algoritmos para ser eficaces y evitar los sesgos discriminatorios inconscientes del seleccionador humano. En segundo lugar, se utilizan algoritmos en materia de promoción profesional y ascensos. En tercer lugar, los algoritmos sustituyen al empresario a la hora de tomar decisiones organizativas sobre reparto de tareas en función de la demanda, distribución de horarios, control del trabajador, etc. En cuarto lugar, el cálculo y pago del salario puede delegarse en un algoritmo, de manera que a través de los algoritmos que se basan en unas previas incidencias, como las faltas de puntualidad, el no alcanzar los objetivos previstos, incumplimientos, bajo rendimiento, etc., pueden ocasionar el despido automatizado del trabajador. Pero además las decisiones automatizadas cuyos responsables son los algoritmos pueden ser contrastadas por otros algoritmos.

Desde luego, es un mundo todavía imprevisible con evidentes riesgos en materia de derechos fundamentales, por el uso de algoritmos. De hecho el Parlamento Europeo[861], alerta de los «riesgos significativos, concretamente en lo que se refiere a la protección de derechos fundamentales como el derecho a la privacidad, la protección y la seguridad de los datos, además de la libertad de expresión y la no discriminación, garantizados por la Carta de los Derechos Fundamentales y la legislación de la Unión»; y a continuación propone alguna medida, como son «las técnicas de seudonimización y cifrado, que pueden atenuar los riesgos anejos a la analítica de macrodatos y, por ello, desem-

---

ñero Royo y Adrián Todolí Signes). Thomson Reuters Aranzadi, Cizur Menor, 2020, págs. 508-510.

[861]   Considerando I) de la Resolución del Parlamento Europeo, de 14 de marzo de 2017, sobre las implicaciones de los macrodatos en los derechos fundamentales: privacidad, protección de datos, no discriminación, seguridad y aplicación de la ley (2016/2225(INI)).

peñar un papel importante en la garantía de la privacidad del interesado y fomentar, asimismo, la innovación y el crecimiento económico; y que estos elementos deben considerarse parte de la revisión que se está realizando en la actualidad de la Directiva sobre privacidad electrónica», y entre las posibles violaciones de derechos fundamentales destaca,la posibilidad de provocar un trato discriminatorio entre los trabajadores[862].

En ese sentido, el Parlamento Europeo[863], en esta materia, «hace hincapié en que, como consecuencia de los conjuntos de datos y sistemas de algoritmos que se utilizan al hacer evaluaciones y predicciones en las distintas fases del tratamiento de datos, los macrodatos no solo pueden resultar en violaciones de los derechos fundamentales de los individuos sino, también, en un tratamiento diferenciado y en una discriminación indirecta de grupos de personas con características similares, en particular en lo que se refiere a la justicia e igualdad de oportunidades en relación con el acceso a la educación y al empleo, al contratar o evaluar a las personas o al determinar los nuevos hábitos de consumo de los usuarios de los medios sociales». Lo que parece claro[864], es que el procesamiento automatizado de datos incrementa exponencialmente las posibilidades de vulneración de los derechos de los trabajadores, y ello, con independencia de que finalmente sea el responsable de recursos humanos el que tome una determinada decisión, pues, el hecho de que se base en un procesamiento automatizado de datos (ej. creación de perfiles de los trabajadores o establecimiento de evaluaciones por parte del algoritmo) provocará un incremento en las probabilidades de que la decisión tomada sea discriminatoria.

---

[862]   FERNÁNDEZ GARCÍA, A.: «Trabajo, algoritmos y discriminación», *cit.*, pág. 511.

[863]   Consideraciones generales, núm. 19) de la Resolución del Parlamento Europeo, de 14 de marzo de 2017, sobre las implicaciones de los macrodatos en los derechos fundamentales: privacidad, protección de datos, no discriminación, seguridad y aplicación de la ley (2016/2225(INI)).

[864]   TODOLÍ SIGNES, A.: «La gobernanza colectiva de la protección de datos: Algoritmos, decisiones automatizadas y discriminación», cit., pág. 1646.

2. Medios que garanticen la protección de datos personales ante posibles discriminaciones causadas por el uso de procesos de automatización en el ámbito laboral

De ahí, que se busquen garantías para evitar que a través de las decisiones automatizadas se produzcan situaciones discriminatorias. Una de las garantías, se contiene en el artículo 22 RGPD, al señalar expresamente: «Todo interesado tendrá derecho a no ser objeto de una decisión basada únicamente en el tratamiento automatizado, incluida la elaboración de perfiles, que produzca efectos jurídicos en él o le afecte significativamente de modo similar».

Lo que se plantea en este caso, es el grado de intervención humana que se exige para excluir la aplicabilidad del precepto examinado, si es suficiente una mínima intervención humana limitada, por ejemplo, a programar el sistema de datos. A este respecto, la doctrina señala[865], que la intervención tiene que ser relevante, sustancial, de modo que la persona interviniente tenga capacidad, autoridad y competencia para verificar, modificar o cambiar la decisión, en el sentido de que debe tratarse de una persona que disponga de poder para controlar la decisión y no ser meramente una parte del proceso, lo que significa que no puede ser una mera intervención nominal o simplemente pasiva, ni puede consistir en dar apariencia formal de decisión a los resultados del proceso, sino que el interviniente ha de poder influir real y efectivamente sobre el resultado de la decisión; analizando, evaluando, juzgando críticamente o modificando los resultados del proceso.

El problema en estos casos, radica en que si bien la decisión directa en muchos casos, es tomada por el responsable (por ejemplo, de recursos humanos), sin embargo, esa decisión puede obedecer a una mera correa de transmisión de las decisiones del tratamiento automatizado, en cuyo caso, no cambiaría nada. Se trataría, en puridad, de tratamiento automatizado, si bien bajo el ropaje de una decisión humana, por lo que debería considerarse también como decisión automatizada. Comparto la opi-

---

[865]   ARMADA VILLAVERDE, M. E. y LÓPEZ BUSTABAD, I. J.: «El reglamento general de protección de datos ante el fenómeno del "big data"», cit.

nión de la doctrina según la cual[866], «cuando el responsable de recursos humanos tenga autoridad para modificar la decisión dada por el sistema informático y valore cuestiones diferentes, se podrá entender que existe intervención humana significativa. En este sentido, para saber si el nivel de intervención humana es "significativo" habrá que valorar con qué frecuencia el responsable de recursos humanos adopta decisiones finales en un sentido distinto al planteado por el algoritmo o la inteligencia artificial».

Sin embargo, como establece el RGPD[867], no se aplicará ese derecho a no ser objeto de una decisión basada únicamente en el tratamiento automatizado, es decir, que se podrá acudir a procesos automatizados si la decisión:

a. Es necesaria para la celebración o la ejecución de un contrato entre el interesado y un responsable del tratamiento. Esa necesidad, podría entenderse, cuando la intervención humana no resulta posible a causa del número de datos procesados, como, por ejemplo, cuando se realiza una oferta de empleo y son miles de personas las que demandan el trabajo. Si bien, al principio podría estar justificado el uso de procedimientos automatizados, sin embargo, una vez realizada la primera criba, no se debe seguir adoptando decisiones automatizadas[868].

b. Está autorizada por el Derecho de la Unión o de los Estados miembros que se aplique al responsable del tratamiento y que establezca asimismo medidas adecuadas para salvaguardar los derechos y libertades y los intereses legítimos del interesado.

c. Se basa en el consentimiento explícito del interesado[869].

---

866   TODOLÍ SIGNES, A.: «La gobernanza colectiva de la protección de datos: Algoritmos, decisiones automatizadas y discriminación», cit., pág. 1649.
867   Artículo 22.2 RGPD.
868   TODOLÍ SIGNES, A.: «La gobernanza colectiva de la protección de datos: Algoritmos, decisiones automatizadas y discriminación», cit., pág. 1652.
869   En este sentido, el considerando 43 RGPD, señala que «para garantizar que el consentimiento se haya dado libremente, este no debe constituir un fundamento jurídico válido para el tratamiento de datos de carácter personal en un caso concreto en el que exista un desequilibrio claro entre el interesado y el responsable del tratamiento». Es claro que en el caso del contrato de trabajo existe un desequili-

En cualquier caso, es el propio Reglamento, el que matiza cómo debe ser, el uso de las decisiones automatizadas, en el apartado 3 del artículo 22, estableciendo garantías que la empresa (responsable del tratamiento) debe observar: «En los casos a que se refiere el apartado 2, letras a) y c), el responsable del tratamiento adoptará las medidas adecuadas para salvaguardar los derechos y libertades y los intereses legítimos del interesado, *como mínimo el derecho a obtener intervención humana por parte del responsable,* a expresar su punto de vista y a impugnar la decisión».

Es importante, tener en cuenta que el interesado tiene derecho a recibir información acerca del procesamiento automatizado de sus datos en tres aspectos[870]: «i) informar de que el sujeto está envuelto en un proceso automatizado de toma de decisiones, es decir, informar al trabajador de que el proceso de decisión será total o parcialmente automatizado; ii) proveer información significativa sobre la lógica del algoritmo, esto es, entre otras cuestiones, indicar los parámetros evaluados por el algoritmo que toma la decisión y la ponderación de dichos parámetros; iii) informar de las consecuencias del proceso, es decir, qué consecuencias, para el trabajador, tendrá la decisión, en un sentido u otro, tomada de forma automática».

Creo que estamos ante una forma de tratar los datos personales que merece un detenido análisis acerca de su tratamiento indiscriminado. Concretamente, según el Parlamento Europeo[871], «el sector de los macrodatos está creciendo a un ritmo del 40% anual, 7 veces más rápidamente que el del mercado de las tecnologías de la información; que la concentración de grandes conjuntos de datos generados por las nuevas

---

brio entre las partes. En particular que el consentimiento no se ha otorgado con libertad. Por eso, el Reglamento, explica en qué consiste ese libre consentimiento, al presumir que el consentimiento no se ha dado libremente «cuando el cumplimiento de un contrato, incluida la prestación de un servicio, sea dependiente del consentimiento, aun cuando este no sea necesario para dicho cumplimiento» (considerando 43 RGPD).

[870]   Se trata de una interpretación, parece unánime, de la doctrina, sintetizada por TODOLÍ SIGNES, A.: «La gobernanza colectiva de la protección de datos: Algoritmos, decisiones automatizadas y discriminación», cit., pág. 1652.

[871]   Considerando K) de la Resolución del Parlamento Europeo, de 14 de marzo de 2017, cit.

tecnologías ofrece información fundamental para las grandes empresas, lo que desencadena cambios sin precedentes en el equilibrio de poderes entre los ciudadanos, los gobiernos y los agentes privados; que tal concentración de poder en manos de las empresas podría consolidar monopolios y prácticas abusivas y tener un efecto perjudicial en los derechos de los consumidores y en la competencia justa en el mercado; y que deberían seguir analizándose en mayor medida los intereses de las personas y la protección de los derechos fundamentales en el contexto de las concentraciones de macrodatos».

Por tanto, parece llegado el momento de buscar soluciones que ponga coto a esta expansión aparentemente sin frenos del tratamiento masivo de datos.

El problema que se plantea con el manejo del *big data* es que tanto la educación, la experiencia laboral y los intereses pueden conectarse para compilar un «perfil de calificaciones» preciso, que puede alinearse con las habilidades y experiencia que los empleadores necesitan. A medida que evolucione esta capacidad, mejorará, presuntamente, la eficacia con la que se hace coincidir a los solicitantes de empleo con los puestos de trabajo[872].

En el ámbito laboral, en particular, resulta de gran utilidad para las empresas, y puede incidir en cualquiera de las fases de la relación laboral (selección, ejecución del contrato o terminación del mismo), pues en esos momentos pueden captarse datos para su tratamiento masivo, tomarse decisiones con base a un tratamiento masivo previo de datos, de manera que la adopción de decisiones automatizadas o la elaboración de perfiles podrían influir en la vida, patrimonio jurídico o intereses de los trabajadores titulares de los datos de forma determinante, y con ello las empresas pueden elaborar sus estrategias de ventas, de asunción de riesgos, financiación, contratación laboral, retribución (des) localización empresarial, etc[873]. De

---

[872] MERCADER UGUINA, J.: «El mercado de trabajo y el empleo en un mundo digital», cit., pág. 5.

[873] PRECIADO DOMÉNECH, C. H.: *Los Derechos Digitales de las Personas Trabajadoras. Aspectos Laborales de la LOPD, de 5 de diciembre, de Protección de Datos y Garantía de los Derechos Digitales*, cit., pág. 232.

ahí que el Parlamento Europeo[874], considere que «las obligaciones contractuales deben garantizar que los datos anonimizados no se reidentificarán mediante la utilización de correlaciones adicionales mediante la combinación de distintas fuentes de datos; pide a los sectores público y privado y a los demás agentes implicados en el análisis de macrodatos que revisen periódicamente esos riesgos teniendo en cuenta las nuevas tecnologías y que documenten la idoneidad de las medidas adoptadas, pide a la Comisión, al Comité Europeo de Protección de Datos y a las demás autoridades independientes de supervisión que elaboren directrices sobre la manera de anonimizar adecuadamente los datos para evitar abusos futuros de estas medidas y que hagan un seguimiento de estas prácticas». Y es que[875], los riesgos del desarrollo de estas nuevas tecnologías se proyectan como oscuras sombras en el ámbito empresarial, reformulando la clásica consideración del «trabajador transparente», al permitirse, si cabe, una mayor capacidad de transmisión de datos y de combinación de los mismos a través del uso de los ficheros de datos, con el peligro añadido de la descontextualización de la información, lo que creará un clima psicosociológico de control y transparencia, esto es, la conciencia en los trabajadores de poder ser conocidos en todos sus aspectos. Quizá se eche de menos, que la LOPD[876], se hubiera ocupado de estas cuestiones en el ámbito laboral, pues como se apuntó antes, el tratamiento masivo de datos puede tener innumerables repercusiones, en la selección de personal, contratación, uso de videovigilancia, geolocalización, control de dispositivos informáticos, etc., sin embargo, la citada norma no se ha ocupado de regular estos asuntos, sino que contiene algunas disposiciones dispersas sobre tratamiento masivo de datos.

---

[874]   Consideraciones generales (11), de la Resolución del Parlamento Europeo, de 14 de marzo de 2017, cit.

[875]   MERCADER UGUINA, J.: «El mercado de trabajo y el empleo en un mundo digital», cit., pág. 5.

[876]   En ese sentido, PRECIADO DOMÉNECH, C. H.: *Los Derechos Digitales de las Personas Trabajadoras. Aspectos Laborales de la LOPD, de 5 de diciembre, de Protección de Datos y Garantía de los Derechos Digitales*, cit., pág. 233.

Bibliografía

AGUILERA IZQUIERDO, R.: «El derecho a la protección de datos en el ámbito laboral. Los sistemas de videovigilancia y geolocalización». *Revista de Trabajo y Seguridad Social, CEF*, núm. 442, (2020).

AGUILERA IZQUIERDO, R. y CRISTOBAL RONCERO, R.: «Nuevas tecnologías y tiempo de trabajo: El derecho a la desconexión tecnológica». *El futuro del trabajo que queremos* (Vol. II). Conferencia Nacional Tripartita celebrada el 28 de marzo de 2017. Ministerio de Empleo y Seguridad Social. Madrid, 2017.

AGUT GARCÍA, M. T.: «El uso de fotografías obtenidas de las redes sociales: nueva doctrina constitucional sobre colisión del derecho fundamental a la propia imagen con el derecho a la información. Comentario a la Sentencia del Tribunal Constitucional 27/2020, de 24 de febrero». *Revista de Trabajo y Seguridad Social*, CEF, núm. 448.

ALEMÁN PÁEZ, F.: «El derecho de desconexión digital. Una aproximación conceptual, crítica y contextualizadora al hilo de la Loi Travail Nº 2016-1088», *Trabajo y Derecho*, núm. 30, 2017.

– «El derecho de desconexión digital en la "Loi Travail nº 2016-1088". Régimen Regulador y puntos críticos». *El futuro del trabajo. Análisis jurídico y socioeconómico* (Coordinadora: Martha Elisa Monsalve Cuéllar) Aldebarán. Cuenca. 2017.

ALOISI, A. y DE STEFANO, V.: «Máquinas, algoritmos, plataformas digitales: Facultades ampliadas y libertades virtuales. Notas sobre el futuro (del Derecho del Trabajo)». *Cambiando la forma de trabajar y de vivir. De las plataformas a la economía colaborativa real* (directores: Macarena Hernández Bejarano, Miguel Rodríguez-Piñero Royo, Adrián Todolí Signes). Tirant lo blanch, Valencia, 2020.

ALTÉS TÁRREGA, J. A. y YAGÜE BLANCO, S.: «El derecho a la desconexión digital en el trabajo». *El futuro del Trabajo: Cien años de la OIT. XXIX*. Congreso Anual de la Asociación Española de Derecho del Trabajo y de la Seguridad Social. Ministerio de Trabajo, Migraciones y Seguridad Social. Informes y Estudios. Serie General, núm. 23. Madrid, 2019.

APARICIO ALDANA, R. K.: *Derecho a la Intimidad y a la Propia Imagen en las Relaciones Jurídico Laborales*. Thomson Reuters Aranzadi, Cizur Menor, 2016.

ARAGÜEZ VALENZUELA, L.: *Relación laboral «digitalizada»: Colaboración y control en un contexto tecnológico*. Thomson Reuters Aranzadi. Cizur Menor, 2019.

ARMADA VILLAVERDE, M. E. y LÓPEZ BUSTABAD, I. J.: «El reglamento general de protección de datos ante el fenómeno del "big data"». *Revista Aranzadi de Derecho y Nuevas Tecnologías* núm. 51/2019, BIB 2019\9385.

ARRABAL PLATERO, P.: «La videovigilancia laboral como prueba en el proceso». *Revista General de Derecho Procesal*, 37, 2015.

ARREDONDO PACHECO, J.: «Ideas a tener en consideración ante la irrupción de un nuevo mecanismo de control empresarial: El GPS». *Revista chilena Derecho de Trabajo y Seguridad Social*, Vol. 2, núm. 4 (2011).

ARRIETA IDIAKEZ, F. J.: «La desconexión digital y el registro de la jornada diaria en España como mecanismos para garantizar el descanso, la salud y el bienestar de los trabajadores a distancia». *Lan Harremanak, Revista de Relaciones Laborales*, 2019.

ARRÚE MENDIZABAL, M.: *El derecho a la propia imagen de los trabajadores.* Thomson Reuters Aranzadi, Cizur Menor, 2019.

ARETIO BERTOLÍN, J. y ARETIO BERTOLÍN, M. T.: «Análisis en torno a la tecnología biométrica para los sistemas electrónicos de identificación y autenticación». *Revista española de electrónica*, núm. 630, 2007.

BARRIOS BAUDOR, G. L.: «El derecho a la desconexión digital en el ámbito laboral español: primeras aproximaciones». *Revista Aranzadi Doctrinal*, núm. 1/2019, BIB 2018\14719.

BAZ RODRÍGUEZ, J.: *Privacidad y protección de datos de los trabajadores en el entorno digital.* Bosch. Wolters Kluwer. Las Rozas (Madrid). 2019.

BENTOLILLA, S. y JIMENO, J. F.: ¿*Nos van a quitar las máquinas de trabajar? Nada es gratis*, en https://nadaesgratis.es/bentolila/nos-van-a-quitar-las-maquinas-de-trabajar.

BLÁZQUEZ AGUDO, E. M.: *Aplicación práctica de la protección de datos en las relaciones laborales.* CISS. Wolters Kluwer, Las Rozas (Madrid), 2018.

CAMINO FRÍAS, J. J.: «La consideración como asalariadas de las personas repartidoras a domicilio a través de plataformas digitales». Comentario al Auto del Tribunal de Justicia de la Unión Europea de 22 de abril de 2020, asunto C-692/19. *Revista de Trabajo y Seguridad Social* CEF, 448 (julio 2020).

CANO RUIZ, I.: «Categorías especiales de datos». *Comentarios a la Ley Orgánica de Protección de Datos y Garantía de Derechos Digitales (en relación con el RGPD).* Directores: Mónica Arenas Ramiro y Alfonso Ortega Giménez. Sepín. 2019.

CARDONA RUBERT, M. B.: «Las relaciones laborales y el uso de las tecnologías informáticas». *Lan Harremana. Revista de Relaciones Laborales*, núm. Extra 1 (2003).

 – «Los perfiles del derecho a la desconexión». *Revista de Derecho Social,* núm. 90 (abril 2020).

CARRASCO DURÁN, M.: «El Tribunal Constitucional y el uso del correo y los programas de mensajería en la empresa» *Revista Aranzadi Doctrinal*, núm. 9/2014 BIB 2013\2695.

CARRIL VÁZQUEZ, X. M. y SEOANE RODRÍGUEZ, J. A.: «Vigilar y trabajar (una aproximación metodológica sobre la intimidad del trabajador como límite a las facultades de vigilancia y control del empresario. A propósito de las SSTCo 98/2000, de 10 de abril y 186/2000, de 10 de julio)», *Anuario da Facultade de Dereito da Universidade da Coruña* núm. 5, 2001.

CAVAS MARTÍNEZ, F.: «Las prestaciones de servicios a través de las plataformas informáticas de consumo colaborativo: un nuevo desafío para el Derecho del Trabajo». *Revista de Trabajo y Seguridad Social*. CEF, núm. 406 (enero 2017).

CERVILLA GARZÓN, M. J.: «Reflexiones sobre el derecho a la Desconexión tecnológica de los trabajadores y el surgimiento de nuevas formas de trabajo en Italia». *Orbitados*. 27 marzo 2017. Universidad de Cádiz.

– «Reflexiones sobre la incidencia de las nuevas tecnologías de la comunicación en el futuro del trabajo y en el surgimiento de nuevas formas de trabajo en Italia». *Análisis jurídico y socioeconómico* (Coordinadora: Martha Elisa Monsalve Cuéllar) Aldebarán. Cuenca. 2017.

CIALTI, P. H.: «El derecho a la desconexión en Francia: ¿Más de lo que parece?» *Temas Laborales*, núm. 137, 2017.

CONFEDERACIÓN EMPRESARIAL DE LA COMUNIDAD VALENCIANA (CEV) en Colaboración con Navarro & Asociados. Abogados, S. L. P. *Futuro del Trabajo y Digitalización: Desafíos para la prevención de riesgos laborales en la Comunitat Valenciana*. Institut Valencià de Seguretat i Salut en el Treball (INVASSAT) Generalitat Valenciana.

CORTÉS OSORIO, J. A., MEDINA AGUIRRE, F. A. y MURIEL ESCOBAR, J. A.: «Sistemas de seguridad basados en Biometría». *Scientia et Technica*. Vol. 3, núm. 46, 2010.

CRUZ VILLALÓN, J.: «Del coronavirus al contagio del teletrabajo». *Nuevatribuna.es*. 21/03/2020.

CUADROS GARRIDO, M. E.: *Trabajadores Tecnológicos y Empresas Digitales*. Thomson Reuters Aranzadi. Cizur Menor, 2018.

DE DOMINGO, PÉREZ, T.: *¿Conflicto entre derechos fundamentales? Un análisis desde las relaciones entre los derechos a la libre expresión e información y los derechos al honor y a la intimidad*, Estudio Preliminar de Antonio-Luis Martínez-Pujalte. Centro de Estudios Políticos y Constitucionales, Madrid. 2001.

DE LA CUADRA-SALCEDO JANINI, T. y SUÁREZ CORUJO, B.: «¿Trabajadores incomunicados?: La deriva de la doctrina constitucional en torno a los márgenes de actuación empresarial en el control de las comunicaciones», (comunicación en CD adjunto al libro), *Los derechos fundamentales inespecíficos en la relación laboral y en materia de protección social*. XXIV Congreso Nacional de Derecho del Trabajo y de la Seguridad Social. Ediciones Cinca. Madrid. 2014.

DESDENTADO BONETE, A. y MUÑOZ RUIZ, A. B.: *Control informático, videovigilancia y protección de datos en el trabajo*. Lex Nova, Valladolid, 2012.

DE VICENTE PACHÉS, F.: «El derecho a la libre apariencia física-estética en las relaciones de trabajo: una aproximación desde una perspectiva de sexo-género». Comunicación presentada en el XXIV Congreso Nacional de Derecho del Trabajo y de la Seguridad Social, celebrado en Pamplona, del 29 al 30 de mayo de 2014, con el título genérico: *Los derechos fundamentales inespecíficos en la relación laboral y en materia de protección social*. Ediciones Cinca, Colección Estudios Laborales. Madrid, 2014, pág. 3 (disponible en el CD que se acompaña a la publicación).

- DE VICENTE PACHÉS, F.: «El Convenio 190 OIT y su trascendencia en la gestión preventiva de la violencia digital y ciberacoso en el trabajo». *Revista de Trabajo y Seguridad Social*. CEF, núm. 448 (julio 2020).

DÍAZ LAFUENTE, J.: «Transparencia e información». Protección de Datos. *Comentarios a la Ley Orgánica de Protección de Datos y Garantía de Derechos Digitales (en relación con el RGPD)*. Directores: Mónica Arenas Ramiro y Alfonso Ortega Giménez. Sepín. 2019.

DÍEZ PICAZO, L. M.: *Sistema de derechos fundamentales*. Civitas. Madrid. 2008.

FERNÁNDEZ AVILÉS, J. A.: «Cronoreflexión al hilo de cuestiones actuales sobre tiempo de trabajo», *Revista de Trabajo y Seguridad Social*. CEF, núm. 421, 2018.

FERNÁNDEZ GARCÍA, A.: «Sistemas de geolocalización como medio de control del trabajador: un análisis jurisprudencial». *Revista Doctrinal Aranzadi Social* núm. 17/2010 parte Estudio (versión digital) BIB 2009\1901.

- «Trabajo, algoritmos y discriminación». *Vigilancia y control en el Derecho del Trabajo Digital* (Directores: Miguel Rodríguez-Piñero Royo y Adrián Todolí Signes). Thomson Reuters Aranzadi, Cizur Menor, 2020.

FERNÁNDEZ ORRICO, F. J.: «Luces rojas al control empresarial por medios tecnológicos del derecho a la intimidad de los trabajadores» (comunicación en CD adjunto al libro), *Los derechos fundamentales inespecíficos en la relación laboral y en materia de protección social*. XXIV Congreso Nacional de Derecho del Trabajo y de la Seguridad Social. Ediciones Cinca. Madrid. 2014.

- «Protección de la intimidad del trabajador frente a dispositivos digitales: análisis de la Ley Orgánica 3/2018, de 5 de diciembre». *Revista española de Derecho del Trabajo*, núm. 222 (julio) 2019 (BIB\2019\7744).

FERNÁNDEZ VILLAZÓN, L. A.: *Las facultades empresariales de control de la actividad laboral*, Thomson Aranzadi, Cizur Menor, 2003.

FERRER, M.: «Plataformas digitales y trabajo, de un escenario judicial a un marco regulatorio avanzado». *Cambiando la forma de trabajar y de vivir. De las platafor-*

mas a la economía colaborativa real (directores: Macarena Hernández Bejarano, Miguel Rodríguez-Piñero Royo, Adrián Todolí Signes). Tirant lo blanch, Valencia, 2020.

GARCÍA COCA, O.: «Nuevas tecnologías y sistemas de control de acceso al centro de trabajo: Confrontación con el Derecho fundamental a la protección de datos de carácter personal». *Los Derechos fundamentales inespecíficos en la relación laboral y en materia de protección social.* Ediciones Cinca, Madrid, 2014, Comunicación presentada en el XXIV Congreso Nacional de Derecho del Trabajo y de la Seguridad Social, figura en CD que acompaña al libro, en comunicaciones a la primera ponencia, núm. 19.

GARCÍA-PERROTE ESCARTÍN, I. y MERCADER UGUINA, J. R.: «El control biométrico de los trabajadores». *Revista de Información Laboral* núm. 3/2017, BIB 2017\1102.

GIL GONZÁLEZ, E.: *Big Data, privacidad y protección de datos.* AEPD y BOE, Madrid, 2016.

GIL PLANA, J.: «Uso particular por los trabajadores de las nuevas tecnologías empresariales en los códigos de conducta». *Revista española de Derecho del Trabajo*, núm. 155, 2012, BIB 2012\2800.

GOERLICH PESET, J. M.: «¿Repensar el Derecho del Trabajo? Cambios tecnológicos y empleo». *Gaceta Sindical. Reflexión y debate*, núm. 27, dic. 2016.
  − «Innovación, digitalización, y relaciones colectivas de trabajo». *Revista de Treball, Economía i Societat*, núm. 92, enero 2019.

GOERLICH PESET, J. M. y GARCÍA RUBIO, M. A: «Indicios de autonomía y de laboralidad en los servicios de los trabajadores en plataforma». *El trabajo en plataformas digitales. Análisis sobre su situación jurídica y regulación futura* (director: Francisco Pérez de los Cobos). CISS. Wolters Kluwer, 2018.

GÓMEZ SANCHIDRIAN, D.: «Las nuevas tecnologías en las relaciones laborales: Control empresarial del correo electrónico y de Internet», *Noticias jurídicas* artículos doctrinales, noviembre 2012.

GONZÁLEZ BIEDMA, E.: «Derecho a la información y consentimiento del trabajador en materia de protección de datos», *Temas Laborales*, núm. 138, 2017.

GONZÁLEZ GONZÁLEZ, C.: «Control empresarial de la actividad laboral mediante la videovigilancia y colisión con los derechos fundamentales del trabajador. Novedades de la Ley Orgánica 3/2018, de 5 de diciembre, de Protección de Datos Personales y garantía de los derechos digitales». *Aranzadi digital* núm. 1/2018.
  − *Guía práctica sobre Protección de Datos: ámbito laboral.* Thomson Reuters Aranzadi, Cizur Menor, 2019.

GONZÁLEZ LABRADA, M.: «El derecho a la desconexión digital en el ámbito laboral: naturaleza y alcance». *Revista de Derecho Social*, núm. 87 (julio 2019).

GOÑI SEIN, J. L.: «Controles empresariales: geolocalización, correo electrónico, Internet, videovigilancia y controles biométricos». *Justicia Laboral*, núm. 39, 2009.

– «Los derechos fundamentales inespecíficos en la relación laboral individual: ¿Necesidad de una reformulación?», *Los Derechos Fundamentales inespecíficos en la relación laboral y en materia de protección social*, Ediciones Cinca, Madrid, 2014.

GUDÍN RODRÍGUEZ-MAGARIÑOS, F.: «Obligaciones generales del responsable y encargado del tratamiento». Protección de Datos. *Comentarios a la Ley Orgánica de Protección de Datos y Garantía de Derechos Digitales (en relación con el RGPD)*. Directores: Mónica Arenas Ramiro y Alfonso Ortega Giménez. Sepín. 2019.

– «Registro de las actividades de tratamiento». *Comentarios a la Ley Orgánica de Protección de Datos y Garantía de Derechos Digitales (en relación con el RGPD)*. Directores: Mónica Arenas Ramiro y Alfonso Ortega Giménez. Sepín. 2019.

IGÁRTUA MIRÓ, M. T.: «El derecho a la desconexión en la Ley orgánica 3/2018, de 5 de diciembre, de protección de datos personales y garantía de los derechos digitales». *Revista de Trabajo y Seguridad Social*. CEF, 432 (marzo 2019).

JIMÉNEZ CAMPO, J.: «La garantía constitucional del secreto de las comunicaciones». *Revista española de Derecho Constitucional*, núm. 20, 1987.

LENZI, O.: «La video-vigilancia de las empleadas al servicio del hogar familiar a la luz de la sentencia de la Audiencia Provincial de Pontevedra de 9 de enero de 2019, rec. 618/20181». *Revista de Derecho Social*, núm. 88 (octubre 2019).

LEROUGE, L.: «Desconexión digital del trabajo: reflexiones sobre los retos jurídicos en derecho laboral». *Revista de Trabajo y Seguridad Social*. CEF, núm. 436.

LÓPEZ ÁLVAREZ, M. J.: *Jornada Laboral. Control horario, desconexión, flexibilidad y conciliación*. Claves Prácticas. Francis Lefebvre, Madrid, 2019.

MARCOS HERRERO, J. A.: «La protección de datos personales de los empleados en el registro de la jornada y los denominados "derechos digitales"». *Revista Derecho Social y Empresa*, núm. 11, julio 2019.

MARÍN ALONSO, I.: *El poder de control empresarial sobre el uso del correo electrónico en la empresa. Su limitación en base al secreto de las comunicaciones*. Tirant lo Blanch. Valencia, 2005.

MARTÍNEZ MARTÍNEZ, R.: «Disposiciones generales sobre ejercicio de los derechos». *Comentarios a la Ley Orgánica de Protección de Datos y Garantía de Derechos Digitales (en relación con el RGPD)*. Directores: Mónica Arenas Ramiro y Alfonso Ortega Giménez. Sepín. 2019.

– «Derecho de acceso». *Comentarios a la Ley Orgánica de Protección de Datos y Garantía de Derechos Digitales (en relación con el RGPD)*. Directores: Mónica Arenas Ramiro y Alfonso Ortega Giménez. Sepín. 2019.

- «Derecho de rectificación». *Comentarios a la Ley Orgánica de Protección de Datos y Garantía de Derechos Digitales (en relación con el RGPD)*. Directores: Mónica Arenas Ramiro y Alfonso Ortega Giménez. Sepín. 2019.
- «Derecho de supresión». *Comentarios a la Ley Orgánica de Protección de Datos y Garantía de Derechos Digitales (en relación con el RGPD)*. Directores: Mónica Arenas Ramiro y Alfonso Ortega Giménez. Sepín, 2019

MARTÍNEZ MOYA, J.: «El derecho a la protección de datos personales y sistema de geolocalización impuesto por la empresa a los trabajadores-repartidores». *Revista de Jurisprudencia Laboral*, núm. 1/2019.

MARTONE, M.: «El smart working o Trabajo ágil en el ordenamiento italiano». *Derecho de las Relaciones Laborales*, Francis Lefbvre. núm. 1 enero 2018.

MELLA MÉNDEZ, L.: «Nuevas tecnologías y nuevos retos para la conciliación y la salud de los trabajadores», *Trabajo y Derecho*, núm. 16, 2016.

MERCADER UGUINA, J.: «El mercado de trabajo y el empleo en un mundo digital». *Revista de Información Laboral*, núm. 11/2018, (BIB 2018\13994).
- «Los TRADES en las plataformas digitales». *El trabajo en plataformas digitales. Análisis sobre su situación jurídica y regulación futura* (director: Francisco Pérez de los Cobos). CISS. Wolters Kluwer. Las Rozas (Madrid). 2018.
- *Protección de datos y garantía de los derechos digitales en las relaciones laborales*. 3ª edición. Claves Prácticas. Francis Lefbvre, Madrid, 2019.

MIÑARRO YANINI.: «Artículo 89. Derecho a la intimidad frente al uso de dispositivos de vigilancia y de grabación de sonidos en el lugar de trabajo», *Protección de Datos. Comentarios a la Ley Orgánica de Protección de Datos y Garantía de Derechos Digitales (en relación con el RGPD)*. Directores: Mónica Arenas Ramiro y Alfonso Ortega Giménez. Sepin. Las Rozas (Madrid) 2019.
- «Artículo 90. Derecho a la intimidad ante la utilización de sistemas de geolocalización en el ámbito laboral». *Protección de Datos. Comentarios a la Ley Orgánica de Protección de Datos y Garantía de Derechos Digitales (en relación con el RGPD)*. Sepín, Las Rozas, 2019.
- «La "Carta de derechos digitales" de los trabajadores ya es ley: menos claros que oscuros en la nueva regulación». *Revista de Trabajo y Seguridad Social CEF*, núm. 430 (enero 2019).

MOLINA NAVARRETE, C.: «El poder empresarial de control digital: ¿"nueva doctrina" del TEDH o mayor rigor aplicativo de la precedente?», *IusLabor*, núm. 3, 2017.
- «Derecho y Trabajo en la era digital: ¿Revolución industrial 4.0 o economía sumergida»? *El futuro del trabajo que queremos*. Conferencia Nacional Tripartita. OIT. Ministerio de Empleo y Seguridad Social. Madrid. 2017.
- «Jornada laboral y tecnologías de la info-comunicación: "Desconexión digital", garantía del derecho al descanso». *Temas Laborales*, núm. 138/2017.

- «"De Barbulesco II" a "López Ribalda": ¿Qué hay de nuevo en la protección de datos de los trabajadores?». *Revista de Trabajo y Seguridad Social*. CEF., núm. 419 (febrero 2018).
- «Artículo 87. Derecho a la intimidad y uso de dispositivos digitales en el ámbito laboral». *Protección de Datos. Comentarios a la Ley Orgánica de Protección de Datos y Garantía de Derechos Digitales (en relación con el RGPD).* Directores: Mónica Arenas Ramiro y Alfonso Ortega Jiménez. Sepín, Las Rozas (Madrid), 2019.

MONTOYA MELGAR, A.: «Dirección de la actividad laboral. Comentario al artículo 20 del Estatuto de los Trabajadores». *Comentarios a las leyes laborales. El Estatuto de los Trabajadores*. Edersa. Madrid. 1985.
- «El poder de dirección del empresario», Revista española de Derecho del Trabajo, 2000, núm. 100.

MORENO GENÉ, J.: «El impacto de las nuevas tecnologías en la delimitación de los sujetos de la relación laboral: ¿El fin del trabajo subordinado "típico"?». *Finding solutions to societal problems.* Edited by Teresa Torres-Coronas, Ángel Belzumegui Eraso & Josep Moreno-Gené. Universitat Rovira i Virgili. Tarragona, 2018.

MORENO JIMÉNEZ, B. y BÁEZ LEÓN, C.: *Factores y riesgos psicosociales, formas, consecuencias, medidas y buenas prácticas*, Ed. Instituto Nacional de Seguridad e Higiene en el Trabajo, Madrid, nov. 2010.

MORATO GARCÍA, R. M.: «El control sobre Internet y correo electrónico en la negociación colectiva». *Relaciones Laborales*, núm. 24, diciembre 2005

NAVAS SÁNCHEZ, M. M.: «El uso informativo de la imagen». *InDret*, núm. 1. Universitat Pompeu Fabra. Barcelona.

NEIL CUKIER, K. y MAYER-SCHÖENBERGER, V.: «The Rise of Big data. How It's Changing the Way We Think About the World». *Foreign Affairs.* Vol. 92, nº 3 (2013).

NIETO SANZ, J.: «Innovación social y transición justa para una revolución tecnológica disruptiva». *El futuro del trabajo: Cien años de la OIT. XXIX Congreso Anual de la Asociación Española de Derecho del Trabajo y de la Seguridad Social.* Ministerio de Trabajo Migraciones y Seguridad Social. Informes y Estudios. Serie General, núm. 23, Madrid.

NÚÑEZ GARCÍA, J. L.: «El encargado del tratamiento». *Reglamento General de Protección de Datos. Hacia un nuevo modelo europeo de privacidad.* Director: Piñar Mañas, J. L. Reus, Madrid, 2016.

OCHOA RUIZ, N.: «Tribunal Europeo de Derechos Humanos. Asunto López Ribalda y otros c. España [GC_], nos 1874/13 y 8567/13, de 17 de octubre de 2019». *Revista Aranzadi Doctrinal*, núm. 1/2020 (versión electrónica) BIB\2019\10878.

OJEDA AVILÉS, A.: «Equilibrio de intereses y bloque de constitucionalidad personal en la empresa», *Revista de Derecho Social,* núm. 35, 2006.

ORELLANA CANO, A. M.: *El derecho a la protección de datos personales como garantía de la privacidad de los trabajadores.* Thomson Reuters Aranzadi. Cizur Menor. 2019.

ORTEGA GARCÍA, J., ALONSO FERNÁNDEZ, F., COOMONTE BELMONTE, R.: *Biometría y Seguridad.* Cuadernos Cátedra ISDEFE-UPM 3, Madrid, 2018.

ORTEGA GIMÉNEZ, A.: *El nuevo Régimen Jurídico de la Unión Europea para las empresas en materia de protección de datos de carácter personal.* Thomson Reuters Aranzadi. Cizur Menor. 2017.

–   «Cuestiones prácticas laborales en materia de protección de datos de carácter personal tras el nuevo reglamento general de protección de datos de la UE», Revista española de Derecho del Trabajo, núm. 216, 2019 (BIB 2019\1435).

PAGÁN MARTÍN-PORTUGUÉS, F.: «Las relaciones laborales en la Industria 4.0». *Era digital, sociedad y derecho.* Tirant lo blanch, Valencia, 2020.

PASCUAL GASPAR, J. M.: *Uso de la firma manuscrita dinámica para el reconocimiento biométrico de personas en escenarios prácticos.* Tesis doctoral. Universidad de Valladolid, 2010.

PÉREZ DE LOS COBOS ORIHUEL, F. y GARCÍA RUBIO, M. A.: «El control empresarial sobre las comunicaciones electrónicas del trabajador; criterios convergentes de la jurisprudencia del Tribunal Constitucional y del Tribunal Europeo de Derechos Humanos». *Revista Española de Derecho del Trabajo,* núm. 196/2017.

PÉREZ DEL Prado, D.: «Instrumentos GPS y poder de control del empresario». *Revista de Contratación Electrónica,* nº 107, 2009.

POQUET CATALÁ, R.: «Últimos perfiles del sistema de geolocalización como instrumento del empresario». *Vigilancia y control en el Derecho del Trabajo Digital* (Directores: Miguel Rodríguez-Piñero Royo y Adrián Todolí Signes). Thomson Reuters Aranzadi, Cizur Menor, 2020.

PRECIADO DOMÉNECH, C. H.: *Los Derechos Digitales de las Personas Trabajadoras. Aspectos Laborales de la Ley Orgánica 3/2018, de 5 de diciembre, de Protección de Datos y Garantía de los Derechos Digitales.* Thomson Reuters Aranzadi, Cizur Menor, 2019.

PURCALLA BONILLA, M. A.: «Control tecnológico de la prestación laboral y derecho a la desconexión de los empleados: Notas a propósito de la Ley 3/2018, de 5 de diciembre». *Nueva Revista Española de Derecho del Trabajo* núm. 218/2019, BIB 2019\2891.

QUILEZ MORENO, J. M.: «La garantía de derechos digitales en el ámbito laboral: el nuevo artículo 20 bis del Estatuto de los Trabajadores». *Revista española de Derecho del Trabajo*, núm. 217/2019 (BIB 2019\1558).

QUINTANILLA NAVARRO, R. Y.: «El teletrabajo: de la dispersión normativa presente a la necesaria regulación normativa europea y estatal futura». *El futuro del trabajo que queremos*. Conferencia Nacional Tripartita. OIT. Ministerio de Empleo y Seguridad Social. Madrid. 2017.

RECHE TELLO, N.: «Derecho a la desconexión digital en el ámbito laboral». *Protección de Datos. Comentarios a la Ley Orgánica de Protección de Datos y Garantía de Derechos Digitales (en relación con el RGPD)*. Directores: Mónica Arenas Ramiro y Alfonso Ortega Giménez. Sepín, 2019.

   –   «La desconexión digital como límite frente a la invasión de la privacidad». *IUSLabor* 3/2019.

   –   «El derecho al trabajo en tiempos de excepcionalidad constitucional: la regulación laboral en torno al COVID-19 en España» *e–Revista Internacional de la Protección Social* (e.RIPS) Vol. V, núm. 1, 2020.

RIBES MORENO, M. I.: «Derecho del Trabajo y nuevas tecnologías: ¿Hay que buscar nuevas reglas?». *El futuro del trabajo. Análisis jurídico y socioeconómico* (Coordinadora: Martha Elisa Monsalve Cuéllar). Aldebarán. Cuenca. 2016.

ROCHA SÁNCHEZ, F.: «La digitalización y el empleo decente en España. Retos y propuestas de actuación». *El futuro del trabajo que queremos*. Conferencia Nacional Tripartita. OIT. Ministerio de Empleo y Seguridad Social. Madrid. 2017.

RODRÍGUEZ ESCANCIANO, S.: «El derecho a la protección de datos personales en el contrato de trabajo: reflexiones a la luz del Reglamento europeo 2016/679», *Revista de Trabajo y Seguridad Social, CEF*, núm. 423 (junio 2018).

   –   «Videovigilancia empresarial: límites a la luz de la Ley Orgánica, 3/2018, de 5 de diciembre de protección de datos personales y garantía de los derechos digitales». *Diario La Ley*, núm. 9328, Sección Tribuna, 2 de enero de 2019.

RODRÍGUEZ-PIÑERO ROYO, M.: «Trabajo en plataformas DIGITALES Y REGULACIÓN: ¿Una respuesta colectiva?», *Cambiando la forma de trabajar y de vivir. De las plataformas a la economía colaborativa real* (directores: Macarena Hernández Bejarano, Miguel Rodríguez-Piñero Royo, Adrián Todolí Signes). Tirant lo blanch, Valencia, 2020.

RODRÍGUEZ RUIZ, B.: *El secreto de las comunicaciones: tecnología e intimidad*. McGraw-Hill, Madrid, 1998.

ROJAS, R.: «La geolocalización como instrumento de control laboral», *Byte*, 5 marzo 2018.

ROSENBAUM CARLI, F.: «El derecho a la desconexión con especial énfasis en el sistema jurídico uruguayo». *Revista Derecho & Sociedad*, núm. 53.

RUIZ GONZÁLEZ C.: *La incidencia de las tecnologías de la información y la comunicación en las relaciones laborales*. Ediciones Laborum, Murcia, 2018.

SÁEZ LARA, C.: «Derechos Fundamentales de los trabajadores y poderes de control del empleador a través de las tecnologías de la información y las comunicaciones». *Temas Laborales*, núm. 138, 2017 (tercer trimestre).

SÁNCHEZ-URÁN AZAÑA, Y. y GRAU RUIZ, M. A.: «El impacto de la robótica, en especial la robótica inclusiva, en el trabajo: aspectos jurídico-laborales y fiscales». *Revista Aranzadi de Derecho y Nuevas Tecnologías* núm. 50/2019 (BIB 2019\7000).

SAN MARTÍN MAZZUCCONI, C.: «Generalización tecnológica: efectos sobre las condiciones de trabajo y empleo». *El futuro del trabajo que queremos*. Conferencia Nacional Tripartita. OIT. Ministerio de Empleo y Seguridad Social. Madrid. 2017.

SAN MARTIN MAZZUCCONI, C., y SEMPERE NAVARRO, A. V.: «Sobre el control empresarial de los ordenadores», *Revista Doctrinal Aranzadi Social*, núm. 3/2012 parte Tribuna. BIB/2012/984.

SANTIAGO REDONDO, K. M.: «Intimidad, secreto de las comunicaciones y protección de datos de carácter personal. El art. 18 CE», *Relaciones Laborales*, núm. 1 enero 2014.

SELMA PENALVA, A.: «El control de accesos por medio de huella digital y sus repercusiones prácticas sobre el derecho a la intimidad de los trabajadores. Comentario a la STSJ de Murcia, de 25 de enero de 2010». *Aranzadi Social*, núm. 3/2010 (BIB 2010\735).

SEMPERE NAVARRO, A. V. y SAN MARTIN MAZZUCCONI, C.: *Los derechos fundamentales inespecíficos en la negociación colectiva*. Aranzadi. Cizur Menor, 2011.

–   «Nuevas tecnologías y relaciones laborales: una tipología jurisprudencial», *Revista Aranzadi Derecho y Nuevas Tecnologías*, núm. 10, 2006, Tomo I.

SERRANO OLIVARES, R.: «Los derechos digitales en el ámbito laboral: Comentario de urgencia a la Ley Orgánica 3/2018, de 5 de diciembre, de Protección de Datos Personales y Garantía de los Derechos digitales». *IUSLabor* 3/2018.

SIMÓN ZORITA, D.: *Reconocimiento automático mediante patrones biométricos de huella dactilar*. Tesis Doctoral. Universidad Politécnica de Madrid, 2003.

TALÉNS VISCONTI, E. E.: «La desconexión digital en el ámbito laboral: Un deber empresarial y una nueva oportunidad de cambio para la negociación colectiva», *Información Laboral*, núm. 4, 2018.

–   *Incidencia de las Redes Sociales en el ámbito laboral y en la práctica procesal*. Claves Prácticas. Francis Lefebvre. Madrid. 2020.

TASCÓN LÓPEZ, R.: «El lento (pero firme) proceso de decantación de los límites del poder de control empresarial en la era de las nuevas tecnologías». *Aranzadi Social*, núm. 17, 2007 (revista electrónica) BIB 2007|3032.

TERRADILLOS ORMAETXEA, M. E.: «El derecho a la desconexión digital en la ley y en la incipiente negociación colectiva española: la importancia de su regulación jurídica». *Lan Harremanak, Revista de Relaciones Laborales*, 2019, núm. 42.

TODOLÍ SIGNES, A.: «El impacto de la "Uber economy" en las relaciones laborales: Los efectos de las plataformas virtuales en el contrato de trabajo». *IUS-Labor, núm. 3/2015.*

– «La gobernanza colectiva de la protección de datos: Algoritmos, decisiones automatizadas y discriminación». *El futuro del trabajo: Cien años de la OIT. XXIX Congreso Anual de la Asociación Española de Derecho del Trabajo y de la Seguridad Social*. Ministerio de Trabajo Migraciones y Seguridad Social. Informes y Estudios. Serie General, núm. 23, Madrid, 2019.

– «Trabajo en plataformas: Una oportunidad de llevar el Derecho del Trabajo al S. XXI». *Cambiando la forma de trabajar y de vivir. De las plataformas a la economía colaborativa real* (directores: Macarena Hernández Bejarano, Miguel Rodríguez-Piñero Royo, Adrián Todolí Signes). Tirant lo blanch, Valencia, 2020.

TORRENS, L. y GONZÁLEZ DE MOLINA SOLER, E.: «La garantía del tiempo libre: desempleo, robotización y reducción de la jornada laboral» (parte 1), *Sin permiso. República y socialismo también para el siglo XXI*, en: https://www.sinpermiso.info/printpdf/textos/la-garantia-del-tiempo-libre-desempleo-robotizacion-y-reduccion-de-la-jornada-laboral-parte-1.

TURÉGANO MANSILLA, I.: «La dimensión social de la privacidad en un entorno virtual». *Era digital, Sociedad y Derecho*. Tirant lo Blanch. Valencia. 2020.

UHAKOVA, T.: «De la conciliación a la desconexión tecnológica: apuntes para el debate», *Revista Española de Derecho del Trabajo*, núm. 192, 2016.

VALENZUELA ARAGÜEZ, L.: *Relación laboral digitalizada: colaboración y control en un contexto tecnológico*. Thomson Reuters Aranzadi. Cizur Menor, 2019.